采掘机械液压传动

高贵军　主编

山西出版传媒集团
山西人民出版社
山西科学技术出版社

图书在版编目（CIP）数据

采掘机械液压传动 / 高贵军主编. -- 太原 ： 山西人民出版社，山西科学技术出版社 2014. 7

山西省煤炭中等职业教育系列教材

ISBN 978-7-203-08530-0

Ⅰ. ①采… Ⅱ. ①高… Ⅲ. ①采煤机械-液压传动-培训岗位-教材②掘进机械-液压传动-培训岗位-教材

Ⅳ. ①TD420.34

中国版本图书馆CIP数据核字(2014)第081492号

采掘机械液压传动

主　　编：高贵军

责任编辑：武　静

出 版 者：山西出版传媒集团·山西人民出版社·山西科学技术出版社

地　　址：太原市建设南路21号

邮　　编：030012

发行营销：0351-4922220　4955996　4956039

0351-4922127　（传真）　4956038(邮购)

E-mail:　sxskcb@163.com　发行部

sxskcb@126.com　总编室

网　　址：www.sxskcb.com

经 销 者：山西出版传媒集团·山西人民出版社

承 印 厂：山西惠民印务有限公司

开　　本：787mm×1092mm　1/16

印　　张：21.75

字　　数：400千字

印　　数：1—3000册

版　　次：2014年7月 第1版

印　　次：2014年7月 第1次印刷

书　　号：ISBN　978-7-203-08530-0

定　　价：46.00元

《山西省煤炭中等职业教育系列教材》编委会

前　言

为认真落实山西省政府、山西省煤炭厅对煤炭行业从业人员素质提升的指示精神，适应山西省煤炭资源整合、企业兼并重组后现代化矿井建设对技术技能型人才的迫切需求，推进全省煤矿从业人员“人本安全、培训教育、素质提升”工程实施，促进煤矿企业人才队伍“变招工为招生”素质专业化目标实现，按照课程改革、课堂教学改革方案的要求，加快中等职业教育“送教下矿”培养模式的教材改革，使之适应煤炭工业机械化、信息化、现代化建设的人才需求，按照煤矿生产、建设、安全管理实际和对从业人员的具体要求，在认真调研、广泛征求意见的基础上，我们组织骨干教师对2010版山西省煤矿关键岗位从业人员中等职业教材进行了重新修订。

本系列教材在编写修订过程中着重突出以下特点：1.参照教学计划和教学大纲执行两个课改方案要求；2.新技术、新装备、新工艺单独成章，提高学生对现代化矿井的综合认知；3.将“山西省煤矿六个标准”按各专业要求编入其中，并融入“人人都是通风员”的思想理念；4.编入了企业现场实用的系统知识、技能、工艺；5.教材每章均按系统理论、核心知识点、专业技能训练三部分编写，突出技能训练内容，同时编有复习题，新增了讨论题，力求实现理论联系实际的教学目的；6.本系列教材力求简洁、实用、通俗易懂。

本书主编：高贵军

编写人员在教材修订过程中，得到了有关领导和专家的支持、帮助，并参考了大量的文献资料和煤矿企业技术资料。在此，向提供帮助的有关专家、领导及企业表示诚挚的感谢！

希望各位教师、企业工程技术人员、专家能够结合煤矿企业发展现状，将更为先进的、适用的专业技术内容提供给我们。

由于时间仓促，编者水平有限，书中难免有不妥之处，恳请广大师生、企业工程技术人员批评指正。

目 录

第一章 液压传动的基本知识

第二章 液压传动的工作液体

第三章 液压泵与液压执行元件

第四章　液压控制阀

第五章　液压系统的辅助元件

第六章　液压系统的基本回路

第七章　采煤机械

第八章　乳化液泵站

第九章　液压支架

第十章　掘进机

第一章　液压传动的基本知识

第一部分　系统理论知识

第一节　液压传动的发展概况

一、液压传动的发展概况

液压传动是根据17世纪帕斯卡提出的液体静压力传递原理（即帕斯卡原理）而发展起来的一门新兴技术。1795年英国的约瑟夫·布拉曼（Joseph Braman,1749—1814），在伦敦用水作为工作介质,以水压机的形式将其应用于工业上,诞生了世界上第一台水压机。1905年将工作介质水改为油,液压传动又进一步得到改进。

第一次世界大战（1914—1918年）后,液压传动得到了广泛的应用。特别是1920年以后,进展更为迅速。液压元件大约在19世纪末20世纪初的20年间,才开始进入正规的工业生产阶段。1925年维克斯（F·Vikers）发明了压力平衡式叶片泵,为近代液压元件工业和液压技术的逐步建立奠定了基础。20世纪初康斯坦丁·尼斯克(G·Constantin Nesco）对能量波动传递所进行的理论及实际的研究，及1910年对液力传动（液力联轴节、液力变矩器等）方面的贡献,使这两个领域得到了发展。

由于要使用原油炼制品来作为传动介质,近代液压传动和汽车、飞机一样,都是由19世纪崛起并蓬勃发展的石油工业而得以推动的。19世纪末,德国制成了液压龙门刨床,美国制成了液压六角车床和磨床。由于缺乏成熟的液压元件,一些通用机床直到20世纪30年代才开始采用液压传动,而且很不普遍。第二次世界大战期间,某些兵器用上了反应快、动作准、功率大的液压传动装置,推动了液压技术的发展。二战后,液压技术迅速转向民用,在机床、工程机械、农业机械、汽车等行业中逐步推广。20世纪60年代以后,随着原子能、空间技术、计算机技术的发展,液压技术得到了很大发展。液压传动在某些领域内甚至已占有绝对优势,例如,国外目前生产的95%的工程机械、90%的数控加工中心、95%以上的自动线都采用了液压传动。因此采用液压传动的程度,已成为衡量一个国家工业水平的重要标志之一。

当前,液压技术正向高压、高速、大功率、高效率、低噪声、经久耐用、高速集成化等方向发展,同时,新的液压元件和液压系统的计算机辅助设计、计算机仿真和优化、设计技术、可靠性技术以及污染控制技术、微机控制等方面也是当前液压传动及控制技术发展和研究的方向。

应该指出的是，日本液压技术的发展较欧美等国家晚了20多年。在1955年前后，日本迅速发展液压技术。1956年成立了“液压工业会”。近二三十年间，日本液压技术发展非常迅速，现在已处于世界领先地位。

采掘机械采用液压传动是从20世纪40年代开始的。1945年，德国制成了世界上第一台液压传动截煤机，实现了采煤牵引速度的无级调速和过载保护。接着，美国、英国、苏联等国家都在采煤机中应用了液压传动。

我国的液压工业开始于20世纪50年代，60年代有了较大的发展。1976年制订了元件型谱，设计了部分基型。近二三十年，我国的液压技术得到普遍应用。产品最初应用于机床和锻压设备，后来又用于拖拉机和工程机械。自1964年从国外引进液压元件生产技术，同时自行设计液压产品以来，我国的液压件生产已经从低压到高压形成系列，并在各种机械设备上得到了广泛的使用。20世纪80年代起，我国加速了对西方先进液压产品和技术的有计划引进、消化、吸收和国产化工作，以确保我国的液压技术能在产品质量、经济效益、人才培训、研究开发等各个方面全方位地赶上世界先进水平。

二、液压传动的发展方向

近年来，世界科学技术不断迅速发展，各个领域、各个行业对液压传动技术都提出了更高的要求。液压传动与电子技术配合在一起，广泛应用于智能机器人、海洋开发、航天工业、地震预测及各种电液伺服系统，使液压技术的应用提高到一个崭新的高度。

目前，液压技术发展的动向，概括有以下几点：

1.节约能源，发展低能耗元件，提高元件效率。

2.发展新型液压介质和相应元件，如：发展高水基液压介质和元件，新型石油基液压介质。

3.注意环境保护，降低液压元件噪声。

4.重视液压油的污染控制。

5.与电子技术相结合——液压控制，提高控制性能和操作性能。

6.重视发展密封技术，防止漏油。

7.当前液压技术正向着高压、高速、大功率、高效率、低噪声、长寿命、高度集成化、复合化、小型化及轻量化等方向发展。

8.新型液压元件和液压系统的计算机辅助测试（CAT）、计算机直接控制（CDC）、机电一体化技术、计算机仿真和优化设计技术、可靠性技术以及污染控制等方面，是当前液压技术发展和研究的方向。

第二节　液压传动的工作原理及组成

一、液压传动的基本工作原理

现以液压千斤顶为例，来说明液压传动的工作原理及其系统组成。

图1-1所示为液压千斤顶工作原理图。

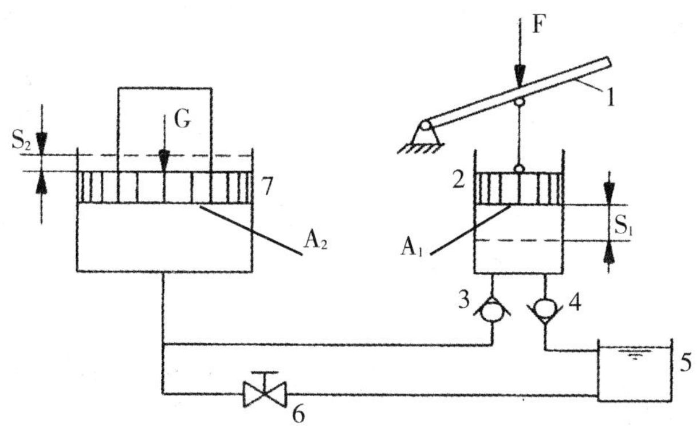

图1-1　液压千斤顶的工作原理图

当手柄1带动活塞向上运动时，手动泵2的容积增大形成局部真空，使排油单向阀3关闭，油箱5中的液体在大气压力的作用下，从油箱经管道及吸油单向阀4进入泵2，此为吸油过程；当手柄1带动活塞下压时，吸油单向阀4关闭，泵2中的液体推开排油单向阀3经管道进入液压缸7，迫使活塞克服外负载G向上运动从而对外做功，此为排油过程。当手动泵2的活塞在手柄1的带动下不断上下往复运动时，负载G就不断上升；当需要液压缸7的活塞停止时，使手柄1停止运动，此时排油单向阀3在液压力作用下关闭，液压缸7的活塞就会自锁不动。工作时截止阀6关闭，当需要液压缸7的活塞放下时，打开此阀，液体在重力作用下经此阀流回油箱5。这就是液压千斤顶的工作原理。

二、液压传动的组成

图1-2为一个常见的液压传动系统图。液压缸9的活塞要求实现慢速向右进给，然后向左快速退回的动作循环。

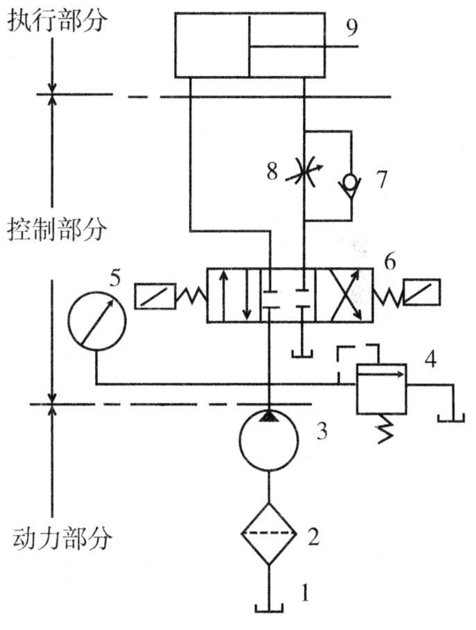

执行部分　控制部分　动力部分

图1-2　液压传动系统图

1——油箱；2——滤油器；3——液压泵；4——溢流阀；5——压力表；6——换向阀；7——单向阀；8——节流阀；9——液压缸

如果让电磁换向阀6的左端处于通电状态，则阀芯处于左位工作状态，液压泵3排出的油液输入液压缸9的左腔，使其容积不断扩大，推动活塞向右慢速运动。这时，液压缸右腔的容积缩小回油，它排出的油液经管道及节流阀8返回油箱1。调节节流阀8的阀口通流面积，便可控制液压缸右腔的回液流量，达到控制活塞向右运动速度的目的。

如果让电磁换向阀的右端6通电，使电磁换向阀6处于右位工作状态。这时，压泵3排出的油液经过单向阀7输入液压缸9的右腔，推动活塞向左返回，液压缸左腔的容积不断缩小回油，回油经电磁换向阀6直接流回油箱1。在此过程中，由于油液不受节流阀8的控制，液压缸的活塞向左快速退回。

溢流阀4与液压泵3的排液口并联，当活塞进给速度较慢时，系统中积累多余的油液将使其压力升高。压力上升到足以克服溢流阀阀芯的弹簧力作用时，就将阀芯推开，使多余的油液直接返回到油箱，防止系统过载。

系统中压力表5用于监测系统的工作压力，吸油口的滤油器2可以防止工作油液中的大颗粒固体杂质进入液压泵和传动系统，从而避免损坏液压元件。

由液压千斤顶及上述液压系统可以看出，一个完整的液压传动系统包括以下五个基本组成部分。

1.液压动力元件

它是将原动机(电动机或内燃机或人力机构等)所提供的机械能转变为工作液体的液压能的换能机械装置，通常称为液压泵或油泵。

2.液压执行元件

将液压泵所提供的工作液体的液压能转变为机械能的换能装置，称为液压执行元件，或称为液动机。作直线往复运动的液动机称为液压缸或油缸，作连续旋转运动的液动机则称为液压马达或油马达。

3.液压控制元件

对液压系统中工作液体的压力、流量和流动方向进行调节、控制的机械装置，称为液压控制元件，通常简称为液压阀或液压控制阀。如压力控制阀、流量控制阀、方向控制阀等等。

4.液压辅助元件

除上述三个部分以外的其他元件，如油箱、油管、管接头、密封元件、滤油器、蓄能器、冷却器、加热器以及各种液体参数的监测仪表等。它们的功能是多方面的，各不相同。

5.工作液体

工作液体是液压系统中能量的承受和传递介质，即能量的载体。液压传动中使用的工作液体(或称工作介质)绝大多数为矿物油、合成液或乳化液。

液压传动系统中各元件的相互关系及传递、转换能量的方式如图1–3所示。

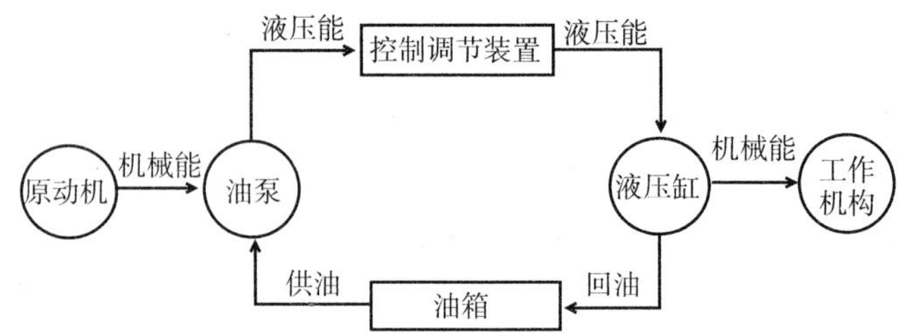

图1–3　液压传动系统中各元件的相互关系及传递、转换能量方式图

第三节　液压传动的优缺点

一、液压传动的优点

1.能在较大的范围内比较方便地实现无级调速。调速范围可达100:1至2000:1。

2.单位重量输出功率大、结构紧凑、体积小、重量轻、惯性小。在同等功率的情况下，液压马达的重量为电动机的10%～20%，外形尺寸为电动机的15%左右。

3.易实现各种复杂的机械动作。如仿形车床的仿形刀架、数控铣床的液压工作台以及自动线中的液压系统。

4.易实现过载保护。只要设置一个安全阀，便能可靠地实现过载保护，并且当动力源发生故障时，可借助蓄能器产生应急动作，避免事故扩大。

5.操纵简单省力。如果与电器相配合，易于实现远距离操作和自动控制。

6.液压元件中相对运动表面有油液，能自行润滑。因此，液压元件使用寿命较长。

7.液压元件易于实现通用化、标准化、系列化，便于设计、制造和推广使用。

二、液压传动的缺点

1.液压传动是以液体作为传递能量的介质，液压元件在运动面间存在泄漏以及液体流动时的压力损失，因此，传动效率低。考虑到液体的泄漏和液体的可压缩性及元件的弹性变形，液压传动不适宜用在传动比要求特别严格的场合。

2.工作油液的粘度随温度的变化而变化，会引起执行元件运动的不稳定。因此，在低温和高温场合，不适于采用液压传动。

3.液压元件的加工精度要求高，对其系统的维护及检修也有较高的技术要求。

4.对工作介质的过滤要求严格。这是因为工作介质中的污染物会直接影响液压元件的寿命和液压系统工作的可靠性。

总的来看，液压传动的优点很多，随着科学技术的不断发展和进步，有些缺点会逐步被克服。由于液压传动具有上述一系列的优点，因此在国民经济的各个行业和部门中获得了广泛的应用。如在航海机械、航空机械、工程机械、矿业机械、农业机械、轻工机械等多领域都广泛地使用了液压传动。

液压传动与电气控制相结合，是目前实现各种机械自动化的主要手段，也是机、电、液一体化技术发展的方向，因而具有更加广阔的应用前景。

第四节　液压传动的图形符号

液压系统及其组成元件可以采用结构原理图或职能符号图表示。这两种图示方法各有其特点和应用条件。

一、结构原理图

结构原理图可以很直观地表达各种元件的工作原理及其在系统中的功能，而且比较接近于元件的实际结构，因而易于理解和接受。如图1–4所示为一种液压系统的结构原理图。但其图形绘制比较复杂，难于实现标准化，并且它对于元件的结构形状、几何尺寸和装配关系的表示是很不准确的。因此，这种图形不能用于施工设计、制造安装和拆卸维修，用于对系统性能分析又过于复杂，故已逐渐被淘汰。

二、职能符号图

在液压系统中，凡是功能相同的元件，尽管其结构和工作原理不同，均用一种符号表示。这种图形符号称为液压元件的职能符号。用职能符号绘制的液压系统图，只表示系统和各个元件的功能，而不表示这些元件的具体结构和参数，不表示它们在系统中的具体安装位置。如图1-5所示就是由图1-4转化成的液压系统的职能符号图。

液压系统的职能符号图，图形简洁标准、绘制方便、功能清晰、阅读容易。它适用于分析系统工作性能和元件的功能，大大简化了方案设计过程中的绘图工作。

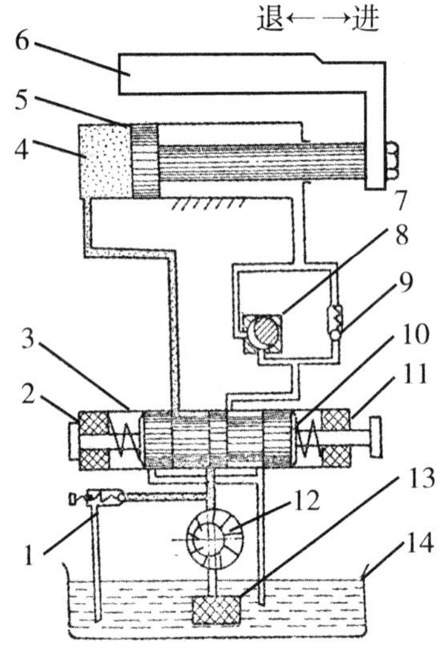

图1-4　液压系统的结构原理图

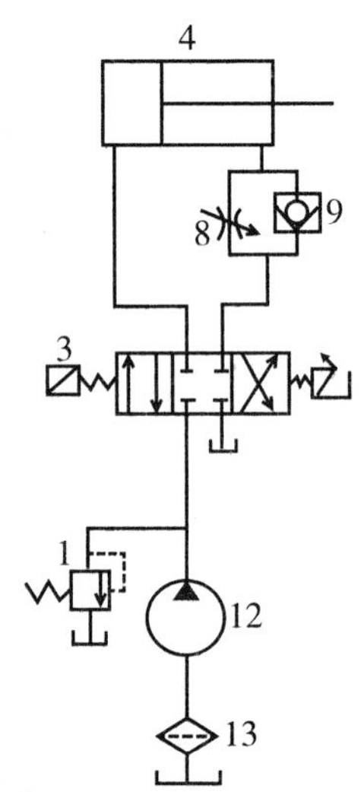

图1-5　液压系统的职能符号图

1——溢流阀；2——电磁铁；3——换向阀；4——液压缸；
5——活塞；6——工作台；7——活塞杆；8——节流阀；
9——单向阀；10——换向阀阀芯；11——电磁铁；
12——液压泵；13——过滤器；14——油箱

我国制定的液压及气动图形符号国家标准GB786-76由八个基本部分和两个附录组成。这个国家标准与国际标准和多数发达国家的标准都十分接近，是一种通用的国际工程语言。

为了便于看懂用职能符号表示的液压系统图，现将常见的部分液压元件的图形符号介绍如下：

1.液压泵的图形符号

液压泵的种类很多，结构也较复杂，绘制液压系统图时，若用结构原理图表示，既困难也没有必要。液压泵的图形符号用内接实心三角形的圆来表示，如图1-6a所示。图中三角形的尖顶向外（尖顶向内的表示液压马达），它表示液流的方向，没有箭头的为定量泵，有箭头的为变量泵。

2.换向阀的图形符号

为了使液流的流向改变，换向阀的阀芯位置要变换，它一般可变动2～3个位置，而且阀体上的通路数也不同。根据阀芯可变动的位置数和阀体上的通路数，可组成x位x通换向阀。其图形意义如下：

（1）换向阀阀芯的工作位置用方格表示，有几个方格即表示为几位阀。图1-6b所示为为二位阀和三位阀。

（2）方格内的"↑"符号表示液流的方向，"⊥"表示液流被阀芯闭死的符号。方格外面的竖道，即表示阀的通路及数目。图1-6b所示的换向阀为P、A、B、T四个通路，故为四通阀。图中二位四通阀的通路为P→B、A→T，若阀芯右移（靠电磁铁作用），见图中左方格，则P→A、B→T通而实现换向。图中所示的三位四通阀，其通路P、A、B、T在零位（中间位置）时被方格内的"⊥"闭死，若扳动手柄使其左位或右位接入通路时，其工作情况同上述二位阀。

（3）换向阀的控制形式有手动、电动和液动等，它表示位置在阀的两端。图1-6b中二位阀为电磁铁控制式，三位阀为手动控制式。其左侧为复位弹簧，表示在不控制、操纵换向阀时，可自动回复零位。

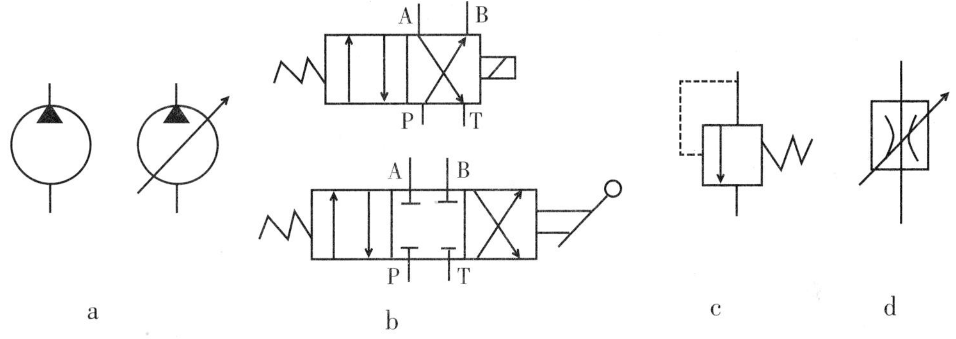

图1-6　常见的液压元件的职能符号图

3.压力阀的图形符号

压力阀的形式很多，图1-6c所示的为溢流阀。方格相当于阀芯，方格中的箭头表示液流的通道，上、下两侧的直线表示进、出油管路，图中虚线表示控制油路。压力阀就是利用控制油路的液压力与阀内弹簧力相平衡的原理进行工作的。当控制油路没有压力或液压力不能克服弹簧力时，阀芯不动，进、出油管路不通（图中所示）。当液压力超过弹簧力时，阀芯向右移动，使阀芯上的通道和进、出口油管接通，部分油液经阀内通道流过。溢流阀的控制压力是可以调定的。

4.流量阀的图形符号

图1-6d所示为流量阀中的节流阀的图形符号，方格中两圆弧形成的缝隙为节流孔道，液流通过节流孔而使流量减小，图中向右倾斜的箭头表示节流孔的大小可以调节，即表示通过该阀的流量是可以调节的。

关于液压缸和油箱、过滤器等辅助装置的图形符号，大都比较直观，容易理解，这里也就不一一介绍了。

第二部分　专业核心知识点

专业核心知识点包括以下内容

1.液压传动的工作原理。
2.液压传动的基本组成。
3.液压传动的优缺点。
4.认识液压传动基本元件的图形符号。

复习题

1.用你熟悉的符号绘出液压传动的工作原理图。
2.液压传动系统由哪几部分组成？其各自的作用是什么？
3.分别绘出一种液压泵、换向阀、压力阀、流量阀的职能符号图。

讨论题

1.试论述液压传动的发展方向。
2.液压传动有哪些优点？又有哪些缺点？
3.液压传动的结构原理图和职能符号图有什么区别？

第二章 液压传动的工作液体

第一部分 系统理论知识

液压传动中的工作液体被封闭在管路或容器中，它是传递能量的介质，同时还起着防锈、润滑、冲洗污染物、带走系统热量等作用。液压系统的工作性能和可靠性与工作液体的选择、使用密切相关。

第一节 工作液体的特性

工作液体的特性对液压传动系统的工作性能有很大影响。以下仅就对液压传动系统的工作性能有直接影响的某些物理特性作一介绍。

一、密度

单位体积液体的质量称为液体的密度，即

$$\rho=\frac{m}{V} \tag{2-1}$$

式中 V——液体的体积；m——液体的质量。

一般情况下，液体的密度随着温度的上升而略有减小，随着压力的增加而略有增加，但变化量较小，通常忽略不计，认为其为常数，我国采用20℃时的密度为液压油的标准密度，以ρ_{20}表示，计算机通常取ρ_{20}=900kg/m^3。

二、可压缩性

油液在受到压力作用下体积缩小的特性称为液体的可压缩性。设体积为V的液体，当加于其上的压力增大Δp时，其体积减小ΔV，则液体在单位压力变化下的体积相对变化量为

$$k=-\frac{\Delta V}{\Delta pV} \tag{2-2}$$

式中 k——液体的体积压缩系数。

k的倒数表示液体产生单位体积相对变化量所需要的压力增量，称为体积弹性模量，用K表示，即

$$K=\frac{1}{k}=-\frac{\Delta pV}{\Delta V} \tag{2-3}$$

常温下，纯净工作液体的体积弹性模量K=(1.4 ~ 2.0)×10^9 Pa。当工作液体中混入空气时，其抗压缩能力显著下降，甚至可能影响到液压系统的工作性能。

三、粘度

1.粘度的定义

油液具有不同程度的粘滞性,当液体受外力作用而流动时,液体分子与固体壁面之间的附着力以及液体分子间内聚力的作用,会阻碍液体分子间的相对运动,并在液体内部产生内摩擦力,体现为油液流动的特性,称为油液的粘性。粘性体现了工作液体的重要物理性质,是选择液压工作介质的主要依据,它直接影响液压系统的正常工作、效率和灵敏性。油液在静止时不呈现粘性,只有在流动时才显示出粘性。表示油液粘性大小的指标称为粘度。

粘度的表示方法有三种:动力粘度、运动粘度和相对粘度。我国采用运动粘度来表示粘度。在国际单位制中,粘度的单位是m^2/s。在实际应用中,粘度常用mm^2/s来表示。

2.工作液体的粘温特性

工作液体在温度升高时会变稀,即粘度降低,从而造成系统漏损增加。工作液体的粘度随温度变化的性质称为粘温特性,不同种类的液体有不同的粘温特性,粘温特性较好的液体,粘度随温度的变化较小,因而温度变化对液压系统性能的影响较小。

粘度和温度呈现为指数关系,工业上常用粘度指数(V.I.)表示油液的粘温特性,粘度指数越高,油液粘度受温度影响越小,其性能就越好。液压油的粘度指数一般在90以上,超过100的称为高粘度指数油,如VI250为严寒区用油,VI300为极低温专用油。

液压油的标号一般是以40℃时的运动粘度为标准作为液压油的标号,并在标号前冠以字母“N”,以区别于其他温度下的运动粘度等级。

3.粘度与压力的关系

工作液体所受的压力增大时,其分子间的距离将减小,内摩擦力将增大,粘度亦随之增大。对于一般的液压系统,当压力在20MPa以下时,压力对粘度的影响不大,可以忽略不计。

当压力较高或压力变化较大时,粘度与压力之间的关系为

$$v_p=v_o e^{bp} \tag{2-4}$$

式中 v_0—— 一个大气压下油液的运动粘度;

e—— 自然对数的底;

b—— 粘度压力系数,b值一般取为0.002~0.003;

p—— 油液的压力,公斤/厘米^2;

v_p—— 油液在压力为p时的运动粘度。

实际应用中,压力在0~500MPa范围内的工作油液粘度可按下式计算

$$v_p=v_o(1+0.003p) \tag{2-5}$$

四、酸值

液压油中的无机酸易使液压元件零部件受到腐蚀,影响液压系统的运行可靠性和稳定性。工作液体的酸值表示为中和1克液压油中全部酸性物质所需要的氢氧化钾的毫克数。液压油的酸值越低,其质量越好。

五、机械杂质

液压油中的机械杂质主要来源于外界污染物和运动部件的金属和密封件磨粒以及侵入

的灰尘，多以金属屑、砂粒、焊渣、灰尘等形式存在，这些杂质最容易引起液压系统故障，是液压油过滤的主要对象。

六、闪点、凝点和倾点

闪点是将规定容量的油样加热到其蒸气与空气混合后，在与规定火焰接触时能发生闪火的最低温度。闪点的高低反映了液压油在使用时的蒸发状况及受热后的安全性，并确定油液工作时的最高允许温度。

在规定的试验条件下，油液冷却到不能流动时的温度叫做凝点。油液冷却到能够流动的最低温度叫做倾点，也常用高于凝点25℃的温度来做为倾点，或称为流动点。倾点对于在低温条件下工作的液压油十分重要，在选用液压油时，应根据最低使用温度选择比使用温度低10℃以上的流动点的液压油作为工作液体。

七、灰份

灰份是指按照规定的条件将油样完全燃烧后的残留物所占试样质量的百分数。

第二节　工作液体的类型和选用

一、工作液体的分类

工作液体按照组成成分和使用性能可分成如下几种：

1.矿油型液压油

矿油型液压油是液压传动的主要工作液体，以矿物油为原料，经过精炼后并添加适当的抗氧化、抗泡沫、抗磨损、防锈等添加剂制作而成。它润滑性能好，具有防锈性，但是防火性能差。

矿油型液压油主要包括普通液压油、抗磨液压油、低温液压油、高粘度液压油和航空液压油。

2.难燃型液压油

难燃型液压油具有较强的抗燃性，分为合成型液压油和乳化型液压油两类。常用的合成型液压油有磷酸酯液压油和水—乙二醇液压油两种。

磷酸酯液压油的润滑性可与矿物型液压油相比，其特点是抗燃性好，燃点高，使用温度可达120℃，但是粘度指标较低，对普通橡胶和油漆有溶胀现象，具有毒性，且价格较高，仅用于要求抗燃、高压精密液压系统。

水—乙二醇液压油中乙二醇的含量可达50%，此外还添加有粘度指数改进剂、抗磨剂等。这种工作液体既具有抗燃性，又具有耐低温特性。但是由于受到水蒸发的限制，其最高使用温度一般不超过60℃，且其润滑性能差，价格较贵。水—乙二醇液压油不适合于高压、高速度液压系统使用。

乳化型液压油有水包油型乳化液和油包水型乳化液两种。水包油型乳化液含乳化油量为5%～10%，其颗粒度在0.1～5μm范围内，以O/W表示。其润滑性较差，但成本较低。采煤工作面的液压支架中常采用此类水包油型乳化液。油包水型乳化液含乳化油量在60%左右，以W/O表示，润滑性较好。

表2-1为各类工作液体的性能比较和适用范围。

表2-1　各类工作液体的性能比较和适用范围

项目	矿物油	水包油型乳化液	油包水型乳化液	水-乙二醇液压油	磷酸酯液压油
粘度	低→很高	低	低	低→高	低→高
粘度指数	70～140	很高	130～170	140～170	30～170
润滑性	优	差	良	差→良	优
液压泵寿命	中→长	短	中	中	长
防锈性	优	差	良	良	差→良
抗燃性	易燃	难燃	难燃	难燃	难燃
使用温度范围/℃	-29～100	4～49	4～66	-18～66	-7～120
最佳使用温度/℃	45	45	40	50	65
与密封件的相容性	可用于氯丁橡胶、聚氨酯橡胶、丁腈橡胶、硅橡胶、氟橡胶等，不可用于天然橡胶和丁基橡胶	和矿物油基本相同，但不能用于聚氨橡胶和纸、皮革、软木等	与水包油型乳化液相同	可用于天然橡胶、氯丁橡胶、丁腈橡胶、硅橡胶和氟橡胶等，但不能用于纸、皮革、软木等	可用于乙丙基或丁基橡胶、硅橡胶、氟橡胶和聚四氟乙烯等，对丁腈橡胶有侵蚀性

二、几种常用的国产工作液体

目前几种常用的国产工作液体见表2-2。

表2-2　常用的几种国产工作液体

种　类	牌　　号		用　途
	油　名	代　号	
普通液压油	N32号液压油 N68G号液压油	YA-N32 YA-N68G	用于环境温度0℃至40℃工作的各类液压泵，压力小于8MPa的中低压机床液压系统和压力位8～16MPa的中高压设备

抗磨液压油	N32号抗磨液压油 N100号抗磨液压油 N150号抗磨液压油 N168K号抗磨液压油	YB-N32 YB-N100 YB-N150 YB-N168K	用于环境温度-10℃至40℃工作的高压柱塞泵或其他泵的中、高压系统，在掘进机和采煤机液压系统中常采用抗磨液压油
低温液压油	N15号低温液压油 N46D号低温液压油	YC-N15 YC-N46D	用于环境温度-20℃至40℃工作的各类高压油泵系统
高粘度指数液压油	N32H号高粘度指数液压油	YD-N32D	用于温度变化不大且对粘温性能要求更高的液压系统
水包油型乳化液	M-5乳化液 M-10乳化液 MDT乳化液	M-5 M-10 MDT	用于井下液压支架和单体液压支柱

三、对工作液体的要求

工作液体作为液压传动传递动力的介质，还要起到润滑作用。而在采掘机械液压系统中，工作液体的温度变化范围较大，液压支架中的工作压力甚至在32MPa以上，同时考虑到煤矿井下环境污染的严重性，对工作液体提出如下要求：

(1)较好的粘度和粘温特性。工作液体在较大的温度和压力变化范围内，其粘度的变化应尽量小，以保持液压传动系统工作的稳定性。

(2)良好的润滑性能(即抗磨性能)。采掘机械液压系统压力高，载荷大，还伴随有冲击载荷，工作液体的润滑性能愈好，油膜强度愈高，其抗磨性就愈好。

(3)良好的高、低温特性。在高温时不易蒸发，低温时不易凝固。

(4)良好的防锈性和防腐性。采掘机械的工作环境相对比较潮湿，并且冷却喷雾系统的水容易进入工作液体的油箱，所以必须使工作液体有良好的防锈性。此外，工作液体对于填料和涂料的材质应无有害影响。

(5)较大的热传导率和较小的热膨胀系数。工作液体应具有较大的比热和热传导率，其热膨胀系数要小。

(6)抗氧化性好。工作液体抵抗空气中氧化作用的能力，称为抗氧化性。工作液体被氧化后粘度将发生变化，其酸值要增加，从而使系统工作性能变坏。工作液体温度越高，越容易被氧化，采掘机械中规定液压系统的长期工作温度不超过71℃，短期工作温度不超过80℃。

(7)良好的抗乳化性能和抗泡沫性能。工作液体中混入水和空气，对液压系统的工作性能将产生很坏的影响。当系统内进入水，工作液体就会形成乳化液，使其变质，产生腐蚀性沉淀物，从而降低其润滑性、防锈性和工作寿命。当系统内进入气体，会产生气穴、气蚀现象，使系统动态性能变坏。

(8)油液纯净、含杂质少、不易燃、无毒性、价格便宜等。在选用液压系统的工作液体时，既要符合各项性能指标的要求，又要照顾不易燃、无毒性、价格等因素。如在采煤工作面液压支架中使用的工作液体，由于其使用量极大，一般只能采用比较廉价的水包油型乳化液作为工作液体。

四、工作液体的选用

工作液体的选用是否合理，不但影响着液压系统的工作性能，有时甚至关系到系统能否正常工作。正确而合理地选用和维护工作液体，对于液压系统达到设计要求、保障工作能力、满足环境条件、延长使用寿命、提高系统的运行可靠性、防止事故发生等方面都有重要影响。

工作液体的选用要考虑以下因素：

1.系统工作温度：工作温度是否要求工作液阻燃（包括闪点，燃点），抑制噪声能力以及废液的再生处理及环保要求等。

应根据工作环境确定工作液体的类型。如果工作环境存在高温热源及明火时，就不应选用矿油型工作液，而只能选用难燃型工作液；当周围环境要求清洁、防污或工作液消耗量很大时，就应选用清除和价格便宜的高水基乳化型工作液。

2.系统工作条件：系统工作的压力范围（包括润滑性和承载能力），温度范围（包括粘度、粘温特性、热稳定性、挥发度、低温流动性等），转速（包括气蚀、对支承面的浸润能力等）。

在液压系统元件中，液压泵的工作条件最为严格，不但压力、转速和温度高，而且工作液体在被液压泵吸入和排出时要受到剪切和挤压作用，所以一般根据液压泵的要求来确定工作液体的粘度。表2-3为不同工作温度下常用液压泵的工作液体与粘度的推荐。

此外，工作液体类型确定以后，应根据系统的工作状况，如工作压力大小、液压元件中相对运动零件的运动速度和环境温度等，选择合适粘度和粘温性能的工作液。一般液压传动工作液的最低粘度为$15mm^2/s$，如果粘度太低，会使液压设备的内、外泄漏增大，降低容积效率；当粘度过高时，工作液通过液压系统管路和其他液压元件的阻力就要增加，使系统内的压降增大，造成功率损失、温度上升、动作不平稳、液压泵吸液困难和出现噪声等问题。

在选择工作液体的粘度时，还应考虑环境温度、系统工作压力、执行元件运动类型和速度以及泄漏量等因素。当环境温度高、压力高及往复运动或旋转运动速度低时，或泄漏量大而运动速度不高时，宜采用粘度较高的工作液体，以减少系统泄漏；当环境温度低、压力低及往复运动或旋转运动速度高时，宜采用粘度低的工作液体，以减少液流功率损失。

表2-3　不同工作温度下常用液压泵的工作液体与粘度的推荐

		工作温度		
油泵型式		5℃~40℃	40℃~80℃	推荐油液品种
		40℃运动粘度/$mm^2 \cdot s^{-1}$		
叶片泵	<6.3 MPa	28℃~46℃	39℃~72℃	普通液压油及其代用油品 抗磨液压油
	≥6.3 MPa	49℃~70℃	56℃~90℃	
齿轮泵		28℃~70℃	99℃~170℃	中低压用普通液压油 中高压用抗磨液压油
径向柱塞泵		28℃~46℃	61℃~240℃	中低压用普通液压油
轴向柱塞泵		40℃~70℃	70℃~160℃	中高压用抗磨液压油

若液压设备必须在极低的温度下工作(如冬季露天作业的采掘设备、工程机械等),就必须选用低温液压油。

3.工作液体的物理化学品质:包括物理化学指标、对金属材料、涂料和密封件等的相容性、过滤能力、吸气情况、去垢能力、锈蚀性、抗氧化稳定性、剪切稳定性。

4.经济性:包括价格和使用寿命,维护、更换难易程度等。

五、工作液体的维护

选择合适的工作液体是使液压设备正常运行的前提条件,而在使用过程中对工作液体的正确维护与合理使用则是保持液压设备的良好性能,充分发挥其效率的可靠保证。据统计,液压系统故障有70%以上是由于工作液体的劣化变质和污染所造成的,而工作液体被污染是系统发生故障的主要原因。

1.工作液的劣化变质表现为其粘度和酸值的变化

变质的工作液不仅失去润滑性,而且会产生胶状体悬浮在油液内,影响液压阀的动作和泵、马达的性能。若滤油器被堵死,就有发生烧毁液压泵的危险。因此,当工作油液与新油的粘度相比超过±10% ~ ±15%、酸值超过10% ~ 15%时,或者闻到油液发出脂肪腐败的臭味和刺鼻辣味时,就应更换新油。

油液变质的主要原因是油温过高引起油液氧化,故油液的工作温度关系到它的使用寿命。如以50℃时油的寿命为100%,则油温上升到100℃,其寿命则降低到3%左右,因此必须注意液压系统油温的控制,一般液压系统的最高油温应控制在80℃以下。

2.油液中的污染物主要是指混入油液的固体污染物、水分和空气等

(1)固体污染物有从外界进入系统的固体颗粒,如铸件砂粒、切屑、纤维、焊渣、煤粉和灰尘等,也有系统内各元件的金属磨粒、橡胶屑及生成的氧化物等。固体污染物可使泵、油缸类元件的运动零件表面刮伤、磨损,使效率降低,寿命缩短;对阀类元件会使滑阀卡死,堵塞阻尼小孔,造成动作失调甚至无法工作;还会堵塞缝隙和过滤器。根据原煤炭部对液压系统工作油质的规定,当工作油液中混入的固体污染物超过4.4mg/100mL时,就应更换工作液体。

(2)油液中混入水分,会加速工作液体的氧化,并与添加剂发生作用产生粘性胶质,使其氧化变质;水分还会使油液发生乳化,润滑性能降低,使元件及管道生锈,并且在高温下水分会发生蒸发,引起气蚀,使元件或管道受到腐蚀。液压传动规定油液中的水分不允许超过0.1%。

(3)油液中的空气主要以溶解空气和气泡两种形式混入,溶解在油中的微量空气对液压元件的工作几乎没有影响,但以气泡形式混入的空气会降低工作液体的体积模量,可使泵类元件产生气蚀,出现异常噪声、效率降低等;使阀类元件发生气蚀,引起元件振动;使执行元件出现“爬行”现象或控制定位不准确等。

3.工作液体污染的控制

工作液体污染的控制包括以下几个方面:

(1)液压元件在加工后,液压系统在装配时要严格清洗。液压元件在加工的每道工序后都应净化清洗。系统油箱和管道等在装配前要先清洗,装配后再进行全面彻底的冲洗,以清

除在加工和组装过程中残留的污染物。

（2）防止污染物从外界侵入。在贮存、搬运及加工的各个阶段都应防止工作液体被污染。设计时可在油箱呼吸孔上装设空气滤清器或采用密封油箱，防止运行时外界尘土、磨料和冷却物等侵入系统；工作液体在加注入系统时必须经过过滤器；液压缸活塞杆端加装密封装置，在使用过程中还应经常检查、定期更换。

（3）采用高精度和高性能的过滤器。高性能的过滤器可有效滤除内部产生的以及外部侵入的污染物；过滤器还必须进行定期检查，及时清洗和更换滤芯。

（4）合理控制工作液体的温度。工作液体的抗氧化性、热稳定性决定了其工作温度的界限。因此，液压装置必须设立良好的散热条件，使工作液体长期处在低于它开始氧化的温度工作。

（5）定期检查和更换工作液体。每隔一定时间，对系统中的工作液体进行抽样分析。如发现污染度已超过规定的标准，必须立即更换。而在更换新工作液体前，必须先清洗整个液压系统。

第三节　液压冲击与气穴现象

在液压传动中，液压冲击和气穴现象都会给液压系统的正常工作带来不利影响，因此本节对这些现象及其原因进行分析，以采取相应的措施减小其危害。

一、液压冲击

在液压系统中，因控制阀的关闭、执行元件的停止等原因造成液压管路中的液体压力在一瞬间突然升高，并沿液压管路传递，使管内压力发生压力振荡，这种现象称为液压冲击。液压冲击的压力峰值往往比正常工作压力高好几倍，瞬间压力冲击不仅会引起噪声和振动，而且会导致密封装置、管道和液压元件的损坏，有时还会使某些液压元件（如压力继电器、顺序阀等）产生误动作，造成事故。

1.液压冲击的类型

（1）因控制阀等迅速关闭或换向使液流速度的大小或方向发生突然变化时，液流的惯性导致的液压冲击。

（2）运动的工作部件突然制动或换向时，因工作部件的惯性引起的液压冲击。

2.减小液压冲击的措施

（1）延长阀门关闭和运动部件制动换向的时间。可采用换向时间可调的换向阀。

（2）限制管道流速及运动部件的速度。一般在液压系统中将管道流速控制在4.5m/s以内，而运动部件的质量愈大，越应控制其运动速度。

（3）选择合适的液压管径。研究表明，液压冲击的压力峰值与液流速度成正比，因此，当要求通过管道的流量一定时，降低流速的唯一途径就是增大管子的直径。液压冲击是选择管径尺寸的限制条件之一，增大管径还可以减小压力冲击波的传播速度。

（4）尽量缩短管道长度。较短的管道可以减小压力波的传播时间，将完全冲击改变为不完全冲击。

(5)在冲击源处适当设置蓄能器和软管，以吸收冲击能量；或在容易产生液压冲击的地方设置安全阀，限制管路压力的升高。

二、气穴现象

1.气穴现象的原因

液体在流动中，由于流速变化引起液体内局部压力低于液压油液所在温度下的空气分离压时，原先溶解在液体中的空气就会析出，使液体气化，产生气泡，并在压力升高处气泡凝缩或破裂而引起振动和噪声的现象称为气穴现象。气穴现象会使与液体接触的金属表面发生疲劳破坏而剥落的现象称为气蚀。气蚀会缩短元件的使用寿命，严重时会造成系统故障。

气穴现象多发生在阀门和液压泵的吸油口处。在吸油口处，由于通流截面积较小，液流速度较高，根据伯努利方程，该处的压力会很低，真空度会很大，以致产生气穴。

2.减少气穴现象的措施

(1)增大阀孔或其他元件进油口的压力，或者减小阀孔或其他元件进出油口的压力降。

(2)尽量降低液压泵的吸油高度，采用较粗的吸油管并尽量少用弯头；为了减小吸油阻力，吸油端的过滤器容量要大，必要时应对大流量泵采用辅助泵供油。

(3)对容易产生气蚀的元件采用抗腐蚀能力强的金属材料，增强元件的机械强度。

(4)保证各元件的连接处密封可靠，防止空气进入。

第二部分 专业核心知识点

专业核心知识点包括以下内容

1.工作液压的特性。
2.工作液压的种类、选用和维护。
3.液压冲击与液压气穴的原因和减小措施。

复习题

1.工作液体的主要特征有哪些?
2.工作液体有哪几种类型?
3.什么是工作液体的闪点、凝点和倾点?
4.什么是工作液体的粘度? 它有哪几种表示方法? 在实际应用中如何表示?
5.什么是液压冲击? 它有什么危害?
6.什么是气穴现象? 减小气穴现象的措施有哪些?

讨论题

1.工作液体选用时考虑的主要因素有哪几方面?
2.如何做好液压系统中工作液体的维护工作?
3.如何减小液压冲击?

第三章　液压泵与液压执行元件

第一部分　系统理论知识

第一节　液压泵

液压泵是液压系统的能量转换元件，它是将原动机输出的机械能转变为液压能提供给液压系统，是液压系统的动力元件，液压泵的性能好坏直接影响到液压系统的工作性能和可靠性，在液压传动中占有极其重要的地位。

一、基本概念

1.液压泵的基本工作原理

图3-1所示的液压泵由偏心轴1、柱塞2、弹簧3、缸体4和单向阀5、6等组成，柱塞与缸体孔之间形成密闭容积。当电动机带动偏心轴顺时针方向旋转时，柱塞在弹簧力的作用下向下运动，柱塞与缸体孔组成的密闭容积增大，形成真空，油箱中的油液在大气压的作用下经单向阀5进入其内（此时单向阀6关闭），这一过程称为吸油。在偏心轴的几何中心转到最下点 O₁′，容积增大到极限时终止，吸油过程终了。偏心轴继续旋转，柱塞随偏心轴向上运动，柱塞与缸体孔组成密闭容积减小，油液受挤压经单向阀6排出（单向阀5关闭），这一过程称为排油，到偏心轴的几何中心转到最上点 O₁″，容积减小到极限时终止。偏心轴连续旋转，柱塞上下往复运动，泵在半个周期内吸油、半个周期内排油。

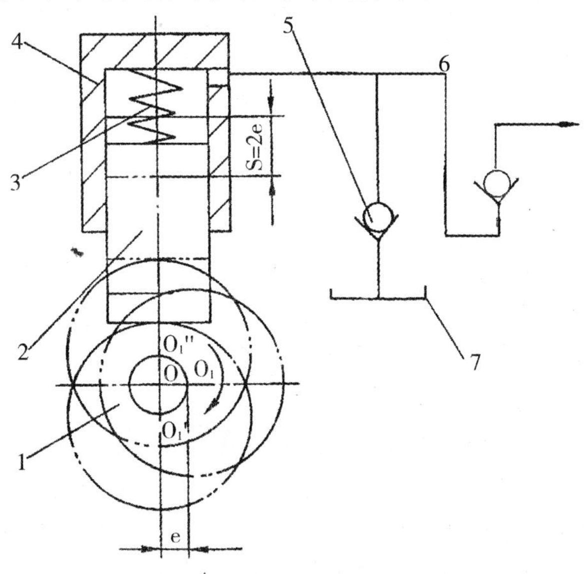

图3-1　液压泵工作原理图

1——偏心轴；2——柱塞；3——弹簧；4——缸体；5，6——单向阀；7——油箱

由此可见，泵是靠密封工作腔的容积变化进行工作的，而它的输出流量的大小是由密封工作腔的容积变化大小来决定的。

液压泵的工作原理可以归纳如下(参照图3-2)：

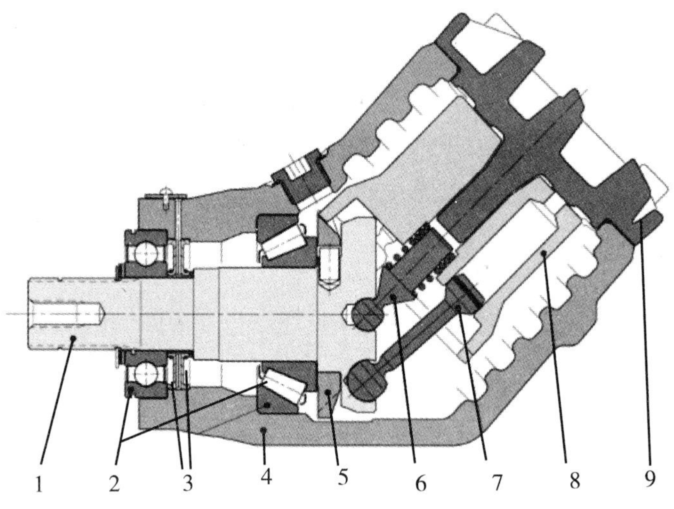

图3-2　液压泵结构图

1——输入轴；2——轴承；3——轴封；4——壳体；5——定时齿轮；

6——缸体支撑；7——带活塞杆的柱塞；8——缸体；9——端盖

(1)液压泵是由柱塞和缸体所构成的封闭空间，该封闭空间的大小随柱塞的运动发生周期性变化。空间增大时形成真空，油箱的油液在大气压作用下进入密封空间，形成吸油；封闭空间减小时油液受挤压而由出口排出，形成排油。因它的吸油和排油均依赖封闭空间的容积变化，因此称之为容积式泵。

(2)液压泵的封闭空间增大到最大的过程为吸油过程，密闭空间减小到最小时，为排油过程，由图3－1所示的泵是通过单向阀5和单向阀6的交替打开和关闭来实现这一要求的，因此称之为阀式配流形式。除此之外，还有配流盘式配流和配流轴式配流等形式。

(3)液压泵每转1转吸入和排出的油体积基本相等，并且排出和吸入的油液体积决定于封闭空间体积的变化量，也就是决定于柱塞的直径和行程，直径越大，行程越长，液压泵每转吸入和排出的油液的体积也就越大。

(4)由于柱塞的吸油与排油分别占半个周期，因此液压泵的供油不连续，在工业实际中，通常将柱塞数选为3个以上，且径向均布，组成液压泵。

(5)液压泵的吸油过程实质是油箱的油液在大气压的作用下，进入液压泵的柱塞腔内，在吸油的同时，柱塞泵的封闭空间内的压力小于外界大气压，具有一定的真空度，为了防止气蚀，因此对吸油管路的液流速度及油液提升高度有一定限制。

(6)液压泵排油压力大小取决于液压系统的总负载。液压系统的负载主要包括管路损失、元件压力损失及外负载阻力，外负载阻力是总负载的主要作用，总负载越大，排油压力越高。若排油管直接接到油箱，则认为总负载为零，形成泵卸载工况。

(7)在液压泵的排油过程中，由于柱塞和缸体形成的封闭空间在外力作用下被压缩，内部的油压升高。高压的液压油会从柱塞与缸体之间的间隙处渗透出去，形成间隙泄漏。同时在盘式配流和轴式配流的液压泵中，配流盘与配流轴与不运动部件间也存在间隙泄漏。间隙泄漏使得实际排出的油液体积小于理论计算排出油液的体积，实际排出油液的体积与理论排出体积之比为液压泵的容积效率，其减少的油液体积称为泵的容积损失。

(8)在盘式配流和轴式配流的液压泵中，配流盘或配流轴的吸油口与排油口之间有一段既不与吸油口相通，也不与排油口相通的区，柱塞端部的进出油口移动到此处时，封闭空间的容积就形成了一个不能与吸油口和排油口相通的死区，若此死区内的容积随着柱塞的移动也发生变化，当容积增大时，死区内的液体无法得到补充而使压力降低，形成真空状态，真空度过大，引起气蚀和噪声，当容积减小时又会使死区内的压力增大，使该区的压力高于油腔的压力，会导致周期性的压力冲击，同时高压液体会通过运动副之间的间隙高速挤出，导致油液发热。这种因存在闭死容积大小变化而导致的压力冲击、气蚀、噪声等危害液压泵性能和寿命的现象，称为液压泵的困油现象，在设计与使用中应尽力消除与避免。

2.液压泵的主要性能参数

(1)液压泵的工作压力与额定压力

液压泵的额定压力是指泵所能承受的最大允许压力。对泵来说，工作压力是指它的输出压力，由容积式泵的工作原理可知:液压泵每转1转，总要将一定体积的油液输入系统,如果液压泵要驱动一个如图3-3a所示的具有负载力F的液压缸时，油液在前阻后推的情况下受到挤压，油液的压力就会逐渐升高，直到克服各种阻力(外负载阻力、管道阻力等)使活塞运动为止，此时，泵的工作压力由油缸的外负载力F决定，阻力越大，则泵出口处油液的压力就越高。

如果使泵的出口直接与油箱连通(如图3-3b)，这时液压泵输油的阻力很小，则泵出口处的压力就建立不起来。由此可见，液压泵的工作压力取决于泵的总负载。

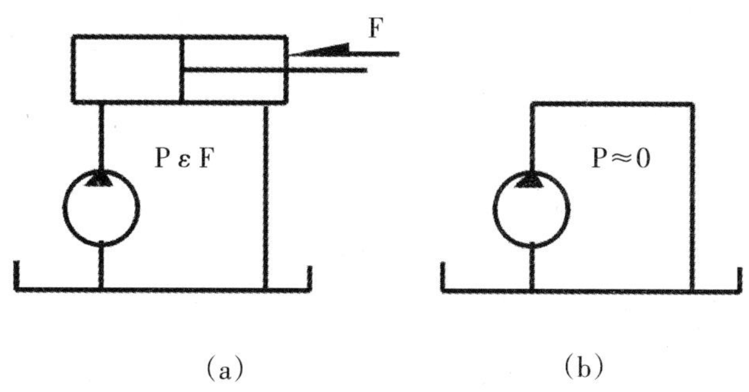

(a)　　(b)

图3-3　液压泵的工作压力

(2)液压泵的排量和流量

液压泵的排量是指在没有泄漏的情况下，液压泵每转1转所排出的油液体积。在图3-1所示的液压泵中，凸轮轴每转1转，柱塞往复一次，它所排出的油液体积(排量)等于柱塞截面积A和柱塞行程L的乘积，即

$$q_B=AL \tag{3-1}$$

液压泵的理论流量Q_t是指在没有泄漏的情况下，单位时间内输出的油液体积，它等于排量和转速的乘积，即

$$Qt=q_Bn_B \tag{3-2}$$

因此液压泵的理论流量只和排量及转速有关(即与密封容积变化的大小和变化的频率有关)而与压力无关。

(3)液压泵的功率和效率

液压泵是将原动机输入的机械能即转矩和转速(角速度)转换成液体的压力能即液体的压力和流量。

$$P=pQt=T_t\varphi=2\pi T_t\cdot n \tag{3-3}$$

式中　Q_t——液压泵的理论流量；

T_t——液压泵的理论转矩；

P——液压泵的压力；

φ——液压泵的角速度；

实际上，液压泵在能量转换过程中是有损失的，因此输出功率小于输入功率，两者之间的差值为功率损失。功率损失可以分为容积损失和机械损失两部分。

容积损失是因泄漏而造成流量上的损失，对液压泵来说，输出压力增大时泄漏加大，泵实际输出的流量减小即Q_B减小。设泵的泄漏为$\triangle Q_B$，则

$$Q_B=Q_t-\triangle Q_B \tag{3-4}$$

泵的容积损失可用容积效率η_v来表示，容积效率为液压泵的实际流量与理论流量之比，即

$$\eta_v=\frac{Q_B}{Q_t}=1-\frac{\triangle Q_B}{Q_t} \tag{3-5}$$

机械损失是指因摩擦而造成的转矩上的损失。对液压泵来说，驱动泵的转矩总是大于其理论上所需要的转矩。设转矩损失为$\triangle T_B$，则泵实际输入转矩为$T_B=T_t+\triangle T_B$，机械损失可用机械效率η_m即液压泵的理论输入转矩与实际输入转矩之比来表示：

$$\eta_m=\frac{T_t}{T_B}=\frac{T_B-\triangle T_B}{T_B}=1-\frac{\triangle T_B}{T_B} \tag{3-6}$$

由粘性摩擦和机械摩擦而产生的转矩损失其大小与油液粘性、转速以及工作压力有关。油液粘度愈大、转速愈高、工作压力愈高，转矩损失就愈大。

液压泵的总效率是指其输出功率与输入功率之比，由前面几式可以得出

$$\eta_B=\frac{R_BQ_B}{T_B\omega}=\frac{R_BQ_t}{T_t\omega}\eta_v\eta_m=\eta_v\eta_m \tag{3-7}$$

3.液压泵的图形符号

液压泵的图形符号如图3–4所示，图(a)中只有1个黑三角形，其尖头向外，表示单向定量泵。图(b)中有两个黑三角形，代表双向定量泵。图(c)、(d)中多1个45°斜箭头，分别表示单向变量泵和双向变量泵。

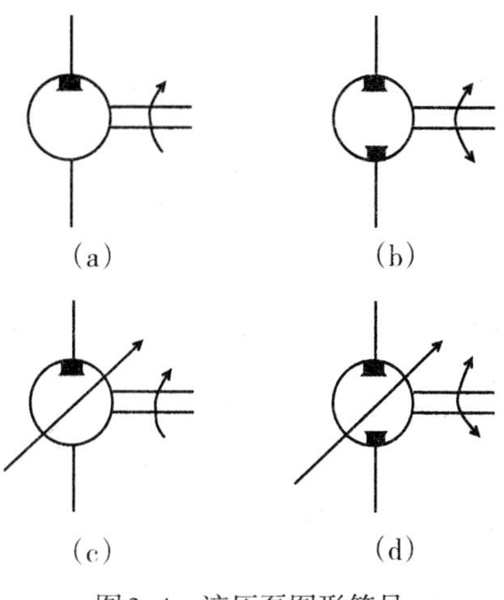

图3–4　液压泵图形符号

4.液压泵的分类

液压泵按其结构形式和运动方式可分为齿轮泵、叶片泵、柱塞泵、螺杆泵等类型。各类型中又有多种不同结构形式，如齿轮泵又分为内啮合齿轮泵和外啮合齿轮泵。叶片泵按其每转1周叶片作用次数分为单作用叶片泵和双作用片泵。柱塞泵按柱塞运动方向又可分为轴向柱塞泵和径向柱塞泵。

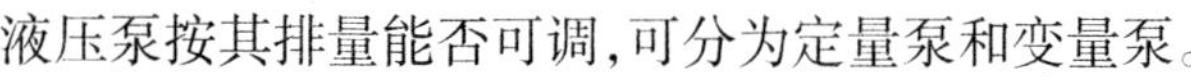

液压泵按其排量能否可调，可分为定量泵和变量泵。

二、齿轮泵

1.齿轮泵概述

齿轮泵是液压系统中常用的液压泵。在采煤机行走部闭式液压系统中的辅助泵、操纵控制系统中的供油泵也常用齿轮泵；其他机械的中、低压液压系统，也常用齿轮泵作为动力源。

目前齿轮泵的流量范围为q = 2.5 ~ 750L/min，压力范围为ρ = 1 ~ 31.5MPa，转速范围为n = 1300 ~ 4000r/min，高速时可达8000r/min，容积效率为ηv = 0.88 ~ 0.96，总效率为η = 0.78 ~ 0.92。

2.外啮合齿轮泵工作原理

一般的外啮合齿轮泵都是由两个具有相同参数的渐开线齿轮和泵体、泵盖等零件组成的。如图3–5所示，在泵体上有两个通道，一个是吸液口，一个是排液口。泵体和互相啮合的齿轮的端面、侧面间隙很小，形成密封和密封容积，把吸液腔和排液腔隔开。当齿轮由电动机带动如图示方向旋转时。啮合点下侧啮合着的轮齿逐渐退出啮合，空间增大，形成局部真空，油箱内的油液在大气压力作用下进入吸液腔；啮合点上侧轮齿逐渐进入啮合，把齿间的油液挤压出去，从排液腔强迫排出。由此可知，齿轮泵是用不啮合部分轮齿的齿谷，将

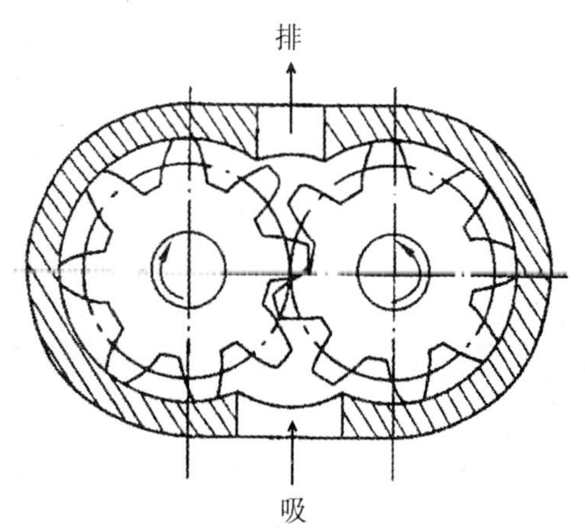

图3–5　外啮合齿轮泵工作原理

油液从吸液腔带入排液腔的。当一个轮齿与泵壳突然接触时，吸液腔的密封容积会突然变小，同样，当一个轮齿与泵壳突然脱离接触时，排液腔的密封容积也会突然变大，随着齿轮旋转，这两个密封容积又会增大或减小。齿轮不断地旋转，齿轮泵就不断地吸排油。

由于齿轮泵靠轮齿啮合来吸、排油液，而每一对轮齿啮合过程的容积变化是不均匀的，因此瞬时流量不均匀，产生流量脉动，而且变化幅度较大。

3.流量计算与流量脉动

根据齿轮泵的工作原理，齿轮泵轴转1转两个齿轮排出液体的体积应是两个齿轮的齿间槽容积之和，如果近似地认为齿间槽容积与轮齿体积相等，则当齿轮数为Z，节圆直径为D，齿高为h，模极为m，齿宽为b时，齿轮泵的排量为：

$$q_B = \pi Dhb = 2\pi Zm^2b \qquad (3\text{-}8)$$

齿轮泵工作时，由于排液腔轮齿逐渐啮合，使密封容积减小，而当1对轮齿与泵壳脱离密封时，此密封容积又会突然变大，因此向管道输出的压力油液，由于轮齿啮合点的不同，其流速也不相同，这种现象叫流量脉动。齿轮旋转1周，因为齿轮数为Z，排油量就要变化Z次，若齿轮的转速为n，则流量脉动频率为

$$f = zn/60(\text{Hz}) \qquad (3\text{-}9)$$

式中　z——齿轮齿数；

n——齿轮转速，r/min。

由上式可看出，齿轮泵流量脉动的频率与齿轮数和齿轮转速成正比。

衡量齿轮泵流量脉动大小的值用流量脉动率σ表示，

$$\sigma=(q_{max}-q_{min})/q \qquad (3\text{-}10)$$

式中　q_{max}——齿轮泵最大瞬时流量，L/min；

q_{min}——齿轮泵最小瞬时流量，L/min；

q——齿轮泵的平均流量，L/min。

外啮合齿轮泵的优点是结构简单、尺寸小、质量轻、制造方便、价格低廉，工作可靠、自吸能力强（容许的吸油真空度大），对油液污染不敏感，维护容易。缺点是一些构件承受不平衡径向力，磨损严重，泄漏大，工作压力的提高受到限制。此外，它的流量脉动大，因而压力脉动和噪声都较大。

4.外啮合齿轮泵的结构特点

（1）困油

要使齿轮泵运转平稳，吸油腔和排油腔间的密封应良好，齿轮啮合的重叠度数应大于1。于是总有两对轮齿同时进入啮合，在这一段时间里，在这两对轮齿的两个啮合点之间形成了和吸油腔和排油腔均不相通的封闭空间，当泵轴继续旋转时，这个封闭空间的大小也要发生变化，它的变化规律是先逐渐变小后又逐渐变大，因而产生瞬时的高压或局部真空，这种现象称为困油现象。

困油现象如图3-6所示，图3-6(a)中，前一对轮齿在B点尚未脱离而新的一对轮齿在A点已进入啮合，在它们之间形成一个闭死容积$=V_1+V_2$，此时V_1小，而V_2大，其总和为最大，如图(d)的A点。当齿轮按图示方向旋转，V_1逐渐增大，而V_2逐渐缩小，其总和也随着减小。

当齿轮旋转到图(b)时,两个啮合点E、D对称于节点P,闭死容积V最小,如图(d)的E点。当齿轮继续旋转,V_1继续增大,V_2继续减小,而总和V又逐渐增大,直到前一对轮齿的啮合点到图(c)的C点,其闭死容积的总和又增到最大值如图(d)的F点。

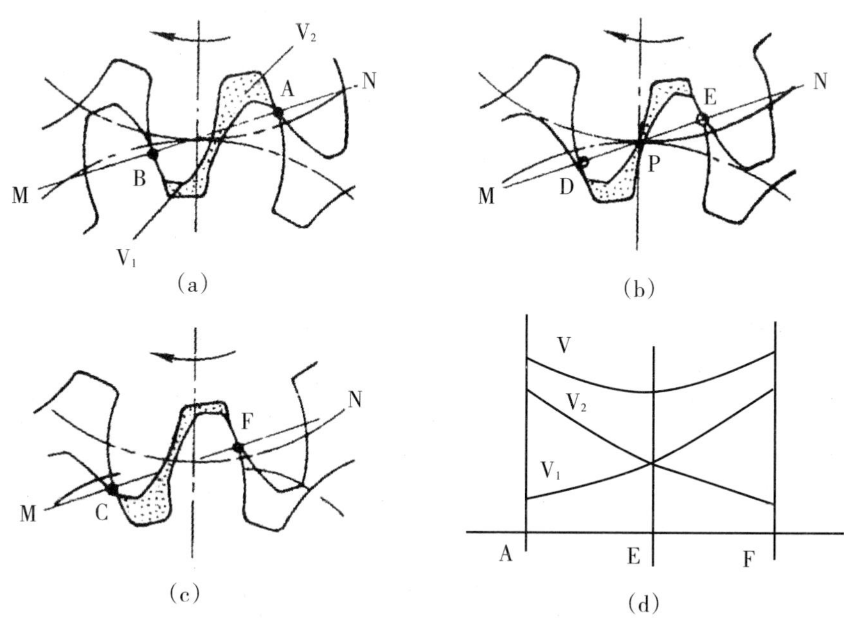

图3-6　齿轮泵的困油现象

当闭死容积由大变小时,处于被密封状态的油液受到挤压,压力急剧增高,并从一切可以泄漏的缝隙中挤出去,使齿轮和轴承受很大的附加载荷,消耗功率,并引起油液发热等不良现象。当闭死容积由小变大时,压力降低,形成局部真空,产生气泡而容易发生气蚀现象。因此,困油现象的存在,使齿轮泵工作时发生噪声,容积效率降低,并影响齿轮泵流量的均匀性、工作平稳性和降低它的使用寿命。

一般来说,困油现象是容积式液压泵为了保证吸排液腔密封性的必然结果,因此,从根本上消除它是不可能的,只能将其限制在允许范围内。

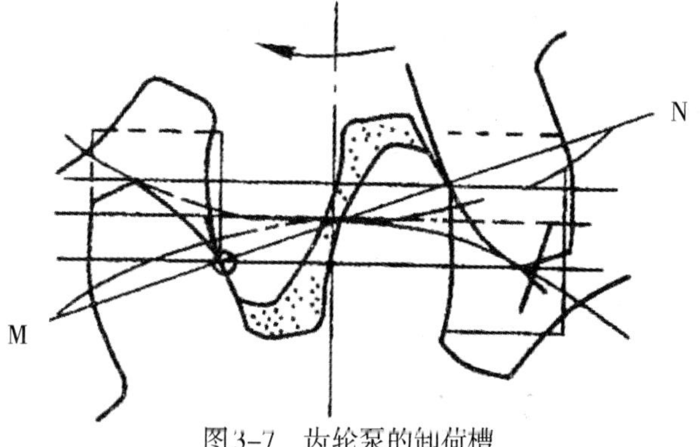

图3-7　齿轮泵的卸荷槽

为了减少齿轮泵的困油现象,一般采用在侧盖上开卸荷槽的结构措施来减弱它的影响。齿轮泵卸荷槽的结构有多种形式,如图3-7就是其中的一种。

开卸荷槽要求遵循如下原则:

闭死容积由大变小形成高压时,依靠卸荷槽使闭死容积与排液腔相通。

闭死容积由小变大形成局部真空时,依靠卸荷槽使闭死容积与吸液腔相通。

闭死容积处于最小位置时,闭死容积与两个卸荷槽均不相通,保证密封。

(2)泄漏

齿轮泵是靠轮齿与泵体共同围成的封闭空间来输送油液的，由于齿轮相对泵体、泵盖要转动，零件相对运动必须有配合间隙。因而，高压油会从间隙间流回低压油侧，形成了齿轮泵的泄漏。要想提高齿轮泵的容积效率，必须减少泄漏，减少泄漏的唯一办法就是尽量减小配合间隙。但是随着间隙减小，相对运动零件间的摩擦力增大，摩损增加，机械效率下降。因此，内部泄漏和磨损是相互矛盾的。

齿轮泵的内部泄漏，主要有3条途径。

①齿轮端面和前后端盖间的轴向间隙。由于这种泄漏路程短，泄漏面积大，因而泄漏量约占总泄漏量的75%～80%，是齿轮泵的主要泄漏途径。试验表明，当轴向间隙增加0.01mm，泵的容积效率就可下降20%。

②齿轮齿顶与泵体间的径向间隙。由于齿轮旋转方向与泄漏方向相反，泄漏阻力较大，圆周泄漏路线较长，同时，由于轴承有径向间隙，齿轮在高压油液的作用下被压向吸液腔一侧，使此处的齿顶间隙几乎接近于零，所以径向间隙泄漏不大，一般约占总泄漏量的5%～20%。若径向间隙增大0.1mm，齿轮泵的容积效率约降低0.25%。

③齿轮轮齿啮合处齿面间隙，由于啮合力使啮合齿面互相压紧，所以齿面间隙的泄漏很小，一般约占总泄漏量的4%～5%，它主要取决于齿轮的制造精度。

总之，要改善齿轮泵的工作状况，必须注意齿轮泵轴向间隙的泄漏，要选择合理的结构和适当的间隙，来提高齿轮泵的效率。

(3)径向力不平衡问题

齿轮泵运转经验表明，由于轴承受不平衡的径向力是造成轴承磨损及影响齿轮泵寿命的主要原因。

由齿轮泵的工作原理可以知道，齿轮泵工作时作用在吸、排液两侧齿轮上的径向液压力是不平衡的：排液腔侧的压力高，吸液腔侧的压力低。每个齿轮从吸液腔至排液腔沿齿轮顶圆的压力分布，可近似地认为是逐渐升高的(如图3-8)。因此，齿轮和传动轴要多承受一个不平衡的径向液压力P，而且压力越高，P越大。当压力很高时，会引起齿轮轴的变形，影响齿轮正常工作。此外，由受力分析还可证明，该不平衡的径向液压力，使齿轮泵的从动齿轮轴及其轴承的负荷大大增加，以致造成该轴承提前损坏。

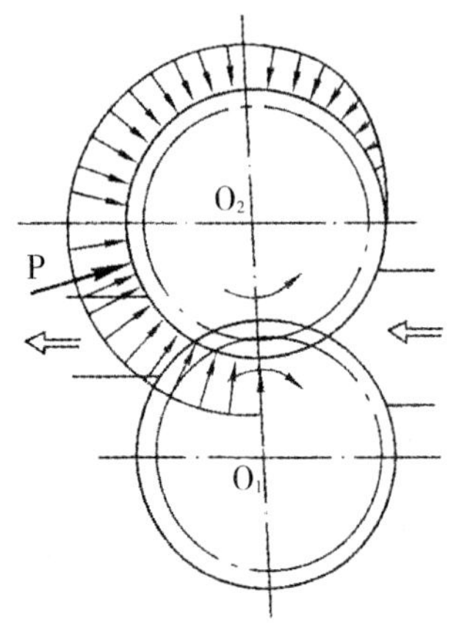

图3-8　齿轮泵径向液压力分布

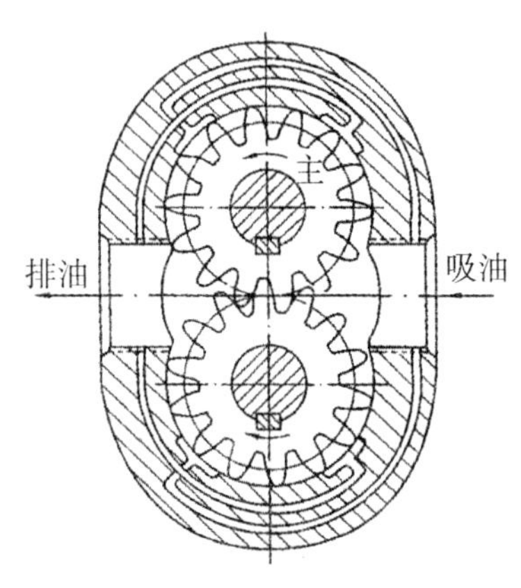

图3-9　齿轮泵径向力平衡

减小径向不平衡力的有效办法:一是缩小排液口尺寸,使液压力仅作用在一到两个齿的范围内,同时适当增加径向间隙,使齿轮在压力作用下,齿顶不能与壳体相接触;二是在泵的壳体上开设4条对称的压力平衡槽(如图3–9),使作用在齿轮上的径向力大体平衡,但结果是高、低压区更加靠近,油液泄漏增加,容积效率降低。

5.提高外啮合齿轮泵压力的措施

要提高齿轮泵的压力,必须要减小端面泄漏,一般采用齿轮端面间隙自动补偿的办法。图3–10为端面间隙的补偿原理图。利用特制的通道把泵内压油腔的压力油引到轴套外侧,作用在(用密封圈分隔构成)一定形状和大小的面积上,产生液压作用力,使轴套压向齿轮端面。这个力必须大于齿轮端面作用在轴套内侧的作用力,才能保证在各种压力下,轴套始终自动贴紧齿轮端面,减小泵内通过端面的泄漏,达到提高压力的目的。

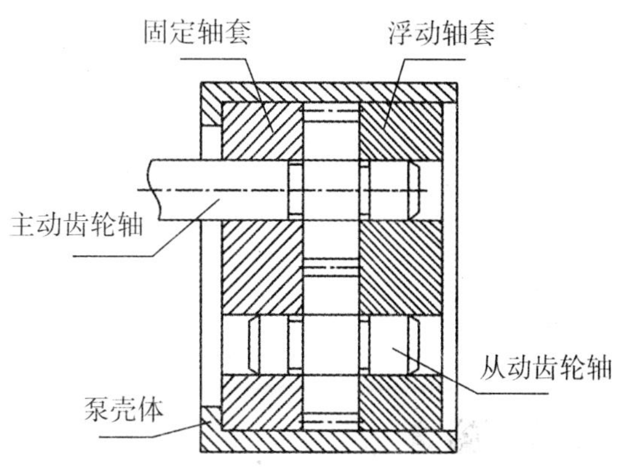

图3–10 齿轮泵端面间隙自动补偿原理

6.YBC型齿轮泵

YBC型齿轮泵是采掘机械中常用的高压齿轮泵。主要特点是:体积小、重量轻、结构简单、容积效率比较高、工作可靠,寿命比较长。

图3–11所示是采掘机械中常用的YBC型中高压齿轮泵的结构。如前所述,对于中高压齿轮泵,必须解决好不平衡径向液压力和轴向间隙泄漏两大问题。YBC泵解决不平衡径向液压力的办法,也是缩小出液口尺寸的方法。而解决轴向间隙泄漏的措施,则采取轴向间隙可以自动补偿的浮动轴套的结构措施。其齿轮轴是由两组滑动轴承支承的,滑动轴承的外径与齿轮顶圆相等,齿轮泵左侧的滑动轴承3可以在齿轮轴上轴向浮动,称做浮动轴套,右侧的滑动轴承5是安装在泵体内固定不动的。在浮动轴套与端盖2之间形成油腔C,范围是:外围由O形密封圈7所包围、内侧以两浮动轴套的小圆柱面为界。为防止吸、排油腔连通,在吸油腔一侧安装了弓形板8。O形圈9(其厚度大于弓形板厚度)由端盖压紧在轴套的台肩上,并使浮动轴套受一预压力靠近齿轮。弓形板将C腔分隔成A、B两腔,压力油经三角形通道b与B腔相通,A腔则通过弓形板上的小孔与吸油腔相通。为了控制轴向间隙,保证浮动轴套始终轻轻地贴紧齿轮,作用在左侧端面上压紧浮动轴套的力必须大于右侧推开浮动轴套的力,这样的浮动轴套即使接触面受到磨损,其轴向间隙仍会在浮动轴套两边总压力差的作用下自动地得到补偿,并且不受液压泵压力的影响。

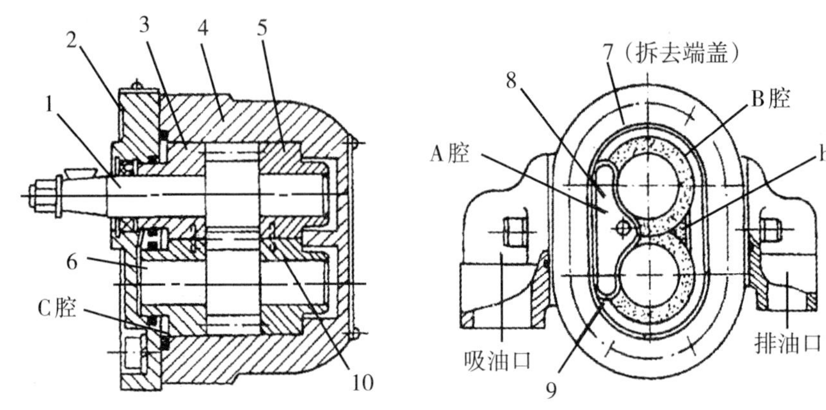

图3-11　YBC型齿轮泵

7.内啮合齿轮泵

内啮合齿轮泵根据齿形曲线的不同，分为渐开线内啮合齿轮泵和摆线内啮合齿轮泵。

(1)渐开线内啮合齿轮泵

①结构原理：

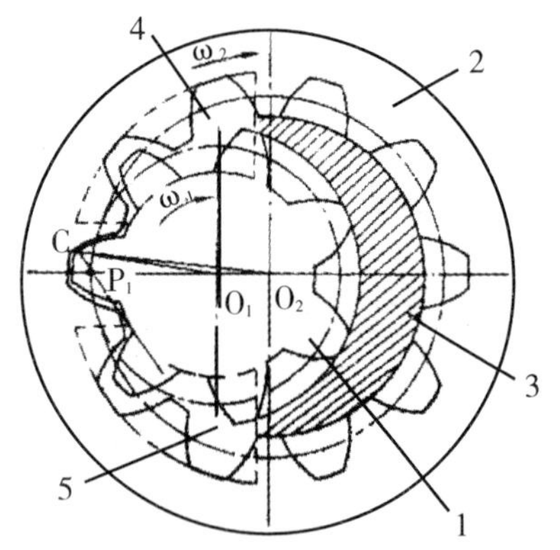

图3-12　渐开线内啮合齿轮泵的结构图原理

1—小齿轮（主动齿轮）；2—内齿环（被动齿轮）；3—月牙形填隙板；4—吸油腔；5—排油腔

渐开线内啮合齿轮泵的结构原理如图3-12所示。在一对相互啮合的具有渐开线齿形的小齿轮1和内齿环2之间，有一个月牙形隔板3，将吸油腔4和排油腔5隔开。当小齿轮按如图方向顺时针方向旋转时，内齿轮2也按顺时针方向旋转。两个齿轮在吸油腔4处分离啮合空间容积逐渐变大，形成真空（负压）区域，油液在大气压作用下进入吸油腔4处，此即吸油过程；吸油腔的油被内、外齿轮轮齿与隔板形成的封闭空间输运到排油腔5；在排油腔5的这一区域，小齿轮1与内齿轮2进入啮合，两个齿轮的轮齿相互啮合时，齿间容积逐渐减小，油液被挤压出去。形成高压油液，在压力的作用下由排油口排出泵体。

②渐开线内啮合齿轮泵的结构性能特点：

渐开线内啮合齿轮泵要想达到高的工作压力，必须在结构上采用一系列的技术措施，常采用的有侧向间隙自动补偿装置、径向间隙自动补偿装置、挠性轴承的强制润滑等。采取了上述结构措施后，具有结构紧凑、尺寸小、质量小、压力大、自吸能力强、流量脉动小、噪声低、效率高等优点。

(2)摆线内啮合齿轮泵

摆线内啮合齿轮泵又称摆线转子泵，简称转子泵。与外啮合齿轮泵相比，具有结构紧凑，零件少、噪声低、自吸力强等优点，但是容积效率较低。

摆线内啮合齿轮泵的结构原理如图3-13所示。内转子是外齿轮、外转子是内齿轮。内转子的中心为O_1，外转子的中心为O_2，它们的偏心距为e。内、外转子的齿数相差1，内转子的齿数少于外转子的齿数，内转子为主动轮，它带动外转子一起转动。由于外转子的齿轮数多1个，因此它的转速慢于内转子的转速。当内转子如图3-13按逆时针方向转动时，右侧的封闭空间随着内转子的转动而变大，形成吸油区C。左侧的封闭空间随着内转动而变小，形成排油区D。

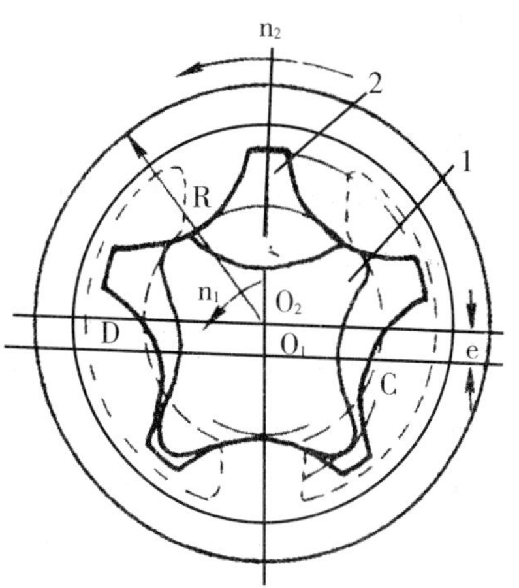

图3-13　转子泵的结构图原理

摆线内啮合齿轮泵的吸、排油过程以图3-14为例分析，设内、外转子的转向是逆时针方向，并以内转子的1号齿（黑色标志）和外转子的1′号齿为基准。

在1号的左右两边被内转子齿与外转子的轮廓封闭的空间设为A、B。在内、外转子的转动过程中分析封闭空间A、B体积变化情况，来理解转子泵内转子转动1周的吸排油情况。

（a）所示位置时，B腔间正由小到大变化，也就是处于吸油状态，与吸油口相连。A腔空间最大，此时A与吸油腔、排油腔均不相连。

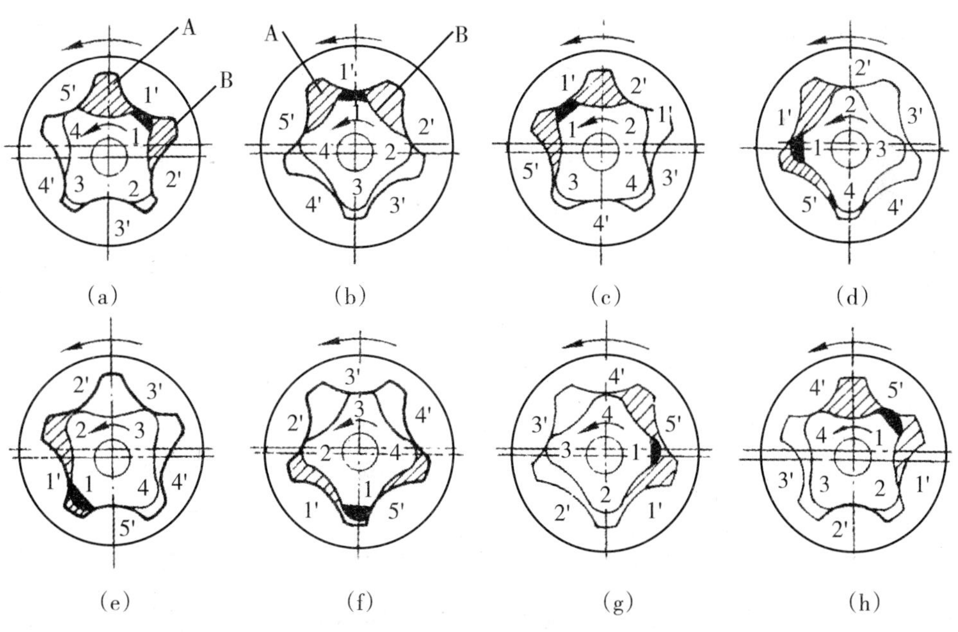

图3-14　转子泵的吸油和排油过程

（b）是在（a）状态下内转沿逆时针方向转过45°后的状态。A腔空间逐渐变小，此时A腔开始与排油口D相连，被挤压的油液开始从排油口排出。B腔开始与吸油口分离向最大空间状态变化。

(c)是(b)逆时针转过45°的状态。A腔继续排油。B腔达到最大状态,停止吸油。

(d)是(c)逆时针转过45°的状态。A腔继续变小继续排油。B腔也开始变小,开始排油。

(e)是(d)逆时针转过45°的状态。A腔仍然继续排油,此时A腔达到最小空间状态。

(f)是(e)逆时针转过45°的状态。A腔的空间体积与吸油口相连、并体积开始由小变大,开始吸油。B腔达到最小空间状态。

(g)是(f)逆时针转过45°的状态。A、B两腔都在吸油状态。

(h)是(g)逆时针转过45°的状态。此时内转子转了1周,同(a)状态了。

由以上的分析可以看出(a)状态时,5′在节二象限。(b)状态时5′在节一象限,正好外转子转过4/5周,而内转子正好转过1周,可见内、外转子的转速比为5:4,这就是少齿差传动原理。在内转子转过的1周中A、B腔分别吸油和排油1次,其他几齿2、3、4在这1周中同样也完成了1次吸油和排油,因此,内转子每转过1周,共完成4次吸油排油过程。

三、叶片泵

叶片泵具有运转平稳、噪声低、流量脉动较小、体积小、质量小、流量较大等优点。其缺点是对油液污染比齿轮泵敏感,结构较齿轮泵复杂,且制造工艺要求较高。

它按转子转动一周吸、排油次数分为单作用叶片泵和双作用叶片泵。双作用叶片泵都是定量泵,而单作用叶片泵按其流量变化可分为变量泵和定量泵。叶片泵按其工作压力,可分为低压、中压和中高压叶片泵。

如图3-15所示。(a)为单作用叶片泵,它的定子是一内圆柱面,和转子的回转中心间有一偏心距;(b)为双作用叶片泵,其定子呈椭圆形,转子和定子同心安装。叶片泵的转子上开有很多径向槽,槽内装入可以自由滑动的叶片。转子轴向两侧为配流盘(即侧板)。当转子旋转时,因离心力的作用,叶子从转子槽伸出而紧贴定子内表面,从而在叶片之间形成若干个密封的容积。叶片外端在定子内表面滑动的同时,随定子表面伸缩,引起密封容积变化。当叶片外伸,使密封容积增大时,就经配流盘吸油区从油箱吸入油液;反之,当叶片收缩使密封容积缩小时,则经配流盘排油区排出压力油。

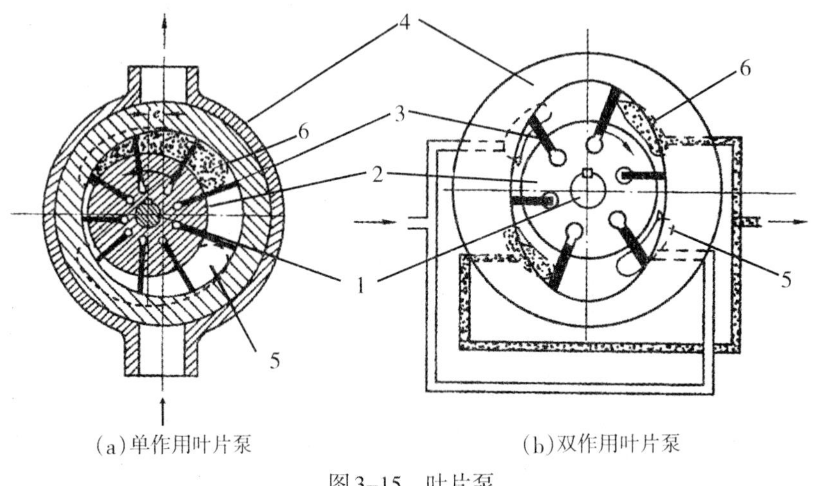

(a)单作用叶片泵　　(b)双作用叶片泵

图3-15　叶片泵

1——传动轴;2——转子;3——定子;4——吸油区;5——排油区

1.叶片泵的工作原理

图 3-16 为单作用式叶片泵的工作原理图。泵由转子2、定子3、叶片4、配油盘和端盖(图中未示)等零件所组成。定子的内表面是圆柱形孔。转子和定子之间存在偏心。叶片往里缩进,密封腔的容积逐渐缩小,密封腔中的油液经配油盘另一窗口和压油口被压出而输到系统中去。这种泵在转子转1转过程中,吸油、压油各1次,故称单作用泵;转子上受单方向的液压不平衡作用力;故又称非平衡式泵,其轴承负载较大。改变定子和转子间偏心的大小,可改变泵的排量,故是变量泵。

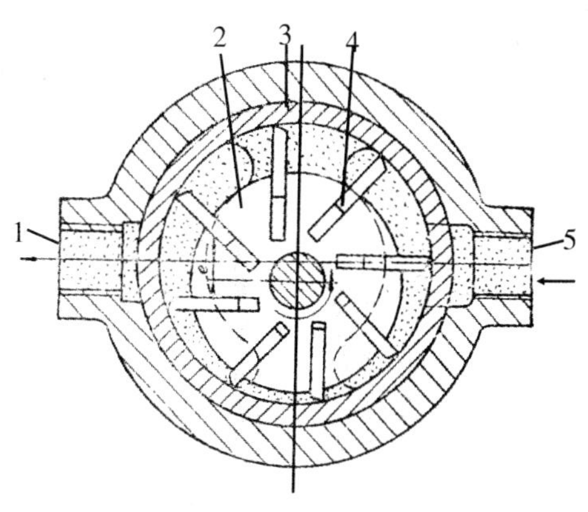

图3-16　单作用叶片泵工作原理

图3-17是双作用叶片泵工作原理图。它与单叶片泵的不同在于定子内表面是由近似椭圆柱曲面组成,且定子和转子是同心的。在图示顺时针方向旋转时,在左上角和右下角位置的密封工作腔的容积随着转子的旋转而逐渐增加,因此为吸油区;右上角和左下角的区域则为排油区。吸油区与排油区之间有一段封油区将它们隔开。这种泵的转子每转1转,完成吸油和排油2次,所以称为双作用叶片泵。

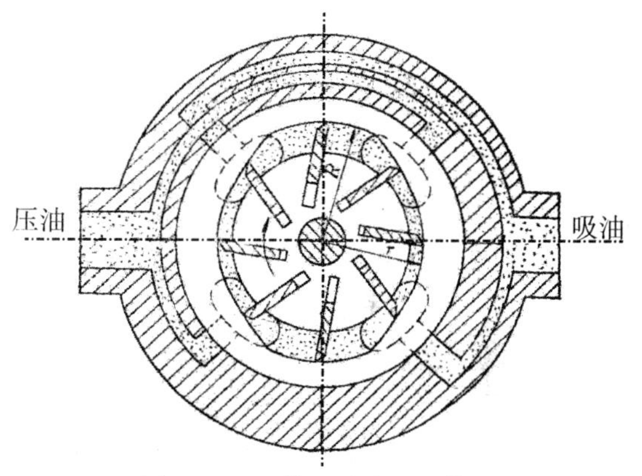

图3-17　双作用叶片泵工作原理

2.叶片泵的排量

(1)单作用叶片泵

叶片泵的排量是由泵内密封腔在压油时其容积变化总量决定的。而这个容积变化总量可以看成每相邻两叶片围成的工作腔(以下简称工作腔),在压油时其容积变化的总和,可以通过图3-18a近似计算。

对单作用叶片泵来讲,当泵结构对称时,每个工作腔在转子转1转时,其容积变化量应为$V=V_1-V_2$(V_1和V_2分别表示工作腔的最大容积和最小容积)。设定子内径为D、宽度为b、转子直径为d、两个叶片之间夹角为β,则工作腔最大容积V_1可以近似等于扇形面积OA_1B_1和$OA_1'B_1'$之差与叶片宽度的乘积(这里近似地把OC_1看成是圆弧A_1B_1的半径);同样,最小体积V_2可以近似地等于扇形面积OA_2B_2和$OA_2'B_2'$之差与叶片宽度之积(这里近似地把OC_2看成是圆弧A_2B_2的半径),故

$$V_1=\pi[(\frac{D}{2}+e)^2-(\frac{d}{2})^2]\frac{\beta}{2\pi}b \tag{3-11}$$

$$V_2=\pi[(\frac{D}{2}-e)^2-(\frac{d}{2})^2]\frac{\beta}{2\pi}b \tag{3-12}$$

式中　　e——定子与转子之间的偏心距。

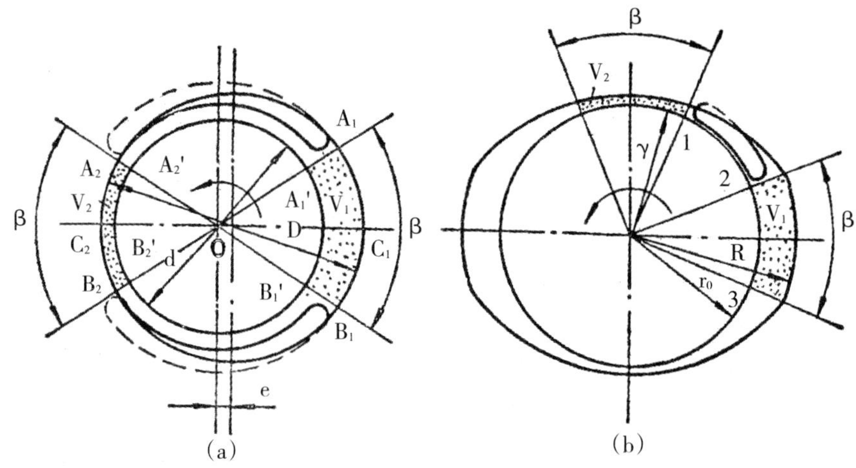

图3-18 叶片泵流量计算

由于$\beta=\frac{2\pi}{Z}$,故单作用叶片泵的排量为

$$q_B=Z\cdot\triangle V=2D\pi eb \tag{3-13}$$

单作用叶片泵输出的平均流量为

$$Q_B=2Debn\eta_v \tag{3-14}$$

式中 n——叶片泵转速;

η_v——叶片泵的容积效率。

单作用叶片泵输出的瞬时流量是不均匀的,会产生流量脉动,其脉动程度与叶片数有关。当泵内叶片数越多,而且为奇数时,则脉动率越小。

(2)双作用叶片泵

双作用叶片泵的排量计算方法与单作用式叶片泵相同。由于转子转1转时,每个密封腔吸油2次,压油2次,由图3-11b可得

$$q_B=2\triangle V\cdot Z=2(V_1-V_2)Z=2[(R^2-r_0^2)\frac{2\pi}{\beta}b-\pi(r^2-r_0^2\frac{2\pi}{\beta}b)]Z=2\pi(R^2-r^2)b \tag{3-15}$$

若考虑叶片厚度占据的体积,则有

$$q_B=2b[\pi(R^2-r^2)-\frac{R-r}{\cos\theta}SZ] \tag{3-16}$$

式中 R——定子圆弧部分长半径;

r——定子圆弧部分短半径;

r_0——转子半径;

θ——叶片倾角;

S——叶片厚度;

Z——叶片数。

双作用叶片泵的实际输出流量是

$$Q_B=2b[(R^2-r^2)-\frac{R-r}{\cos\theta}SZ]n\eta_v \tag{3-17}$$

对于如图3-18b所示的双作用式叶片泵来说，如不考虑叶片厚度，则其瞬间流量应是均匀的。这是因为当叶片2和3之间的工作腔进入压油区时，它和叶片1和2之间的工作腔是相通的。这时，叶片1在短半径圆弧上滑动，叶片3在长半径圆弧上滑动，因此1与3所围成的封闭容积的变化率是均匀的，泵的瞬间流量也是均匀的。但是实际上叶片是有厚度的，长半径圆弧和短半径圆弧不可能制造得严格同心，尤其是当叶片根部槽设计成与压油腔相通时，泵的瞬时流量仍将出现微小的脉动，但其脉动率较其他形式的泵小得多。

3.定量叶片泵的结构特点

图3-19为YB1型叶片泵的结构图。YB1型叶片泵是我国自行设计制造的YB系列泵的改进型。由图可知，左右配油盘4和8，定子6，转子5和叶片7等是通过两个紧固螺钉3组装在一起，安装在壳体2内的(通过螺钉头定位)。转子由传动轴11带动旋转。传动轴由安装在左右泵体中的滚珠轴承1和12支撑。泵的进出油口分别设在左右泵体上，内部泄漏油可以通过内部孔道a进入吸油腔。此外，为了避免泄漏和防止灰尘侵入，合理地设置了密封装置等。YB1型叶片泵在结构上具有以下特点：

(1)配油盘、定子和转子采用了组合装配结构，使拆装维修方便。紧固螺钉一方面通过其螺钉头使组合件在泵体中定位，另一方面为组合件提供了初始预紧力，使泵启动时能建立起压力。当泵启动后，配油盘8外侧环槽b内充满高压油使配油盘仍能与定子保持紧密接触。配油盘与泵体之间采用了“O”型圈径向密封方式，可以防止由于配油盘8与壳体9间存在间隙而造成的泄漏，提高了泵的容积效率。

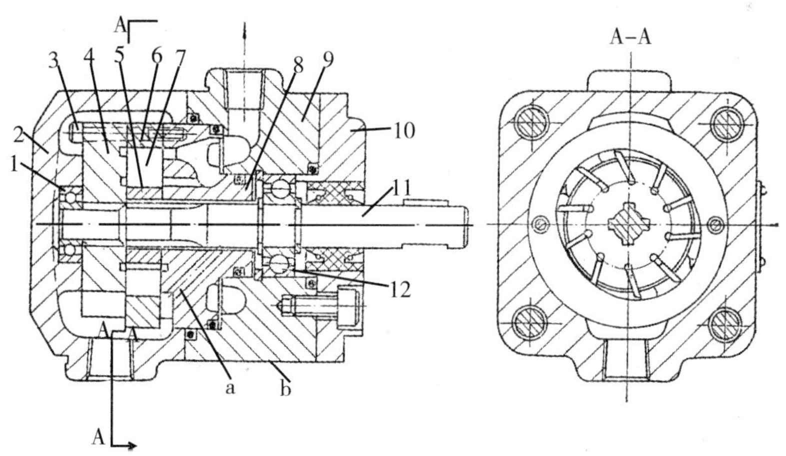

图3-19 YB1型叶片泵结构图

(2)配油盘的结构见图3-20。其中a是左侧配油盘，缺口部分为吸油窗口，所对应的区域角为γ_1。压油窗口为盲孔，所对应的区域角为γ_2。为保证吸、压油腔不串通，封油区所对应的圆心角α应大于相邻两叶片之间夹角β(如图3-13b所示)。这样当相邻两叶片进入封油区时，油液会被困在这个密封的工作腔中。如果在这个封油区中，两叶片间所形成的密封工作腔容积发生变化，就会出现困油现象。但因双作用叶片泵的封油区段定子内表面是圆弧

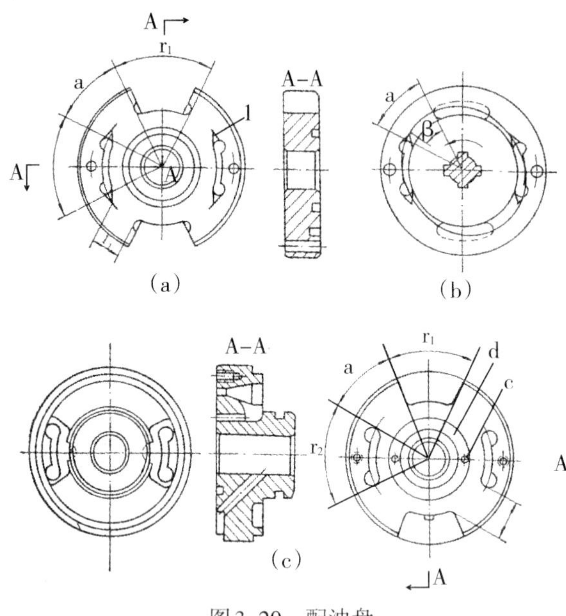

图3-20 配油盘

面，圆弧面所对应的圆心角一般等于（或稍大于）封油角α，因此密封容积不会发生变化，避免了困油现象的发生。但是为了消除由于角度加工的误差而引起的的困油现象，在压油窗口上开有三角槽（如图3-20a所示）。当相邻两叶片间油液从吸油腔往压油腔输送时，使封油区两叶片之间的油液通过三角沟槽逐渐与高压腔相通，可以避免压力突然变化及由此而引起的噪声。YB1型叶片泵配油盘压油窗口两侧均开三角沟槽，这是为了适应定子、转子、叶片翻转180°安装时，泵实现反转工作的需要。

为了使过渡区尺寸l_1控制得较准确，加工时对吸油窗口处加刀具校正（即缺口根部处为圆弧），而右配油盘（见图3-20c）不加工三角沟槽，吸油窗口处不加刀具校正。

右配油盘上小孔c可将高压油引至环槽d，使叶片根部接通压力油。

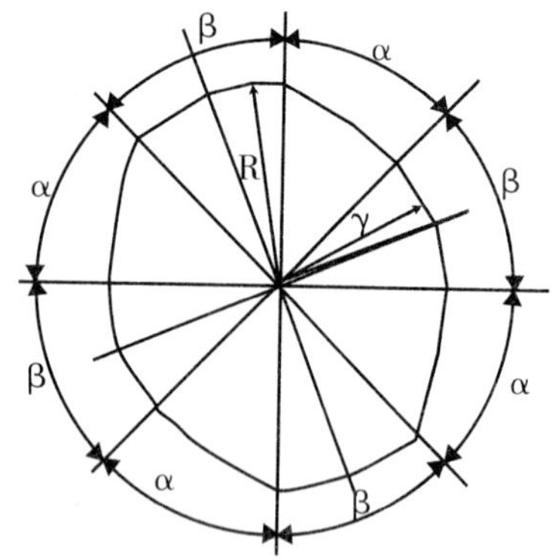

图3-21 双作用叶片泵的定子曲线

（3）定子曲线设计成如图3-21所示形状。它是由4段对称分布的圆弧（其半径分为别为R和r）以及连接圆弧的四段过渡曲线（每段曲线夹角为α）所组成。过渡曲线应保证叶片在转子槽中作径向运动时，速度和加速度的变化均匀，并且叶片顶部与定子内壁不发生脱空，保证叶片对定子内壁的冲击最小。此外，圆弧线段的夹角β一般等于两叶片间的夹角。叶片数通常为偶数。

定子过渡曲线的选择对叶片泵的性能（流量脉动、局部冲击和噪声等）有很大的影响。YB1泵采用的是等加速—等减速曲线。采用这种曲线时，叶片径向运动的变化关系如图3-22所示。从图中可以看出在角的前一半叶片是按等加速规律变化的，速度由零逐渐增到最大。角的后一半叶片运动是按等减速规律变化，速度由最大减至零。这样的过渡曲线称为等加速—等减速曲线。由于叶片径向运动速度变化是均匀的，因此运动中不会出现刚性冲击。但径向加速度在$\varphi=0$、$\alpha/2$、时有突变，因而会产生柔性冲击。这种曲线的优点是泵的工作平稳性较好，噪声小，而且允许定子的长、短半径之比（R/r）较大，这样可以使泵的结构更紧凑。

（4）叶片不是径向安装，而是沿旋转方向前倾斜一个角度，这是为了解决叶片受力问题。叶片在压油区工作时，其工作情况与凸轮相似，定子内表面给叶片一个很大的法向反力

N(见图3-23),法向反力N与叶片运动方向的夹角称为压力角。叶片若径向放置(见图3-23右上方所示),压力角即为φ。因为定子过渡曲线升程较大,因此φ也较大。法向反力N可以分解成两个力:一是沿叶片运动方向的分力F;另一个是垂直叶片的分力T。其中T = Nsinφ,φ越大,T力也越大,T力过大将使叶片压紧在叶片槽侧壁上,增大叶片与槽之间的摩擦力,使叶片运动不灵活,甚至会使叶片卡住或折断。YB1叶片泵将叶片前倾θ角,使实际压力角变成φ´ =φ-θ,一般取θ=13°。

YB1型叶片泵除可以单独使用外,也可以将两个内脏组件组合装入同一泵体内,由同一根轴驱动,组成双联叶片泵。双联泵有共同吸油口和两个独立出油口,泵的流量可以独立使用,也可以合并使用。

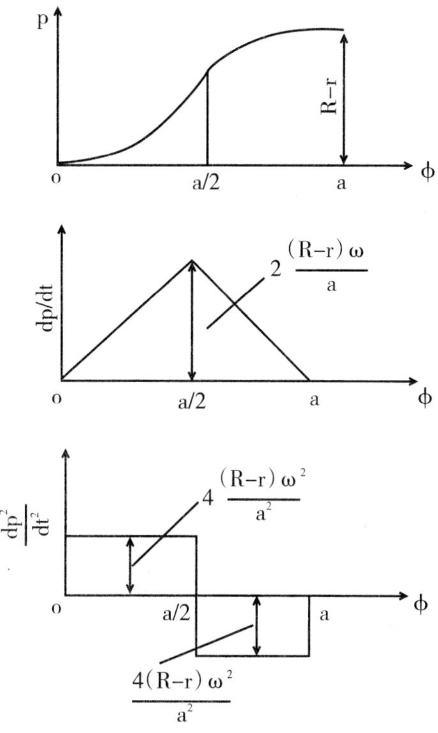

图3-22 采用等加速—等减速曲线时叶片径向运动关系图

4.限压式变量叶片泵

变量叶片泵只有单作用叶片泵,根据变量方式可分为手动调节方式和自动调节方式两种。自动调节又根据工作特性,分为限压式、恒压式和恒流式三种,应用最多的是限压式变量泵。

限压式变量叶片泵根据其压力调节方式可分为内反馈限压式变量叶片泵和外反馈限压式变量叶片泵两种。

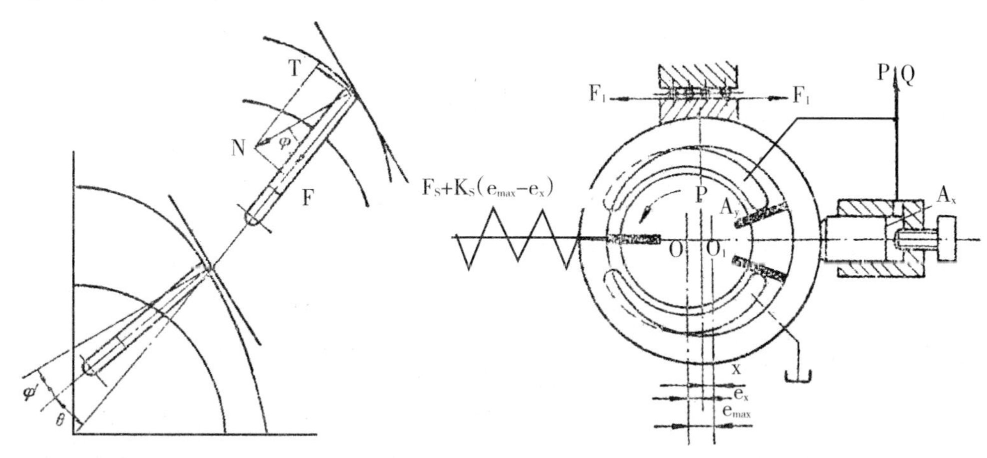

图3-23 双作用叶片泵的叶片倾角 图3-24 外反馈限压式变量叶片泵工作原理

变量叶片泵按其改变偏心距方向的不同，分为单向变量泵和双向变量泵两种。双向变量泵能在工作中更换进、出油口，使液压执行元件的运动方向改变。

(1)外反馈限压式变量叶片泵

①工作原理：

图3-24为这种泵的工作原理图。图中转子(中心为O)固定，定子(中心为O_1)可以左右移动。限压弹簧将定子推向右端，使定子和转子的中心之间有一个偏心距e_x。当转子按箭头方向旋转时，转子上部为压油区，下部为吸油区，压力油的合力将定子向上压在滑块滚针支承上。定子右边有一个反馈柱塞，它的油腔与泵的压油腔相通。设反馈柱塞的受压面积为A_x，则作用在定子上液压反馈力为pA_x。当pA_x小于弹簧预紧力Fs时，弹簧将定子推向最右边，此时，泵具有最大偏心距e_{max}，其输出流量最大。当泵的压力升高到$pA_x > Fs$时，反馈力克服弹簧力将定子向左推移。偏心距e_x减小，泵的输出流量也随之减少。泵的压力愈高，e_x愈小，输出流量也愈小，当泵的压力达到使泵的偏心距所产生的流量全部用于补偿泄漏时，泵的输出流量为零。此时负载再增加，泵的压力也不会再升高了。在这种泵中，液压反馈力是通过柱塞从外面加到定子上的，故称为外反馈压式变量叶片泵。

②典型结构：

图3-25为这种泵的结构图，图中转子4由传动轴7带动旋转，但不能移动。定子5可以在泵体3内左右移动，以致改变与转子之间的偏心距e。滑块6用来支承定子并承受定子内壁的液压作用力，同时随定子一起移动。为了减小定子与滑块之间的摩擦，增加定子移动的灵活性，滑块顶部采用了滚针轴承。限压弹簧2可通过螺钉1调整其预紧力。反馈柱塞8的右腔通过内孔道(未画出)与泵的压油口连通。因此，泵出口的压力油可以通过反馈柱塞作用到定子上。定子的位置由弹簧2和反馈柱塞上的液压力的联合作用所控制。螺钉9是用来调节泵的最大偏心距e_{max}的。

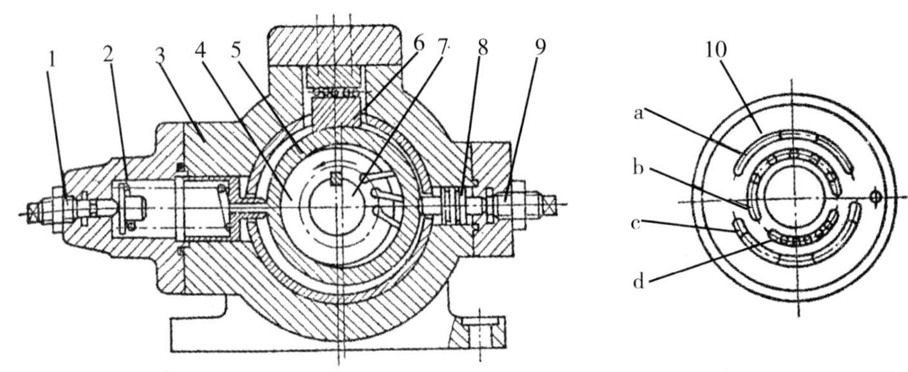

图3-25　外反馈限压式变量叶片泵结构图

配油盘10上压油腔a和吸油腔c的位置，分布得正好使定子内壁所受液压力的合力方向垂直于弹簧2的轴线，这就使弹簧力只与反馈柱塞上的液压力相平衡。油槽b与d分别与转子上压油区和吸油区相通。使叶片无论是在压油区还是在吸油区，其底部和顶部液压力基本上平衡。在封油区内，为了保证叶片可靠地压在定子内表面上，叶片槽底部应接通压油区，以及图中油槽b的包角，但是，这将导致这个区域内，定子内表面的磨损加剧。

③流量—压力特性：

所谓泵的流量—压力特性是指泵的输出流量与泵的输出压力之间的关系。前面已述，定量泵由于其泄漏量将随压力升高而增大，因此定量泵实际输出流量将随泵的压力升高而减小。其Q-p关系式为

$$Q_B=K_Qe_x - K_1p \tag{3-18}$$

式中　K_Q ——流量常数，由泵的几何参数决定；

K_1 ——泵的泄露系数；

e_x ——定子自其极右端位置左移x距离后的偏心距。

a、当$p_BA_x < F_s$时，泵具有最大偏心距e_{max}，此时泵有最大流量输出

$$Q_B=K_Qe_{max}-K_1p_B \tag{3-19}$$

b、当$p_BA_x > F_s$时，定子左移，若考虑滑块处的摩擦力，定子受力方程是：

$$P_BA_x\mp F_f=F_s+K_s(e_{max}- e_x) \tag{3-20}$$

式中　F_f——滑块处摩擦力，设定子内壁净承受液压力的投影面积为Ay，摩擦系数为f，则有

$$F_f=p_BA_yf$$

$(e_{max}- e_x)$——弹簧压缩量；

K_s——弹簧刚度；　　　　F_s——弹簧力。

由公式（3-20）、（3-22）整理后得到

$$Q_B =\frac{K_Q}{K_s}(F_s+ K_se_{max}) - \frac{K_Q}{K_s}(A_x\mp A_yf\mp\frac{K_tK_S}{K_s})p_B \tag{3-21}$$

由式（3-21）和（2-23）可画出泵的流量—压力特性曲线，如图3-26所示。

对应于公式（3-21）可以画出AB线段，它是泵的不变量段，即变量泵有最大流量输出，因为有泄漏存在，曲线是倾斜的。若调节螺钉9（见图3-25），e_{max}值将改变，则AB线段上下平移；对应于公式（3-23）可画出BC线段，它是泵的变量段。这一区段内，泵的输出流量随泵的压力升高而迅速下降。B点是两线段的公共点，称做曲线的拐点，该点对应的压力值用Pc表示。Pc值的大小可由式（3-21）和式（3-23）得出

$$Pc= \frac{F_S}{A_x\mp A_xf} \tag{3-22}$$

式（3-24）说明Pc值取决于弹簧力Fs。系统工作时，可预先根据系统要求调节螺钉1（见图3-25），即调节Fs，得到需要的P_C值。当变量泵工作时的压力$P_B < P_C$时，其情况与定量泵完全一样，当$P_B > P_C$时，则变量泵的输出流量会随P_B的增大而急剧下降。

曲线BC与横坐标的交点处，泵的输出流量为零，其对应的压力为变量泵的最大压力。此时系统负载再增加，泵的压力也不会升高。

由于限压式变量泵能随负载压力自动调节输出流量。泵的功率利用合理，可避免油温升高。

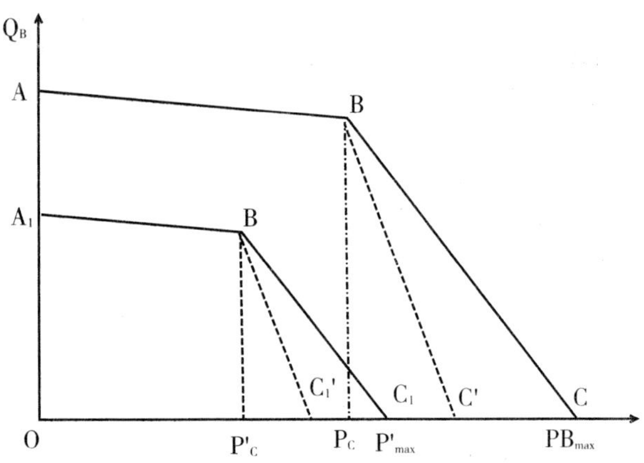

图3-26　外反馈限压式变量叶片泵的Q-p曲线

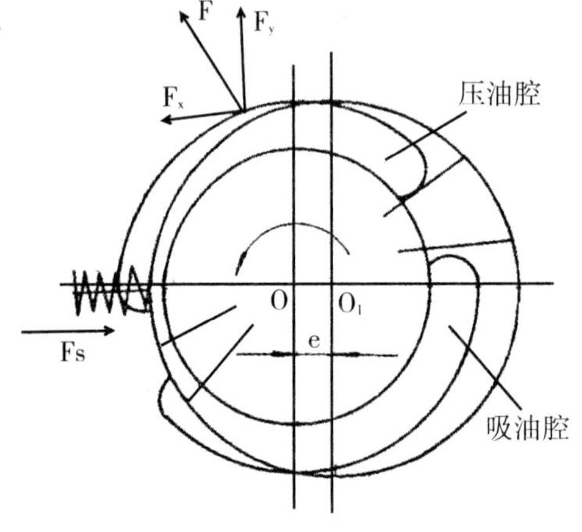

图3-27　内反馈限压式变量叶片泵

(2)内反馈限压式变量叶片泵工作原理

如图3-27所示,内反馈限压式变量叶片泵与外反馈限压式变量叶片泵相似,区别在于没有反馈柱塞,且配油盘上压油腔对垂直轴不对称。这样就使定子内壁上液压作用力的合力F产生一个水平分力Fx,它就是自动调节的反馈力。泵的工作压力越高,F_x也越大,当$F_x > F_s$时,定子向左移,使叶片泵改变流量。内反馈式变量叶片泵的变量机构简单而紧凑,但是配油盘的偏转减少了泵的排量,而且其脉动率亦较大。

四、柱塞泵

根据柱塞在缸体孔中排列型式的不同,柱塞泵可分为轴向柱塞泵和径向柱塞泵两个基本类型。

根据柱塞数的多少不同又可分为单柱塞泵、三柱塞泵和多柱塞泵,轴向柱塞泵和径向柱塞泵都属于多柱塞泵。根据输送介质的不同又可多分为水介质泵、油介质泵、气泵、化工泵等。

1.单柱塞和三柱塞泵

单柱塞泵是最简单的柱塞泵。液压千斤顶的手动泵就是1个单柱塞泵。它的基本结构是,1个柱塞、1个柱塞缸和1组配流阀(两个单向阀)。图3-28 所示是 2 种常见的用于采煤机滚筒调高系统的单柱塞泵。图3-28(a)为曲柄连杆驱动柱塞往复运动的传动结构;图3-28(b)为偏心轴直接压迫柱塞收缩、靠弹簧使柱塞伸出而实现往复运动的结构。

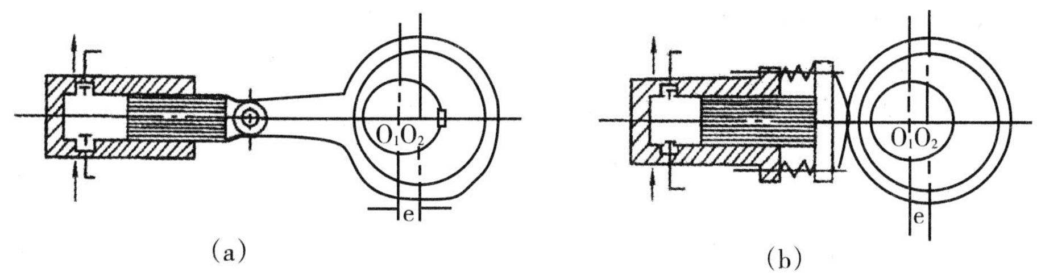

图3-28　单柱塞泵

当传动轴为三段曲轴，分别经连杆机构驱动三个柱塞工作时，就是三柱塞泵。三柱塞泵的三段曲轴在圆周方向互成120°分布，三个柱塞通常平行地排列。因此，曲轴旋转一周时，每个柱塞底腔依次吸、排一次工作液，其排量比单柱塞泵大大增加，而且输出的流量也远比单柱塞泵均匀平稳，因此，扩大了这种泵的应用范围。图3-29所示是XRB型三柱塞乳化液泵，它广泛地使用在煤矿综采工作面液压支架和高档普采工作面单体液压支柱的泵站上，向液压支架和单体支柱提供高压乳化液。泵的主轴经一对斜齿轮2、3带动曲轴1转动，又经连杆4、滑块6带动三个柱塞7在缸孔中往复运动，由吸液单向阀9和排液单向阀10吸、排乳化液。该泵最高额定压力可达31.5MPa，有多种规格流量，最大流量为125L/min。

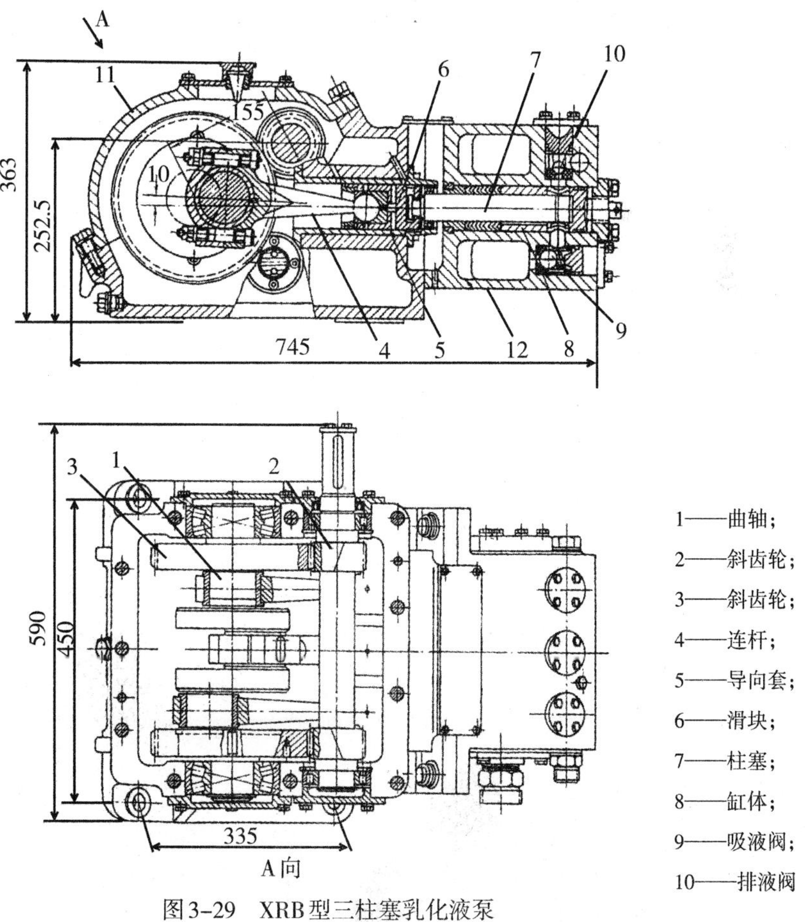

图3-29　XRB型三柱塞乳化液泵

2.轴向柱塞泵的工作原理和结构特点

(1)工作原理

图3-30是这种泵的工作原理图,它由斜盘1、柱塞2、缸体3、配油盘4等主要零件组成。缸体上沿圆周均匀布置着几个轴向排列的柱塞孔,柱塞可以在其中自由滑动。斜盘和配油盘是固定不动的,传动轴5带动缸体和柱塞一起转动,柱塞靠机械装置(图中未画出)或在低压油作用下压紧在斜盘上。当传动轴按图示方向旋转时,柱塞在自下向上回转的半周内逐渐向外伸出,使缸孔内密封工作腔容积不断增大,形成局部真空,低压油经配油盘上的配油窗口a吸入。柱塞在自上而下回转的半周内逐渐向缸孔内推入,使缸孔内密封工作腔容积不断减小,压力油从配油盘窗口b向外压出。缸体每转1转,每个柱塞往复运动1次,完成1次吸油和压油动作。

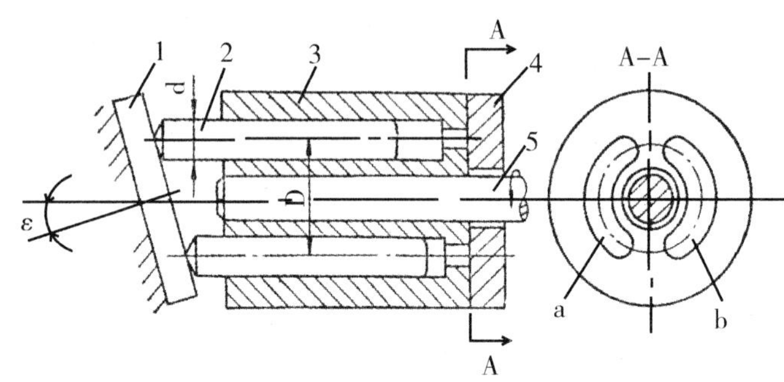

图3-30　轴向柱塞泵工作原理

1——斜盘;2——柱塞;3——缸体;4——配油盘;5——传动轴

(2)轴向柱塞泵的流量

由柱塞泵的工作原理可知,泵的结构尺寸确定以后,泵的排量取决于柱塞往复行程长度l,而l又取决于斜盘的倾斜角δ。设柱塞直径为d,柱塞数为Z,柱塞孔分布圆直径为D,则缸体旋转时,柱塞的行程l为

$$l=Dtg\delta \tag{3-23}$$

柱塞泵的排量为

$$q_B=\frac{\pi}{4}d^2lZ=\frac{\pi}{4}DZtg\delta\cdot d^2 \tag{3-24}$$

柱塞泵的实际输出流量为

$$Q_B=\frac{\pi}{4}d^2DZn\eta_v tg\delta \tag{3-25}$$

可见,改变斜盘的倾角δ,就可以改变变量泵的输出流量。故这种泵既可制成定量泵(斜盘固定),又可制成变量泵(斜盘倾角可调)。

(3)典型结构

图3-31示一种直轴斜盘式轴向柱塞泵的结构。图中2为斜盘,5为塞柱,6为缸体,7为

配油盘，8为传动轴。在这里，柱塞的球状头部装在滑履4内，由弹簧通过钢球和压盘3将滑履4压紧在斜盘2上，柱塞球状头部可在滑履中灵活转动，这样的泵具有自吸能力。在滑履与斜盘相接触的部分有一油室，它通过柱塞中间的小孔与缸体中的工作腔相连，压力油进入油室后在滑履与斜盘的接触面间形成了一层油膜，起着静压支承的作用，使滑履作用在斜盘上的摩擦力大大减小（因而磨损也减小）。传动轴8通过左边的花键带动缸体6旋转，由于滑履4贴紧在斜盘表面上，柱塞便在缸体中往复运动。缸体中的密封工作腔是通过配油盘7与泵的进出口相连通的。该泵的变量机构是手动式的，转动手把1，通过丝杆螺母副可以改变斜盘倾角δ的大小。

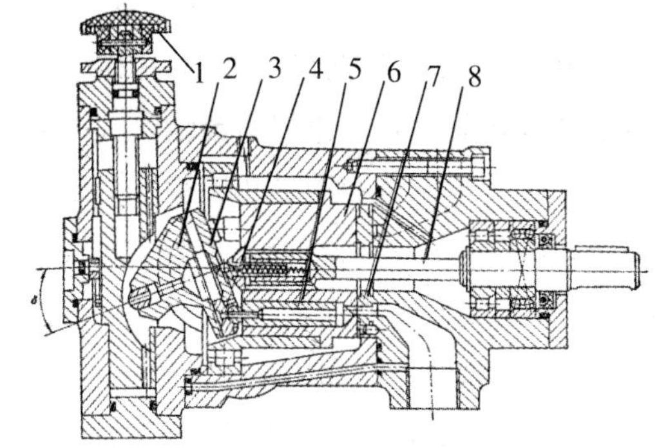

图3-31　轴向柱塞手动变量泵

1——转动手把；2——斜盘；3——压盘；4——滑履；5——柱塞；6——缸体；7——配油盘；8——传动轴

轴向柱塞泵结构简单，体积小，重量轻，容积效率可达95%左右，具有自吸能力，公称压力可达32MPa。缺点是滑履与斜盘间的滑动面易磨损，对油液的清洁度要求较高。

3.径向柱塞泵的工作原理

（1）工作原理

图3-32为径向柱塞泵的工作原理图。柱塞径向地安装在缸体2（或称转子）中，转子旋转时，柱塞1在离心力的作用下（或在低压油的作用下），伸出缸孔，并以球面端部压在定子4的内表面上，转子2的中心与定子中心间有一偏心距e。因此，当转子按顺时针方向转动时，柱塞在上半周范围内逐渐伸出，柱塞底部的密封工作腔逐渐增大，形成局部真空，通过衬套3（衬套3和转子2压配成一体）上的油室b从配油轴上的轴孔a吸油；当柱塞转至下半周范围内时，定子迫使柱塞逐渐缩进缸孔内，柱塞底部密封工作腔内的油液受挤压，经衬套3上的油室c和配油轴上的油孔d排油。

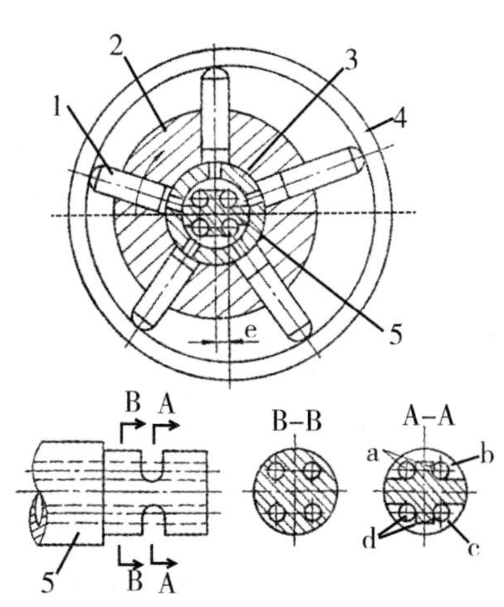

图3-32　径向柱塞泵工作原理

1——柱塞；2——缸体；3——衬套；4——定子；5——轴

由此可见，转子每转1转，各个柱塞均吸油1次，排油1次，缸体连续旋转，泵就可实现连续排油。配油轴与定子是固定不动的，为了能进行配油，配油轴和衬套3相接触的一段加工成上下两个缺口，形成油室b和c。配油轴上非缺口部分形成封油区，以将吸油口和压油口隔开，封油区的宽度应能封住衬套上的孔口。

由上述工作原理可知，径向柱塞泵的排量在其结构尺寸确定以后，仅取决于定子与转子中心间的偏心距e的大小。改变偏心距e，即可改变泵的排量。如果结构允许，偏心距的方向也可改变,泵的进、出油口侧可互换,这种泵称为双向变量泵。

径向柱塞泵的径向尺寸大,结构较复杂,配油受径向不平衡压力的作用易于磨损。其工作压力、容积效率和转速都不及轴向柱塞泵高。

(2)径向柱塞泵的排量和流量

在径向柱塞泵中,不论是单柱塞还是多柱塞,也不论是偏心轮式还是曲拐式,泵传动主轴都以匀角速度ω旋转,传动单柱塞所做直线运动的速度是变化的,所以泵的瞬时流量也随主轴旋转角度而变化,其变化规律为正弦曲线。多柱塞泵只是多个柱塞副相互交替工作进行吸、排油,其流量是数个有均匀相位差的半波正弦曲线的叠加,其瞬时流量仍有脉动。柱塞数越多,流量脉动系数越小,柱塞数为奇数时的流量脉动系数比为偶数时有显著减小,所以一般径向为柱塞泵的柱塞数都采用奇数。

假设柱塞直径为d,主轴的曲率径为e,则柱塞在柱塞孔内的最大行程为s=2e,单柱塞泵的排量为

$$V=\frac{\pi d^2}{8}s=\frac{\pi d^2}{4}e \tag{3-26}$$

对单柱塞泵,排量只与几何尺寸(d和c)有关。

平均流量计算是以单柱塞泵的排量为基础的。单柱塞泵的平均理论流量为

$$q_t=nV=\frac{\pi}{2}d^2en \tag{3-27}$$

多排多柱塞径向柱塞泵的实际流量为

$$Q=\frac{\pi}{2}d^2en\,ZY\eta_V \tag{3-28}$$

式中　d——柱塞直径;

e——曲柄半径,偏心轮或定子与转子的偏心距;

Z——每排柱塞数;

Y——柱塞排数;

n——主轴、偏心轮或转子的转速,r/min;

η_V——径向柱塞泵的容积效率。

第二节　液压泵的检修

液压泵是液压系统中最关键的元件,保证液压泵的正常工作是保证系统正常工作的基础,日常检查与维护是保证液压泵正常运转的关键,因此在使用液压泵时应具备必要的维护保养、故障分析处理及定期维修的液压泵检修基础知识。

液压泵的检修主要包括故障检查和故障修理。

一、故障检修

故障检修是一种事先检查的方法，并不是在液压泵发生故障后才去检修，而是在液压泵没有发生故障时的检查，是一种预防性的检修，如定期检修等。因此故障检修包含两个内容，检修周期和检修内容。

1.检修周期

检修周期就是人为地规定对液压泵实施故障检查的时间间隔。根据液压泵在生产中的作用，规定的检修周期也各不相同。重要的场合，规定的检修周期短，如煤矿的乳化液泵站要求每日检修。不重要的场合，规定的检修周期长些，如皮带张紧的液压泵站用柱塞泵等。常用的检查周期有：日、月、季、半年、年等，分别称为日检、月检、季检、半年检、年检等。

2.检修内容

通常情况下根据检修工作量的大小，可分为小修、中修、大修。这三种修理分别对应不同的检修周期如下表3-1所示：

检修类别	小修	中修	大修
检修周期月	3	12	24

一般情况对液压泵来说，小修、中修和大修的内容主要部分都基本相同。针对具体元件和修理手段和方法上可能存在一些差别。在实际修理时要具体情况具体分析。

（1）小修的内容：

更换密封填料，消除泄漏点。

检查、清洗泵入口和油系统的过滤器，更换润滑油。

检查、紧固各部螺栓。

检查、修理进出口阀组零部件。

检查、修理联轴器零件。

检查、调整或更换易损零、部件。

（2）中修的内容：

包括小修项目。

修理或更换进出口阀组零件。

修理或刮研各部轴瓦，检查或更换轴承。

检查或修理柱塞、十字头、滑块，曲轴配油盘、叶片、齿轮等主要部件。

校验压力表、安全阀、计量调节机构等。

检查、清洗减速机。

（3）大修内容：

包括中修项目。

解体、清洗、检查测量各零部件。

修理或更换曲轴、连杆、十字头、柱塞配油盘、叶片、齿轮等主要部件。

更换轴瓦。

机体找平，曲轴缸体重新找正。

检修基础，机体喷漆。

电机检查、修理、加油。

二、解体检修注意事项

液压泵的元件精度高，装配要求严，液压油液要求干净。因此对各元件的检修，均要求在专门的清洁场所进行，对于煤矿井下特别是工作面条件，是绝对不允许就地解体检修的。

解体检修过程中的拆装顺序和修理工艺必须严格按规定进行，任意环节马虎，都可能给元件和泵体带来事故隐患。解体检修的各个环节应注意以下事项：

1.拆卸

(1)拆卸管道必须事先作好标记顺序，以免装配时混淆；拆卸时，应当先卸掉管内压力，以免油液喷溅；卸下的管道先用清洗油液清洗，然后在空气中风干，并将管口用清洁绸布或塑料布包扎或用干净塞堵好，防止异物进入。

(2)拆卸的元件或辅件之孔口，均应加盖，以防异物进入或划伤加工表面；卸下的较小零件如螺栓、密封件等，应分类保存，不可丢失。

油箱要用盖板覆盖，防止落入灰尘；放出的油液应装入干净油桶，如再使用，必须用带过滤器的滤油车注入油箱。

2.元件解体、检修

必须解体修复的元件，应按以下要求进行：

(1)必须首先透彻了解元件的结构和装配关系，熟悉拆卸顺序和方法；准备适宜的工具。

(2)对那些配合要求严格、必须对号入座的零件，如柱塞泵的柱塞和叶片泵的叶片等，应在拆卸前作出对号标记。

(3)要轻拆轻放。卸下的零件经仔细清洗(不可用棉丝或带纤维的布清洗，应用泡沫塑料或新的绸布清洗)后分别安置，不得丢失和碰伤。对于一时不再组装的零件，应涂防锈油、装入木箱保管。

(4)对主要零件要测量磨耗、变形和硬度等。检测后凡可修理复用的要细心修复。

3.重新组装

零件经检测、修复或更换后，即可重新组装成元件。组装时应注意：

(1)彻底清除零件上的锈迹、毛刺及污物。

(2)组装前涂上工作油。

(3)对滑阀等滑动件，不可强行装入。应根据配合要求，用手边转边推轻轻装入阀体。

(4)紧固螺栓时，应按对角顺序均匀拧紧。

三、典型液压泵常见故障及处理

1.柱塞泵

现象	原因	处理方法	现象	原因	处理方法
密封泄漏	1.填料没压紧 2.填料或密封圈损坏 3.柱塞磨损或产生沟痕 4.超过额定压力	1.适当压紧填料压盖 2.更换 3.修理或更换柱塞 4.调节压力	油温过高	1.油质不符合规定 2.冷却不良 3.油位过高或过低	1.更换 2.改善冷却 3.调整油位
			产生异常声响或震动	1.轴承间隙过大 2.传动机构损坏 3.螺栓松动 4.进出口阀零件损坏 5.缸内有异物 6.液位过低	1.调整或更换 2.修理或更换 3.紧固 4.更换阀件 5.排出异物 6.液位提高
流量不足	1.柱塞密封泄漏 2.进出阀不严 3.泵内有气体 4.往复次数不够 5.进出口阀开启度不够或阻塞 6.过滤器阻塞 7.液位不够	1.修理、更换 2.修理、更换 3.排除气体 4.调节 5.检查修理 6.清洗过滤器 7.增高液位	轴承温度过高	1.润滑油质不符合要求 2.润滑系统发生故障，油量不足或过多 3.轴瓦与轴径配合间隙过小 4.轴承装配不良 5.轴弯曲	1.换油 2.排除故障，调整油量 3.调整间隙 4.更换轴承 5.校直轴
压力表指示波动	1.安全阀、单向阀工作不正常 2.进出口管路堵塞或漏气 3.管路安装不合理有震动 4.压力表失灵	1.检查调整 2.检查处理 3.修改配管 4.修理更换	油压过低	1.吸入过滤网堵塞 2.油泵齿轮磨损严重及各部位间隙过大 3.油压过低 4.压力表失灵	1.清理过滤网 2.调整间隙 3.加油 4.修理、更换

2.齿轮泵

现象	原因	处理方法	现象	原因	处理方法
流量不足或压力不够	1.吸入高度不够 2.泵体或入口管有漏气 3.入口管线或过滤器有堵塞现象 4.液体粘度大 5.齿轮轴向间隙过大 6.齿轮径向间隙或齿侧间隙过大	1.增高波面 2.更换垫片，紧固螺栓、修复管路 3.清理 4.液体加温 5.调整 6.调整间隙或更换泵壳、齿轮	电动机超负荷	1.液体粘度过大 2.机体内进杂物 3.轴弯曲 4.填料过紧 5.联轴器不同轴度超差 6.电流表出现故障 7.压力过高或管路阻力过大	1.加温 2.检查过滤器清除杂物 3.更换 4.调整 5.找正 6.修理或更换 7.调整压力，疏通管路

现象	原因	处理方法	现象	原因	处理方法
填料处渗漏	1.中心线编斜 2.轴弯曲 3.轴颈磨损 4.轴承间隙过大齿轮振动剧烈 5.填料树质不合要求 6.填料压盖松动 7.填料安装不当 8.密封圈失效	1.找正 2.调整或更换 3.修理或更换 4.更换轴承 5.重新选用填料 6.紧固 7.纠正 8.更换	振动或发生噪音	1.液位低、液体吸不止 2.轴承磨损间隙过大 3.主动与从动齿轮轴不平行，主动齿轮轴与电动机轴不同轴度超标 4.轴弯曲 5.泵体内进杂物 6.齿轮磨损 7.键槽松动或扎坏 8.地脚螺栓松动 9.吸入空气	1.增高液位 2.更换轴承 3.找正 4.更换 5.清理杂物，检查过路器 6.修理或更换 7.修理或更换 8.紧固 9.消除漏气
泵体过热	1.油温过高 2.轴承间隙过小或过大 3.齿轮径向、轴向、齿侧间隙过大 4.填料过紧 5.出口阀开度过小造成压力过高 6.润滑不良	1.冷却 2.调整间隙 3.调整或更换 4.调整 5.开大出口阀降低压力 6.更换润滑油脂			

第三节 液压马达

一、液压马达的特点与主要技术参数

1.液压马达的特点

液压马达是液压系统的一种执行元件，它将液压系统的压力能转换为机械能（扭矩和转速）。因此在液压系统中，液压马达与液压泵是一对相逆的能量转换元件。由于液压泵和液压马达的使用条件不同，对它们的性能要求也不一样，所以相同类型的液压马达和液压泵之间存在着许多差别。

（1）转向上的差别。液压马达可以正/反向运行，因此其内部结构具有对称性，而液压泵通常只是单向旋转，正转或者反转。

（2）自吸能力的区别。液压泵通常具有自吸能力，但是自吸能力非常小，正常使用中尽量避免使用具有自吸的工况，而液压马达不具有自吸能力。

（3）转速上的差别。液压马达的转速范围应足够大，特别是它的最低转速一般都有要求，主要是为了保证液压马达在低转速时的扭矩，而液压泵一般在高速下稳定工作，其转速基本不变。

（4）进液口上的区别。为防止液压泵吸液不充分而造成气蚀现象，通常情况下，把吸液口做得比排液口大一些，而液压马达通常是两侧的液压口是一样的。

（5）泄油口的区别。由于液压马达可以双向旋转，有时正转有时反转，其两侧的液压油口有时要接高压油，有时要接低压油，所以马达的内部泄漏油液与腔体内的油液要额外有一个单独的泄油口回到油箱内。而液压泵是单向旋转，低压口固定不变，内部泄油可以接通低压口与油箱相连，因此液压泵一般没有泄油口。

由于以上原因，很多类型的液压马达和液压泵是不可以互相代替使用的。

液压马达在分类上与液压泵基本一样，按其结构可分为：①齿轮式液压马达；②叶片式液压马达；③柱塞式液压马达，柱塞式液压马达又可以分为轴向柱塞马达和径向柱塞马达。

根据输出扭矩与转速的区别又可分为：低速大扭矩马达（扭矩大于1000N·m，转速小于200~300r/min）和高速小扭矩马达（扭矩小于1000N·m，转速大于200~300r/min）。常用的低速大扭矩马达有径向柱塞马达和轴向柱塞马达等。常用的高速小扭矩马达有齿轮式液压马达、叶片式液压马达和轴向柱塞马达。

2.液压马达的主要技术参数

（1）排量q：

液压马达的排量是指主轴每转一周所需要的工作液体体积，其单位为ml/r，马达排量q^M的大小只取决于马达本身的工作原理和结构尺寸，与工作条件和转速无关。

（2）输入流量Q_M和容积效率η_{VM}：

输入流量是指进入马达进液口的液体流量，单位为L/min。由于马达内部各运动副之间间隙的存在，不可避免地会出现泄漏现象，造成马达的容积损失。设马达的泄露流量为Q'_M，则真正推动马达做功的流量为$Q_M-Q'_M$，所以马达的容积效率为：

$$\eta_{VM}=\frac{Q_M-Q'_M}{Q_M} \tag{3-29}$$

（3）马达的输出转速n_M：

已知马达的排量q_M和容积效率η_{VM}以及输入流量Q_M后，马达的输出转速为：

$$n_M=\frac{Q_M\eta_{VM}}{q_M}\times10^3(\text{r/min}) \tag{3-30}$$

式中Q_M的单位为L/min，q的单位为mL/r。

由上式可以看出，通过改变输入流量Q_M或者调节马达的排量q_M均可以改变马达的转速。排量q_M可以调节的马达称为变量马达，否则为定量马达。

（4）马达的输出扭矩M_M：

$$M_M=\frac{\triangle p_M q_M}{2\pi}\eta_{mM}\times10^{-6}(\text{N·m}) \tag{3-31}$$

式中，$\triangle p_M$为马达进出油口压力差，Pa；η_{mM}为马达的机械效率；q_M为马达排量，mL/r。

（5）马达的输出功率N_M和总效率η_M：

$$N_M=\frac{\triangle pQ_M}{6\times10^6}\eta_M(\text{kW}) \tag{3-32}$$

式中，$\triangle p_M$为马达进出油口压力差，Pa；Q_M为输入流量，L/min；η_M为液压马达的总效率，$\eta_M=\eta_{vM}\ \eta_{mM}$。

（6）液压马达的职能符号：

液压马达的职能符号如图3-33所示。

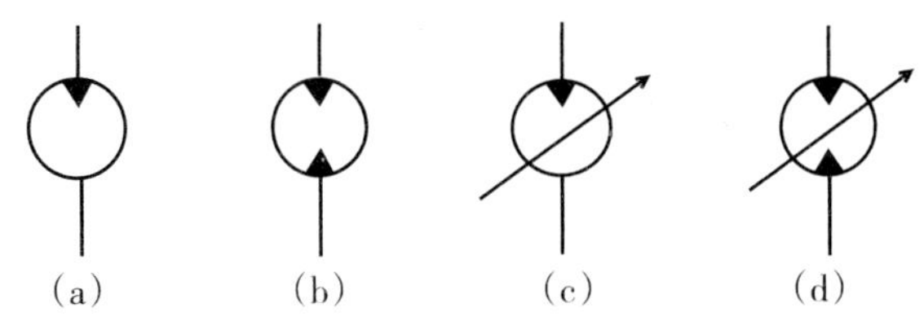

(a)单向定量马达;(b)双向定量马达;(c)单向变量马达;(d)双向变量马达

图3-33 液压马达的职能符号

二、齿轮液压马达和叶片液压马达

1.齿轮液压马达工作原理

同齿轮液压泵一样,齿轮的液压马达分为内啮合齿轮液压马达和外啮合齿轮液压马达。本文主要介绍外啮合齿轮液压马达的工作原理。

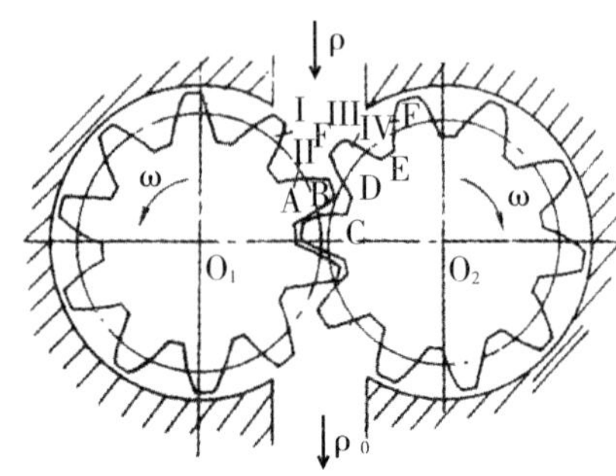

图3-34 外啮合齿轮液压马达的工作原理

外啮合齿轮液压马达的工作原理如图3-34所示。当压力为P的压力油进入马达的工作腔时,暴露在工作腔的齿面都受到压力P的作用。以右齿轮的C、D、E、F为例分析,C的上齿面一部分受到压力P的作用,作用在C齿齿面上的长度为从啮合圆到C齿的齿根部处;D齿的整个齿面受到压力P的作用;F齿只有左齿面受到压力P的作用。对于右齿轮来说,它的总的圆周力不平衡,使齿轮向右旋转的力大于向左旋转的力。同样对于左齿轮来说,使齿轮向左旋转的力大于向右旋转的力,在两个齿轮共同的力的作用下,两个齿轮按图示方向旋转。同时,位于齿槽中的工作液被带到马达的出口腔p_o,流回到油箱。如果改变进液方向,则可以改变马达的旋转方向。

2.齿轮马达的技术参数

(1)排量q_M:

$$q_M = 2\pi m^2 ZB(mL/r) \tag{3-33}$$

(2)平均输出转速n_M:

$$n_M = \frac{Q_M}{2\pi m^2 ZB}\eta_{VM}\times 10^{-3}(N\cdot m) \tag{3-34}$$

(3) 平均输出扭矩M_M:

$$M_M = m^2 ZB\triangle p_M \eta_{mM}\times 10^{-6}(N\cdot m) \tag{3-35}$$

以上各式中,m为齿轮模数,cm;B为齿轮宽度,cm;Z为齿轮齿数;Q_M为输入流量,L/min;η_{VM}、η_{mM}为马达的容积效率和机械效率;$\triangle p_M$为马达进出油口压力差,Pa。

3.叶片马达的工作原理

同样与叶片液压泵一样，叶片马达根据马达每转1转，叶片受到液压油的作用次数，可分为单作用叶片马达和双作用叶片马达。双作用叶片马达应用较广，下面以双作用叶片马达为例介绍其工作原理。

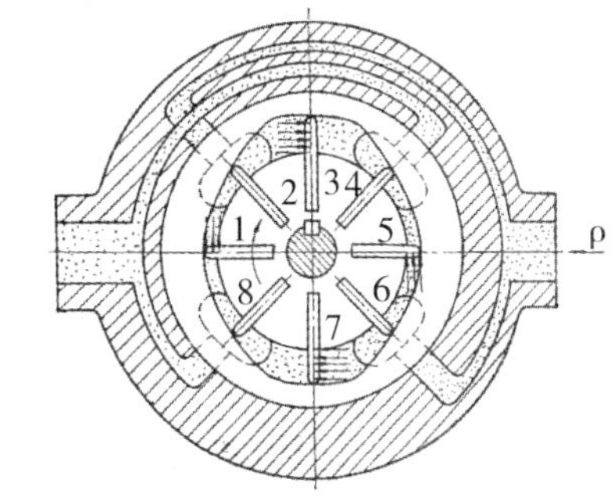

图3-35　双作用叶片马达

双作用叶片马达如图3-35所示，当压力为P的压力油进入马达的工作腔时，2、6两侧同时受到高压液的作用，两侧面积相同，在圆周的切向方向受力平衡。4、8在两侧同时受到低压作用(假设压力为零)也不存在切向方向的力。1、3、5、7的一侧为高压液，另一侧为低压液，3、7受到的切向力的合力，使叶片马达转子向右旋转，而1、5受到的切向力的合力，使叶片马达转子向左旋转，但是由于3、7伸出的面积较大，受到切向力的合力大于1、5受到的切合力的合力，最终转子受到总的切合力是顺时针的，因此马达转子如图所示的方向旋转。当改变液体输入方向时，马达反向旋转。

4.叶片马达的技术参数

(1)排量q_M：

$$q_M = 2B(R-r)\left[\pi(R+r)-SZ\right](mL/r) \tag{3-36}$$

(2)平均输出转速n_M：

$$n_M = \frac{Q_M\eta_{VM}\times10^3}{2B(R-r)\left[\pi(R+r)-SZ\right]}(r/min) \tag{3-37}$$

(3) 平均输出扭矩M_M：

$$M_M = \triangle p_M B(R-r)\left[\pi(R+r)-SZ\right]\frac{\eta_{mM}}{\pi}\times10^{-6}(N\cdot m) \tag{3-38}$$

以上各式中，B为转子宽度，cm；R为定子大圆弧半径，cm；S为叶片厚度，cm；r为定子小圆弧半径，cm；Z为叶片数；Q_M为输入流量，L/min；η_{VM}、η_{mM}为马达的容积效率和机械效率，$\triangle p_M$为马达进出口压力差，Pa。

三、柱塞液压马达

柱塞液压马达同样分为轴向柱塞马达和径向柱塞马达。轴向柱塞马达又分为斜盘式柱塞液压马达和斜轴式柱塞液压马达。

1.轴向柱塞液压马达工作原理

不论是斜盘式柱塞液压马达还是斜轴式柱塞液压马达，结构形式虽略有不同，但工作原理基本是相同的。下面以斜盘式柱塞液压马达为例说明轴向柱塞马达工作原理。

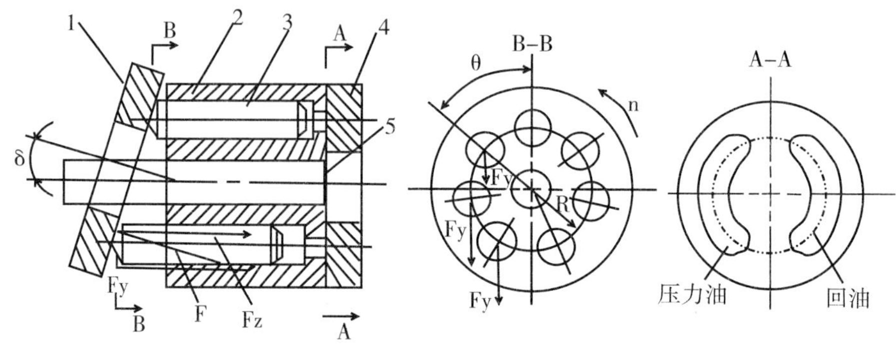

图3-36 轴向柱塞式液压马达

1——斜盘;2——缸体;3——柱塞;4——配油盘;5——马达轴

如图3-36所示,轴向柱塞马达工作原理,斜盘1和配油盘4固定不动,缸体2和马达轴5相连接,并可一起旋转。

当压力油经配油窗口进入缸体孔作用到柱塞端面上时,压力油将柱塞顶出,对斜盘产生推力,斜盘则对处于压油区一侧的每个柱塞都要产生一个法向反力F,这个力的水平分力F_M与柱塞上的液压力相平衡,而垂直分为F_y则使每个柱塞都对转子中心产生一个转矩,使缸体和马达轴作逆时针方向旋转。如果改变液压马达压力油的输入方向,马达轴就可作顺时针方向旋转。

2.轴向柱塞液压马达的技术参数

(1)排量q_M:

$$q_M = \frac{\pi}{4} d^2 DZ \tan\delta \ (\mathrm{mL/r}) \tag{3-39}$$

(2)平均输出转速n_M:

$$n_M = \frac{4q_M\eta_{VM}}{\pi d^2 DZ \tan\delta} \times 10^3 (\mathrm{r/min}) \tag{3-40}$$

(3)平均输出扭矩M_M:

$$M_M = \frac{\Delta p_M}{8} d^2 DZ \eta_{VM} \tan\delta (\mathrm{N \cdot m}) \tag{3-41}$$

以上各式中,d为柱塞直径,cm;D为柱塞孔分布圆直径,cm;z为柱塞个数;Δp_M为马达进出口压力差,Pa。δ为斜盘倾角。其他参数含义同前。

对于斜轴式柱塞液压马达,只需要将各式的D tanδ换成$D_1 \sin\delta$(D_1为柱塞分布圆直径)即可计算以上各参数。

3.径向柱塞液压马达的工作原理

在图3-37中,当压力油从配油轴5上的轴孔a、衬套3进入转子2内柱塞1的底部时,柱塞1在油压作用下向外伸出,紧紧地顶在定子4的内壁上。定子4和转子2之间存在一偏心距e。在柱塞和定子接触处,定子给柱塞一反作用力F,其方向在定子内圆柱曲面的法线方向上。将力F沿柱塞的轴向(缸体的径向)和径向分解成力F_x和F_y,F_y对转子产生转矩,使转子旋转。转子则经其端面连接的传动轴向外输出转矩和转速。液压马达输出的转矩等于高压区内各柱塞产生转矩的总和,其值也是脉动的。

与轴向柱塞液压马达相反,低速大转矩液压马达多采用径向柱塞式结构。其主要特点是排量大(柱塞的直径大、行程长、数目多)、压力高、密封性好。但其尺寸及体积大,不能用于反应灵敏、频繁换向的系统中。在矿山机械、采煤机械、工程机械、建筑机械、起重运输机械及船舶方面,低速大转矩液压马达得到了广泛运用。

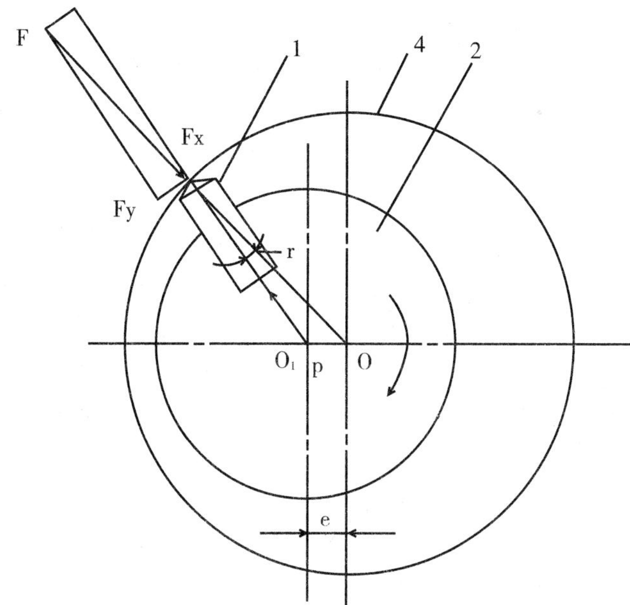

图3-37 径向柱塞液压马达的工作原理

4.径向柱塞液压马达的技术参数

(1)排量q_M:

$$q_M = \frac{\pi}{4} d^2 SZ \text{ (mL/r)} \quad (3\text{-}42)$$

(2)平均输出转速n_M:

$$n_M = \frac{4 q_M \eta_{VM}}{\pi d^2 SZ} \times 10^3 \text{(r/min)} \quad (3\text{-}43)$$

(3)平均输出扭矩M_M:

$$M_M = \frac{\triangle p_M}{8} d^2 SZ \eta_{VM} \times 10^{-6} \text{ (N·m)} \quad (3\text{-}44)$$

以上各式中,s为柱塞行程,cm;d为柱塞直径,cm;z为柱塞个数;p为马达进出口压力差,Pa。其他参数含义同前。

四、多作用径向柱塞马达

多作用径向柱塞马达是一种低速大扭矩马达,也称为内曲线多作用径向柱塞马达。目前在我国的矿山机械、采煤机械、工程机械、建筑机械、起重运输机械及船舶方面,低速大转

矩液压马达得到了广泛运用

1.多作用径向柱塞马达的工作原理

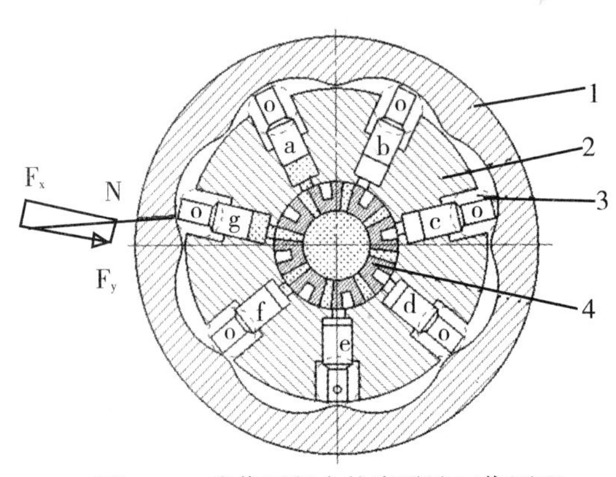

图3-38 多作用径向柱塞马达工作原理

如图3-38所示，多作用径向柱塞马达主要由定子1、转子2、柱塞组件3和配流轴4等主要元件组成，定子的内壁由若干段均匀分布且形状完全相同的曲面形成，定子曲面亦称为导轨。每一组相同形状的曲面又可分为对称的两边，一边为进油段(即工作区段)，另一边为回油区段(即非工作区段)。柱塞组件通常包含柱塞、横梁和滚轮等若干零件。

在转子2上，沿径向均布有Z个柱塞孔，每个孔的底部有一配流窗口，与配流轴上的配流口相通。柱塞装在转子的柱塞孔中，并可以在空中往复运动。

配流轴在圆周上有2X个均匀分布的配流窗口，其中有X个窗口与进油口相通，另外X个窗口与回油口相通。这2X个配流窗口的位置分别与X个导轨曲面的工作区段和非工作区段的位置严格对应。

来自油泵的高压油首先进入配流轴，经配流窗口进入位于工作区段的各柱塞孔中，使相应的柱塞伸出并以滚轮顶在定子曲面(即导轨)上(如图3-38中d、g柱塞)。在滚轮与曲面的接触点上，曲面就会给柱塞组一个反作用力N，其方向垂直于导轨曲面，并通过滚轮中心。反力N可分解为径向力F_Y和切向力F_X。径向力F_Y与作用在柱塞底部的液压力相平衡，而切向力F_X则通过柱塞组作用于转子而产生扭矩，使转子转动。柱塞在外伸的同时随缸体一起旋转，当柱塞(如图中柱塞c)到达曲面的凹顶点(即外死点)时，柱塞底部的油孔被配流轴封闭，与高低压腔都不通，但此时仍有其他柱塞位于进油区段工作，使转子转动，所以当该柱塞超过曲面的凹顶点进入回油区段时，柱塞孔便与配流轴的回油口相通。在定子曲面的作用下，柱塞(如图中柱塞b、c、d)x向内收缩，把油从回油窗口排出。当柱塞运动到内死点(如图中柱塞e)时，柱塞底部油孔也被配流轴封闭与高低压腔都不相通。

柱塞每经过一个曲面，就往复运动一次，进油与回油交换一次。当有X段曲面时，每个柱塞要往复运动X次，故X称为马达的作用次数，图3-38所示为多作用内曲线马达。

当马达的进、出油换向时，马达将反转。这种马达既有轴转结构，也有壳转结构。

2.多作用径向柱塞马达的技术参数

(1)排量q_M：

$$q_M=\frac{\pi}{4}d^2SXYZ\ (\mathrm{mL/r}) \tag{3-45}$$

(2)平均输出转速n_M：

$$n_M=\frac{4q_M}{\pi d^2SXYZ}\eta_{VM}\times10^3\ (\mathrm{r/min}) \tag{3-46}$$

(3) 平均输出扭矩 M_M:

$$M_M = \frac{\triangle p_M}{8} d^2 Dz\eta_{VM}\tan\gamma \ (\mathrm{N \cdot m}) \qquad (3-47)$$

以上各式中,s 为柱塞行程,cm;d 为柱塞直径,cm;X 为作用次数;Y 为柱塞排数;Z 为每排柱塞数。

3.曲型结构

内曲线马达的结构形式很多,除了有轴转、壳转之分,定量、变量之分,单排、双排之分外,若按柱塞组传递切向力的方式来分,又可以分为柱塞直接传递切向力的马达、横梁传递切向力的马达、滚轮传递切向力的马达、摇杆传递切向力的马达等几种。现仅以横梁传递切向力的马达为例加以说明。

图3-39所示为横梁传递切向力的马达,其定子曲面对滚轮4的反作用力的切向力是通过横梁2传递到转子3的,柱塞与横梁间无刚性连接,在液压力的作用下,柱塞外端的球头与横梁的底部接触。由于柱塞不承受侧向力,所以磨损情况与柱塞传递切向力的马达相比,得到很大改善。虽然横梁与转子径向槽侧壁有磨损,但这对柱塞与柱塞孔的密封性没有影响。这种结构的马达主要缺点是横梁与转子槽侧壁间的摩擦力大,因此其机械效率低,径向尺寸较大。但由于这种马达能传递很大的扭矩,所以在某些采掘机械中常常被采用。

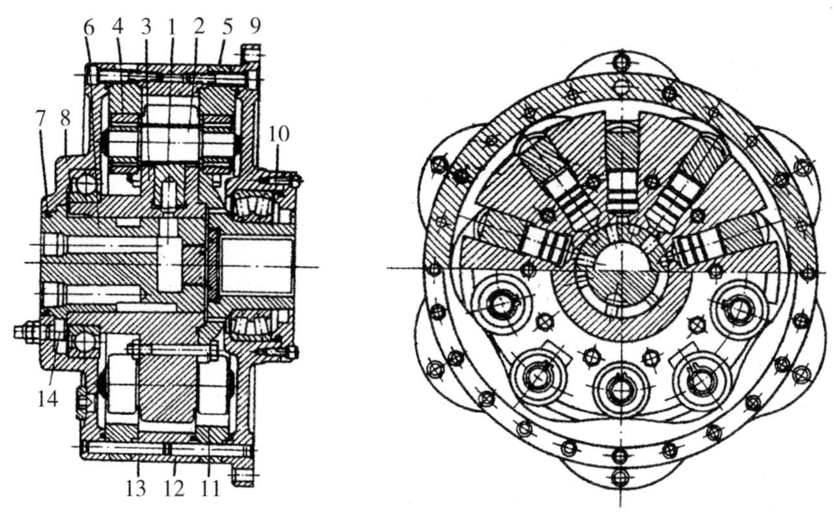

图3-39　横梁传递切向力的马达

1——柱塞;2——横梁;3——转子;4——滚轮;5——定子;6——配流轴

五、摆线马达

摆线马达是采掘机械上常用的一种马达,严格说来应属于内啮合齿轮马达,它是由转子、定子、配流盘等组成。下面以BM系列摆线马达为例加以说明。

1.BM型摆线马达结构和工作原理

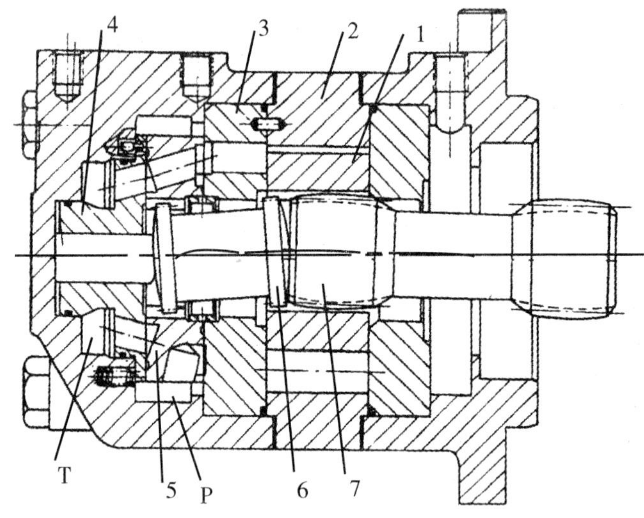

图3-40 BM系列摆线马达结构

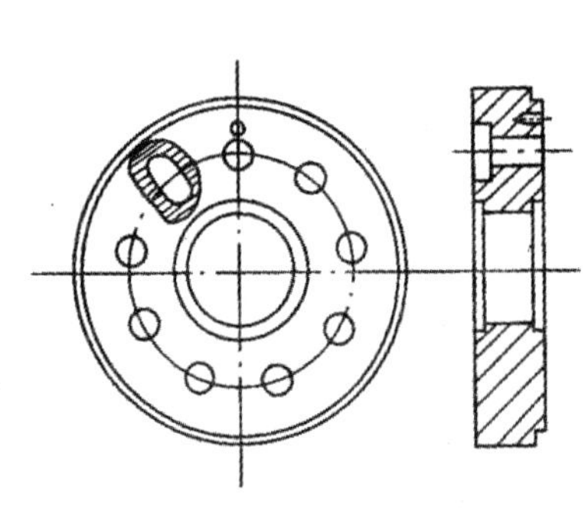

图3-41 辅助配流板结构

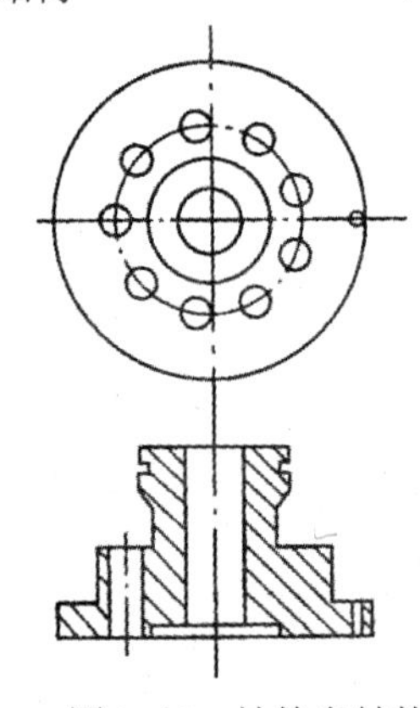

图3-42 补偿盘结构

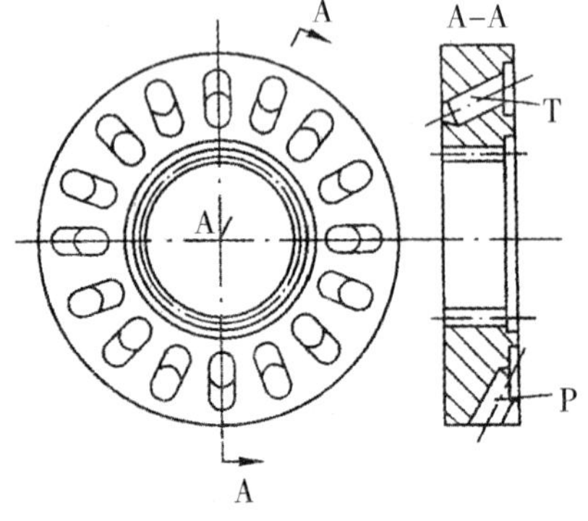

图3-43 配流盘结构

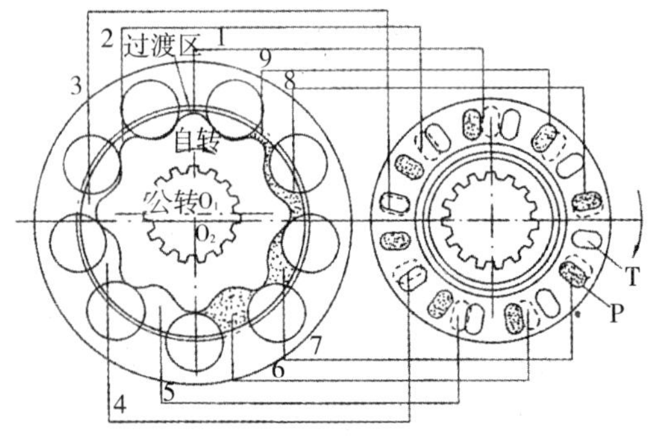

图3-44 BM系列摆线马达配流原理

摆线马达分轴式配流和端面配流两种。BM型摆线马达为端面配流，其结构如图3-40所示，转子5上具有$Z_1(Z_1=8)$个短幅外摆线齿形的轮齿，与具有$Z_2(Z_2=9)$个圆弧形齿的内齿圈(定子)4相啮合,形成Z_2个密封空间。

在固定不动的辅助配流板3上有Z_2个孔(图3-41),分别与上述各密封空间相对应。固定不动的补偿盘1上也有Z_2个孔(图3-42),其位置与辅助配流板相对应,但各孔恒与回液腔T连通。

配流盘2上有两组孔道P和T(图3-43),每组各有Z_1条孔道。P组孔道直接与进液腔连通,T组孔道则经补偿盘与回液腔连通。配流盘用短花键联轴节7与转子5联接,并与转子同步转动。于是,其上的孔道P、T便轮流与辅助配流板及补偿盘上的孔道通断,实现对马达的配流。

BM型摆线马达的配流原理如图3-44所示,图中虚线孔是与各密封空间相对应的辅助配流板上的孔,而进液孔和回液孔分别由配流盘上的P孔和T孔表示。图示位置密封空间1位于过渡区,进、回液配流孔与虚线孔隔断;这时密封空间6、7、8、9与进液孔接通,密封空间2、3、4、5则与回液孔接通。于是转子在高压液体作用下,将按使进液密封空间容积增大的方向自转。由于与其相啮合的定子固定不动,故转子在绕自身轴线O_1低速自转的同时,其中心O_1还绕定子中心O_2高速反向公转(故这种马达也称行星转子式摆线马达)。随着转子自转的同时,各密封空间将依次与进、回液孔P和T接通。于P孔接通的顺序为:6、7、8、9→7、8、9、1→8、9、1、2→ …… →6、7、8、9等。显然,转子公转1周(每个密封空间完成一次进、出液工作循环),它自转过1个齿。所以转子公转Z_1转时,才自转1周,其公转与自转的速比$i = -Z_1$。

摆线马达具有结构简单、重量轻、体积小、转速范围大、低速稳定性好的特点。

2.摆线马达的技术参数

(1)排量q_M:

$$q_M = \pi(R_e^2 - R_i^2)B \cdot Z_1 \ (mL/r) \tag{3-48}$$

式中,R_e为转子长半径,cm;R_i为转子短半径,cm;B为转子宽度,cm;z_1为转子齿数。

(2)平均输出转速n_M:

$$n_M = \frac{q \cdot \eta_{VM}}{\pi(R_e^2 - R_i^2)BZ_1} \times 10^3((r/min) \tag{3-49}$$

式中,q为马达的输入流量,L/min;η_{VM}为马达的容积效率。

(3)平均输出扭矩M_M:

$$M_M = \frac{1}{2}\Delta p_M(R_e^2 - R_i^2)Bz_1\eta_{VM} \times 10^{-6}(N \cdot m) \tag{3-50}$$

式中,Δp_M为马达有效工作压差,Pa。其他符号含义同前。

第四节　液压马达的检修

一、齿轮马达与叶片马达的检修

1.检修周期和检修内容

齿轮马达与叶片马达的检修同齿轮泵和叶片泵的检修基本相同，也分为检修周期和检修内容，这两者的规定基本相同，这里不再叙述，请参照泵的检修。

2.拆解

齿轮马达和叶片马达的拆解注意事项和拆解过程同前面的齿轮泵和叶片泵的拆解，同样在这里不再阐述，请参照前面所述。

3.齿轮马达与叶片马达常见问题处理

常见问题及处理方法：

问题	可能原因	处理方法
马达轴头漏油	1.轴磨损	1.检查更换或修理，常用刷镀和喷涂然后再磨
	2.骨架油封磨损	2.检查更换
	3.轴头O型圈损坏	3.检查更换
	4.马达体内压力过高，泄油口堵塞	4.检查泄油管路，检查回油过滤器更换
马达不转	1.进、回油管堵塞	1.检查进、回油管并疏通
	2.联轴器憋卡	2.检查调整联轴器
	3.负载过大	3.降低负载
	4.液压系统不起压	4.检查液压系统的压力
	5.流量不够	5.检查液压系统的供油流量并调整
马达体表温度过高	1.内部泄漏过大	1.检查马达泄露量，可通过观察、泄油口的流量来判断
	2.内部摩擦严重	2.内部的润滑有问题，可能是叶片齿轮的表面有损坏，造成摩擦严重，更换叶片、齿轮组件
	3.油温过高	3.降低油温
产生振动和噪音	1.马达处于被动运行	1.给马达增加背压
	2.齿轮径向间隙过大	2.更换
	3.叶片间隙过大	3.更换
	4.轴弯曲	4.修理更换
	5.键松动	5.调整更换
	6.负载大	6.调整负载

二、柱塞马达的检修

柱塞马达的检修与柱塞泵的检修大同小异，有关检修周期和内容及拆解的有关事项不再赘述，斜轴马达和斜盘变量马达芯体结构图如图3-45、3-46所示。

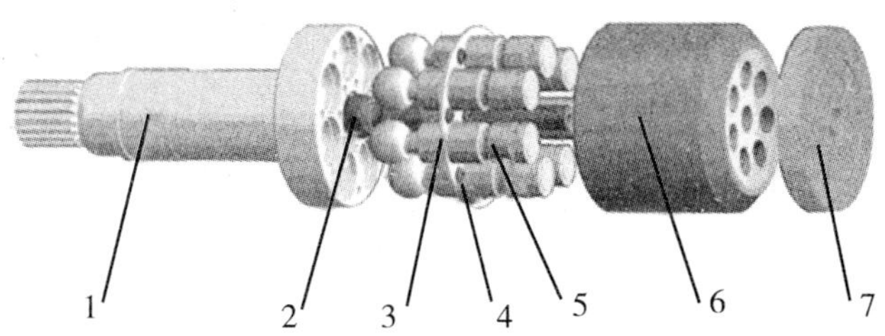

图3-45　斜轴马达内部芯体组装图

1——主轴；2——中心轴；3——压板；4——螺钉；5——连杆柱塞；6——缸体；7——配油盘

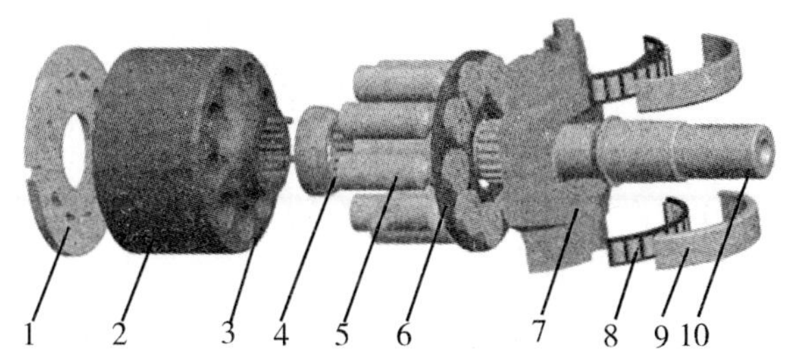

图3-46　斜盘变量马达内部芯体组装图

1——配油盘；2——缸体；3——顶针；4——球绞；5——柱塞滑靴；6——回程盘；
7——摇摆斜盘；8——半圆轴承；9——半圆轴承座；10——主轴

柱塞马达常见的问题及处理方法

问题	可能原因	处理方法
马达轴头漏油	1.轴颈磨损	1.检查更换主轴或修理，常用刷镀和喷涂，然后再磨
	2.骨架油封磨损	2.检查更换
	3.轴头O型圈损坏	3.检查更换
	4.马达体内压力过高，泄油口堵塞	4.检查泄油管路，并疏通
马达不转	1.进、回油管堵塞	1.检查进、回油管并疏通及其管路中各种阀状态是否正常
	2.联轴器憋卡	2.检查调整联轴器是否对正，同轴度不超过0.1mm
	3.负载过大	3.降低负载
	4.液压系统不起压	4.检查液压系统的压力
	5.流量不够	5.核对马达的流量，检查液压系统的供油流量，是否有泄露等

马达体表温度过高	1.内部泄漏过大	1.首先观察马达的泄油口流量是否变大,一般不超过马达流量的5%,如有问题需解体检查柱塞与缸体间的间隙磨损是否严重,配流盘是否损坏等
	2.内部摩擦副损坏	2.解体检查各摩擦副是否损坏
	3.油温过高	3.降低液压系统的温度
产生振动和噪音	1.马达处于被动运行	1.马达由负载驱动,内部产生真空、气蚀。需给马达增加背压,一般在0.3~1MPa
	2.轴弯曲	2.修理更换
	3.键松动	3.修理更换
	4.负载大	4.检查调整负载情况

第五节　液压缸

液压缸是液压传动系统中的执行元件,它和液压马达一样,都是将油液的压力能转换成机械能的能量转换装置。所不同的是,液压马达实现连续的回转运动,而液压缸实现直线运动或摆动。

一、液压缸的类型及特点

为满足工作结构的不同用途,液压缸有多种类型。

按供油方向可分为单作用液压缸和双作用液压缸。单作用液压缸只是向缸的一侧输入高压油,靠其他外力(如弹簧力)使活塞反向回程;双作用液压缸则为向缸的两侧输入压力油,活塞的正反方向均靠液压力完成。

按结构型式可分为活塞液压缸、柱塞液压缸、摆动液压缸和伸缩套筒液压缸。按活塞杆的数量可分为单活塞杆液压缸和双活塞杆液压缸。

按液压缸的特殊用途可分为串联液压缸、增压液压缸、增速液压缸、步进液压缸等。这些缸都不是一个单纯的缸筒,而是和其他缸筒和构件组合而成,从结构的观点看,这些液压缸又叫组合液压缸。

1.活塞式液压缸

(1)单杆活塞缸

图3-47,3-48,3-49为单杆活塞缸,它的进、出油口的布置视其安装方式而定,可以缸筒固定,也可以活塞杆固定,工作台的移动范围都是活塞(或缸筒)有效行程的两倍。

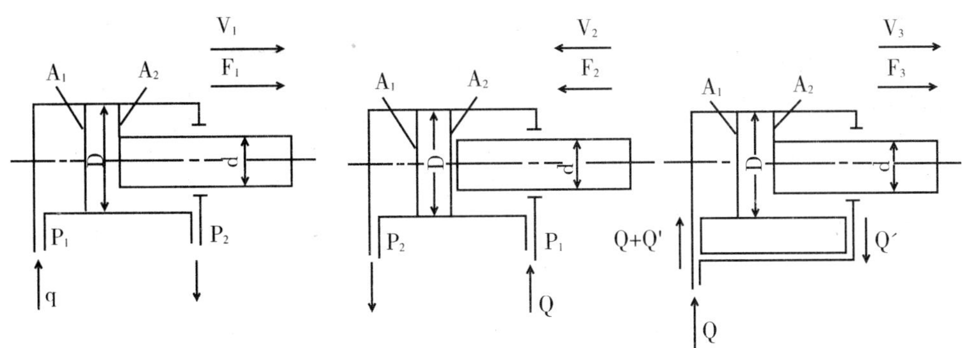

图3-47　单杆液压缸伸出　　　图3-48　单杆液压缸缩回　　　图3-49　差动单杆液压缸伸出

由于液压缸两腔的有效工作面积A_1和A_2（如图3-48，3-49）不等，因此它在两个方向上的输出推力和速度亦不等，其值分别为

$$F_1=(P_1A_1-P_2A_2)\eta_M=\frac{\pi}{4}[(P_1-P_2)D^2+P_2d^2]\eta_M \tag{3-51}$$

$$F_2=(P_1A_1-P_2A_2)\eta_M=\frac{\pi}{4}[(P_1-P_2)D^2+P_1d^2]\eta_M \tag{3-52}$$

$$V_1=\frac{Q}{A_1}\eta_v=\frac{4Q\eta_v}{\pi D^2} \tag{3-53}$$

$$V_2=\frac{Q}{A}\eta_v=\frac{4Q\eta_v}{\pi(D^2-d^2)} \tag{3-54}$$

式中，A_1、A_2——为液压缸左、右两腔的有效工作面积；D、d——为活塞、活塞杆的直径，cm；Q——为输入流量；P_1、P_2——为缸进、出口压力；η_M、η_v——为缸的机械、容积效率。

如把两个方向上的输出速度V_1、V_2的比值称为速度比，记作λ_v，则$\lambda_v=V_2/V_1=1/[1-(d/D)^2]$，因此，$d=D\sqrt{(\lambda_v-1)/\lambda_v}$在已知D和$\lambda_v$时，可确定d值。d/D、$\lambda_v$、$A_2/A_1$之间的关系见表3－1。

表3-1　速度 比与d/D、A_2/A_1之间的关系

λ v	1.15	1.25	1.33	1.46	1.61	2.00
d/D	0.36	0.45	0.5	0.55	0.62	0.71
A2/A1	0.87	0.80	0.75	0.69	0.62	0.50

单杆活塞缸在其左右两腔都接通高压油时，称为“差动连接”，作差动连接时的单杆活塞缸称为差动缸。差动连接时活塞（或缸筒）只能向一个方向运动，要使它反方向运动时，油路的接法必须和非差动式连接相同。差动连接时输出的推力和速度为

$$F_3=P_1(A_1-A_2)\eta_M=P_1\frac{\pi}{4}d^2\eta_M \tag{3-55}$$

$$V_3=\frac{Q\eta_V}{A_1-A_2}=\frac{4Q\eta_V}{\pi d^2} \tag{3-56}$$

由此可见，差动连接时液压缸输出的推力比非差动连接时小，速度比非差动连接时大，

正好利用这一点，可使在不加大油源流量的情况下得到机床工作台快速进、退和慢速进给的运动循环。反向运动时，F_2和V_2的公式同式（3-54）和式（3-56）。如要求$V_2=V_3$时，由式（3-56）和式（3-58），可得$D=\sqrt{2}d$。

（2）双杆活塞缸

图3-50a为缸筒固定的双杆活塞缸，其进、出油口布置在缸筒两端，两活塞杆的直径是相等的，因此当工作压力和输入流量不变时，两个方向上输出的推力和速度是相等的，其值为

$$F=(P_1-P_2)A\eta_M=(P_1-P_2)\frac{\pi}{4}(D^2-d^2)\eta_M \tag{3-57}$$

$$V=\frac{Q}{A}\eta_v=\frac{4Q\eta_V}{\pi(D^2-d^2)} \tag{3-58}$$

这种安装形式使工作台的移动范围约为活塞有效行程的3倍，占地面积大，宜用于小型设备中。

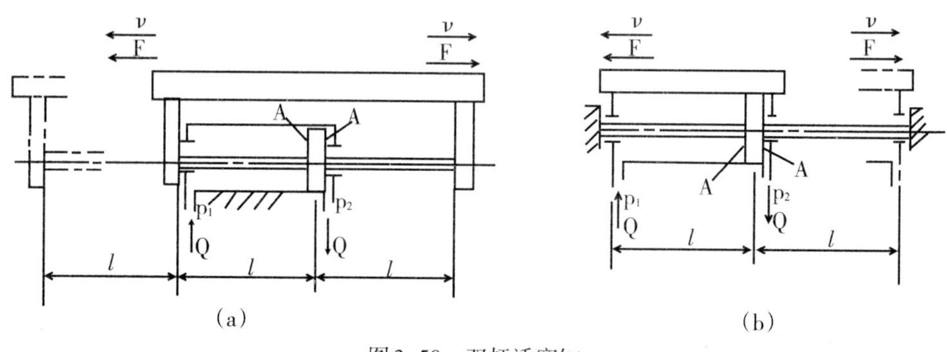

图3-50　双杆活塞缸

图3-50b为活塞杆固定的双杆活塞缸，其进、出油口布置在活塞杆两端，油液经活塞杆内的通道输入液压缸，使用软管连接时，进、出油口亦可布置在缸筒两侧。缸筒移动时输出的推力和速度大小都和缸筒固定式的相同。但这种安装形式使工作台的移动范围为缸筒有效行程的2倍，故可用于较大型的设备中。

双杆活塞缸在工作时，设计成一个活塞杆受拉，而另一个活塞杆不受力，因此这种液压缸的活塞杆可以做得细些。

（3）职能符号

单杆液压缸和双活塞杆液压缸的职能符号如图3-51所示。

图3-51　液压缸职能符号

2.柱塞式液压缸

上述活塞式液压缸中，缸的内孔与活塞有配合要求，所以要有较高的精度，当缸体较长时，加工就很困难。为了解决这个矛盾，可采用柱塞式液压缸，如图3-52所示。

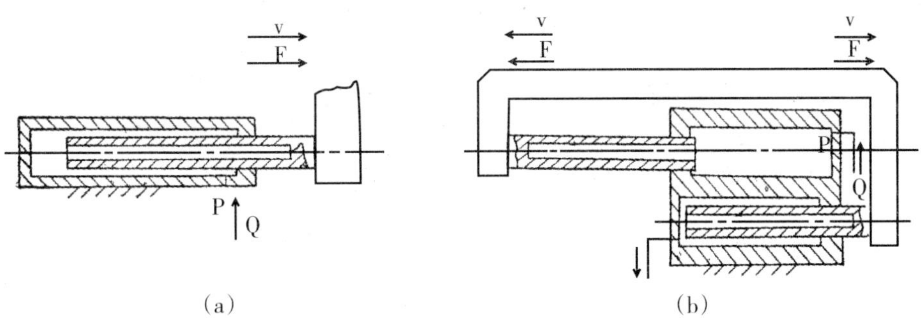

图3-52　柱塞式液压缸

从图中可看，柱塞缸的内壁与柱塞并不接触。没有配合要求，故缸孔不需要精加工，柱塞仅与缸盖导向孔间有配合要求，这就大大简化了缸体加工和装配的工艺性，因此，柱塞缸特别适用于行程很长的场合。为了减轻柱塞的重量，减少柱塞的弯曲变形，柱塞一般做成空心的。行程特别长的柱塞缸，还可以在缸体内设置辅助支承，以增强刚性。图3-52(a)所示为单柱塞缸，柱塞和工作台连在一起，缸体固定不动。当压力油进入缸体时，柱塞在液压力作用下带动工作台向右移动。柱塞的返回要靠外力(如弹簧力或立式部件的重力等)来实现。图3-52(b)为双柱塞缸，它是由两个单柱塞缸组合而成，因而可以实现两个方向的液压驱动。柱塞式液压缸的推力F和速度v的计算公式如下：

$$F=\frac{\pi}{4}d^2p\eta_M \tag{3-59}$$

$$V=\frac{4Q}{\pi d^2}\eta_v \tag{3-60}$$

3.摆动液压缸

摆动液压缸主要用来驱动作间歇回转运动的工作结构，例如回转夹具、分度机械、送料、夹紧等机床辅助装置，也有用在需要周期性进给的系统中。

图3-53(a)为单叶片摆动液压缸，叶片1固定在轴上，隔板2固定在缸体上，隔板2的槽中嵌有密封块4，密封块4在弹簧片3的作用下紧压在轴的表面上，起密封作用。当压力油进入摆动缸时，在油压作用下，叶片带动轴回转，摆动角度小于300°。单叶片摆动缸结构较简单，摆动角度大。但它有两个缺点：一是输出的转矩小，二是心轴受单向径向液压力大。图3-53(b)为双叶片摆动液压缸，心轴上固定着2个叶片，因此在同样大小的结构尺寸下，所产生的转矩比单叶片摆动缸增大1倍，而且径向液压力得到平衡，但双叶片摆动缸的转角较小，小于150°，且在相同流量下，转速也减小了。

叶片摆动缸的实际转矩T和角速度的计算式如下：

$$T=Zb\int_{R_1}^{R_2}(p_1-p_2)rdr\eta_M=\frac{1}{2}bZ\,(R_2^2-R_1^2)(p_1-p_2)\eta_M \tag{3-61}$$

$$\varphi=\frac{2\pi Q}{\frac{\pi}{4}(D^2-d^2)bz}\eta_v=\frac{8Q}{bz(D^2-d^2)}\eta_v \tag{3-62}$$

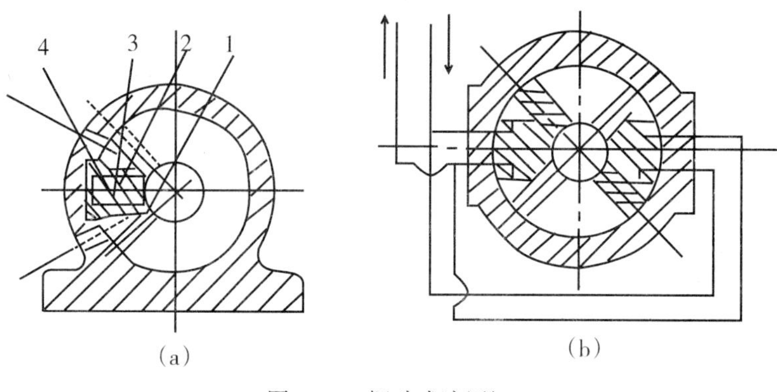

图3-53 摆动式液压缸

1——叶片；2——隔板；3——弹簧片；4——密封块

式中，b为叶片宽度；R_1、R_2为叶片底部、顶部的回转半径；Z为叶片数；P_1、P_2为工作腔、回油腔的液压力；D、d为缸体内径、转轴外径，$D=2R_2$，$d=2R_1$；Q为进入摆动缸的流量；r为叶片径向长度η_v；η_m为摆动缸的容积效率和机械效率。

二、液压缸的结构

图3-54为单杆活塞式液压缸的典型结构，它由缸筒组件和活塞组件2个基本部分组成。缸筒组件包括缸筒5与前、后端盖1和8等。活塞组件包括活塞3、活塞杆4等零件，这两部分在组装后用4根长拉杆6串起来，并用螺母固紧。为了保证液压缸具有可靠的密封性，在前、后端盖和缸筒之间，缸筒和活塞之间，活塞杆和后端盖之间以及活塞和活塞杆之间分别设置了相应的密封件2、7、12等。活塞杆的伸出端由装有刮油、防尘装置9和导向套10支承。为了防止活塞在两端对端盖的撞击，在前、后缸盖上都设置了由单向阀14和节流阀13组成的缓冲装置，其工作原理将在本节后面详细介绍。在液压缸工作前，应先放出缸内积聚的空气，为此在缸筒的最上方开设排气装置(图中未表示出来)，本节后面将作介绍。

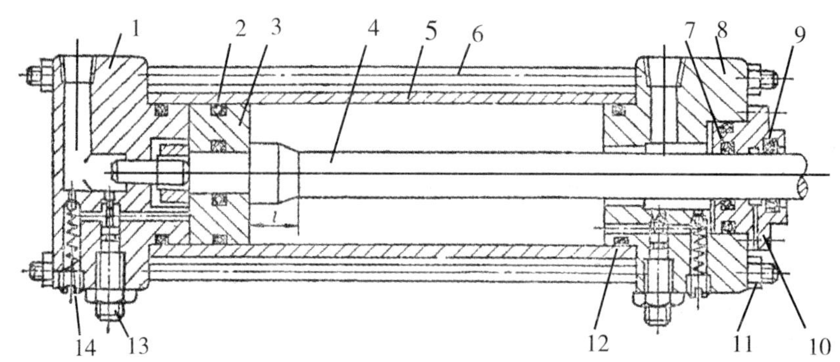

图3-54 单杆活塞式液压缸结构

1——前端盖；2、7、12——密封件；3——活塞；4——活塞杆；5——缸筒；6——拉杆；8——后端盖；9——防尘装置；10——导向套；11——螺母；13——节流阀；14——单向阀

从以上对液压缸典型结构的分析可以看出，液压缸是由缸筒组件、活塞组件以及密封装

置、缓冲装置、排气装置等所组成。它们的结构和性能直接影响到液压缸的工作质量和制造成本。下面分别作一介绍。

1.缸筒组件

图3–55为几种机床上常用的缸筒组件的结构图。设计时，主要应根据液压缸的工作压力、缸筒材料和具体工作条件来选用不同的结构。一般工作压力 $p<10MPa$ 时，常采用铸铁缸筒，它的端盖多用法兰连接，如图3–55(a)所示。这种结构易于加工和装拆，但外形尺寸大。工作压力 $p<20MPa$ 时，可采用无缝钢管的缸筒。工作压力 $p>20MPa$ 时，可采用铸钢或锻钢的缸筒。它们与端盖的连接方式如图3–55(b、c、d)所示：采用半环连接如图3–55(b)，装拆方便，但缸壁上开了槽，会减弱缸筒的强度。采用螺纹连接如图3–55(c)，外形尺寸小，但是缸筒端部需加工螺纹，使结构复杂，加工和装拆不方便。图3–55(d)为焊接结构，构造简单，容易加工，尺寸小。缺点是易产生焊接变形。图3–54中缸筒和端盖的连接是采用4根拉杆固紧的方法，缸筒的加工和装拆都方便，只是尺寸较大。

2.活塞组件

最简单的形式是把活塞和活塞杆做成一体，这种结构虽然简单，工作可靠，但是当活塞直径大，活塞杆较长时，加工较费事。

图3–56为几种常用的活塞组件结构形式，其中图a所示为活塞和活塞杆之间采用螺纹连接的方式，适用于负载较小，受力较平稳的液压缸中。当液压缸工作压力较高或负载较大时，由于活塞杆上车有螺纹，强度有所削弱。另外工作机构振动较大时，因必须设置螺母防松装置而使结构复杂，这时可采用非螺纹连接的方式，如图b、c、d所示。图b活塞杆5上开有一个环形槽，槽内装有两个半圆环3以夹紧活塞4，半圆环3用轴套2套住。弹簧圈1用来轴向固定轴套2。图c中的活塞杆1使用了2个半圆环4，它们分别由2个密封圈座2套住，然后在2个密封圈座之间塞入2个半圆形的活塞3，图d中，则是用锥销1把活塞2固定在活塞杆3上。

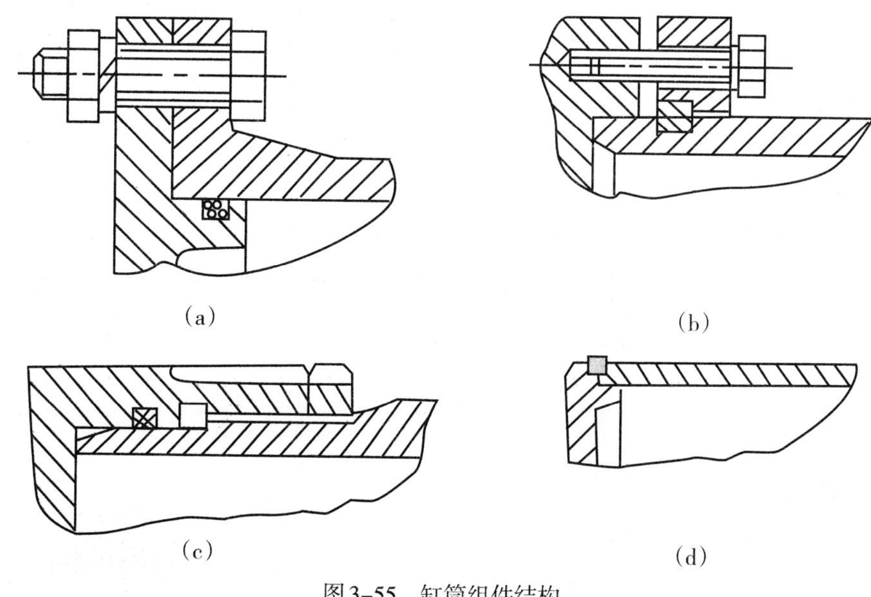

图3–55　缸筒组件结构

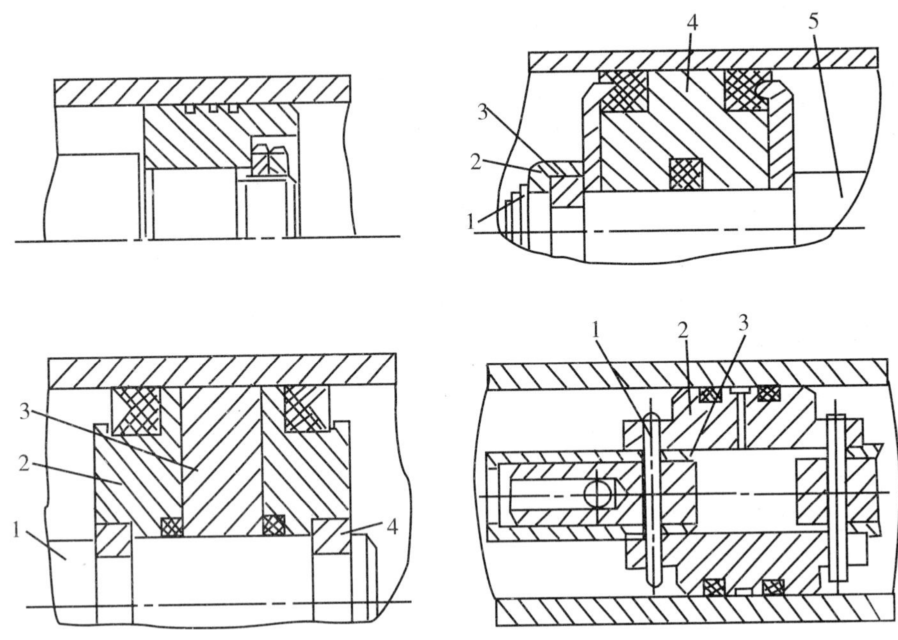

图3-56　活塞组件结构

由于活塞组件在液压缸中是一个支承件，必须有足够的耐磨性能，所以活塞一般都是铸铁的，而活塞杆通常都是用钢做的。

3.密封装置

液压缸中常见的密封装置如图3-57所示，图3-57（a）为间隙密封，它依靠运动件间的微小间隙来防止泄漏，为了提高这种装置的密封能力，常在活塞的表面上制出几条细小的环形槽。以增大油液通过间隙时的阻力。它结构简单，摩擦阻力小，可耐高温，但泄漏大，加工要求高，磨损后无法恢复原有能力，只有在尺寸较小、压力较低、相对运动速度较高的缸筒和活塞间使用。图3-57(b)为摩擦环密封，它依靠套在活塞上的摩擦环(尼龙或者其他高分子材料制成)在O形圈弹力作用下贴近缸壁而防止泄漏。这种材料效果较好，摩擦阻力较小且稳定，可耐高温，磨损后有自动补偿能力，但加工要求高，装拆较不便，适用于缸筒和活塞之间的密封。图3-57(c)、图3-57(d)为密封圈(O形圈、V形圈等)密封，它利用橡胶或塑料的弹性使各种截面的环形圈贴紧在静、动配合面之间来防止泄漏。它结构简单，制造方便，磨损后有自动补偿能力，性能可靠，在缸筒和活塞之间、缸盖和活塞之间活塞和活塞杆之间、缸筒和缸盖之间都能使用。

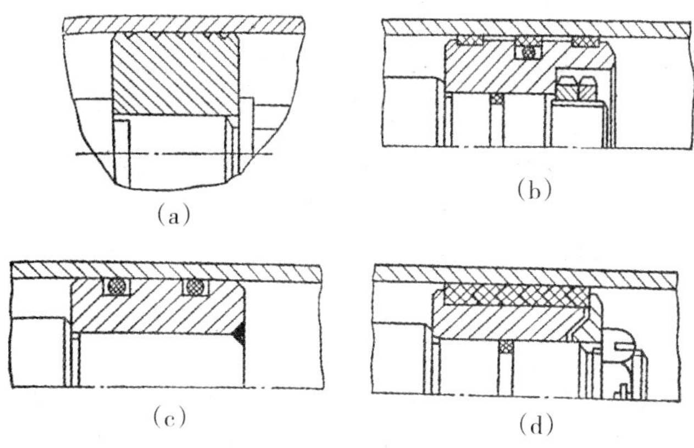

图3-57　密封装置

对于活塞杆外伸部分来说，由于它很容易把脏东物带入液压缸，使油液受污染，使密封件磨损，因此常需在活塞杆密封处增添防尘圈，并放在向着活塞杆外伸的一端。

4.缓冲装置

当液压缸所驱动的工作部件质量较大，移动速度较快时，由于具有的动量大，致使在行程终了时，活塞与端盖发生撞击，造成液压冲击和噪声，甚至严重影响工作精度和引发破坏性事故，因此在大型、高速或要求较高的液压缸中往往需要设置缓冲装置，尽管液压缸中的缓冲装置结构形式很多，但它的工作原理都是相同的。当活塞接近端盖时，增大液压缸回油阻力，使得缓冲油腔内产生足够的缓冲压力，使得活塞减速，从而防止活塞撞击端盖。

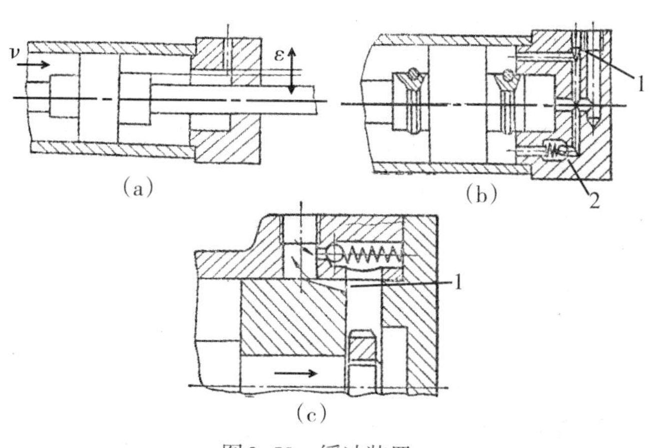

图3-58　缓冲装置

机床液压缸上常用的缓冲装置如图3-58所示，图3-58(a)为间隙缓冲装置，当活塞移近液压缸端盖时，活塞上的凸台进入端盖的凹腔，将封闭在回油腔中的油液从凸台和凹腔之间的环状间隙中挤压出去，吸收了能量形成缓冲压力，从而使得活塞减慢了移动速度。这种缓冲装置结构简单，但缓冲压力不可调节，且实现减速所需行程较长，适用于移动部件惯性不大、移动速度不高的场合。图3-58(b)为可调节流缓冲装置，它不但有凸台和凹腔等结构，而且在端盖上还装有针形节流阀1和单向阀2。当活塞移近液压缸端盖时，凸台进入凹腔。

由于凸台和凹腔之间有O形密封圈挡油，所以回油腔中的油液只能经针形节流阀流出。由于回油阻力增大，因而使得活塞受到制动作用。这种缓冲装置可以根据负载情况调整节流阀开口的大小，改变吸收能量的大小，因此适用范围较广。图3-58(c)为可变节流缓冲装置，它在活塞上开有横断面为三角形的轴向斜槽1。当活塞移近液压缸端盖时，活塞与端盖间的油液须经轴向三角槽流出，而使活塞受到制动作用。从图中可看出，它在实现缓冲过程中能自动改变其节流口大小（随着活塞移动速度的降低而相应关小节流口），而使得缓冲作用均匀，冲击压力小，制动位置精度高。

5.排气装置

当液压系统长时间停止工作，系统中的油液由于本身重量的作用和其他原因而流出时，容易使空气吸入系统。如果液压缸中有空气或油中混入空气，都会使液压缸运动不平稳，因此一般在机床工作前，应使系统中的空气排出，为此可以在液压缸的最高部位处开排气孔如图3-59(a)，并用管道连接排气阀进行排气，当系统工作时该阀应关闭。另一种是在液压缸的最高部位处安装排气塞，如图3-59(b、c)。

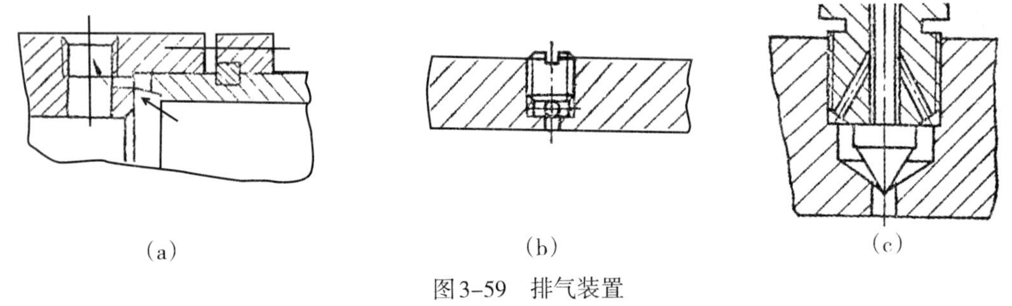

(a) (b) (c)

图3-59 排气装置

第六节 液压缸的检修

一、液压缸的检修

液压缸作为一种执行元件，与其他执行元件一样，在长期运行过程中，不可避免地在其结构零部件中会产生不同程度的磨损、疲劳、蠕变、腐蚀、松动、剥落、老化、变质甚至损坏等现象，使得液压缸工作性能、技术状况恶化，进而直接造成整台液压设备出现故障甚至失效。

液压缸作为液压系统的主要执行元件，是直接作功的工作部件，它的技术参数、性能状态是整台液压设备、整个液压系统工作性能的最集中的目的性能体现。在整个系统中它是自然而然地处于主体和中心地位。液压系统中的其他元件如液压泵是为它提供具有压力与一定流量的液体。而控制阀虽说是对液压缸及其系统进行控制，但据主从关系的实质来看，与辅助元件、动力元件一样，都是服务于液压缸。因此，对液压缸的各种问题，包括正确使用和修理，都是不能忽视的。

二、液压缸常见问题及处理方法

液压缸常见问题及处理方法见下表。

问题	可能原因	处理方法
液压缸活塞杆不动作	1.系统压力不足	1.检查系统压力,应用压力表等手段
	2.密封摩擦力过大	2.加大系统压力仍然不动,则需打开检查,更换密封
	3.油路油管堵塞	3.检查油路、油管,更换油管
	4.活塞杆憋卡,活塞憋卡	4.解体检查并更换
液压缸达不到预定的推力或速度	1.系统压力不足、流量不足	1.检查系统压力,应用压力表等手段;流量不足可能有泄漏点,检查处理
	2.液压缸内泄	2.解体检查液压缸活塞密封,检查缸筒是不是变形
液压缸爬行有噪音	1.液压缸内部有气体	1.在液压缸最高位置处放气
	2.密封摩擦力过大	2.提高油缸的供油压力,往复工作多次,恢复原来的压力试运行
	3.滑动配合处有研伤、划痕等	3.检查修补或更换
泄漏	1.活塞杆外圈处泄漏,密封损坏	1.检查更换密封
	2.活塞杆弯曲,密封损坏	2.检查更换活塞杆同时更换密封
	3.装配时剪切密封、拧扭方向装反等	3.解体检查,密封损坏需更换
	4.密封耐压超出	4.解体检查,更换高耐压密封
	5.高温等损坏密封	5.检查更换密封
缓冲效果不好,冲击严重	1.缓冲腔容积过小	1.解体改造或更换
	2.缓冲孔过大	2.改造或更换
	3.加工质量	3.更换
元件的损坏	1.压力过高,外力打击造成缸体变形	1.更换
	2.受偏向载荷,活塞杆弯曲	2.消除偏向的载荷,更换活塞杆
	3.缸筒磨损、划伤	3.油质不清洁,有杂质,需要清理过滤并检查系统过滤器是否损坏

第二部分　专业核心知识点

专业核心知识点包括以下内容

1.柱塞和齿轮液压泵、液压马达和液压缸的工作原理。
2.解体、检修和组装过程中的拆装顺序和修理工艺及注意事项。
3.液压泵、液压马达的泄漏、温度高和噪音和故障原因分析和处理。
4.液压缸泄漏的故障原因分析和处理方法。

第三部分　专业技能训练

技能一:液压泵、液压马达的检修

1.液压泵、液压马达的解体

首先透彻了解元件的结构和装配关系,准备适宜的工具,例如开口扳手一套,内六角扳手一套,准备保护配合面的软质的东西,例如橡胶板。另外准备虎钳,对于较大的液压泵和液压马达可准备较大的夹具。

利用扳手和虎钳将液压泵、液压马达的紧固螺栓松开。液压泵(液压马达)的泵头、泵体和泵尾会分离。

2.液压泵、液压马达的检修

将液压泵(液压马达)的泵头、泵体和泵尾等元件,依次摆放在橡胶板上,注意顺序一定不能搞乱。

检查泵(马达)的配合面,例如齿轮泵(马达),检查齿轮的断面是否有磨损痕迹,如果有应进行更换,再检查齿轮泵(马达)的浮动侧板的磨损情况,有磨损痕迹应进行更换。

对于柱塞泵(马达)检查柱塞表面,缸体的柱塞孔内表面,配油盘配合面,磨损痕迹应进行更换。

对于泵(马达)的各种密封进行检查,发现有剪切、损坏、变形的密封应进行更换。

将以上元件全部检查更换完毕后,应进行清洗,准备干净的铁盆,倒入一定量的煤油,将泵(马达)的元件按顺序依次清洗,清洗后的元件放到干净的橡胶板上,待晾干后开始组装。

3.液压泵、液压马达的组装

组装顺序按照解体相反的顺序进行,注意密封在安装时不应损坏。

最后利用扳手和台虎钳紧固螺栓,紧固顺序为对角紧固。

技能二:液压泵、液压马达的常见故障及处理方法

1.密封泄漏

泵(马达)常见泄漏位置在进出油口、泵(马达)的轴头部、泵(马达)头尾的连接部几处。

进出油口的泄漏主要原因在于油口的密封损坏,处理方法为利用扳手卸下进出油口接头,更换密封,清洗接头后,安装进出油口接头。

泵(马达)的轴头部漏油,为填料(骨架油封)损坏,利用螺丝刀等工具将填料(骨架油封)撬出,更换新的填料(骨架油封)即可。

泵(马达)头尾的连接部泄漏,一般是垫或油封损坏,更换方法同技能一中密封更换。

2.流量不足或压力不够

泵(马达)的流量不足或压力不够常见原因有:泵(马达)滑动配合面磨损泄漏、泵内有气体、液位不够等。

泵(马达)滑动配合面磨损泄漏,例如齿轮泵断面泄漏、柱塞泵的柱塞泄露、柱塞泵的齿轮端面泄漏等,处理办法同技能一的磨损元件更换。

泵(马达)首次使用前应进行放气,利用扳手将泵(马达)的放气螺栓拧开,将泵(马达)内气体的气体放出,直到放气螺栓不再有气泡冒出,将放气螺栓拧紧。

当油箱液位不够时,加入一定量的液压油,当油箱有液位指示时,按照液位指示加油,当油箱无液位指示时,应将油加到箱体3/4位置处为宜。

技能三:液压缸的常见故障及处理方法

1.泄漏

液压缸泄漏主要是密封磨损、剪切和变形等造成的,处理方法为更换密封。

首先利用扳手和管钳等工具将液压缸端头密封件拆下来,利用螺丝刀将密封撬下来,更换新密封,然后将元件清洗后,按照相反顺序组装液压缸,即完成了密封更换。

2.液压缸爬行有噪音

液压缸爬行有噪音主要是液压缸内部有气体和密封摩擦力过大所致。

对于液压缸内部有气体采用放气方法将液压缸内的气体放出,选择高位置的接头,将接头拧松,缓慢放气,直到不再出现气泡,拧紧接头即可。

对于密封摩擦力过大,可采用提高油缸的供油压力,往复工作多次,恢复原来的压力试运行。

复习题

1.液压泵与液压马达的区别有哪些?

2.液压缸的常见问题有哪些? 如何处理?

3.液压泵的容积效率是如何规定的? 如何来提高液压泵的容积效率?

4.齿轮泵的工作原理是什么?

5.叶片泵的工作原理是什么? 单作用和双作用叶片泵有什么区别?

6.柱塞泵有几种? 有什么区别?

讨论题

1.液压泵的困油是如何产生的? 本教材中介绍的几种液压泵是否都存在困油现象? 液压马达是否有困油现象?

2.液压马达作为液压执行元件,与电动机相比有什么优点和缺点?

3.液压马达与液压缸作为动作执行元件有什么区别?

第四章　液压控制阀

第一部分　系统理论知识

在液压系统中，用于控制和调节工作液体的压力高低、流量大小以及改变流量方向的元件，统称为液压控制阀。液压控制阀通过对工作液体的压力、流量及液流方向的控制与调节，从而可以控制液压执行元件的开启、停止和换向，调节其运动速度和输出扭矩(或力)，并对液压系统或液压元件进行安全保护等。因此，采用各种不同的液压控制阀，经过不同形式的组合，可以满足各种液压系统的要求。

第一节　液压控制阀的分类

常用的液压控制阀有很多种，通常从以下几个方面进行归纳和分类。

一、液压控制阀的分类

1.按阀的功能分类

液压控制阀按功能分类有以下几种：

(1)压力控制阀：用于控制或调节液压系统或回路压力的阀，如溢流阀、减压阀、顺序阀、压力继电器等。

(2)方向控制阀：用于控制液压系统中液流的方向及其通、断，从而控制执行元件的运动方向及其启动、停止的阀，如单向阀、换向阀等。

(3)流量控制阀：用于控制液压系统中工作液体流量大小的阀，如节流阀、调速阀、分集流阀等。

2.按阀的控制方式分类

液压控制阀按控制方式可分为：

(1)开关(或定值)控制阀：借助于通断型电磁铁及手动、机动、液动等方式，将阀芯位置或阀芯上的弹簧设定在某一工作状态，使液流的压力、流量或流向保持不变的阀。这类阀属于常见的普通液压阀。

(2)比例控制阀：采用比例电磁铁(或力矩马达)将输入的电信号转换成力或阀的机械位移，使阀的输出量(压力、流量)按照其输入量连续、成比例地进行控制的阀。比例控制阀一般多用于开环液压控制系统。

(3)伺服控制阀：其输入信号(电量、机械量)多为偏差信号(输入信号与反馈信号的差值)，阀的输出量(压力、流量)也可按照其输入量连续、成比例地进行控制的阀。这类阀的工作性能类似于比例控制阀，但它具有较高的动态瞬应和静态性能，多用于要求精度高、响应快的闭环液压控制系统。

(4)数字控制阀:用数字信息直接控制的阀类。

3.按阀的结构形式分类

液压控制阀按结构形式分类有:滑阀(或称转阀)、锥阀、球阀等。

4.按阀的连接方式分类

液压控制阀按连接方式分为:

(1)螺纹连接阀:通过阀体上的螺纹孔直接与管接头、管路相连接的阀。这种阀不需要过渡地连接安装板,因此结构简单,但只适用于较小流量的阀类。缺点是元件布置分散,系统不够紧凑。

(2)法兰连接阀:通过法兰盘与管子、管路连接的阀。法兰连接适用于大流量的阀,其结构尺寸和质量都比较大。

(3)板式连接阀:采用专用的过渡连接板连接阀与管路的阀。板式连接阀只需用螺钉固定在连接板上,再把管路与连接板相联。这种连接方式在装卸时不影响管路,并且有可能将阀集中布置,结构紧凑。

(4)集成连接阀:集成连接是由标准元件或以标准参数制造的元件按典型动作要求组成基本回路,然后将基本回路集成在一起组成液压系统的连接形式。它主要包括将若干功能不同的阀类及板块叠合在一起的叠加阀;借助于六面体的集成块,通过其内部通道将标准的板式阀连接在一起,构成各种基本回路的集成阀;将几个阀的阀芯合并在一个阀体内的嵌入阀;以及由插装元件插入插装块体所组成的插装阀等。

二、对液压控制阀的要求

为保证液压系统能够正常工作,对各类液压阀的要求是:

1.性能良好,即阀的动作灵敏,工作可靠,无冲击振动现象;

2.密封性能好,能承受高于额定工作压力的试验压力;

3.液流通过阀口时,压力损失要小;

4.结构简单,便于安装和制造,体积小、价格便宜;

5.要求系列化、标准化、通用化。

第二节　压力控制阀

压力控制阀是用来控制或调节液压系统或回路压力大小的阀,共同特点是作用在阀芯上的液压力和弹簧力相平衡,以此来获得被控制系统的液流压力。压力控制阀主要包括溢流阀、减压阀、顺序阀、压力继电器等。

一、溢流阀

溢流阀的主要用途有以下两种:一是用来保持液压系统或回路的压力恒定。在系统正常工作时,溢流阀的阀口是常开的;二是在系统中作安全阀用,此时,在系统正常工作时,溢流阀的阀口处于关闭状态，只是在系统压力大于或等于其调定压力时才开启溢流，对系统起过载保护的作用。

1.溢流阀的工作原理

溢流阀按结构可分为直动式溢流阀和先导式溢流阀。

(1)直动式溢流阀

直动式溢流阀按阀芯结构可分为锥阀式、球阀式和滑阀式三种。

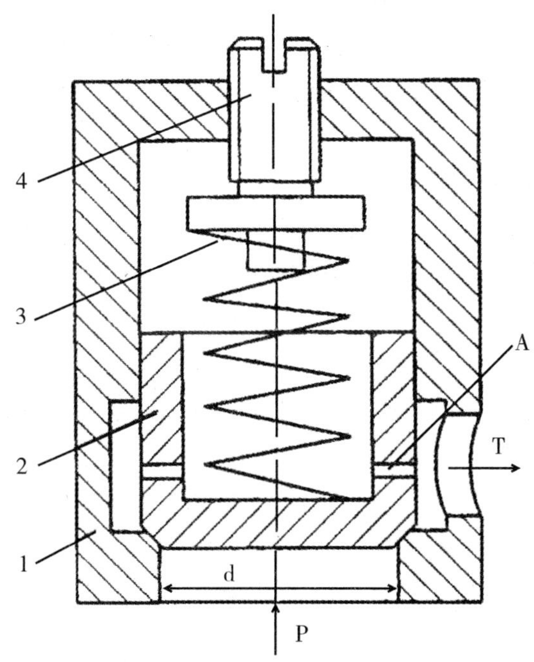

图4-1　锥阀式直动式溢流阀

1——阀体；2——阀芯；3——弹簧；4——调整螺钉

图4-1为锥阀式直动式溢流阀的原理图。它由阀体1、阀芯2、弹簧3和调整螺钉4组成。进油口P与液压系统的压力油相通，出油口T与回油路相通，弹簧将阀芯压在阀座上，阀呈关闭状态。当系统压力p超过溢流阀的调定压力时，阀芯所受向上的液压力大于阀芯所受向下的弹簧力，阀芯升起，阀口打开，系统的压力油经阀口溢流回油箱，此时系统的压力维持恒定；当系统的压力p小于溢流阀的调定压力时，阀芯所受向上的作用力将小于阀芯所受向下的弹簧力，这时阀芯在调压弹簧的作用下压在阀座上，阀口关闭。

拧动调整螺钉，可以改变弹簧的预紧力，从而调整溢流阀的开启压力。阀芯上的小孔A起阻尼作用，以防止阀芯振动。

直动式溢流阀结构简单，灵敏度高，但系统压力受阀口开度(溢流流量)的变化影响较大，调压偏差大，常用作安全阀或用于调压精度要求不高的场合。

(2)先导式溢流阀

图4-2为先导式溢流阀的原理图。先导式溢流阀由主阀和先导阀两部分组成。先导阀

由先导阀芯4、先导阀体5、弹簧2和调压螺钉3组成。主阀由主阀芯1、主阀弹簧6和主阀体7组成。主阀芯上部与先导阀体5配合，下端的锥面压在主阀体阀座上，主阀芯的圆柱面与主阀体7配合，该3处均呈密封状态。工作液体从进液腔P进入主阀下腔室，而后经主阀芯上的阻尼孔f进入上腔室，再经过c和缓冲小孔g进入导阀前腔。主阀上腔的有效承压面积S′略大于下腔的有效承压面积S。当系统压力低于导阀开启压力时，导阀关闭，主阀的上、下腔室之间没有液体流动(即阻尼孔f中没有液体流动)，因此导阀前腔和主阀上、下腔的液体压力都相等，主阀芯在液压力和弹簧力的共同作用下，被紧紧地压在阀座上。

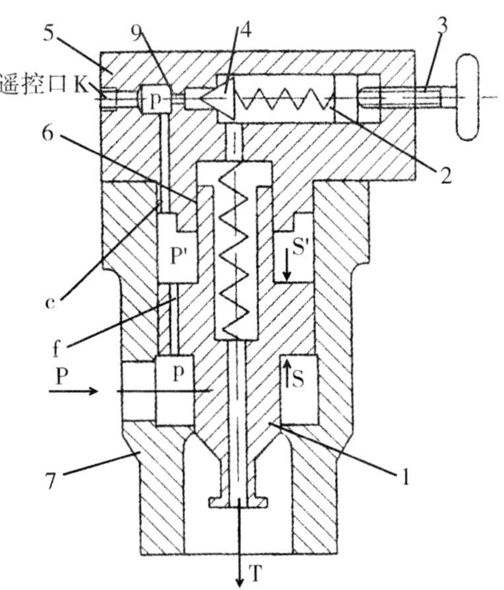

图4-2　先导式溢流阀

1——主阀芯；2——调压(先导阀)弹簧；3——调压螺钉；4——先导阀芯；5——先导阀体；6——主阀弹簧；7——主阀体

当系统压力大于导阀开启压力时，导阀芯开启并溢流，溢出的油液经主阀芯中心孔从排油口流回油箱。这时主阀下腔的油液经主阀芯上的阻尼孔f向上腔补充并产生流动，由于阻尼孔的节流作用，主阀芯上、下腔将产生一压力差($p-p'$)，使主阀芯开启并溢流，从而使系统压力维持恒定。

调节螺钉3可改变导阀的弹簧预紧力，从而调节溢流阀的调定压力。改变此弹簧的刚度，便可改变调压范围。

若将遥控口K直接通油箱，主阀会在很低的压力下打开，这时液压系统呈卸荷状态。

从先导式溢流阀的工作原理可知，阻尼孔f及主阀芯上腔到先导阀前端的孔道起降压和阻尼作用，有利于系统压力稳定，但却使阀的灵敏度降低。因为系统的压力变化必须通过阻尼孔反映到先导阀上，再由先导阀来控制主阀，故先导式溢流阀的灵敏度要比直动式低。可见，先导阀的作用是调节主阀芯上腔的压力，控制主阀芯动作。通常只有一小部分压力油从先导阀溢流，绝大部分的压力油则从主阀溢流(通过先导阀的溢流量一般只有主阀溢流量的1～3%)。因此，先导阀尺寸可做得很小，其弹簧刚度也较小，所以先导阀的溢流量变化对系统压力影响不大。主阀弹簧仅起主阀芯复位作用，它的预压紧力也很小，弹簧也较软。因此先导式溢流阀的调压精度较直动式溢流阀高，可用于高压大流量系统。

2.溢流阀的主要用途

溢流阀在不同的场合有不同的用途。归结起来，其主要用途有：

(1)作溢流阀，使系统压力恒定

如图4-3所示，在使用定量泵的节流调速系统中，把溢流阀并联在液压泵的出口处，靠节流阀来调节执行元件的流量。若液压泵的流量为Q，执行元件需用流量为Q_1，则多余的流量($Q-Q_1$)通过溢流阀溢流，从而保持系统压力恒定，这种情况下溢流阀阀口是常开的。

(2)作安全阀,起过载保护作用

如图4-4所示,在变量泵调速系统中,常把溢流阀并联在液压泵出口处,系统正常工作时阀口是关闭的,只有在系统压力p超过阀的调定压力时,阀才开启,对系统及元件进行过载保护,这时的溢流阀称作安全阀。

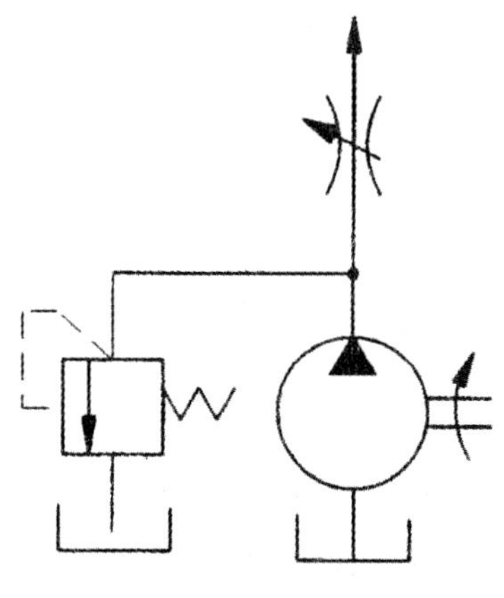

图4-3 溢流阀系统

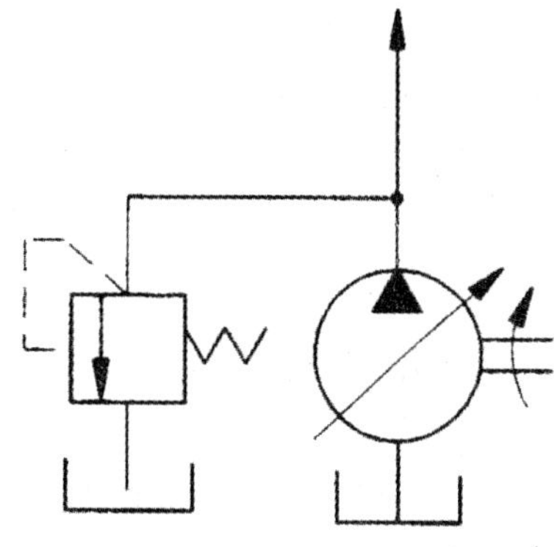

图4-4 安全阀系统

(3)作卸荷阀,使液压泵及系统卸荷

如图4-5所示,溢流阀常和二位二通电磁阀一起组成电磁溢流阀,靠电磁铁控制系统卸荷。这时,把常闭式二位二通电磁阀与先导式溢流阀的遥控口连通,当电磁铁通电时,先导式溢流阀主阀芯上腔液体经二位二通阀通油箱,主阀在压差作用下开启卸载。电磁溢流阀还有多级压力控制等功能,因此,其电磁阀要根据要求选用。

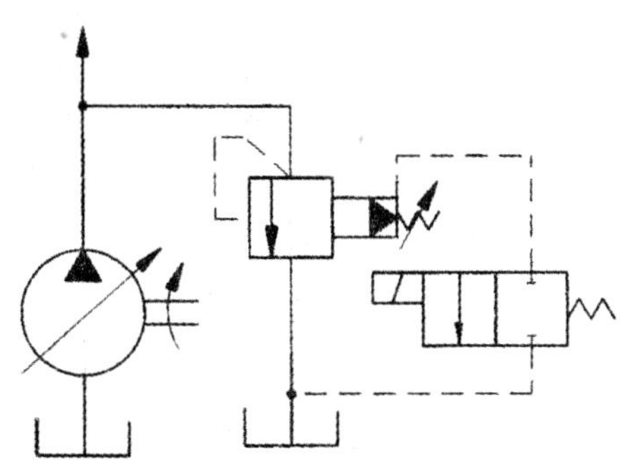

图4-5 电磁溢流阀卸荷原理图

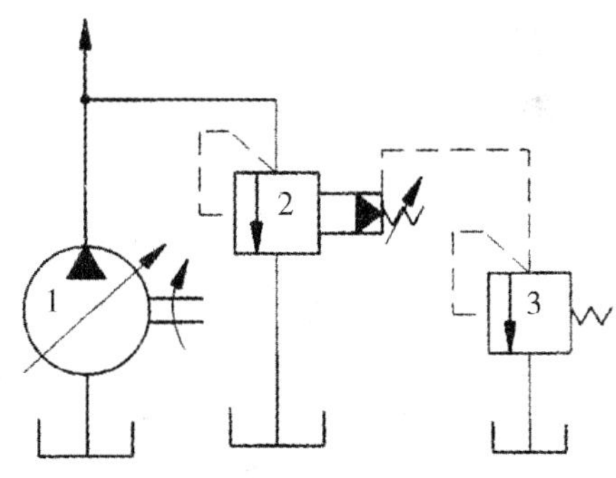

4-6 远程调压原理

(4)作远程调压用

如图4-6所示,在先导式溢流阀2的遥控口接一根细管并远距离连接一个微型溢流阀3,就可进行远程调压。远程调压时,必须使阀3的调定压力小于阀2的调定压力。这样,当阀3开启时,由于有液流流过主阀芯上的阻尼孔,在主阀芯上下腔之间产生压力差,推动主阀开启,使系统压力保持为阀3的调定压力。微型溢流阀3是一种小流量直动式溢流阀,称为远程调压阀。溢流阀还可用于多级调压和当制动阀用。

3.溢流阀的特性

溢流阀的特性包括静态特性和动态特性。

静态特性：

静态特性是指在稳定工况下(系统压力没有突然变化),溢流阀所控制的压力和流量之间的关系,通常用压力—流量曲线表示。

(1)压力调节范围

压力调节范围是指调压弹簧在规定的范围内调节时,系统压力平稳(压力无突跳及迟滞现象)地上升或下降的最大和最小调定压力(如图4-7所示)。

一根弹簧的调压范围是有限的,为了扩大溢流阀的调压范围,通常把32MPa系列溢流阀的导阀弹簧分为0.6～8MPa、4～16MPa、8～20MPa和16～ 32MPa四种。这样,同一个溢流阀只要配以不同的导阀弹簧就可以适用于各种压力系统。

(2)启闭特性

溢流阀开启过程的流量—压力特性称为开启特性;关闭过程的流量—压力特性称为闭合特性;开启和关闭全过程的流量—压力特性称为阀的启闭特性。溢流阀的启闭特性是衡量溢流阀调压精度的一个重要指标(如图4-8所示)。

由于摩擦力等因素的影响,阀的开启和闭合过程的特性曲线是不重合的。一般溢流阀的启闭特性用其开启压力比p_K(开始溢流的开启压力p_0与其调定压力p_n的百分比)和闭合压力比p_B(停止溢流的闭合压力p_b与其调定压力p_n的百分比)来衡量。显然,p_K和p_B越大即二者越接近,溢流阀的启闭特性越好。一般应使$p_K \geq 90\%$,$p_B \geq 85\%$。

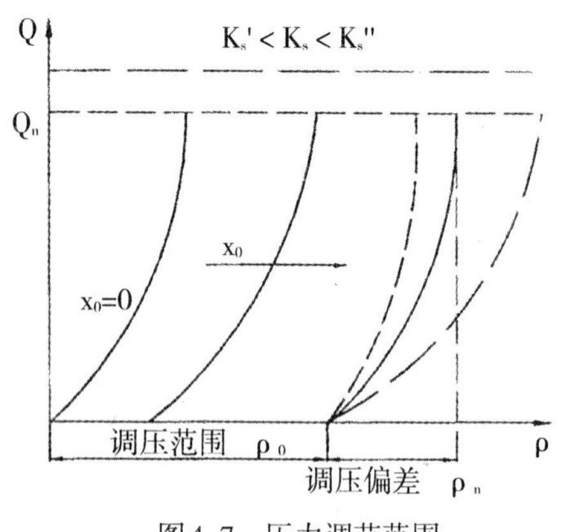

图4-7 压力调节范围

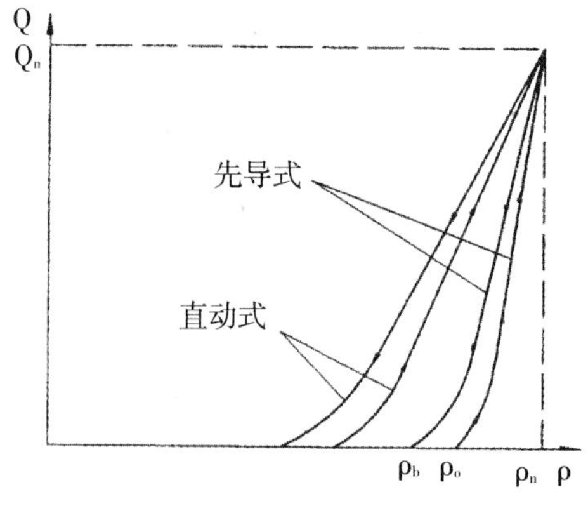

图4-8 溢流阀的启闭特征

(3)流量调节范围

即最大流量和最小稳定流量。调压范围越大,溢流阀的应用范围越广。溢流阀的最大流量也就是它的额定流量,在此流量下溢流阀工作时应该无噪声。溢流阀的最小稳定流量取决于它的压力平稳性要求,一般规定为额定流量的15%。

(4)响应性与密封性

当溢流阀作为安全阀使用时,要求系统压力超过阀的调定动作压力时能迅速开启,即要求阀的响应速度要快、响应要好。当系统压力低于阀的调定动作压力时闭合要严,不得出现泄漏,即阀的密封性要能好。溢流阀的密封性通常用内泄漏量来衡量。内泄漏量包括先导阀密封面、主阀密封面及主阀芯与阀体，阀盖配合处的泄漏量等。

（5）卸荷压力

当溢流阀作卸荷阀使用时，在卸荷状态额定流量下的压力损失，称为卸荷压力。它反映卸荷状态下的功率损失及因而转变成的油液发热量。显然卸荷压力越小越好。

（6）压力稳定性

当溢流阀作定压阀时，由于液压泵供油液的脉动、系统负荷的波动等干扰，溢流阀所控制的压力并不能保持绝对不变，而是随外界的干扰在调定压力的附近作相应的压力波动。压力波动的大小，一般用压力表的指针摆动量来衡量，称之为压力振摆。压力振摆的存在表明溢流阀的主阀和先导阀的振动，因此，压力振摆越小，阀的性能越好。一般限制压力振摆小于0.1～0.2MPa。如果溢流阀的压力稳定性不好，还会出现剧烈的振动和啸叫声。

动态特性：

当溢流阀的溢流量由零阶跃变化至额定流量时，其进口压力（即其控制的系统压力）将迅速升高并超过额定压力的调定值，然后逐步衰减到最终稳态压力，从而完成其动态过渡过程（如图4–9所示）。

（1）压力超调量

定义最高瞬时压力峰值与额定压力调定值p_n的差值为压力超调量△p，则压力超调率η△p =（△p/p_n）×100%，$\eta_{\triangle p}$是衡量溢流阀动态定压误差的一个性能指标，要求$\eta_{\triangle p}\leqslant$10%～30%；否则，可能导致系统中元件损坏，管道破裂或其他故障。

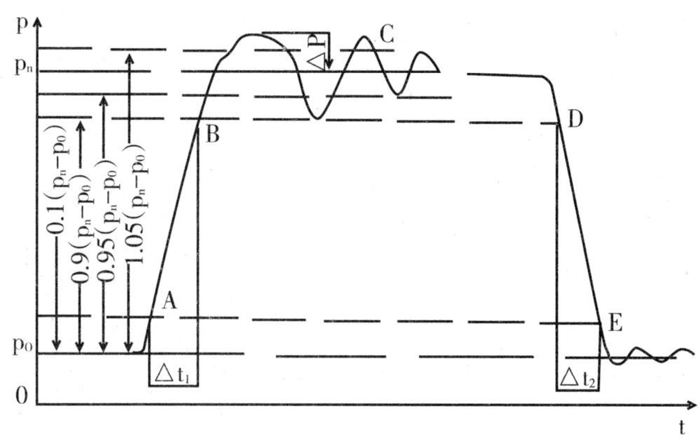

图4–9　溢流阀的动态特性

（2）响应时间t_1

指从起始稳态压力p_o（$p_o\ngtr 20\%p_n$）与最终稳态压力p_n之差的10% 上升到90%的时间，即图4–9中A、B两点间的时间间隔。t_1越小，溢流阀的响应越快。

（2）过渡过程时间t_2

指从0.9（p_n–p_o）的B点到瞬时过渡过程的最终时刻C点之间的时间。C点以后的压力波形应落在图中给定的（0.95～1.05）（p_n–p_o）限制范围内；否则，C点应后移，直至满足要求为止。t_2越小，溢流阀的动态过渡过程越短。

（4）升压时间△t_1

指流量阶跃变化时，(0.1～0.9)(p_n-p_o)的时间，即图4-9中A和B两点间的时间，与上述响应时间一致。

(5)卸荷时间Δt_2

指卸荷信号发出后，(0.1～0.9)(p_n-p_o)的时间，即D和E两点间的时间。Δt_1和Δt_2越小，溢流阀的动态性能就越好。

二、减压阀

减压阀是使出口压力(又称二次回路压力)低于进口压力(又称一次回路压力)的压力控制阀。减压阀可分为定压减压阀、定差减压阀和定比减压阀三类。

减压阀主要用于减压、稳压及缓冲，主要用途是用来减小液压系统中某一支路和油液压力，使同一系统中能有两种或两种以上的不同压力的油路。减压阀常在控制系统和润滑系统中应用。

1.定压减压阀

定压减压阀的出口压力恒定，且不随外部干扰而改变，这种阀应用最广。定压减压阀有直动型和先导型两种结构形式。

(1)直动式减压阀

图4-10所示为直动式定压减压阀的结构原理和职能符号。

压力为p_1的高压液体进入阀中后，经由阀芯与阀体间的节流口A减压，使压力降为p_2后输出。减压阀出口压力油通过孔道与阀芯下端相连，使阀芯上作用一向上的液压力，并靠调压弹簧与之平衡。当出口压力未达到阀的设定压力时，弹簧力大于阀芯端部的液压力，阀芯下移，使减压口增大，从而减小液阻，使出口压力增大，直到其设定值为止；相反，当出口压力因某种外部干扰而大于设定值时，阀芯端部的液压力大于弹簧力而使阀芯上升，使减压口减小，液阻增大，从而使出口压力减小，直到其设定值为止。由此可看出，减压阀就是靠阀芯端部的液压力和弹簧力的平衡来维持出口压力恒定的。

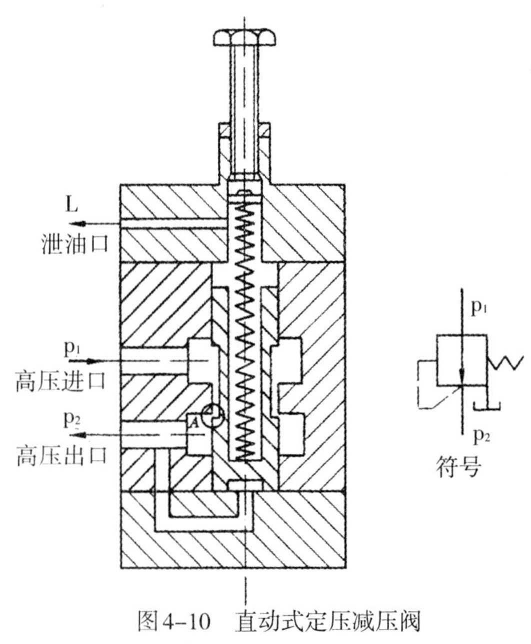

图4-10　直动式定压减压阀

调整弹簧的预压缩力，即可调整出口压力。图4-10中L为泄漏口，一般单独接回油箱，称为外部泄漏。

直动式减压阀的弹簧刚度较大，因而阀的出口压力随阀芯的位移略有变化。为了减小出口压力的波动，常采用先导式减压阀。

(2)先导式减压阀

如图4-11所示，该阀由先导阀调压、主阀减压。进口压力p_1经减压口减压后压力变为p_2（即出口压力），出口压力油通过阀体6下部和端盖8上的通道进入主阀7下腔，再经主阀上的阻尼孔9进入主阀上腔和先导阀前腔，然后通过锥阀座4中的阻尼孔后，作用在锥阀3上。当出口压力低于调定压力时，先导阀口关闭，阻尼孔9中没有液体流动，主阀上、下两端的油压力相等，主阀在弹簧力作用下处于最下端位置，减压口全开，不起减压作用，$p_2 \approx p_1$。当出口压力超过调定压力时，出油口部分液体经阻尼孔9、先导阀口、阀盖5上的泄油口L流回油箱。阻尼孔9有液体通过，使主阀上、下腔产生压差（$p_2 > p_1$）。当此压差所产生的作用力大于主阀弹簧力时，主阀上移，使节流口（减压口）关小，减压作用增强，直至出口压力p_2稳定在先导阀所调定的压力值。此时，如果忽略稳态液动力，则先导阀和主阀的力平衡方程式为

$$p_1 A_c = K_X (x_o + x) \tag{4-1}$$

$$p_2 A = p_1 A + K_y (y_o + y_{max} - y) \tag{4-2}$$

式中A、A_c分别为主阀和先导阀的有效作用面积（m^2）；K_X、K_y分别为先导阀和主阀弹簧刚度（N/m）；x_o、x分别为先导阀弹簧预压缩量和先导阀开口量（m）；y_o、y_{max}、y分别为主阀弹簧预压缩量、最大开口量（m）和主阀开口量。

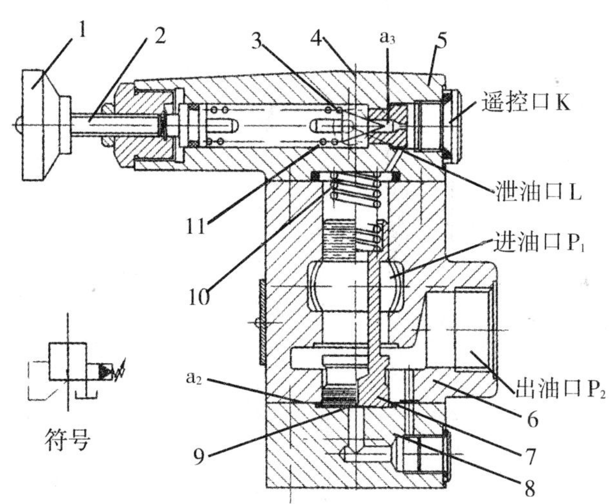

图4-11　先导型定压输出减压阀

1——调压手轮；2——调节螺钉；3——先导阀芯；4——先导阀座；5——先导阀盖；6——主阀体

7——主阀芯；8——端盖；9——阻尼孔；10——主阀弹簧；11——调压弹簧

由于$x \ll x_o$，$y \ll y_o + y_{max}$，且主阀弹簧刚度K_y很小，所以$K_y(y_o + y_{max} - y) \approx K_y(y_o + y_{max}) = C$（常数），联立上面两式可得出：

$$p_2 \approx (K_X x_o / A_c) + C \tag{4-3}$$

由此可见，p_2基本保持恒定。因此，调节调压弹簧11的预压缩量x_o，即可调节减压阀的出口压力p_2。

如果外来干扰使p_1升高，则p_2也升高，使主阀上移，节流口减小，p_2又降低，在新的位置上处于平衡，而出口压力p_2基本维持不变；反之亦然。

2.定差减压阀

定差减压阀的进口压力与出口压力之差是恒定的。图4-12为定差减压阀的工作原理图。图中阀芯2的位置不仅受调压弹簧3和二次压力p_2的控制，还受一次压力p_1的控制。若弹簧刚度为K。弹簧初压缩量为x_o，阀体1和阀芯2之间的开度x，阀芯工作面积为A，忽略阀芯自重和摩擦力，则阀芯受力平衡方程式为：

$$p_1A = K(x_o+x)+p_2A \tag{4-4}$$

由此得进、出口压力差为：

$$p_1-p_2 = \triangle p = K(x_o+x)/A \tag{4-5}$$

由于式中xo比x大得多，所以可以把压力差△p看作恒定值。

若一次压力p_1增大，使阀芯上移，即阀口缝隙B加大，节流效果减弱，则二次压力p_2随之增大，直到保持原来调定的压力差值。若一次压力p_1减小，可得到同样的结果。若由于出口端负荷增加而使p_2增加时，阀芯在p_2作用下下移，使开口量x减小，缝隙B的节流效果加大，p_1随之增加，直至保持调定的压力差值。出口负荷减小时的定差过程分析同上。

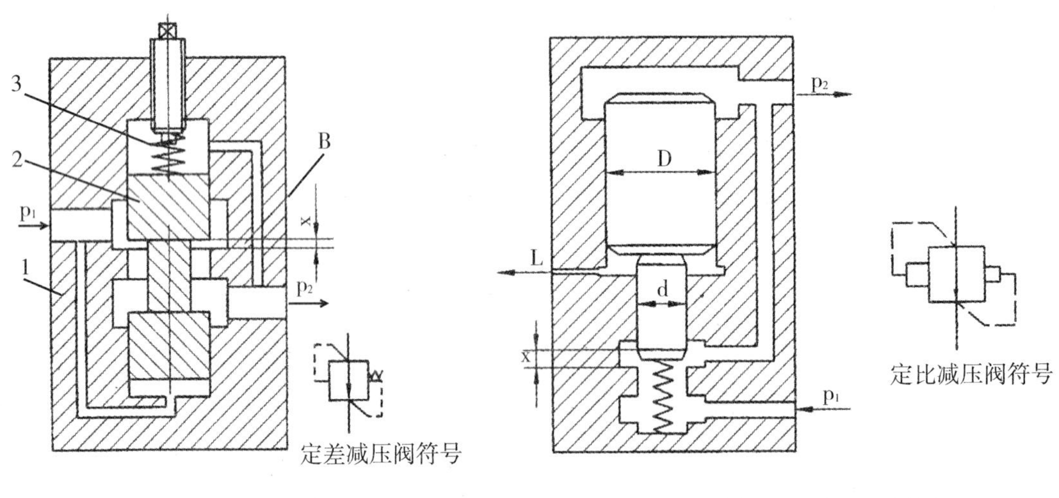

图4-12　定差减压阀　　　　图4-13　定比减压阀

1——阀体；2——阀芯；3——调压弹簧

3.定比减压阀

定比减压阀作用是使进出油口压力的比值保持恒定，见图4-13。该阀的弹簧主要用于复位。如果忽略刚度很小的弹簧力，无论p_1或p_2发生变化时或通过流量发生变化时，通过定比减压阀改变节流口的调节作用，其减压比基本不变，即$p_1/p_2 = D^2/d^2$。只要适当选择大小柱塞的直径比，即可得到所需的进、出口压力比。

三、顺序阀

顺序阀主要是利用进口压力的大小来控制系统油路的通断，实现执行元件间的顺序动作。它在液压系统中的基本功用是以压力为信号，控制多个执行元件顺序动作，以实现系统的自动控制。另外，它也可以作平衡阀、卸荷阀和背压阀使用。

顺序阀实质上相当于一个由阀本身进口或外来油压力控制的二位二通阀，因此对顺序阀的性能要求是：开启压力和闭合压力接近调定压力，而且当流量变化时压力的变化要小，即压力——流量特性要好。

根据控制压力来源的不同，顺序阀可以分为内控式和外控式。根据阀的结构可以分为直动式和先导式两种。

1.直动式顺序阀

图4-14为直动式顺序阀的基本结构和装配形式。图4-14a为内控式直动顺序阀。当进液口的压力p_1低于其调定压力时，阀芯在弹簧力作用下处于下部位置，将出液口封闭。切断一次回路与二次回路。当进液口压力p_1达到或超过其调定压力值时，阀芯克服弹簧力上移，使阀口打开，接通进、出液口，使二次回路中的执行元件工作。

将图4-14a中的下盖转过90°后安装，并将盖上螺钉打开做外控口，如图4-14b所示，即为一外控式顺序阀。这时，内部控制油路被切断，便于利用外控压力p_k来操纵阀的开、关。由于顺序阀的一次回路和二次回路均为压力回路，故必须设置泄漏口L，使内部泄漏的液体引回油箱。

如果令外控式顺序阀的出液口接油箱，它就成为一个卸荷阀了（图4-14c）。这时可取消单独的泄漏油管，使泄漏口在阀内与回油口T接通。为了减小其阀口的压力损失，顺序阀调压弹簧的刚度要尽量的小。

内控式顺序阀与溢流阀的不同之处在于它的出油口p_2不接油箱，而通向某一压力油路。

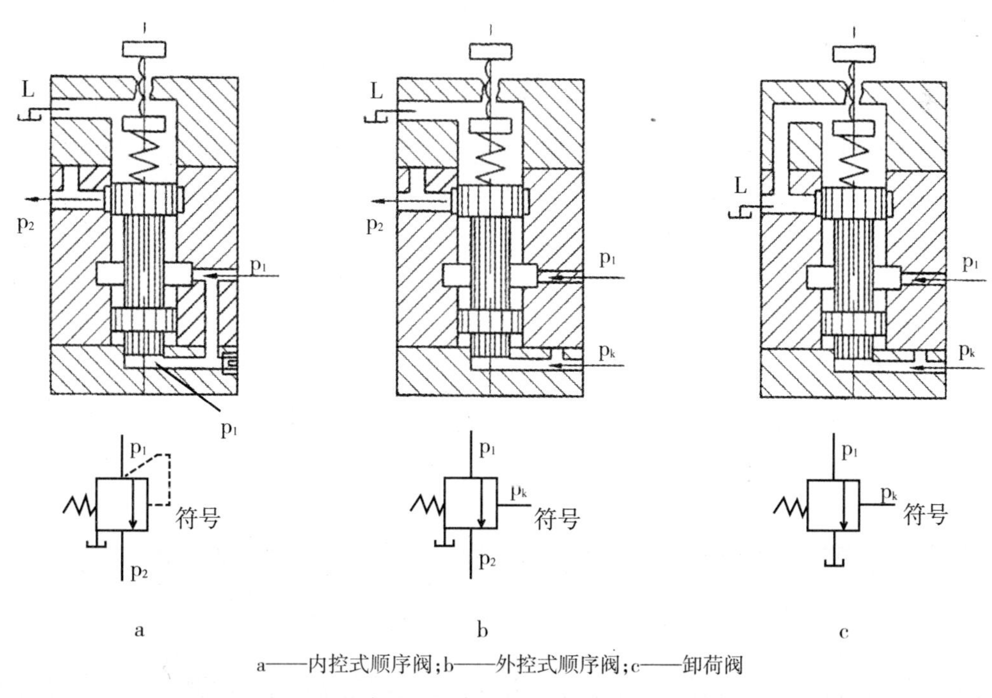

a——内控式顺序阀；b——外控式顺序阀；c——卸荷阀

图4-14　直动式顺序阀的工作原理和职能符号

2.先导式顺序阀

图4-15所示的是DZ型顺序阀，主阀为单向阀式，先导阀为滑阀式。

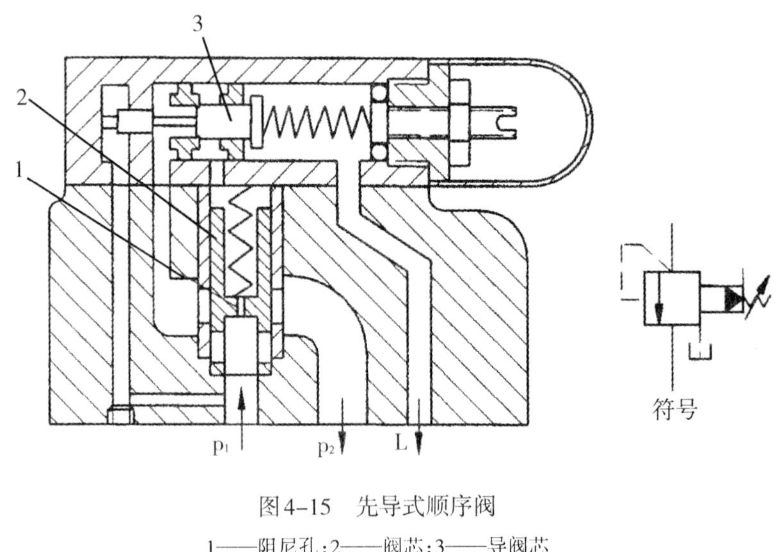

图4-15　先导式顺序阀

1——阻尼孔；2——阀芯；3——导阀芯

主阀芯在原始位置将进、出油口切断，进油口的压力油通过两条油路，一路经阻尼孔进入主阀上腔并到达先导阀中部环形腔，另一路直接作用在先导滑阀左端。当进口压力低于先导阀弹簧调定压力时，先导滑阀在弹簧力的作用下处于图示位置。当进口压力大于先导阀弹簧调定压力时，先导滑阀在左端液压力作用下右移，将先导阀中部环形腔与通顺序阀出口的油路连通。于是顺序阀进口压力油经阻尼孔、主阀上腔、先导阀流往出口。由于阻尼存在，主阀上腔压力低于下端（即进口）压力，主阀芯开启，顺序阀进、出油口连通。由于经主阀芯上阻尼孔的泄漏不流向油口L，而是流向出油口p_2；又因主阀上腔油压与先导滑阀所调压力无关，仅仅通过刚度很弱的主阀弹簧与主阀芯下端液压力保持主阀芯的受力平衡，故出口压力近似等于进口压力，其压力损失小。

四、压力继电器

压力继电器是利用工作液体的压力来开启、关闭电气触点的液电信号转换元件，用于当系统达到压力继电器调定压力时，发出电信号，控制电气元件（电动机、电磁铁、继电器等）的动作，实现液压泵的加载或卸荷控制，执行元件的顺序动作，以及系统的安全保护和连锁等。

1.压力继电器的主要性能

（1）调压范围：指能发出电信号的最低工作压力和最高工作压力的范围。

（2）灵敏度和通断调节区间：压力升高继电器接通电信号的压力（称开启压力）和压力下降继电器复位切断电信号的压力（称闭合压力）之差为压力继电器的灵敏度。为避免压力波动时继电器时通时断，要求开启压力和闭合压力之间有一可调节的一定的差值，称为通断调节区间。

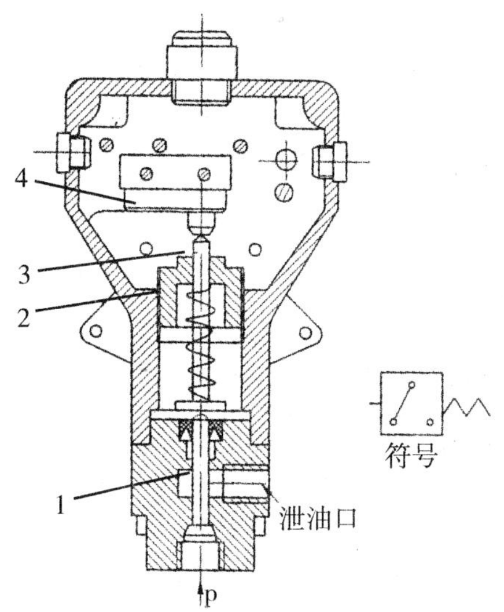

图4-16　柱塞式压力继电器

1——柱塞；2——调节螺钉；

3——顶杆 4——微动开关

(3)重复精度：在一定的设定压力下，多次升压(或降压)过程中，开启压力和闭合压力本身的差值称为重复精度。

(4)升压或降压动作时间：压力由卸荷压力升到设定压力，微动开关触点闭合发出电信号的时间，称为升压动作时间，反之称为降压动作时间。

2.压力继电器的分类及工作原理

压力继电器根据压力—位移转换部件的结构形式，可以分为柱塞式、弹簧管式、膜片式和波纹管式4种。

图4-16所示为一种常用的柱塞式压力继电器，由P口进来的高压油作用于柱塞1上，靠弹簧力与之平衡。当系统压力大于其调定值时，作用于柱塞上的液压力克服弹簧力，柱塞1推动顶杆3上移，使微动开关4的触点闭合，发出电信号。调节螺钉2可以调节压力继电器的调定压力。

第三节　流量控制阀

流量控制阀是通过改变节流口通流面积或通流通道的长短来改变局部阻力的大小，从而控制通过阀的流量，达到调节执行元件(液压缸或液压马达)运动速度的目的。

常用的流量控制阀有普通节流阀、调速阀、溢流节流阀、分流集流阀、温度补偿调速阀以及多种组合阀等。

流量控制阀是节流调速系统中的基本调节元件。在定量泵供油的节流调速系统中，必须将流量控制阀与溢流阀配合使用，以便将多余的流量排回油箱。

液压系统中使用的流量控制阀应满足如下要求：

1.具有足够的调节范围，而且调节时流量的变化要均匀；

2.能够保证稳定的最小流量；

3.工作液体的温度、压力的变化对流量的影响要小；

4.调节方便，且泄漏要小。

一、节流阀

节流阀是简易的流量控制阀，其型式很多，但都是靠节流口开启的变化来改变通过的流量。节流阀有固定式节流阀和可调式节流阀。节流阀在液压系统中，主要与定量泵、溢流阀组成节流调速系统。调节阀的开口大小，便可调节执行元件运动速度的大小。

1.节流阀的结构及工作原理

常用的节流阀有普通节流阀(简称节流阀)、单向节流阀和单向行程节流阀等。图4-17为一种普通节流阀的结构及其职能符号,它的节流口采用轴向三角沟式。转动手柄3,利用推杆2可以使阀芯1作轴向移动以改变节流口的通流面积,从而调节流量。

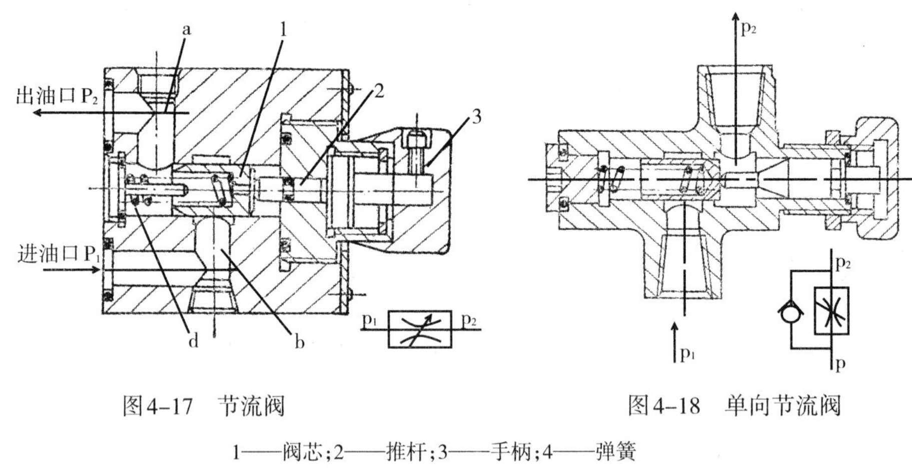

图4-17　节流阀　　图4-18　单向节流阀

1——阀芯;2——推杆;3——手柄;4——弹簧

单向节流阀是节流阀和单向阀的组合(如图4-18所示)。在结构上,这种阀是利用一个阀芯同时起着单向阀和节流阀的作用,当压力油从p_2进入时,阀芯被压下,油液直接从p_1流出,这时阀起单向阀的作用。当压力油从p_1进入时,油液则经过阀芯上的三角沟式节流口后再从油口p_2流出,这时阀起节流阀的作用。

单向行程节流阀实质上是一个机械控制的节流阀和一个单向阀组成的复合阀(如图4-19所示)。使用时,利用固定在执行机构上的凸块来压迫行程节流阀上的滚轮使节流口逐渐关闭,用以减小通过阀的流量。当油液从油口p_1进入时,单向阀关闭,油液必须经节流阀1才能流入油口p_2,此时通过阀的流量受到控制,起节流作用。当油液从油口p_2进入时,油液可以顶开单向阀2流向油口p_1,此时阀只起单向阀作用,而不起节流的作用。这种阀一般用来实现执行部件的速度换接或在行程末端实现减速。

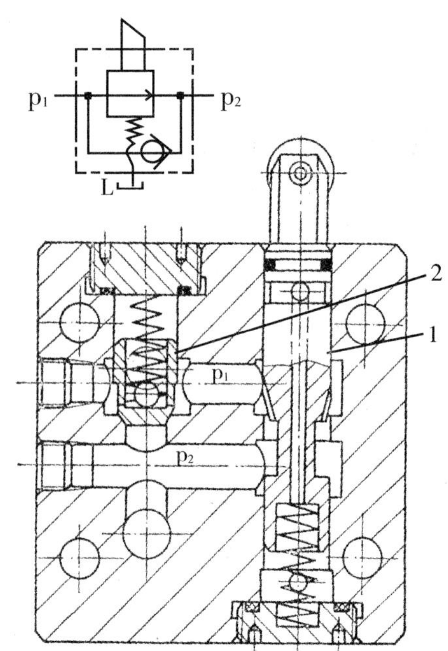

图4-19　单向行程节流阀

1——节流阀;2——单向阀

2.节流阀的特性

(1)流量特性

节流阀的流量特性决定于节流口的结构形式。由于任何一种具体的节流口都不是薄壁孔或细长孔,为此节流阀的流量特性常用下式来描述:

$$q_T = CA_T(p_1 - p_2)^{\varphi} = CA_T\Delta p^{\varphi} \tag{4-6}$$

式中C为由节流口形状、液体流态、油液性质等因素决定的系数，具体数值由实验得出；A_T为节流口的通流面积；φ为由节流口形状决定的节流阀指数，其值在0.5～1.0之间，由实验求得。由上式可以看出，通过节流阀的流量，是和节流口前后的压差、油温以及节流口形状等因素密切相关的。

①压力对流量稳定性的影响：

系统中当节流阀的通流截面积调整好以后，实际上由于负载的变化，节流阀前后的压差亦在变化，从而使流量不稳定，在上式中φ越大，△p的变化对流量的影响亦越大，因此节流口制成薄壁孔（φ≈0.5）比制成细长孔（φ≈1）要好。

②温度对流量稳定性的影响：

油温的变化会引起粘度的变化，从而对流量产生影响。尤其是在细长孔式节流口中更加明显。

（2）节流阀的阻塞现象和最小稳定流量

当节流阀的通流截面积很小时，特别是进口压差较大时，即使在保持所有因素都不变的情况下，通过节流口的流量也会出现时大时小的周期性的脉动，开口越小，脉动现象越严重，甚至在阀口没有关闭时就完全断流，这种现象称为节流阀的阻塞现象。节流口的阻塞会使液压系统中执行元件的速度不均匀。因此每个节流阀都有一个能正常工作的最小流量限制，称为节流阀的最小稳定流量。

节流口发生阻塞的主要原因有：①由于油液中含有杂质或由于油液因高温氧化后析出的胶质、沥青等粘附在节流口的表面上；②由于油液老化或受到挤压后产生带电的极化分子，而节流缝隙的金属表面上存在电位差，故极化分子被吸附到节流口的表面，形成牢固的边界吸附层，当吸附层增加到一定厚度时，会被液流冲刷掉，随后又重新吸附，从而形成流量的脉动；③阀口压差较大时，因阀口温度升高，液体受挤压的程度增强，金属表面也更易受摩擦作用而形成电位差，因此压差增大时容易产生阻塞现象。

减小阻塞现象的有效措施有：①采用水力半径大的节流口；②选择化学稳定性好和抗氧化稳定性好的油液，并注意精心过滤，定期更换；③采用电位差较小的金属材料，并减小节流口表面的粗糙度等。

（3）调节特性和流量调节范围

节流阀的调节应该轻便、准确。在小流量调节时，如果通流截面积相对于阀芯位移的变化率较小，则调节的精确性较高。

流量调节范围是指通过阀的最大流量和最小流量之比，一般在50以上。高压流量阀则在10左右。

二、调速阀

调速阀是由节流阀和定差减压阀组成的复合阀。其中节流阀用以调节通过阀的流量；减压阀用以保持节流阀两端的压差恒定，以保证通过节流阀的流量不受负载变化的影响。

1.调速阀的结构及工作原理

调速阀的工作原理图和职能符号见图4-20。图中1为定差减压阀,2为节流阀。调速阀的进口压力为p_1,它由泵出口处的溢流阀调定,基本上是不变的。油液进入调速阀后,经减压阀减压为p_2,到达节流阀的入端,经节流后流出,压力为p_3。

图4-20中,调速阀是在进口节流的位置,并且液压缸的回油腔直接通油箱,即压力p_4为零。则p_3的大小就取决于活塞杆上的载荷F和活塞的有效面积A_1,即$p_3=F/A_1$。此时,节流阀的进出端压差Δp_T为:

$$\Delta p_T=p_2-p_3=p_2-F/A_1 \tag{4-7}$$

为使调速阀在节流阀的开度调好之后其输出的流量稳定不变,则Δp_T必须是恒定值,但现在p_3是随负载F而变化的,为此,必须使p_2在p_3变化时也跟着变化,以保持压差Δp_T不变,这一要求可以由定差减压阀来实现。其工作原理如下:

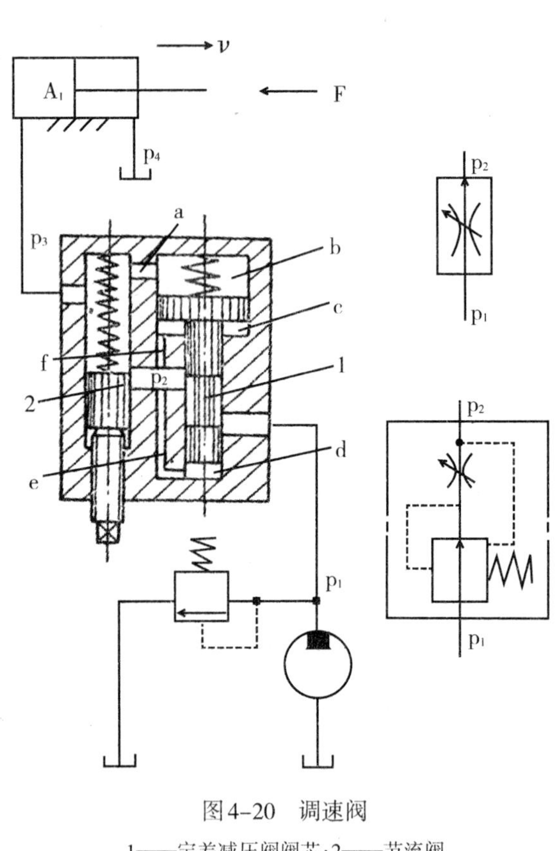

图4-20 调速阀

1——定差减压阀阀芯;2——节流阀

节流阀的出口端压力p_3经通道a作用于减压阀的b腔,节流阀的入口压力(也就是减压阀的出口压力)p_2分别经通道e和f作用于减压阀的d腔和c腔。当p_3因负载F的增加而增大时,减压阀阀芯1的上腔(即b腔)压力亦很快增大,使阀芯1下移,减压口的开度变大,压力降减小,p_2随之增大,从而保持了节流阀的压差$\Delta p_T=p_2-p_3$的值不变。反之,当负载F减小引起p_3下降时,此时阀芯1上腔的压力亦很快下降,阀芯1在油腔c和d的油压作用下向上移动,减压口的开度变小,压力降增大,使p_2随之减小,而保持了压差Δp_T不变。所以,用调速阀进行调速时,无论负载如何变化,通过调速阀的流量不变(即调定的运动速度是稳定不变的)。

图4-21所示为一种调速阀的结构图。压力油从阀的进油口进入环槽f,经减压阀的阀口减压后流到环槽e,再经孔g进入节流阀2的入端,经三角沟节流口、油腔b、孔a从出油口(图中未标出)流出。节流阀前的压力油经孔d进入减压阀阀芯3大台肩的右腔,并经阀芯3的中孔流入阀芯3小端的右腔。节流阀后的压力油则经油腔b、孔a和孔c(孔a和孔c的通道图中均未表示)通过阀芯3大台肩的左腔。转动手柄1可使节流阀作轴向移动,以改变节流口的开度,即改变了通过调速阀的流量。

上面介绍的调速阀是减压阀在前,节流阀在后,还有一种调速阀是节流阀在前,减压阀在后,其工作原理与前者类似。

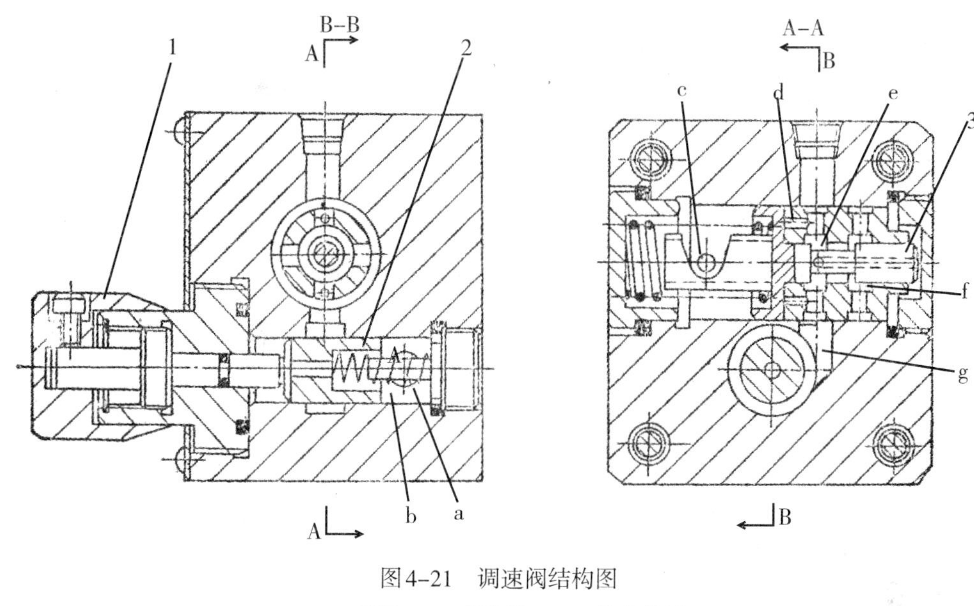

图4-21　调速阀结构图

1——手柄；2——节流阀；3——减压阀阀芯

2.调速阀的流量特性

如图4-20所示，当调速阀稳定工作时，若忽略减压阀阀芯上的摩擦力，则作用在减压阀阀芯上的各力的平衡方程式为：

$$p_2(A_o+A_d) = p_3A_b + F_s \tag{4-8}$$

$$A_b = A_o+A_d \tag{4-9}$$

$$p_2 - p_3 = F_s/A_b = \text{常数} \tag{4-10}$$

式中　A_o——减压阀阀芯肩部环形面积；

A_d——减压阀阀芯的小端面积；

A_b——减压阀阀芯的大端面积；

F_s——减压阀弹簧的作用力。

由上式可以看出，节流阀前后压差Δp_T为一常数（严格的说是有变化的）。但在设计时减压阀的弹簧选得很软，而且调速阀工作时减压阀移动量很小，当减压阀上下移动时，F_s的数值变化不大，即节流阀前后的压差Δp_T可看作基本上是不变的，所以调速阀输出的流量可以认为基本上不变。

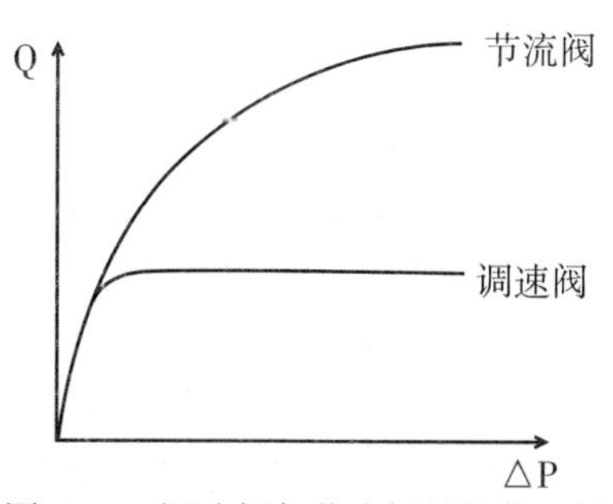

图4-22　调速阀与节流阀的性能比较

调速阀正常工作时，至少应有$(4\sim5)\times10^5$Pa的压力差，否则，减压阀的阀芯在弹簧力的作用下将处于最下端的位置，此时减压阀阀口的开度最大，不能起到稳定节流阀前后压差的作用，这样调速阀的性能就如同节流阀，只有在调速阀上的压力差大于一定数值之后，流量才基本上处于稳定状态（见图4-22所示）。

三、溢流节流阀(又称旁通调速阀)

如图4-23所示，溢流节流阀也是一种压力补偿型节流阀，它由溢流阀3和节流阀2并联而成。进口处的高压油P_1，一部分经节流阀2去执行机构，压力降为p_2，另一部分经溢流阀3的溢流口去油箱。溢流阀芯下、上端分别与节流阀前后的压力油p_1和p_2相通。当出口压力P_2增大时，阀芯下移，关小溢流口，溢流阻力增大，进口压力p_1随之增加，因而节流阀前后的压差$(p_1 - p_2)$基本保持不变；反之亦然，即通过阀的流量基本不受负载的影响。

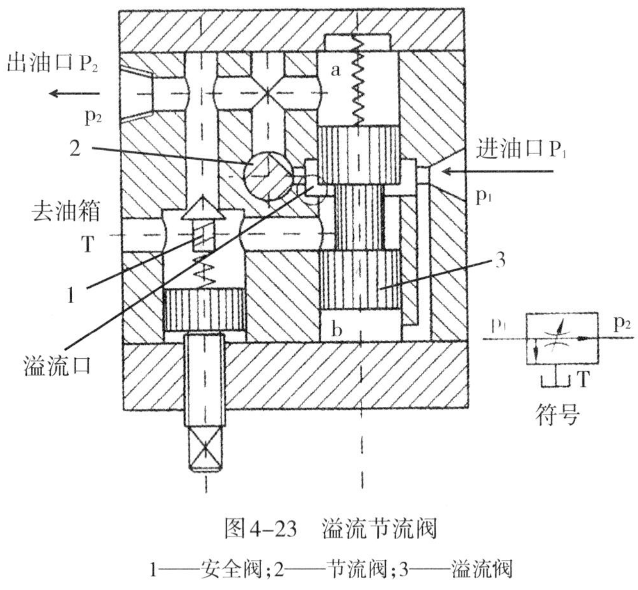

图4-23 溢流节流阀

1——安全阀；2——节流阀；3——溢流阀

这种溢流节流阀上还附有安全阀1，以免系统过载。

与调速阀不同，溢流节流阀必须接在执行元件的进油路上。这时泵的出口(溢流节流阀的进口)压力p_1随负载压力p_2的变化而变化，属于变压系统，其功率利用比较合理，系统发热量小。

四、分流集流阀

分流集流阀是分流阀、集流阀和分流集流阀的总称。

分流阀的作用是使液压系统中由同一个能源向两个执行元件供应相同的流量(等量分流)，或按一定比例向两个执行元件供应流量(比例分流)，以实现两个执行元件的速度保持同步或定比关系。集流阀的作用则是从两个执行元件收集等流量或按比例的回油量，以实现其间的速度同步或定比关系。分流集流阀则兼有分流阀和集流阀的功能，它们的职能符号如图4-24所示。

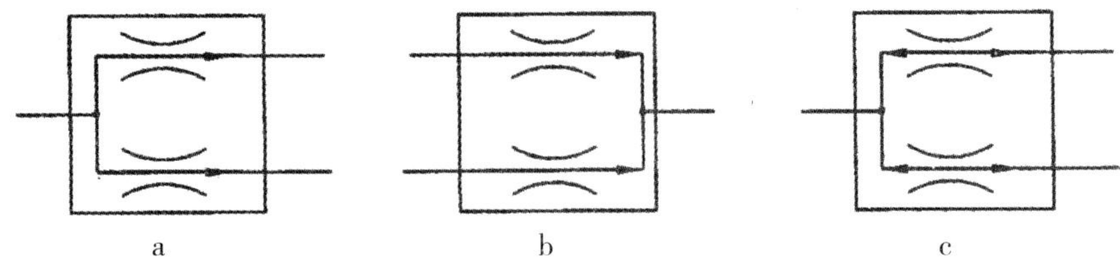

图4-24 分流集流阀职能符号

a——分流阀；b——集流阀；c——分流集流阀

1.分流阀的结构及工作原理

图4-25所示为等量分流阀的结构原理图。假设进口油液压力为p_0，流量为Q_0，进入阀后分两路分别通过两个面积相等的固定节流孔1、2，分别进入油室a、b，然后由可变节流口3、4经出油口Ⅰ和Ⅱ通往2个执行元件。如果2个执行元件的负载相等，则分流阀的出口压力$p_3 = p_4$，因为阀中2支流道的尺寸完全对称，所以输出流量亦对称，$Q_1 = Q_2 = Q_0/2$，而且$p_1 = p_2$。当由于负载不对称而出现$p_3 \neq p_4$时，且设$p_3 > p_4$时，阀芯来不及运动而处于中间位置，由于2支流道上的总阻力相同，必定使$Q_1 < Q_2$，进而使$(p_0 - p_1) < (p_0 - p_2)$，则使$p_1 > p_2$，此时阀芯在不对称液压力的作用下左移，使可变节流口3增大，节流口4减小，从而使Q_1增大，Q_2减小，直到$Q_1 \approx Q_2$，$p_1 \approx p_2$为止，阀芯才在一个新的平衡位置上稳定下来，即输往2个执行元件的流量相等，当2个执行元件尺寸完全相同时，运动速度将同步。

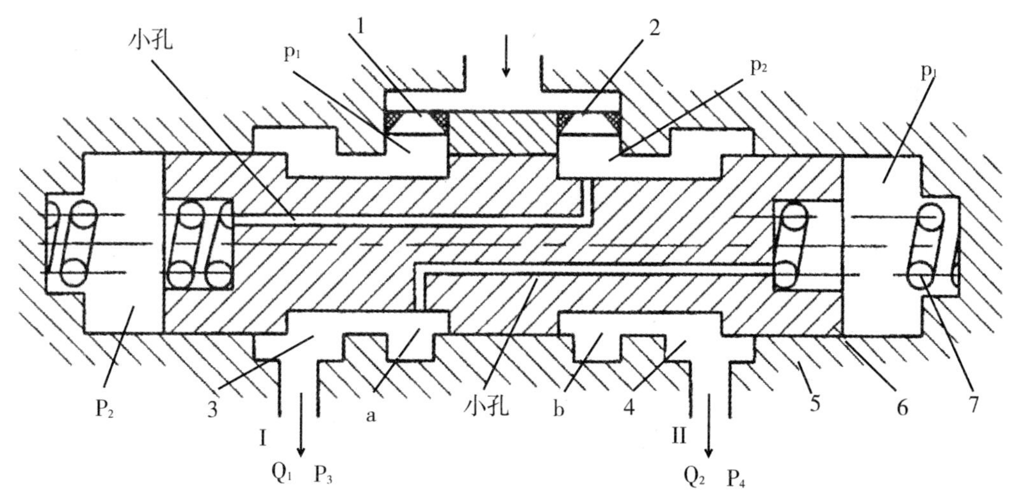

图4-25　分流阀的工作原理

1、2——固定节流口；3、4——可变节流口；5——阀体；6——阀芯；7——弹簧；Ⅰ、Ⅱ——出油口

2.分流集流阀的结构及工作原理

图4-26a为分流集流阀的结构图。阀芯5、6在各弹簧力作用下处于中间位置的平衡状态。

当阀处于分流工况时，由于p_0大于p_1和p_2，所以阀芯5和6处于相离状态，互相钩住。若负载压力$p_4 > p_3$，如果阀芯仍留在中间位置，必然使$p_2 > p_1$，这时连成一体的阀芯将左移，可变节流口3减小（见图4-26b），使p_1上升，直至$p_1 = p_2$，阀芯停止运动。由于两个固定节流口1和2的面积相等，所以通过两个固定节流口的流量$Q_1 \approx Q_2$，而不受出口压力p_3向及p_4变化的影响。

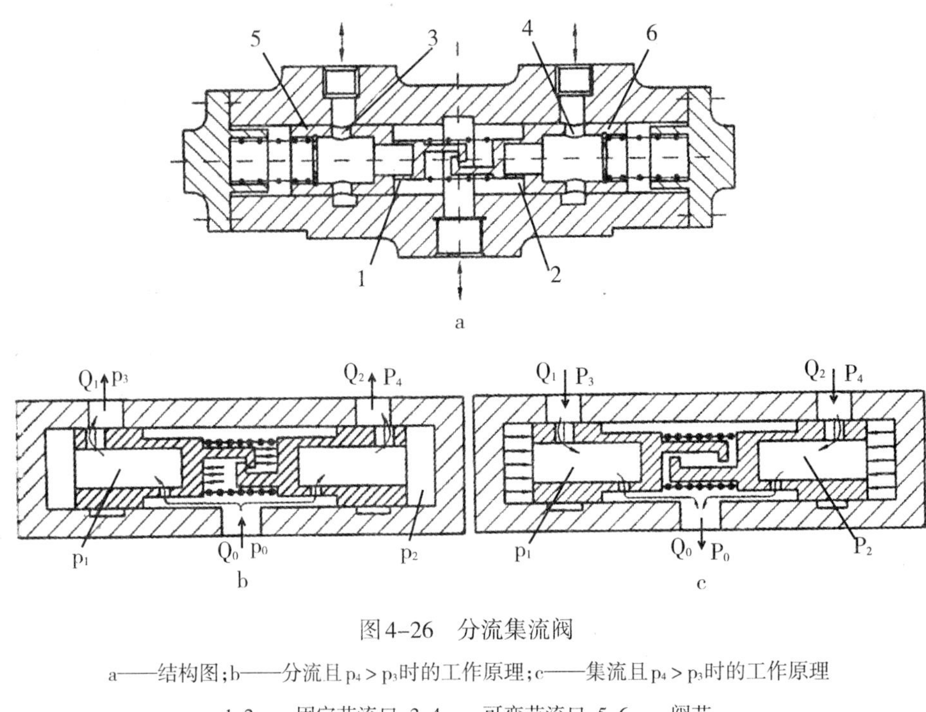

图4-26 分流集流阀

a——结构图；b——分流且$p_4>p_3$时的工作原理；c——集流且$p_4>p_3$时的工作原理

1、2——固定节流口；3、4——可变节流口；5、6——阀芯

当阀处于集流工况时，由于p_0小于p_1和p_2，故两阀芯处于相互压紧状态。若负载压力$p_4>p_3$，若阀芯仍留在中间位置，必然使$p_2>p_1$，这时压紧成一体的阀芯左移，可变节流口4减小（图4-26c），使p_2下降，直至$p_2\approx p_1$，阀芯停止运动，故$Q_1\approx Q_2$，而不受进口压力p_3向及p_4变化的影响。

3.分流精度

分流精度用相对分流误差ξ表示。等量分流（集流）阀的分流误差ξ表示为：

$$\xi=(Q_1-Q_2)/(Q_0/2)\times100\%=2(Q_1-Q_2)/(Q_1+Q_2)\times100\% \tag{4-11}$$

一般分流（集流）阀的分流误差为1%～3%，产生分流误差的主要原因是：

（1）两个可变节流孔处的液动力不完全相等而产生的分流误差。改进办法有两点：①采用消除液动力的滑阀结构；②在阀内或阀外两条负载支路上加设修正节流孔，让流经负载压力较大支路的流量有一部分流入负载压力较小的支路，从而减小分流误差。

（2）由阀芯与阀套间的摩擦力而产生的分流误差。因此，应提高阀芯与阀套的加工精度，精密过滤油液，防止液压卡紧。

（3）阀芯两端弹簧力不相等引起的分流误差。因此，在能够克服阀芯摩擦力，保证阀芯能恢复中位的前提下，尽量减小弹簧刚度K及阀芯位移量。

（4）两个固定节流孔几何尺寸误差带来的分流误差。

（5）固定节流孔前后压差Δp_d对分流误差的影响。Δp_d越大，则对流量变化反应越灵敏,分流误差就越小。但Δp_d选得过大,会使分流(集流)阀的压力损失太大,推荐$\Delta p_d \geq 0.5 \sim 1MPa$。由于$\Delta p_d$与工作流量的大小有关,所以为了保证分流(集流)阀的分流精度,一般最大工作流量不应超过最小工作流量的一倍 。流量使用范围一般为公称流量的60%~100%。

必须指出:在采用分流(集流)阀构成的同步系统中,液压缸的加工误差及其泄漏、分流阀之后设置的其他阀的外部泄漏、油路中的泄漏等,虽然对分流阀本身的分流精度没有影响,但对系统中执行元件的同步精度却有直接影响。

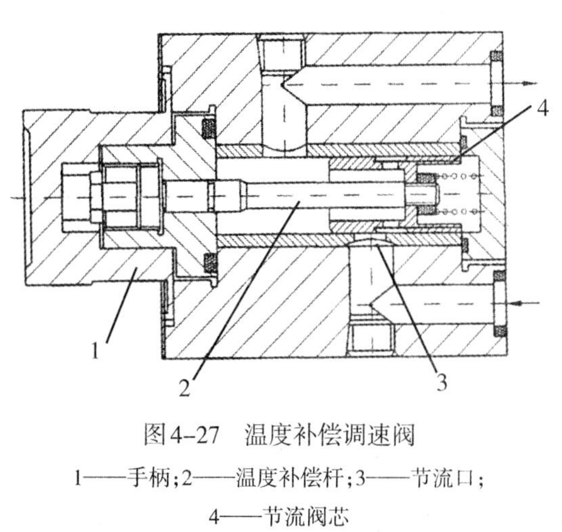

图4-27　温度补偿调速阀

1——手柄;2——温度补偿杆;3——节流口;4——节流阀芯

五、温度补偿调速阀

为了使调速阀的流量控制精度更进一步提高,可在结构上采取温度补偿措施,这种阀称为温度补偿 调速阀。它也是由减压阀和节流阀两部分组成,其中的节流阀部分如图4-27所示,其特点是节流阀的温度补偿杆2由热膨胀系数较大的材料(如聚氯乙烯塑料)制成,当油温升高时,温度补偿杆2热膨胀使节流阀口关小,正好能抵消由于黏性降低使流量增加的影响。

第四节　方向控制阀

在液压系统中,用来控制工作液体流动方向的阀,总称为方向控制阀。方向控制阀可分为单向阀和换向阀。单向阀又可分为普通单向阀和液控单向阀。换向阀按其通路可以分为二通、三通、四通、五通等;按其工作位置数目可以分为二位、三位、四位等;按其控制方式可以分为电磁换向阀和液控换向阀;按其操纵方式可以分为手动换向阀、气动换向阀和机动换向阀等。

一、单向阀

1.普通单向阀

如图4-28所示,普通单向阀的作用是使液体只能沿一个方向流动,不许它反向倒流。对单向阀的要求主要有:(1)通过液流时压力损失要小,而反向截止时密封性要好;(2)动作灵敏,工作时无撞击和噪声。单向阀的主要性能包括:(1)正向最小开启压力;(2)正向流动时压力损失;(3)反向泄漏量。

当液流从p_1流入时,克服弹簧力将阀芯顶开流向p_2。当液流反向流入时,阀芯在液压力和弹簧力的作用下关闭阀口,使液流截止。

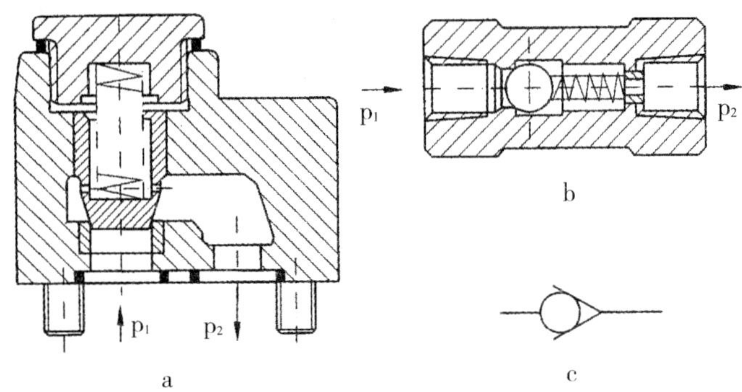

图4-28　普通单向阀

a——阀芯为锥阀的直角式单向阀(板式连接);b——阀芯为球阀的直通式单向阀;c——符号

阀芯为锥阀的单向阀,其结构较复杂,但其导向性和密封性较好,工作比较平稳。而阀芯为球阀的单向阀,其结构简单,但密封容易失效,工作时容易产生振动和噪声,一般用于流量较小的场合。管式连接的直通式单向阀,可直接装在管路上,比较简单,但液流阻力损失较大,而且维修装拆及更换弹簧不便。板式连接的直角式单向阀,液流顶开阀芯后,直接从阀体内部的铸造通道流出,压力损失小,而且只要打开端部螺塞即可对内部进行维修,十分方便。

单向阀的弹簧在保证能克服阀芯摩擦力和重力而复位的前提下,弹簧刚度尽可能小,从而减小单向阀的压力损失。一般单向阀的开启压力为0.03~0.05MPa,通过额定流量时的压力不应超过0.1~0.3 MPa。如换上刚度较大的弹簧,使阀的开启压力达到0.2~0.6MPa,便可当作背压阀使用。

单向阀可以安装在液压泵的出口处,以防止系统中的液压冲击影响液压泵的工作。同理,单向阀可以用来分隔油路,防止油路间的相互干扰。

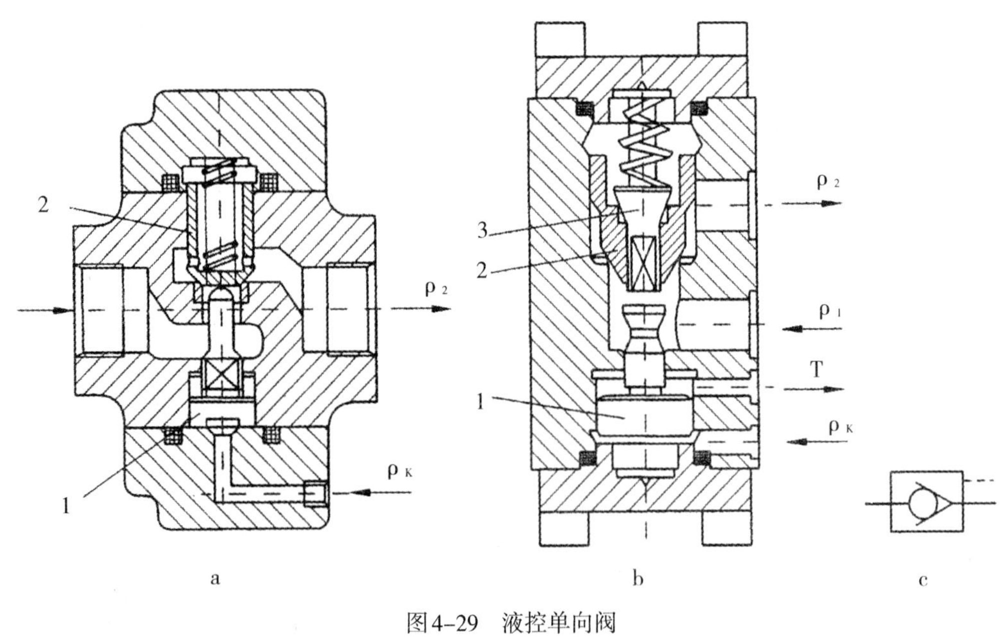

图4-29　液控单向阀

a——简式液控单向阀(内泄式)　　b——卸载式液控单向阀(外泄式)　　c——符号

2.液控单向阀

液控单向阀的主要性能和普通单向阀差不多,需要指出的是它反向流动的压力损失要比正向流动的压力损失要小一些。液控单向阀在液压系统中的主要用途是对液压缸进行锁闭(一般采用两个液控单向阀)以及作立式液压缸的支承阀。

如图4-29所示,当控制口无压力油(p_K=0)通入时,它和普通单向阀一样,压力油只能从p_1流向p_2,不能反向倒流。当控制口接通控制油压p_K时,即可推动控制活塞1,使之顶开单向阀的阀芯2,使反向截止作用得到解除,液体即可在两个方向自由通流。

液控单向阀按控制活塞的泄油方式不同,有内泄式和外泄式之分。内泄式(见图4-29a)的控制活塞的背压腔通过活塞杆上对称铣的两个缺口与油口p_1相通;外泄式(见图4-29b)的活塞背压腔直接通油箱。一般在反向出油口p_1压力较低时采用内泄式;高压系统采用外泄式,以减小控制压力。

液控单向阀按结构特点可分为简式(见图4-29a)和卸载式(见图4-29b)两类。卸载式的特点是带有卸载阀,当控制活塞上移时先顶开卸载阀的小阀芯3,使主油路卸压,然后再顶开单向阀芯,这样可大大减小控制压力,使控制压力与工作压力之比降低到4%~5%,因此可用于压力较高的场合。

二、换向阀

换向阀是通过阀体和阀芯之间的相对运动,来改变连接在阀体上的管道的通断关系的阀类。根据换向阀的作用,对换向阀的性能要求有:液流通过换向阀时压力损失要小;液流在各关闭的阀口间的缝隙中泄漏量要小;换向可靠、动作灵敏;换向平稳、无冲击。

1.换向阀的分类及工作原理

换向阀可以按不同方法分类:

(1)按其结构特点分

①滑阀型:其阀芯为圆柱滑阀,相对阀体用轴向运动。滑阀型由于轴向力和径向力容易平衡,操纵力比较小,动作可靠,工艺性好,容易实现多种机能,因此在换向阀中应用最为广泛。

②转阀型:其阀芯与阀体作相对旋转运动。这种换向阀容易实现多位多通换向,从而实现多种动作。在液压支架中常用作操纵阀。

③单向阀型:有锥阀、球阀、平面阀等。通过阀芯相对阀座开启或闭合来实现换向。这种换向阀密封性能好,动作灵敏,但每个单向阀只能实现二位二通机能,如果要得到复杂的机能,需采用多个阀进行组合。现在液压支架上常采用此种组合的多路换向阀。

(2)按其阀芯在阀体内的工作位置分

换向阀根据其阀芯在阀体内停留的工作位置数目,可分为二位、三位、多位阀等。在图形符号中每个实线方格表示一个工作位置,虚线构成的方格为过渡位置。有几个实线方格就表示为几位阀。

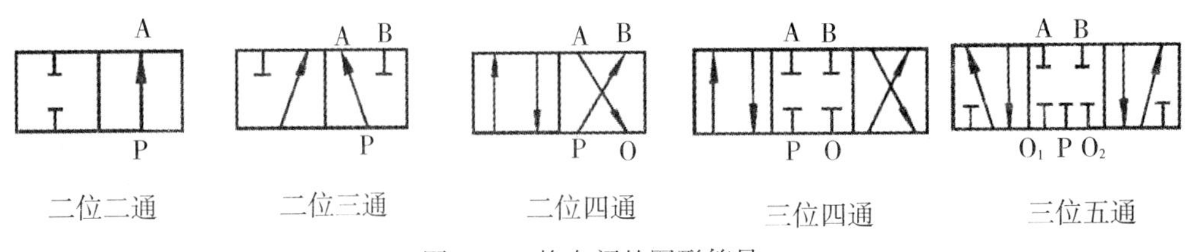

图4-30　换向阀的图形符号

(3)按其与阀体连接的主油路数分

换向阀根据其与阀体连接的主油路数，可以分为二通、三通、四通和多通等。位和通组合起来便有二位二通、二位三通、二位四通、三位四通、三位五通等不同形的换向阀。图4-30表示了不同形式换向阀的职能符号。有几个方格就表示是几位阀，一个方格上、下两边有几条与外界连接的通路就表示几通，而这个方格表示换向阀的零位，也称为中间位置，表示在不操纵换向阀时即在这个位置。方格内的箭头表示阀内部的液流通路，"⊤"字形符号表示内部液流不通。通路中高压进液口用"P"表示，低压回液口用"T"表示，阀与执行元件连通的工作液口用"A"、"B"等表示。

(4)按阀芯的复位与定位的方式分

换向阀按阀芯的复位与定位的方式可分为弹簧复位式、弹簧对中式、钢珠定位式和无复位弹簧式等。

(5)按操纵阀芯运动的方式分

换向阀按操纵阀芯运动的方式可分为手动、机动、电动、液动和电、液动等。(如图4-31所示)

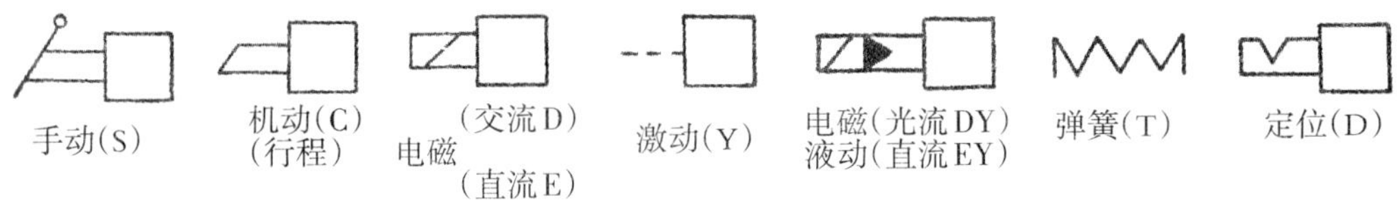

图4-31　换向阀的操纵方式符号

2.换向阀的工作原理

(1)滑阀式换向阀的工作原理

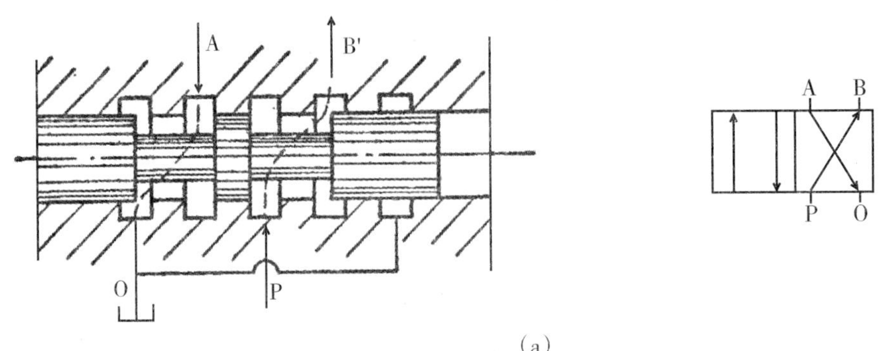

(a)

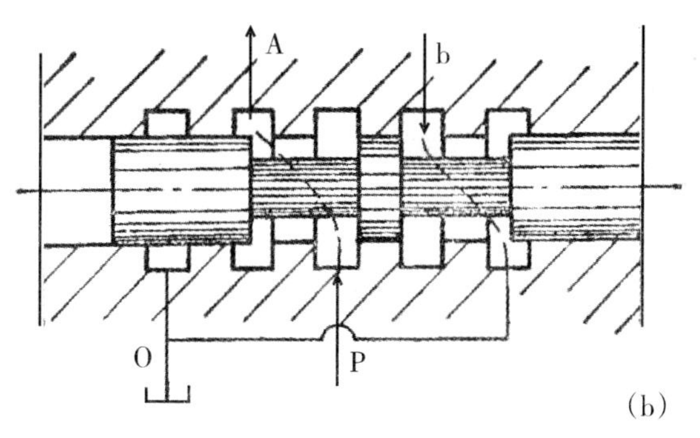

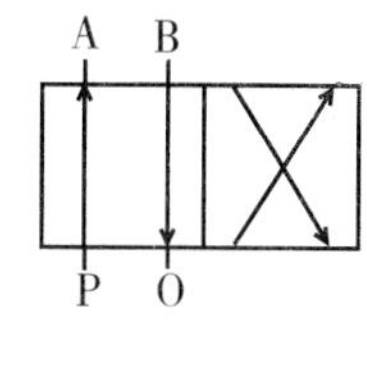

图4-32　滑阀式换向阀的换向原理

如图4-32所示，阀体有5条沉割槽，其上均有通油孔，阀芯是有3个凸肩的圆柱体，阀芯处于图中a位时，油口P与B相通，A与O相通，压力油从P进入，经B输出，回油从A流入，经O回油箱。当阀芯处于图中b位时，油口P与A相通，B与O相通，这样就改变了液流的方向，也就改变了执行元件的运动方向，实现了换向的目的。

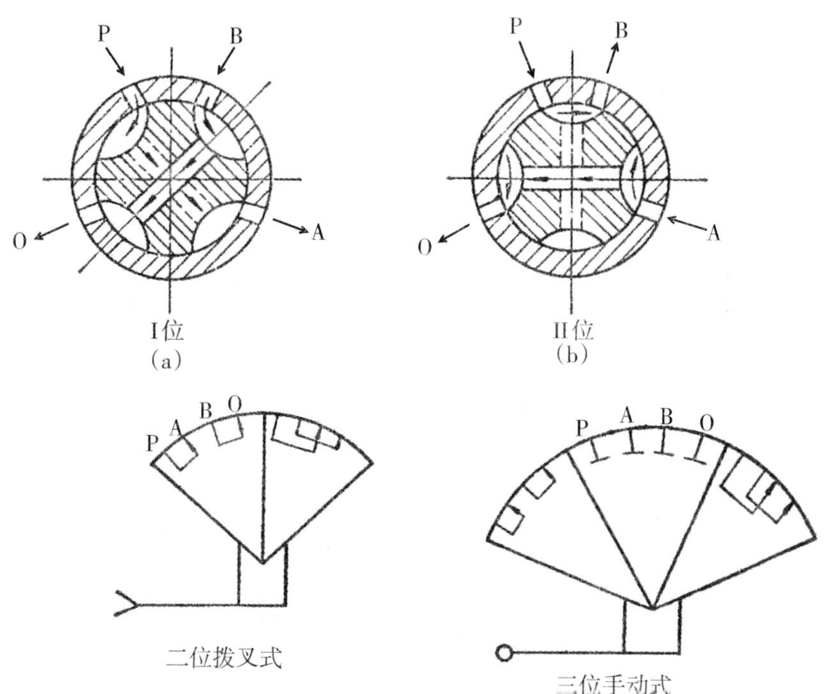

图4-33　转阀式换向阀的换向原理

(2)转阀式换向阀(又称转阀)的工作原理

图4-33是转阀结构示意图，其型号用字母“O”表示，在图中a位置时，P与A相通，B与O相通；若转动阀芯到图中b位置，则P与B相通，A与O相通，实现了液流的换向。转阀密封性差，径向力不易平衡，所以使用压力一般不高，常作先导阀及小型低压换向阀使用。

3.典型换向阀结构

(1)手动换向阀

转阀型、滑阀型都可以采用手动操纵。常用的手动换向阀有二位二通、二位四通、三位四通等,用手动操纵杠杆可改变阀芯工作位置,实现液流换向。阀芯在阀体内的定位方式有两种,一种是如图4-34a所示的弹簧钢球定位式,它可以使阀芯在3个工作位置定位;另一种是如图4-34b所示的自动复位式,其特点是:欲使阀芯处于左端或右端位置,就得扳住手柄不放,否则阀芯在弹簧力的作用下会自动弹回中位。因此手动换向时操作安全可靠,适用于换向要求频繁的场合。

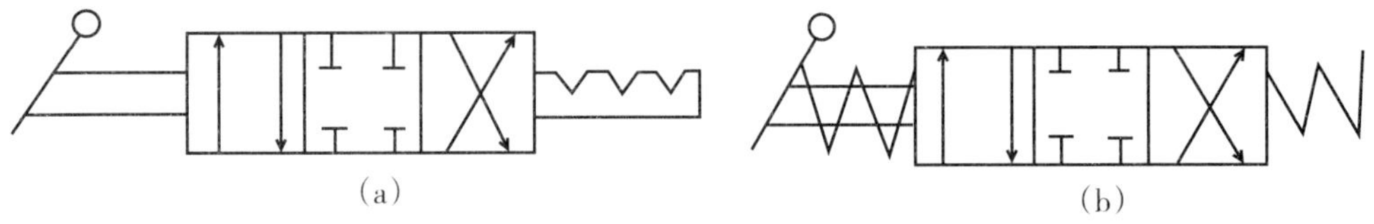

图4-34　三位四通手动换向阀职能符号

(2)机动换向阀(行程阀)

图4-35为一种机动换向阀结构图,其型号用字母“C”表示,阀芯是靠挡块压下阀杆1上部的滚轮来实现移动的,该阀实际上是一个二位二通阀。阀芯2复位是靠弹簧3实现的。若改变档块斜面的斜角α(或改变凸轮外廓形状),便可使滑阀获得要求的移动速度,最大限度减少换向时系统中的液压冲击和噪声。

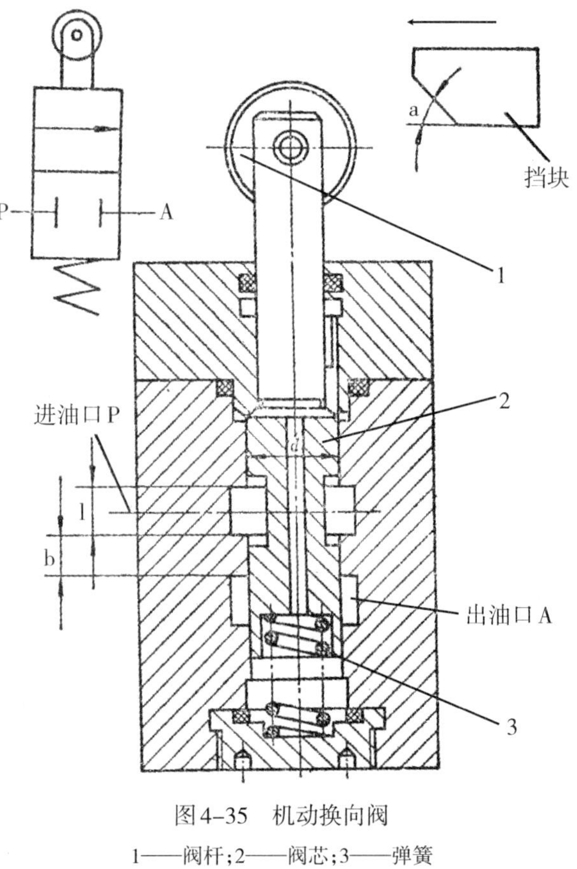

图4-35　机动换向阀

1——阀杆;2——阀芯;3——弹簧

(3)电磁换向阀

电磁换向阀是一种利用电磁铁吸力推动阀芯,使其在阀体内做相对运动来改变阀的工作位置。一般多为滑阀型,常见有二位二通、二位三通、二位四通、三位四通和三位五通阀等。在结构形式上,有弹簧复位式和弹簧对中式。

根据电磁铁所用电源不同,电磁换向阀又可分为交流和直流两种。交流电磁铁所用电压为220V(也有采用380V、127V、110V或36V),频率为50Hz,代号为“D”;其特点是起动力大,换向时间短(0.01～0.07s秒内换向一次),价格低廉;但由于换向可靠性差,寿命低,换向冲击大，常用于换向频率不高的场合。直流电磁铁常用电压为24V，也有用110V的，代号为“E”，其特点是换向可靠，冲击小，体积小，换向频率高，寿命长，但要备有直流电源，成本高。根据电磁铁的铁芯和线圈是否浸油还可分为干式阀用电磁铁、湿式阀用电磁铁及油浸式阀用电磁铁3种类型。

图4-36为二位三通交流电磁换向阀结构图和职能符号图。工作情况如下：电磁铁未通电时，滑阀2在其位弹簧3的作用下，被推向左端（图示位置），这时进油腔P与工作油腔A相通，工作油腔B被堵。电磁铁通电后，推杆1推阀芯2至右端（注意：不管是几位电磁换向阀，某电磁铁通电，其电磁铁推杆总是推阀芯，从职能符号上看，一定是靠近电磁铁这边接入系统），此时腔P与腔B相通，腔A被堵，实现液流通断。若阀体内有压力油泄入阀芯2两端时，可经通道4流回油箱。电磁换向阀是用电气控制油流方向的，因此控制方便，便于实现自动化，在换向回路中应用最为广泛。

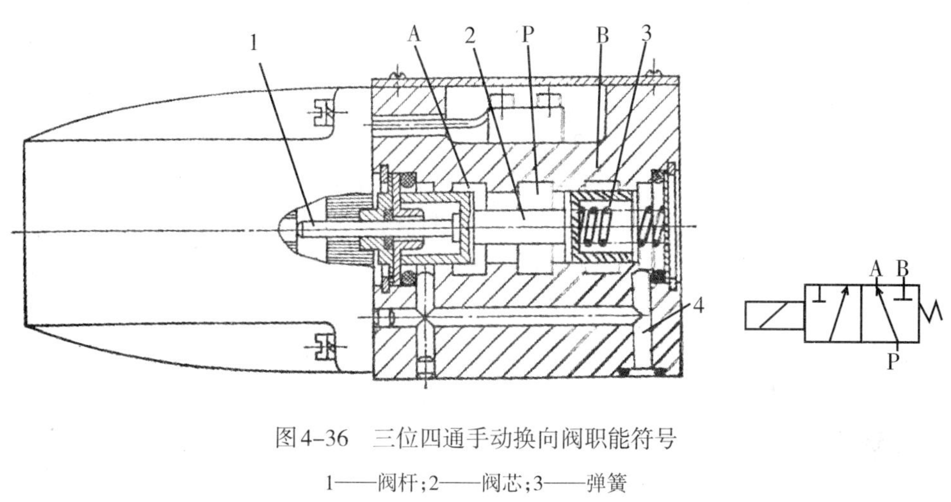

图4-36　三位四通手动换向阀职能符号

1——阀杆；2——阀芯；3——弹簧

（4）液动换向阀

利用控制油路的压力来改变滑阀位置的换向阀叫液动换向阀。液动换向阀适用于换向时要求调节，或大流量换向（阀芯行程长）的场合。此时，如果采用电磁换向阀，那么电磁铁将变得很大，甚至无法实现换向要求。液动换向阀按换向时间是否可调，分为可调式（流量在63L/min以上）以及不可调式两种。图4-37所示为一种可调式液动换向阀局部放大结构图及其职能符号。该阀两端加有阻尼器。阻尼器实际上是由单向阀1和节流阀2并联组合而成。节流阀尾部带螺纹，中空部分装有钢球式单向阀的螺杆，节流阀前端带锥度，与端盖上的阀口配合构成节流缝隙3，相当于一个针状节流阀。转动阀2尾部螺杆就可以改变节流缝隙3的大小。当控制压力油进入时，首先顶开单向阀1中的钢球，然后经阀2的径向孔，由孔4进入换向阀阀芯左端，推动阀芯右移。反向时，由于钢球压在阀口上，油液只能通过缝隙3排出，从而控制了阀芯移动的速度和换向时间，因而能大大减缓换向冲击。液动换向阀的型号用字母“Y”表示。

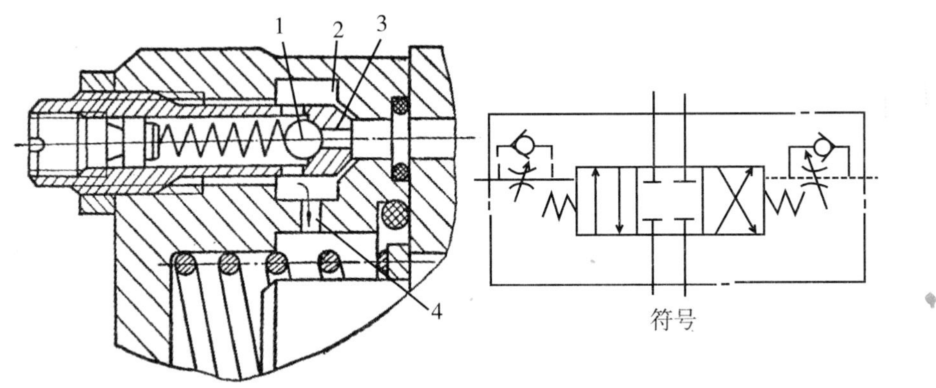

图4-37 可调式液动换向阀(弹簧对中型)

1——单向阀;2——节流阀;3——节流缝隙;4——油孔

(5)电液动换向阀

电液动换向阀(简称电液换向阀)是由电磁阀与液动阀组合而成(见图4-38所示)。它即能实现换向缓冲,又能用较小的电磁铁控制大流量的液流换向,所以适宜用在大流量、要求换向平稳的液压系统中。目前,电液换向阀通流量可达1200L/min。

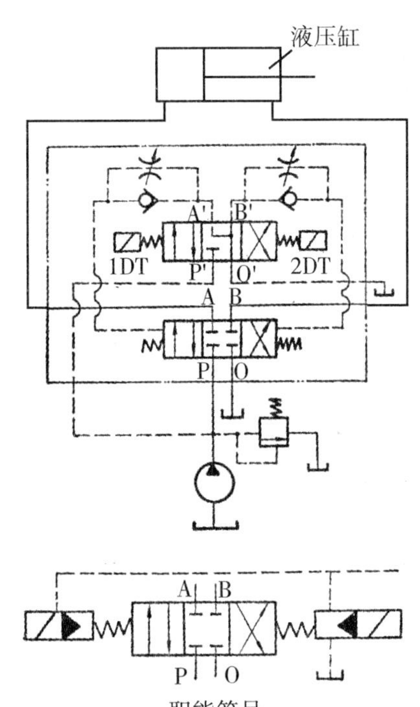

图4-38 电液动换向阀职能符号

电液换向阀也可分交流和直流两种。其型号分别用“DY”和“EY”表示,图4-38为电液动换向阀的职能符号,其中图中的双点划线中的符号是表示电液换向阀在换向回路中的连接情况,图中右侧是电液换向阀的简化符号。从结构上看,电液换向阀是两种阀的叠加;从原理上看,它实际上属于一种二级结构,电磁阀起“先导”的控制作用,用来改变被动阀两端的控制压力油的方向,一般多为三位四通电磁阀。主换向是液动阀,以其阀芯位置的变化改变主油路上液流的方向,起着“放大”的控制作用。液动阀的换向时间是靠其两边的阻尼器进行调节的。

第五节 其他控制阀

一、电液比例阀

电液比例阀是一种输出量与输入信号成比例的液压阀。它可以按给定的输入电信号连续地、按比例地控制液流的压力、流量和方向。

在普通液压阀上用电—机械转换器取代原有的控制部分，即成为比例阀。

按用途和工作特点的不同，比例阀可分为比例压力阀（如比例溢流阀、比例减压阀、比例顺序阀）、比例流量阀（如比例节流阀、比例调速阀）和比例方向流量阀（如比例方向节流阀、比例方向调速阀）。

电液比例阀的特点有：

（1）能实现自动控制、远程控制和程序控制；

（2）能把电的快速、灵活等优点与液压传动功率大等特点结合起来；

（3）能连续地、按比例地控制执行元件的力、速度和方向，并能防止压力或速度变化及换向时的冲击现象；

（4）简化了系统，减少了元件的使用量；

（5）制造简便，价格比伺服阀低廉，但比普通液压阀高。由于在输入信号与比例阀之间需设置直流比例放大器，相应增加了投资费用；

（6）使用条件、保养和维护与普通液压阀相同，抗污染性能好；

（7）具有优良的静态性能和适当的动态性能，动态性能虽比伺服阀低，但已经可以满足一般工业控制的要求；

（8）效率比伺服阀高；

（9）主要用于开环系统，也可组成闭环系统。

1.电—机械转换器

目前电液比例阀上采用的电—机械转换器主要有比例电磁铁、动圈式力马达、力矩马达、伺服电机和步进电机等5种形式。在此主要介绍比例电磁铁。

比例电磁铁是一种直流电磁铁，但和普通电磁换向阀所用的电磁铁不同。普通电磁换向阀所用的电磁铁只要求有吸合和断开两个位置，并且为了增加吸力，在吸合时磁路中几乎没有气隙。而比例电磁铁则要求吸力（或位移）和输入电流成比例，并在衔铁的全部工作位置上，磁路要保持一定的气隙。按比例电磁铁输出位移的形式，有单向移动式和双向移动式之分。

图4–39所示为单向移动式比例电磁铁。线圈2通电后形成的磁路经壳体5、导向套12的右段、衔铁10后，分成两路：一路由导向套12左段的锥端到轭铁1而产生斜面吸力；另一路直接由衔铁10的左端面到轭铁1而产生表面吸力，其合力即为比例电磁铁的输出力（吸力），其特性如图4–40所示。图中还画出了普通电磁铁的吸力特性，以便比较。比例电磁铁的吸力特性可分为3个区段，在气隙很小的区段Ⅰ，吸力虽大，但随位置改变而急剧变化；而在气隙较大的区段Ⅱ，吸力明显下降；吸力随位置变化较小的区段Ⅱ是比例电磁铁的工作区段（图4–39中的限位环3用以防止衔铁进入区段Ⅰ）。由于在其工作区段内具有基本水平的位移—吸力特性，所以改变线圈中的电流，即可在衔铁上得到与其成比例的吸力。如果要求比例电磁铁的输出为位移时，可以在衔铁左侧加一弹簧（当衔铁与阀芯直接连接时，此弹簧常处于阀芯左侧），便可得到与电流成正比的位移。

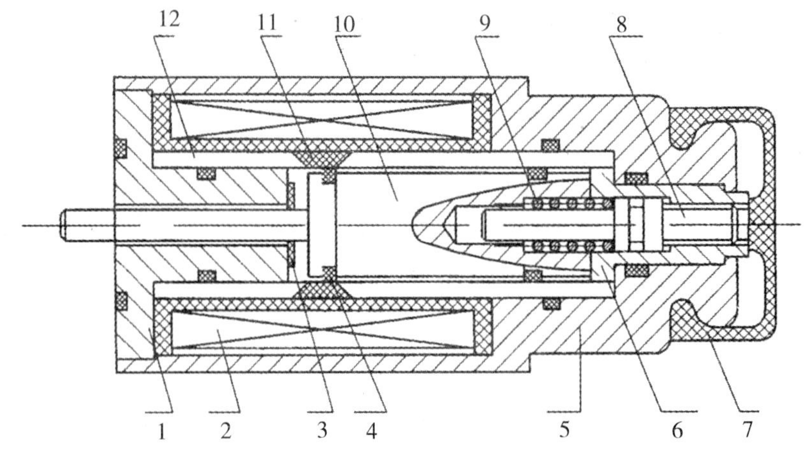

图4-39　单向移动式比例电磁铁

1——轭铁；2——线圈；3——限位环；4——隔磁环；5——壳体；6——内盖

7——盖；8——调节螺钉；9——弹簧；10——衔铁；11——(隔磁)支撑环；12——导向套

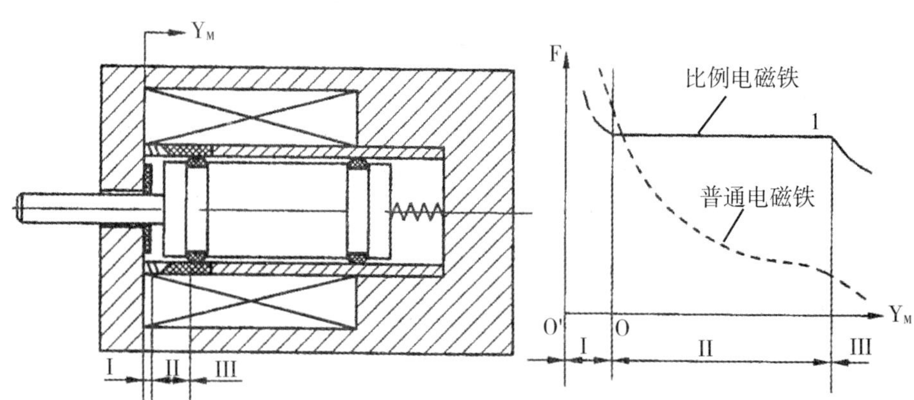

图4-40　单向移动式比例电磁铁的吸力特性

2.比例压力阀

比例压力阀按用途不同，有比例溢流阀、比例减压阀和比例顺序阀之分。按结构特点不同，则有直动型比例压力阀和先导型比例压力阀之别。

先导型比例压力阀包括主阀和先导阀两部分。其主阀部分与普通压力阀相同，而其先导阀本身实际就是直动型比例压力阀，它是以电—机械转换器(比例电磁铁、伺服电机或步进电机)代替普通直动型压力阀上的手动机构而成。

(1)直动型比例压力阀

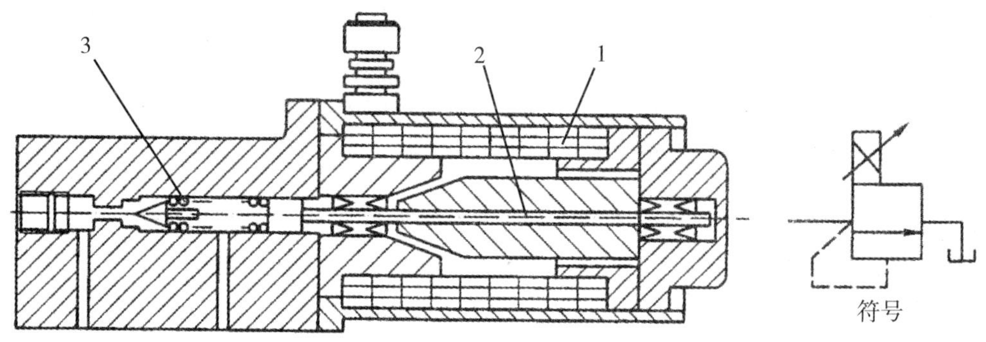

图4-41　直动锥阀式比例压力阀

1——比例电磁铁；2——推杆；3——传力弹簧

图4-41所示为直动锥阀式比例压力阀。比例电磁铁1通电后产生吸力经推杆2和传力弹簧3作用在锥阀上，当锥阀底面的液压力大于电磁吸力时，锥阀被顶开而溢流。连续地改变控制电流的大小，即可连续地按比例控制锥阀的开启压力。

直动型比例压力阀可作为比例先导压力阀用，也可作远程调压阀用。

（2）先导锥阀式比例溢流阀

图4-42所示的比例溢流阀，其下部为主阀，上部则为比例先导压力阀。该阀还附有一个气手动调整的先导阀9，用以限制比例溢流阀的最高压力，以避免因电子仪器发生故障使得控制电流过大，压力超过系统允许最高压力的可能性。

如将比例先导压力阀的回油及先导阀9的回油都与主阀回油分开，则图示比例溢流阀可作比例顺序阀使用。

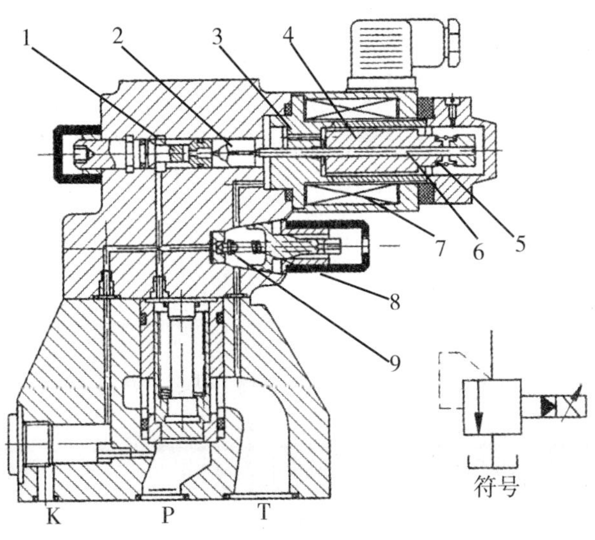

图4-42　先导锥阀式比例溢流阀

1——阀座；2——先导锥阀；3——轭铁；4——衔铁；5——弹簧；6——推杆；7——线圈；8——弹簧；9——先导阀

3.比例流量阀

比例流量阀可以分为比例节流阀和比例调速阀两类。

(1)比例节流阀

在普通节流阀的基础上，利用电—机械比例转换器对节流阀口进行控制，即成为比例节流阀。对移动式节流阀而言，利用比例电磁铁来推动；对旋转式节流阀而言，采用伺服电机经减速后来驱动。

(2)比例调速阀

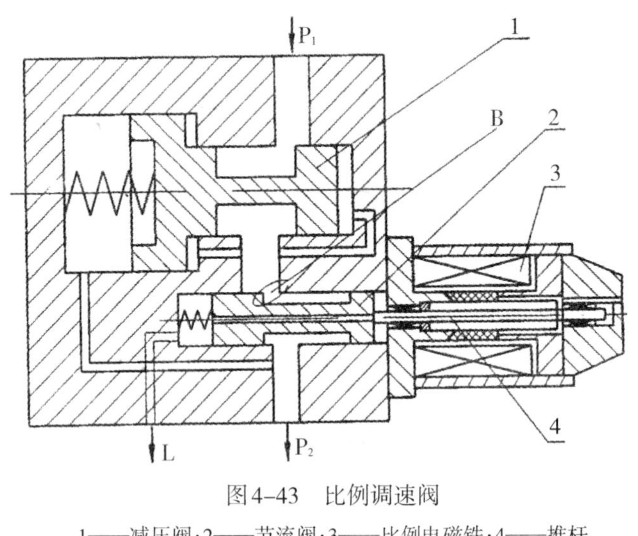

图4–43 比例调速阀

1——减压阀；2——节流阀；3——比例电磁铁；4——推杆

图4–43所示为比例调速阀。比例电磁铁的衔铁通过推杆4作用于节流阀阀芯2，使其开口B随电流大小而改变，通过改变输入电流的大小，即可改变通过调速阀的流量。1为定差减压阀，它使节流口上、下游压力差保持不变。

4.比例方向阀

图4–44所示为比例换向节流阀。它由先导阀(双向比例减压阀)和主阀(液动双向比例节流阀)两部分组成。在先导阀中由两个比例电磁铁2、6分别控制双向比例减压阀阀芯1的位移。当比例电磁铁6得到电流信号I_1，其电磁吸力F_1使阀心1右移，于是供油压力(一次压力)p_1经阀芯中部右台肩与阀体孔之间形成的减压口减压，在流道a得到控制压力(二次压力)p_2，p_2经流道b反馈作用到阀芯1的右端面(阀芯1左端面通回油p_0)，于是形成一个与电磁吸力F_1方向相反的液压力。当液压力与F_1相等时，阀芯1停止运动，处于某一平衡位置，控制压力p_2保持某一相应的稳定值。显然，控制压力p_2的大小与供油压力p_1无关，仅与比例电磁铁的电磁吸力F_1成比例，即与电流I_1成比例。同理，当比例电磁铁2得到电流信号I_2时，阀心1左移，得到与I_2成比例的控制压力p_2'。

其主阀与普通液动换向阀相同。当先导阀输出的控制压力p_2经阻尼螺钉4构成的阻尼孔缓冲后，作用在主阀芯3的右端面时，液压力克服左端弹簧力使主阀芯3左移(左端弹簧腔通回油p_0)，连通油口P、B和A、T。随着弹簧力与液压力平衡，主阀芯3停止运动而处于某一平衡位置。此时，各油口的节流开口长度取决于p_2，即取决于输入电流I_1的大小。如果节流口前后压差不变，则电液比例换向阀的输出流量与其输入电流I_1成比例。当比例电磁铁2输入电流I_2时，主阀芯3右移，油路反向，接通P、A和B、T，输出的流量与输入电流I_2成比例。

综上所述，改变比例电磁铁2、6的输出电流，不仅可以改变比例换向阀的液流方向，而且可以控制各油口的输出流量。

比例换向阀和普通的换向阀一样，可以具有不同的中位机能。

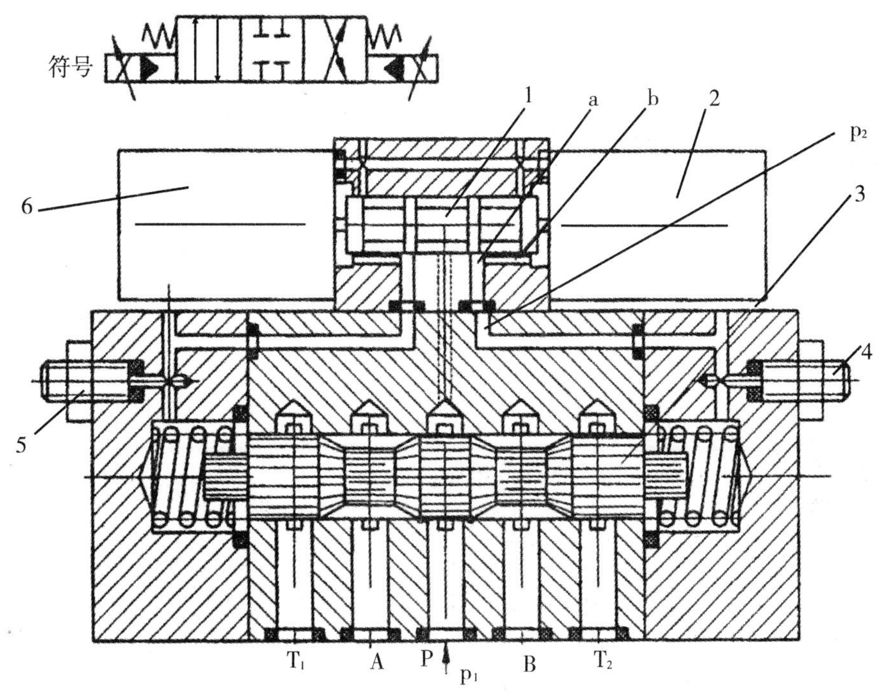

图4-44　比例换向节流阀

1——双向比例减压阀阀芯；2、6——比例电磁铁；3——主阀芯；4、5——阻尼螺钉

二、电液伺服阀

电液伺服阀是一种变电气信号为液压信号以实现流量或压力控制的转换装置。它充分挥了电器信号具有传递快、线路连接方便、适于远距离控制、易于测量等优点，以及液压动力具有输出力大、惯性小、反应快的优点。这两者的结合使电液伺服阀成为一种控制灵活、精度高、快速性好、输出功率大的控制元件。所以在工业设备、航天航空以及军事装备中获得了广泛的应用，它常用来实现电液位置、速度、加速度和力的控制。它的正确使用，直接影响系统的性能、工作可靠性和系统寿命。

根据输出液压信号的不同，电液伺服阀可以分为流量伺服阀和压力伺服阀两大类。

1.电液伺服阀的工作原理

图4-45示一种电液伺服阀的结构示意图，它由电磁部分和液压部分组成。衔铁7与挡板2连接在一起，由固定在阀座9上的弹簧管3支承着。挡板2下端为一球头，嵌放在滑阀10的凹槽内，永久磁铁5和导磁体6、8形成一个固定磁场，当线圈4中没有电流通过时，导磁体6、8和衔铁7间4个气隙（图4-46）中的磁通都是Φg，且方向相同，衔铁7处于中间位置。当有控制电流通入线圈4时，一组对角方向的气隙中的磁通增加，另一组对角方向的气隙中的磁通减小，于是衔铁7就在磁力作用下克服弹簧管3的弹性反作用力而偏转一角度，并偏

转到磁力所产生的转矩与弹性反作用力所产生的反转矩平衡时为止。同时,挡板2因随衔铁7偏转而发生挠曲,改变了它与两个喷嘴1间的间隙,一个间隙减小,另一个间隙加大。

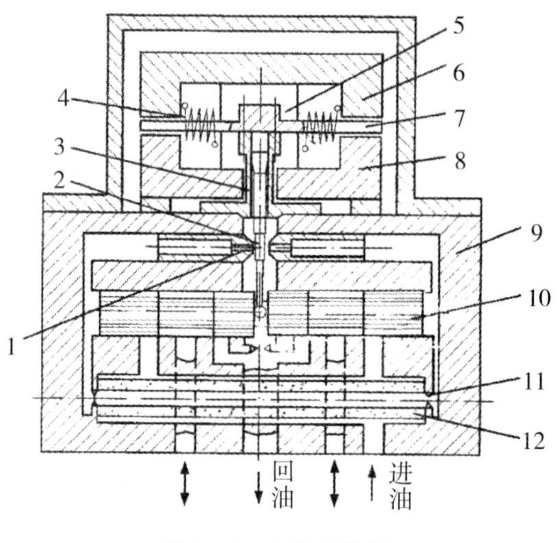

图4-45 电液伺服阀

1——喷嘴;2——挡板;3——弹簧管;4——线圈;5——永久磁铁;6、8——导磁体;7——衔铁;9——阀座;10——滑阀;11——节流孔;12——滤油嘴

通入伺服阀的压力油经滤油器12、两个对称的节流孔11和左、右喷嘴1流出,通向回油。当挡板2挠曲,出现上述喷嘴—挡板的两个间隙不相等的情况时,两喷嘴后侧的压力就不相等,它们作用在滑阀10的左、右端面上,使滑阀10向相应方向移动一段距离,压力油就通过滑阔10上的一个阀口输向液压缸,由液压缸回来的油则经滑阀10上另一个阀口通向回油。滑阀10移动时,挡板2下端球头跟着移动。在衔铁挡板组件上产生了一个转矩,使衔铁7向相应方向偏转,并使挡板2在两喷嘴1间的偏移量减少,这就是反馈作用。反馈作用的后果是使滑阀10两端的压差减小。当滑阀10上的液压作用力和挡板2下端球头因移动而产生的弹性反作用力达到平衡时,滑阀10便不再移动,并一直使其阀口保持在这一开度上。

通入线圈4的控制电流越大,使衔铁7偏转的转矩、挡板2挠曲变形、滑阀10两端的压差以及滑阀10的偏移量就越大,伺服阀输出的流量也就越大。由于滑阀10的位移、喷嘴1与挡板2之间的间隙、衔铁7的转角都依次和输入电流成正比,因此这种阀的输出流量也和输入电流成正比。输入电流反向时,输出流量亦反向。

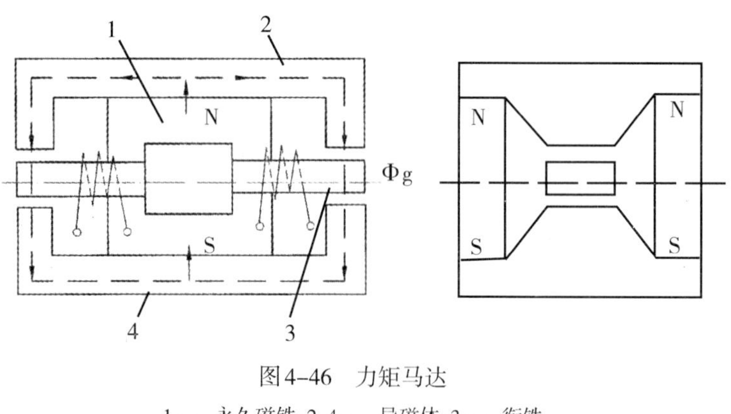

图4-46 力矩马达

1——永久磁铁;2、4——导磁体;3——衔铁

综上所述可以看到,电液伺服阀中电磁部分的作用,是把输入电流转变成转矩,使衔铁偏转,所以一般称它为力矩马达。

液压部分的喷嘴—挡板装置是使微小的电信号有可能借助于挡板间隙的改变使滑阀

移动，它是一个液压放大器。滑阀在移动后接通传递动力的主回路，因而也是一个液压放大器。前者称为第一放大级或前置放大级，后者称为第二放大级或功率放大级。电液伺服阀按其放大级数的多少和每级具体结构的不同又有多种形式。图4-45所示为由喷嘴——挡板和滑阀组成的两级放大器，它是电液伺服阀中最典型、最普遍的形式之一。

上述图4-45中滑阀的最终位置是通过挡板弹性反作用力的反馈作用而达到平衡的，因此这种伺服阀属于力反馈式。电液伺服阀实现其反馈作用的方式还有好多种，如直接位置反馈、电反馈、压力反馈、动压反馈和流量反馈等。

2.常用的结构型式

液压伺服阀中常用的液压控制元件的结构型式有滑阀、射流管和喷嘴——挡板三种。

(1)滑阀

根据滑阀上控制边数(起控制作用的阀口数)的不同，有单边、双边和四边滑阀控制式三种类型(如图4-47所示)。

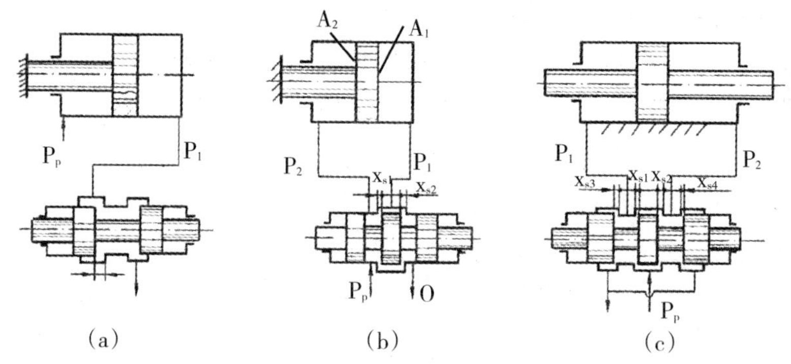

图4-47　单边、双边和四边滑阀

a——单边；b——双边；c——四边

图4-47(a)为单边滑阀控制式，它有一个控制边。控制边的开口量x_s，控制了液压缸中的油液压力和流量，从而改变了液压缸运动的速度和方向。

图4-47(b)为双边滑阀控制式，它有两个控制边。压力油一路进入液压缸左腔，另一路经滑阀控制边x_{s1}的开口和液压缸右腔相通，并经控制边x_{s2}的开口流回油箱。当滑阀移动时，x_{s1}增大，x_{s2}减小，或相反，这样就控制了液压缸右腔的回油阻力，因而改变了液压缸的运动速度和方向。

图4-47(c)为四边滑阀控制式，它有四个控制边。x_{s1}和x_{s2}是控制压力油进入液压缸左、右油腔的，x_{s3}和x_{s4}是控制左、右油腔通向油箱的。当滑阀移动时，x_{s1}和x_{s4}增大，x_{s2}和x_{s3}减小，或相反，这样就控制了进入液压缸左、右腔的油液压力和流量，从而控制了液压缸的运动速度和方向。

由上可见，单边、双边和四边滑阀的控制作用是相同的。单边式、双边式只用以控制单杆的液压缸；四边式可用来控制双杆的，也可用来控制单杆的液压缸。控制边数多时控制质量好，但结构工艺性差。一般来说，四边式控制用于精度和稳定性要求较高的系统；单边式、双边式控制则用于一般精度的系统。滑阀式伺服阀装配精度要求较高，价格也较贵，对油液的污染也较敏感。

四边滑阀根据在平衡位置时阀口初始开口量的不同，可以分为三种类型：负预开口（正遮盖）、零开口和正预开口。

伺服阀阀芯除了作直线移动的滑阀之外，还有一种阀芯作旋转运动的转阀，它的作用原理和上述滑阀相类似。

（2）射流管

图4–48所示为射流管装置的工作原理。它由射流管3、接受板2和液压缸1组成。射流管3可绕垂直于图面的轴线左右摆动一个不大的角度。接受板2上有两个并列着的接受孔道a和b，它们把射流管3端部锥形喷嘴中射出的压力油分别通向液压缸1左右两腔。当射流管3处于两个接受孔道的中间位置时，两个接受孔道内油液的压力相等，液压缸1不动；如有输入信号使射流管3向左偏转一个很小的角度时，两个接受孔道内的压力不相等，液压缸1左腔的压力大于右腔的，液压缸1便向左移动，直到跟着液压缸1移动的接受板2到达射流孔又处于2接受孔道的中间位置时为止；反之亦然。可见，在这种伺服元件中，液压缸运动的方向取决于输入信号的方向，运动的速度取决于输入信号的大小。

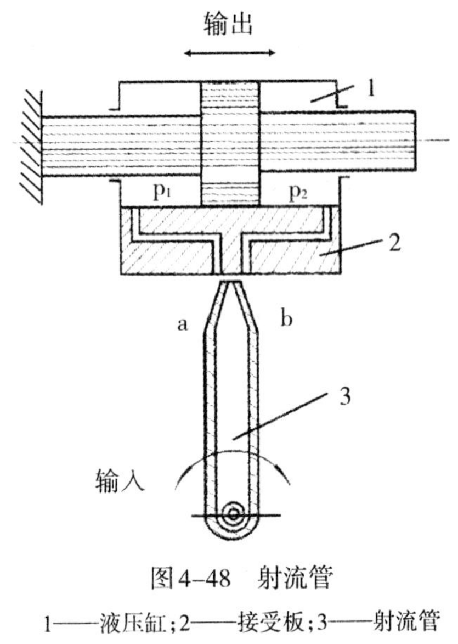

图4–48　射流管

1——液压缸；2——接受板；3——射流管

射流管装置的优点是：结构简单，元件加工精度要求低；射流管出口处面积大，抗污染能力强；射流管上没有不平衡的径向力，不会产生“卡住”现象。它的缺点是：射流管运动部分惯量较大，工作性能较差；射流能量损失大，零位无功损耗亦大，效率较低；供油压力高时容易引起振动，且沿射流管轴向有较大的轴向力。因此，这种伺服元件只适用于低压及功率较小的场合，例如，某些液压仿形机床的伺服系统。

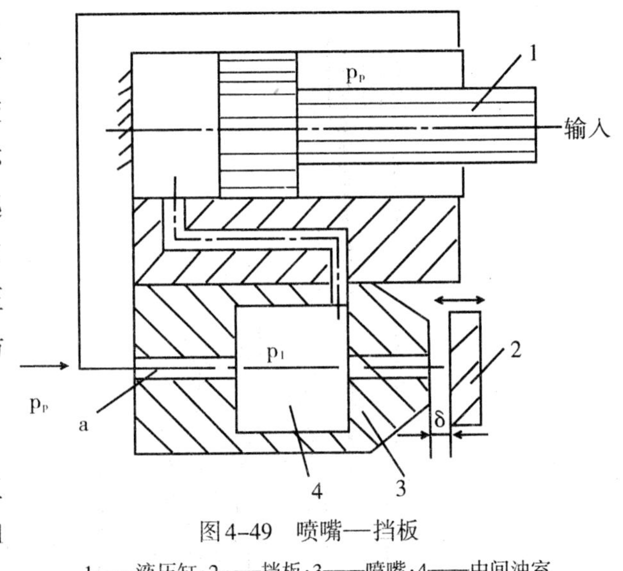

图4–49　喷嘴—挡板

1——液压缸；2——挡板；3——喷嘴；4——中间油室

（3）喷嘴—挡板

图4–49为喷嘴—挡板装置的工作原理。它由喷嘴3、档板2和液压缸1

组成。液压泵来的压力油p_P一部分直接进入液压缸1有杆腔，另一部分经过固定节流孔a进入中间油室4再通入液压缸1的无杆腔，并有一部分经喷嘴—挡板间的间隙δ流回油箱。当输入信号使挡板2的位置（亦即是δ）改变时，喷嘴—挡板间的节流阻力发生变化，中间油室4及液压缸1无杆腔的压力p_1亦发生变化，液压缸1就产生相应的运动。上述结构是单喷嘴—挡板式的，还有双喷嘴—挡板式的，它的工作原理与单喷嘴—挡板式相似。

喷嘴—挡板式控制的优点是：结构简单，运动部分惯性小，位移小，反应快，精度和灵敏度高，加工要求不高，没有径向不平衡力，不会发生“卡住”现象，因而工作较为可靠。它的缺点是：无功损耗大，喷嘴—挡板间距离很小时抗污染能力差，因此宜在多级放大式伺服元件中用作第一级（前置级）控制装置。如果射流管或喷嘴—挡板装置作为伺服阀的第一级使用时，则受其控制的不是液压缸，而是伺服阀的第二放大级。一般第二放大级是滑阀。

三、电液数字阀

用数字信息直接控制的阀，称电液数字阀。数字阀可直接与计算机接口连接，不需要D/A转换器。与比例阀、伺服阀相比，这种阀结构简单，工艺性好，价廉，抗污染能力强，重复性好，工作稳定可靠，功耗小。在微机实时控制的电液系统中，它已部分取代了比例阀或伺服阀，为计算机在液压系统中的应用开拓了一个新的道路。

对计算机而言，最普通的信号可量化为两个量级的信号，即“开”和“关”。用数字量进行控制的方法很多，用得最多的是由脉数调制（PNM）演变而来的增量控制法以及脉宽调制（PWM）控制法。

1.数字阀的结构

下面主要介绍两种类型的数字阀：采用步进电机做D/A转换器，用增量方式进行控制的数字阀以及用脉宽调制原理控制的高速开关型数字阀。

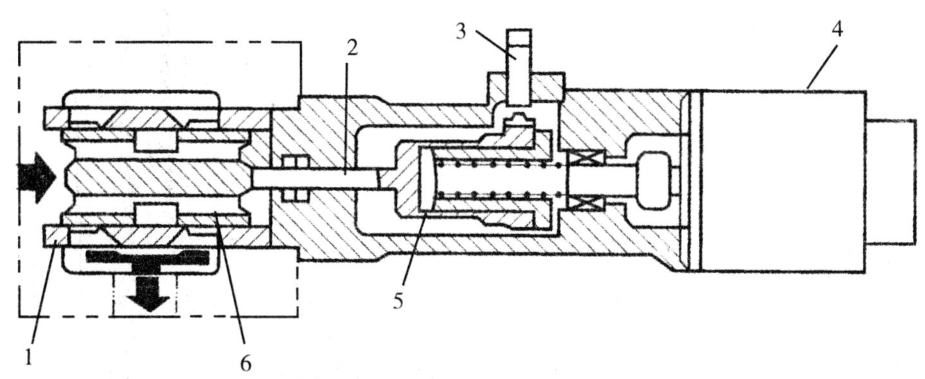

图4-50 步进电机直接驱动的数字流量阀结构示意图

1——阀套；2——连杆；3——零位移传感器；4——步进电机；5——滚珠丝杠；6——阀芯

图4-50所示为由步进电机直接驱动的数字流量阀。步进电机4按照计算机的指令转动，通过滚珠丝杠5把转角变为轴向位移，使节流阀阀芯6将阀口开启，从而控制了流量。这

个阀有两个节流口，它们的面积梯度不同。阀芯移动时首先打开右边节流口，由于非全周界通流，故流量较小；继续移动时打开全周界通流的节流口，流量增大。在这里，由于液流从轴向流入，且流出时与轴线垂直，所以阀在开启时的液动力可以将向右作用的液压力部分抵消掉。这个阀从阀芯6、阀套1和连杆2的相对热膨胀中获得温度补偿。

图4-51所示为用力矩马达和球阀组成的高速开关型数字阀。力矩马达通电时衔铁偏转，推动先导级球阀2向下运动，关闭压力油口P_P。L_2腔与回油P_R接通，球阀4在液压力作用下上升，P_A腔与压力油P_P相通。而左边的先导级球阀1压在上边位置，L_1腔与压力油通，球阀3向下关闭，P_A腔与回油腔P_r断。反之，当另一线圈通电时，情况刚好相反，P_A腔与回油腔P_R相通。这种阀的流量小，为1.2L/min，工作压力可达20MPa，最小切换时间0.8 ms。

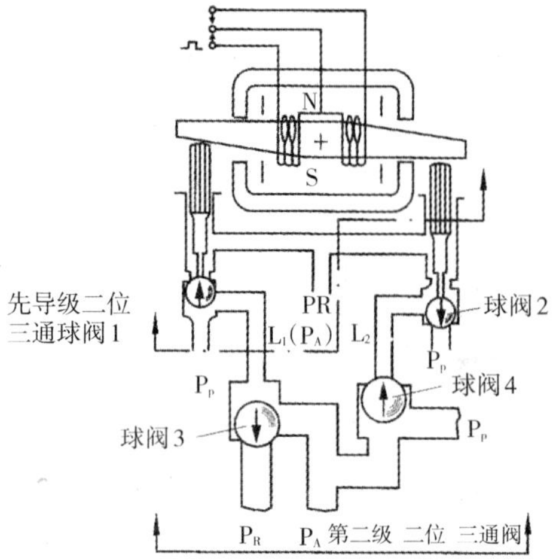

图4-51　力矩马达—球阀式数字阀

2.数字阀的使用

(1)增量式数字阀

图4-52所示为增量式数字阀的使用原理。步进电机在脉数信号的基础上，使每个采样周期的步数较前一采样周期增减若干步，以保证所需的幅值。计算机发出需要的脉冲序列，经驱动电源放大后使步进电机工作。每个脉冲使步进电机沿给定方向转动一个固定的步距角，再通过凸轮或螺纹等机构使旋转角转换成位移量，带动液压阀的阀芯(或挡板等)移动一定的距离。因此根据步进电机原有的位置和实际行走的步数，便可得到数字阀的开度。

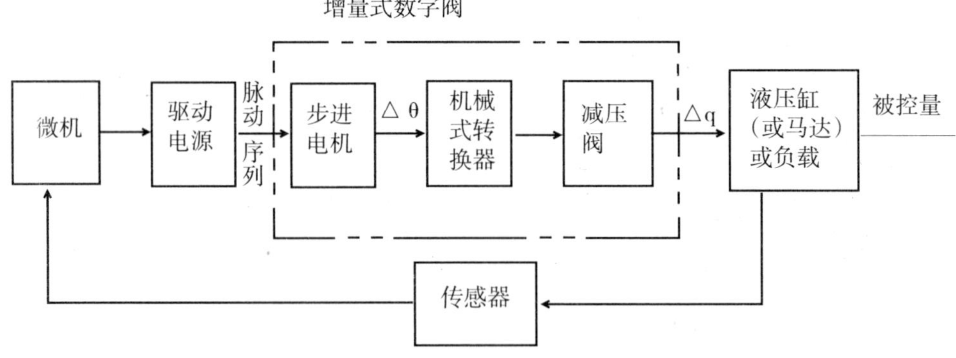

图4-52　增量式数字阀的使用原理

(2)脉宽调制式数字阀

脉宽调制信号是具有恒定频率、不同开启时间比率的信号，如图4-53所示。脉宽时间t_p对采样时间T的比值称为脉宽占空比。用脉宽信号对连续信号进行调制，可将图4-53a中的连续信号调制成图4-53b中的脉宽信号。

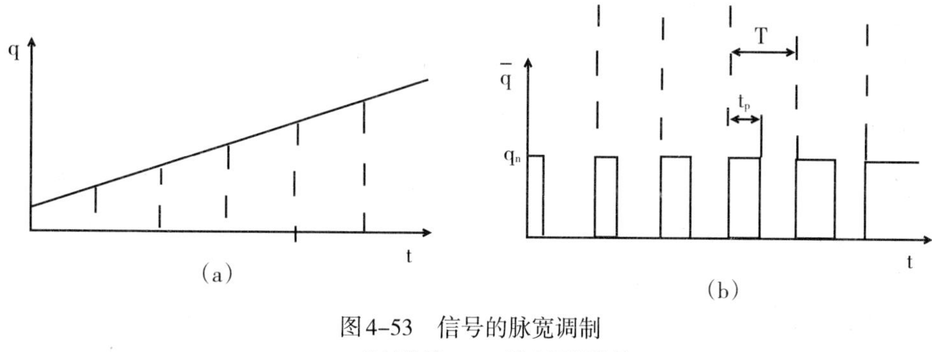

图4-53 信号的脉宽调制
a——连续信号;b——脉宽调制信号

脉宽调制式数字阀的使用原理如图4-54所示。计算机发出的脉冲信号,经脉宽调制放大器后送到高速开关数字阀,以开启时间的长短来控制流量。在需要做两个方向运动的系统中,需要两个数字阀分别控制不同方向的运动。

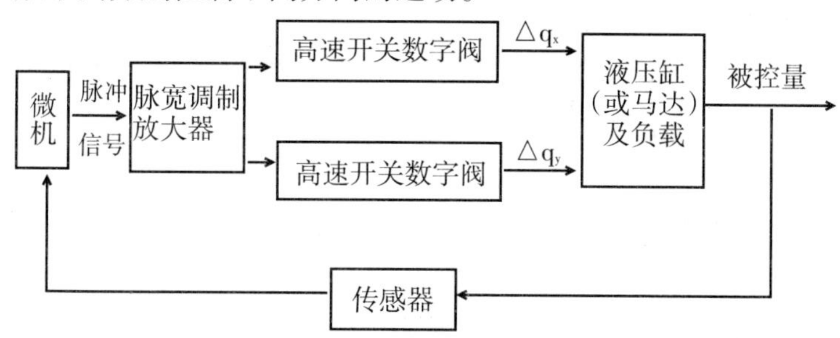

图4-54 脉宽调制式数字阀的使用原理

电液数字阀目前在注塑机、压铸机、机床、飞行器等方面得到了应用。由于它将计算机和液压技术紧密地结合起来,所以它的应用前景是极其广阔的。

四、叠加阀

叠加式液压阀简称叠加阀,它是近十年内发展起来的集成式液压元件,采用这种阀组成液压系统时不需另外的连接块,它以自身的阀体为连接体直接叠合成所需的液压传动系统。

叠加阀的工作原理与一般液压阀基本相同,但在具体结构和连接尺寸上则不相同,它自成系列,每个叠加阀既有一般液压元件的控制功能,又起到通道体的作用,每一种通径系列的叠加阀其主要油路通道和螺栓连接孔的位置都与所选用的相应通径的换向阀相同,因此同一通径的叠加阀都能按要求叠加起来组成各种不同控制功能的系统。

用叠加式液压阀组成的液压系统有以下特点:

(1)用叠加阀组成的液压系统,结构紧凑,体积小,重量轻;

(2)叠加阀液压系统安装简便,装配周期短;

(3)液压系统如有变化,改变工况,需要增减元件时,组成方便迅速;

(4)元件之间实现无管连接,消除了因油管、管接头等引起的泄漏、振动和噪声;

(5)整个系统配置灵活、外观整齐,维护保养容易;

(6)标准化、通用化和集成化程度较高。

叠加阀的分类与一般液压阀相同，它们同样可分为压力控制阀、流量控制阀和方向控制阀三大类，其中方向控制阀仅有单向类，主换向阀不属于叠加阀。

五、插装阀（逻辑阀）

插装阀（逻辑阀）是一种新型的液压元件，它的特点是通流能力大、密封性能好、动作灵敏、结构简单，因而主要用于流量较大的系统或对密封性能要求较高的系统。目前在冶金、轧钢、锻压、塑料成型以及船舶等机械中均有应用。

插装阀的结构及图形符号如图4-55所示，它由控制盖板、插装单元（由阀套、弹簧、阀芯及密封件组成）、插装块体和先导控制阀（置于控制盖板上，图中未画出）组成。由于这种阀的插装单元在回路中主要起通、断作用，故又称二通插装阀。二通插装阀的工作原理相当于一个液控单向阀。图中A和B为主油路工作油口，K为控制油口（与先导阀相接）。当K口无压力液作用时，阀芯受到的向上的液压力大于弹簧力，阀芯开启，A与B相通，至于液流的方向，视A、B口的压力大小而定。反之，当K口有液压力作用，且K口的油液压力大于A和B口的油液压力时，才能保证A与B之间关闭。

插装阀与各种先导阀组合，便可组成方向控制阀、压力控制阀和流量控制阀。

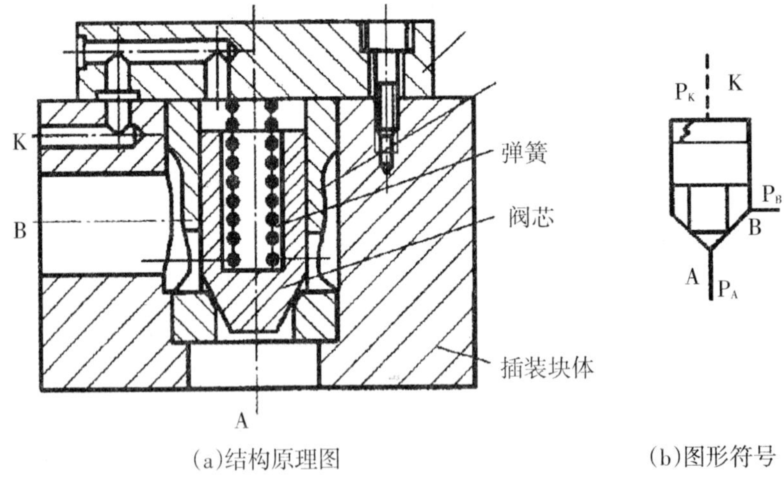

（a）结构原理图　　（b）图形符号

图4-55 插装阀的结构及图形符号

第二部分　专业核心知识点

专业核心知识点包括以下内容

1.液压控制阀的分类方式及种类。
2.压力控制阀的分类、功用和工作原理。
3.流量控制阀的分类、功用和工作原理。
4.方向控制阀的分类、功用和工作原理。

第三部分　专业技能训练

技能一：液压阀的安装

液压阀的安装形式有管式、板式、叠加式、插装式等多种形式，形式不同，安装的方法和要求也有所不同，其共性的要求如下。

1.安装时检查各液压阀的合格证，以及是否有异常情况。检查板式阀安装平面的平直度和安装密封件的沟槽加工尺寸和质量是否有缺陷。

2.按设计规定和要求安装。

3.安装时要特别注意液压阀的进油口、出油口、控制油口和泄油口的位置，严禁装错。

4.安装时要注意密封件的选择和质量。

5.安装时要保持清洁，不能带着手套安装，不能用纤维品擦拭安装结合面，防止纤维类脏物进入阀内，影响阀的正常工作。

6.安装时要检查应该堵住的油孔是否堵住，如溢流阀的远程控制口等。

技能二：液压阀的常见故障及排除方法

液压阀产生故障的原因主要有：元件选择不当，元件设计不佳，零件加工精度差和装配质量差，弹簧刚度不能满足要求，密封件质量差。液压阀在液压系统中的作用非常重要，只要掌握各类阀的结构特点，分析故障原因，查找问题不会有太大的困难。表4–1列出了压力控制阀的常见故障及排除方法，表4–2列出了流量阀的常见故障及排除方法，表4–3列出了方向阀的常见故障及排除方法。

表4–1 压力控制阀的常见故障及排除方法

故障现象		产生原因	排除方法
溢流阀	无压力	主阀故障（阀芯阻尼孔堵塞、阀芯卡死、复位弹簧损坏等）	清洗阀，更换油液、阀芯、复位弹簧
		先导阀故障（调压弹簧坏或未装、无阀芯）	更换调压弹簧、阀芯等
		远程控制阀故障或控制油路故障	检查远程控制阀、控制油路
		液压泵故障（电气线路故障、泵损坏）	检修液压泵、检查电气线路
	压力突然下降	主阀故障（阻尼孔堵塞、密封件损坏、阀芯和阀体配合不良造成阀芯卡死）	清洗阀，更换油液、阀芯，更换密封件
		先导阀故障（阀芯卡住、调压弹簧断）	更换调压弹簧、阀芯等
	压力波动大	主阀芯和阀体配合不良，动作不灵活、调压弹簧弯曲变形等	检修阀芯、更换弹簧

	压力升不高	主阀故障(阀芯卡死、阀芯和阀体不配合、密封性差、有泄漏等)	更换阀芯、修配、更换密封件等
		先导阀故障(弹簧坏或不合适、阀芯和阀座密封性差等)	更换弹簧和阀芯
		远程控制阀故障(泄漏、油路故障)	检修远程控制阀
减压阀	不起减压作用	泄漏口不通、阀芯卡死等	清洗、更换阀芯
	压力不稳定	主阀芯和阀体配合不良,动作不灵活、调压弹簧弯曲等	检修阀芯、更换弹簧
	无二次压力	主阀芯卡死、进油路不通、阻尼孔堵塞等	修理、清洗、更换阀芯
顺序阀	不起顺序作用	主阀芯卡死、先导阀卡死、阻尼孔堵塞、弹簧调整不当或损坏等	检修、清洗、更换弹簧
	调定压力不符合要求	调压弹簧调整不当或弹簧损坏、阀芯卡死等	重新调整、更换弹簧、修理和过滤、更换油液
压力阀	不发信号	微动开关损坏、阀芯卡死、进油路堵塞、电气线路故障	更换微动开关、清洗、修理、检查电气线路
	灵敏度差	摩擦阻力大、装配不流量阀的常见故障及排除方法良、阀芯移动不灵活等	调整、重新装配、清洗、修理

表4-2 流量阀的常见故障及排除方法

故障现象		产生原因	排除方法
节流阀	不出油	油液脏堵塞节流口、阀芯和阀套配合不良造成阀芯卡死、弹簧弯曲变形或刚度不合适等	检查油液、清洗阀、检修、更换弹簧
		系统不供油	检查油路
	执行元件速度不稳定	节流阀节流口、阻尼孔有堵塞现象,阀芯动作不灵敏等	清洗阀、过滤或更换油液
		系统中有空气	排除空气
		泄漏过大	更换阀芯
		节流阀的负载变化大,系统设计不当,阀的选择不合适	选择调速阀或重新设计回路
调速阀	不出油	油液脏堵塞节流口、阀芯和阀套配合不良造成阀芯卡死、弹簧弯曲或刚度不合适等	检查油液、清洗阀、检修、更换弹簧
	执行元件速度不稳定	系统中有空气	排除空气
		定差式减压阀阀芯卡死、阻尼孔堵塞、阀芯和阀体配合不当	清洗调速阀、重新修理
		油液脏堵塞阻尼孔、阀芯卡死	清洗阀、过滤油液
		单向调速阀的单向阀密封不好	修理单向阀

表4–3 方向阀的常见故障及排除方法

故障现象		产生原因	排除方法
普通单向阀	正向通油阻力大	弹簧刚度不合适	更换弹簧
	反向有泄漏	弹簧变形或损坏	更换弹簧
		阀口密封性不好	修配使之配合良好
		阀芯卡死	清洗、修理
液控单向阀	双向通油时反向不通	控制压力无、过低	检查、调整控制压力
		控制阀芯卡死	清洗、修配、移动使之灵活
	单向通油时反向有泄漏	阀芯密封性不好	修配使之配合良好
		弹簧变形或损坏	更换弹簧
		锥阀与阀座不同心、锥面与阀应接触不均匀	检修或更换
		阀芯卡死	修配使之配合良好
换向阀	主阀芯不运动	电磁铁故障	(见下面电磁铁部分)
		先导阀故障(弹簧弯曲、阀芯和阀体配合有故障)使阀芯卡死	更换弹簧
		主阀芯卡死(阀芯和阀体几何精度差、配合过紧、阀芯表面有杂质和毛刺)	检修
		液控阀故障(无控制油、油路被堵、控制泊液压力过小、有泄漏)	检修油路
		弹簧不符合要求(过硬、变形、断裂)	更换弹簧
	冲击与振动	固定螺钉松动	紧固螺钉
		大通径电磁换向阀电磁铁规格大	采用电液换向阀
		换向控制力大	调整
电磁铁	交流电磁铁烧毁	线圈绝缘不良,电压过高或过低	检查电源
		衔铁移动不到位(阀芯卡死、推杆过长)	清洗阀,修配推杆
		换向频率过高	降低
	电磁铁吸力不足	电压过低	检查电源
	换向时产生噪声	吸合不良(衔铁吸合面有污物或凹凸不平)	清洗,修理
		推杆过长或过短	修配

复习题

1.液压控制阀按功能可以分为哪几类?

2.液压系统对液压控制阀的要求有哪些?

3.溢流阀的特性有哪些?它的主要用途有哪些?

4.减压阀分为哪几类?

5.液压系统对流量控制阀的要求有哪些?

6.节流阀的特性有哪些?

讨论题

1.试论述方向控制阀的分类方式有哪些?分别可分为哪几类?

2.用叠加式液压阀组成的液压系统有什么特点?

3.什么是电液比例阀,它的主要特点有哪些?

第五章　液压系统的辅助元件

第一部分　系统理论知识

液压系统的辅助元件包括密封装置、油箱、油管、管接头、过滤器、蓄能器、冷却器、加热器等等。从液压传动的原理来看，这些元件是起辅助作用的，但它对保证液压传动系统有效地工作以及提高系统的工作性能和指标来说却是至关重要的。

在液系统的辅助元件中，大部分元件（油箱除外）都已标准化，并有专业厂家生产，对于设计者直接选送即可，关键是掌握液压辅助元件的安装、使用、维护、故障诊断与排除。

第一节　密封装置

密封装置的作用是防止液体泄漏或污染杂质从外部侵入液压传动系统，密封装置应满足以下4点要求：

1.在工作压力下具有良好的密封性能，并随着压力的增大能自动提高密封性能；

2.密封装置对运动零件的摩擦阻力要小，并且摩擦阻力稳定；

3.耐磨性好，寿命长，不易老化，抗腐蚀能力强；

4.制造简单，便于安装和维修。

一、密封装置的类型

为了使液压传动系统理想地工作，密封装置除必须具有可靠的密封外，还应有较长的使用寿命和较小的摩擦损失。密封的方法和形式很多，根据密封的原理可分为间隙密封（非接触密封）和接触式密封两大类。根据被密封部分的运动特性可分为动密封和静密封。所谓动密封是指密封耦合且有相对运动（例如液压缸活塞与液压缸筒之间的密封）；静密封是指密封耦合无相对运动（例如液压缸底与液压缸筒之间的密封、液压缸盖与液压缸筒之间的密封）。

1.间隙密封

间隙密封是利用运动件之间的微小间隙起密封作用，是最简单的一种密封形式，其密封效果取决于间隙的大小和压力差、密封长度和零件表面质量。其中以间隙大小及其均匀性对密封性能影响最大。因此这种密封对零件的几何形状和表面加工精度有较高的要求。由于配合零件之间有间隙存在，所以摩擦力小，发热少，寿命长；由于不用任何密封材料，所以结构简单紧凑，尺寸小。间隙密封一般都用于动密封，如液压泵和液压马达的柱塞与柱塞孔之间的密封，配流盘与缸体端面之间的密封，阀体与阀芯之间的密封等。间隙密封的缺点是由于有间隙，因而不可能完全阻止泄漏，所以不能用于严禁外漏的地方。另外，当尺寸较大时，要达到间隙密封所要求的表面加工精度比较困难，故对大直径，如大的液压缸，一般不采用间隙密封。

2.接触密封

接触密封是靠密封件在装配时的预压缩力和工作时密封件在油压力作用下发生弹性变形所产生的弹性接触力来实现的，其密封能力一般随压力的升高而提高，并在磨损后具有一定的自动补偿能力，这些性能靠密封材料的弹性、密封件的形状等来达到。就密封材料而言，要求在油液中有较好的稳定性，弹性好，永久变形小；有适当的机械强度；耐热、耐磨性好，摩擦系数小；与金属接触不互相粘着和腐蚀；容易制造，成本低。目前应用最广的是耐油橡胶（主要是丁腈橡胶），其次是聚氨酯。聚氨酯是继丁腈橡胶之后出现的一种新的密封材料，用它制造的密封件耐磨性及强度均比丁腈橡胶高。

二、密封元件的常用材料

密封元件的材料对工作介质的适应性，是影响密封效果的重要因素。因此，根据不同的使用条件，合理地选用密封材料十分重要。非金属材料有皮革、天然橡胶、合成橡胶和合成树脂等，其中合成橡胶是最主要的一种密封材料，密封性能好，应用广泛，但随着时间的推移，其硬度会变大，从而使密封性能降低。

金属材料的密封元件，适用于高温、高压的工作条件。常用的密封金属材料有铸铁、铜、铝等。铸铁一般用作活塞环，铜和铝制垫圈用于静密封。

三、常用密封元件的结构和性能

目前常用的密封件以其断面形状命名，可分为O形、Y形、YX形、V形、J形等。密封件的形状应使密封可靠、耐久，摩擦阻力小，容易制造和装拆，特别是应能随压力的升高而提高密封能力和有利于自动补偿磨损。

1.O形密封圈

图5-1表示O形密封圈的外形，一般用耐油橡胶制成。O形密封圈安装时有一定的预压缩量，同时受油压作用产生变形，使其紧贴密封表面而起密封作用。当压力较高或密封圈沟槽尺寸选择不当时，密封圈容易被挤出而造成严重的磨损。为此，当工作压力p大于10MPa时，应在其侧面设置挡圈，如图5-2所示。

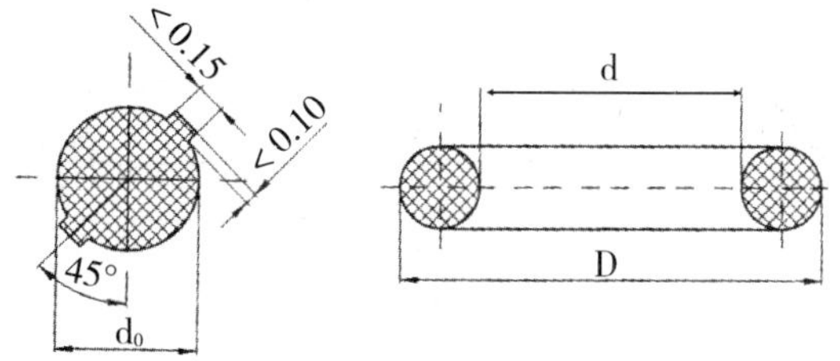

图5-1　O形密封圈

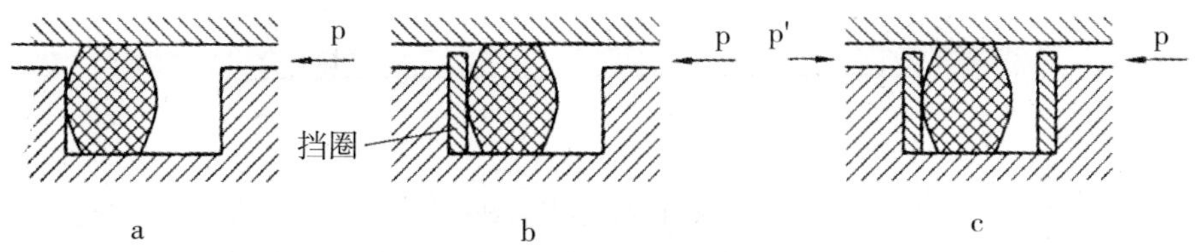

图5-2　挡圈的正确安装

a——单向压力p≤10MPa；b——单向压力p>10MPa；c——双向压力p>10MPa

2.Y 形密封圈

如图 5-3 所示，Y 形密封圈用于往复动密封，工作压力可达 14MPa。具有密封可靠、摩擦系数小、寿命较长、安装简便等优点。其缺点是在速度大、压力变化大的场合易产生“翻转”现象。

目前工程中使用的 YX 形密封圈不易产生“翻转”，其断面的高与宽之比等于或大于 2，分为轴用和孔用两种，如图 5-4 所示。

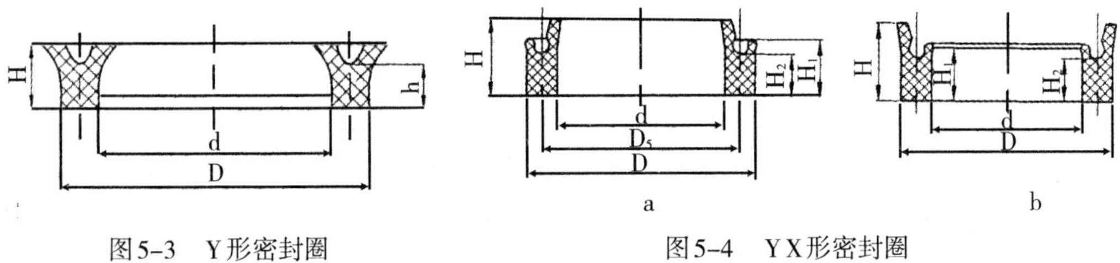

图 5-3　Y 形密封圈　　　　图 5-4　YX 形密封圈

3.V 形密封圈

V 形密封圈是用多层涂胶织物压制而成，由支撑环、密封环和压环叠在一起使用，如图 5-5 所示。当压力增大时，可增加密封环的数量，以提高密封性，工作压力可达到 50MPa。

V 形密封圈的密封性能好，耐磨，在直径大、压力高、行程长等条件下多采用这种密封圈。但其轴向尺寸长，外形尺寸较大，摩擦系数大。

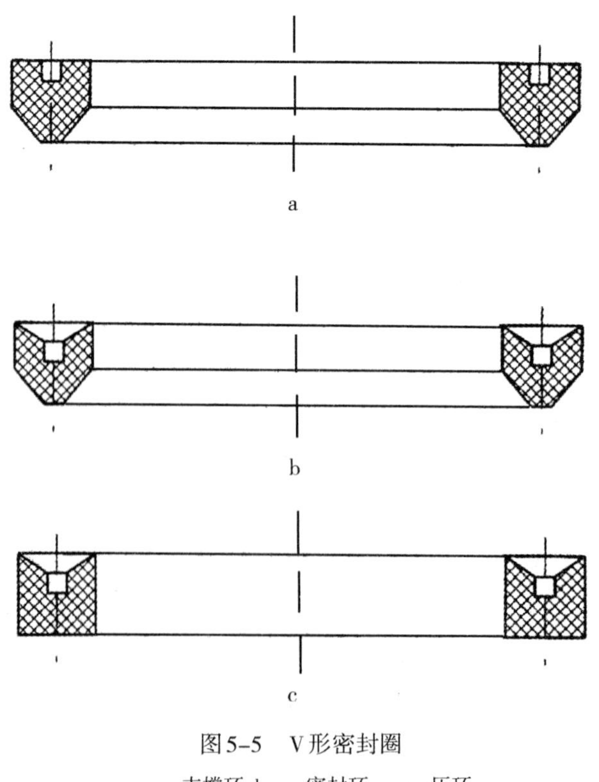

图 5-5　V 形密封圈

a——支撑环；b——密封环；c——压环

4.油封

用以防止旋转轴的润滑油外漏的密封件,通常称为油封。油封一般由耐油橡胶制成,形式很多。如图5-6a为J形无骨架式橡胶油封,图5-6b为油封安装情况。

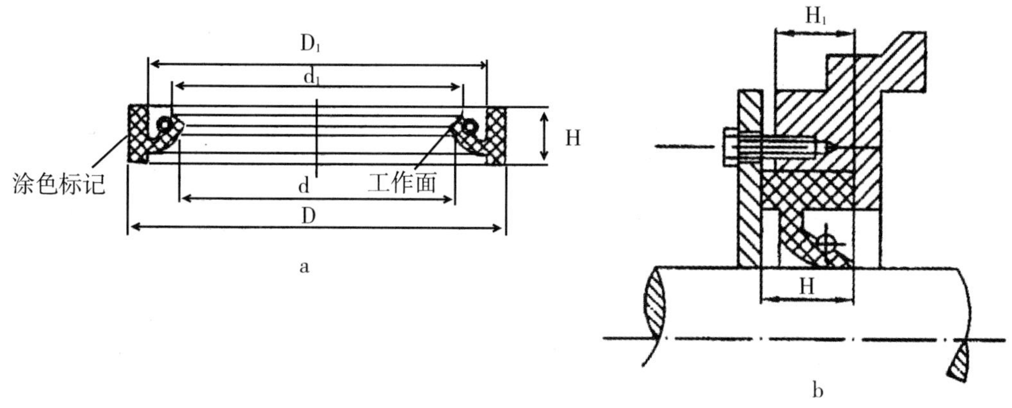

图5-6　J形无骨架式橡胶油封

a——油封形状;b——油封安装情况

油封主要用于液压泵、液压马达等的旋转轴的密封,防止润滑介质从旋转部分泄漏,并防止泥土等杂物进入,起防尘圈的作用。

油封通常由耐油橡胶、骨架和弹簧三部分组成。油封在自由状态下,内径比轴径小,油封装进轴后,即使无弹簧,也对轴有一定的径向力,此力随油封使用时间的增加而逐渐减小,因此需要弹簧予以补偿。当轴旋转时,在轴与唇口之间形成一层薄而稳定的油膜而不致漏油,当油膜超过一定厚度时就会漏油。径向力的大小及其分布的均匀性、轴的加工质量对油封工作有很大影响,油封的使用寿命与胶料材质、油封结构、油的种类、油温及轴的线速度等有关,寿命随线速度的增加而降低。油封安装时应使唇边在油压力作用下贴在轴上,应注意不能装反。

实际工程应用中还出现了鼓形和蕾形密封圈,其密封机理同其他唇形圈一样,靠压缩量和工作介质的径向压力实现自密封。

第二节　油箱、油管和管接头

一、油箱

油箱的基本功能是储存液压传动系统的工作液体,同时兼有散热、沉淀杂质、分离工作液体中混入的气泡等作用。油箱可以分为开式、隔离式和压力式三种。开式油箱的工作液体直接和空气相通,而后两种油箱的工作液体则与空气是隔开的。

液压系统在运行过程中会有压力、容积和机械摩擦损失,这些损失大都会转化成热能,从而使系统温度升高。因此,油箱必须有足够的容量和散热面积,以便热油在油箱中得到充分冷却。

1.开式油箱

开式油箱如图5-7所示。设计开式油箱时，应注意以下几个问题：

(1)液压泵的吸液管口和液压传动系统的回液管口应保持较远的距离。二者之间一般装有隔板，以利于油箱沉淀杂质，分离水、气和提高散热效果。隔板高度一般为液面高度的2/3～3/4。回液管口一般应伸入液面以下，以防止空气进入，但不能离箱底太近，以免回液冲起箱底的沉淀物。

(2)液压泵的吸液管口至箱底高度应大于2倍的吸液管管径，至箱壁距离应大于吸液管管径的3倍。以便于安装过滤器，保证吸液的清洁度。

(3)油箱应装有带空气过滤器的通气装置，油箱上也应装有液面指示器和温度计，以便于随时观察液面的高度和油液的温度。

(4)油箱注油口应该有过滤网，底部装置永久磁铁，用以吸附铁屑等杂质。

(5)在液压传动系统工作时，为了防止由于油箱内液面高度变化而引起压力变化，油箱应设置通气孔和空气滤清器。

(6)油箱结构要便于安装和维修，其底部应有适当的斜度，并在最低位置开设放油孔，以便于油液能顺利排出，油箱底还应有清查孔，以便于清除沉淀物，箱盖上应开设适当的手孔或入孔。

(7)油箱焊接完毕后，内壁应进行喷涂处理，并涂以耐油涂料。

(8)油箱的储液量应为液压泵每分钟排量的三倍以上，一般低压的取2～4倍，高压的取5～7倍。

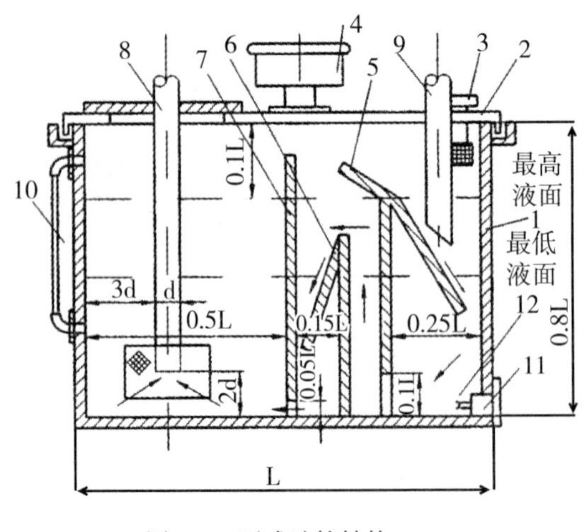

图5-7　开式油箱结构

1——箱体；2——箱盖；3——注油口；4——滤清器

5~7——隔板；8——吸液管；9——回液管

10——液位指示器；11——放液塞；12——永久磁铁

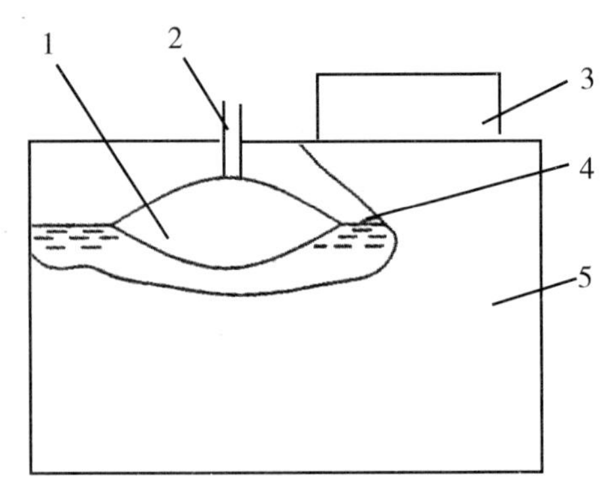

图5-8　隔离式油箱

1——挠性隔离器；2——进出气孔

3——液压装置；4——液面；5——油箱

2.隔离式油箱

在周围环境恶劣、灰尘特别多的场合，可采用隔离式油箱，如图5-8所示。当泵吸油时，挠性隔离器1的孔2进气；当泵停止工作，油液排回油箱时，挠性隔离器1被压瘪，孔2排气，所以油液在不与外界空气接触的条件下，液面压力仍能保持为大气压力。挠性隔离器的容积应比泵的每分钟流量大25%以上。

3.压力油箱

当泵吸油能力差，安装补油泵又不合适或者在高空作业时，可采用压力油箱，如图5-9所示。将油箱封闭，来自压缩空气站储气罐的压缩空气经减压阀将压力降到0.05～0.07 MPa。为防止压力过高，设有安全阀5。为避免压力不足，还设有电接点压力表4和报警器。

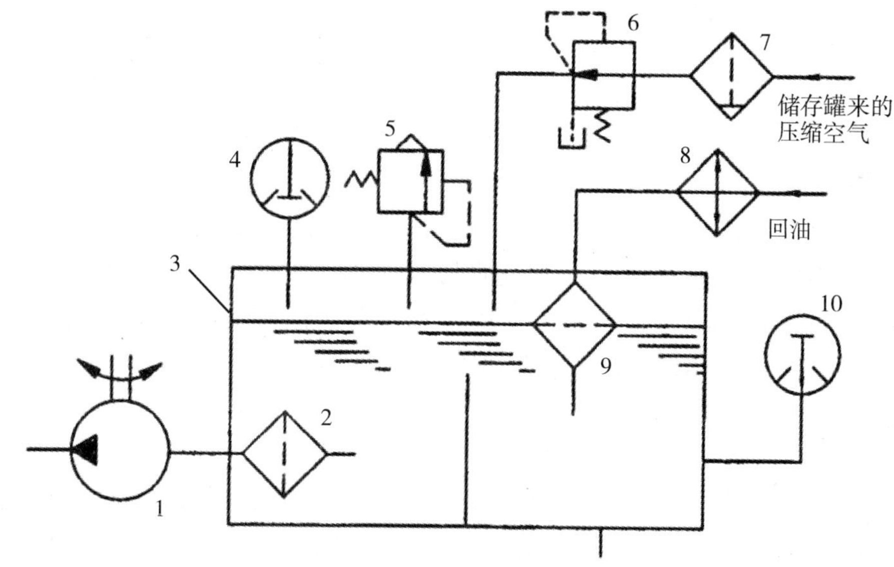

图5-9　压力油箱

1——泵；2、9——滤油器；3——油箱；4——电接点压力表；5——安全阀；6——减压阀；7——分水滤气器

8——冷却器；9——电接点温度计；10——液位指示器；11——放液塞；12——永久磁铁

二、油管

液压系统是用油管来传送工作液体的，油管必须有足够的耐压强度，良好的密封，并且压力损失小，便于弯曲，有的还要在工作中移动。

液压系统中的油管主要采用冷拔无缝钢管、紫铜管和耐油橡胶软管，也有时用一些塑料管或尼龙管。油管材料的选择主要根据工作压力、运动要求和部件位置等条件。

1.无缝钢管

无缝钢管耐压高，变形小，耐油性、抗腐蚀性亦较好。装配时不易弯曲，但配装后能长久保持原形，所以在中、高压系统中广泛使用。

无缝钢管有冷拔和热轧两种。冷拔管的外径尺寸精确，质地均匀，强度高。一般多选用

10号、15号冷拔无缝钢管。低压系统可采用有缝焊接钢管。

2.橡胶软管

橡胶软管主要用于有相对运动的部件间的连接，能吸收液压系统的冲击和振动，装配方便。但软管制造困难，寿命短，成本高，刚性差，固定连接一般不用。

橡胶软管分为高压和低压两种，高压软管用夹有钢丝的耐油橡胶制成，钢丝有交叉编织和缠绕两种，一般有二至三层。钢丝层数越多，管径越小，耐压力越强，最高使用压力可到35～40MPa。低压软管由夹帆布的耐油橡胶制成，用于工作压力小于1.5MPa的连接。

3.紫铜管

紫铜管较易弯曲，安装方便，且管壁光滑，摩擦阻力小。但耐压力低，抗振能力弱，只适用于中、低压的连接，一般压力不大于5MPa。

4.耐油塑料管

耐油塑料管价格便宜，装配方便，但耐压低，使用压力不超过0.5MPa，可用于回液管或泄液管。

5.尼龙管

尼龙管可用于中低压，有的使用压力可达8MPa。尼龙管弯曲比较方便，将油加热到160～170℃便能任意弯曲，浸入冷水就可把形状固定下来。

软管安装必须正确，才能保证其工作寿命，软管的弯曲半径应该至少比它的外径大9倍，弯曲点离接头的距离不得小于其外径的6倍。

三、管接头

在液压系统中，金属管之间或金属管与元件之间的连接，可采用直接焊接、法兰连接和管接头连接。直接焊接工艺复杂，拆卸不便，不易检查焊接质量，所以这种连接很少采用。法兰连接一般用于较大的油管，外径大于50mm的金属管多采用法兰连接。对于小直径的油管，目前普遍采用管接头连接。

管接头形式很多，常用的有焊接管接头、卡套式管接头和扩口薄管式接头。软管与金属管或软管与元件之间的连接，都采用软管接头，其形式主要有螺纹连接软管接头和快速接头。

1.焊接管接头

图5-10所示为焊接管接头，接头体1由M螺纹（或Z、ZG螺纹）组合密封垫圈5与机体连接，螺母3将接管2压紧于接头体，其间用O形圈4（或金属垫圈4）密封，也可用接管上的球面进行接触硬密封，最后将油管（厚壁钢管）与接头体焊接。该管接头的特点是简单可靠、耐压高（可达320bar），对油管外径尺寸精度要求也不高，应用较广，但焊接工作量大，焊接质量要求高。

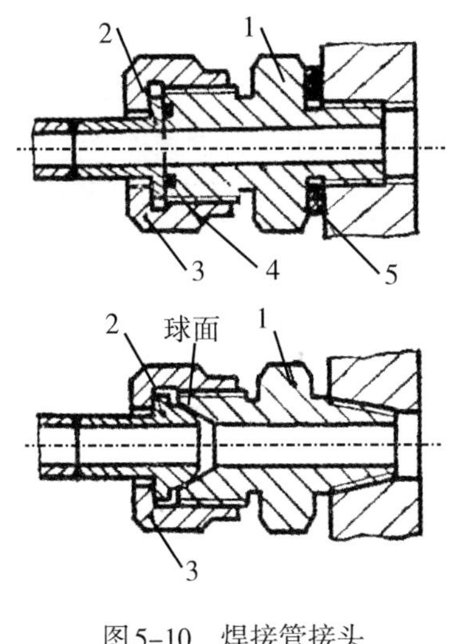

图5-10　焊接管接头

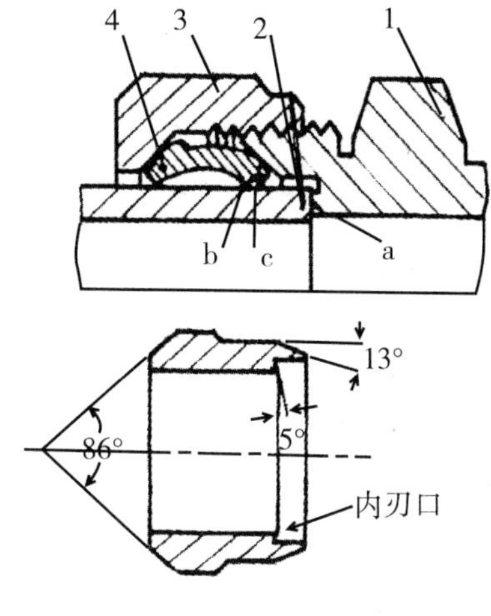

图5-11　卡套式管接头

2.卡套式管接头

这种接头不必焊接也不用密封件，而是直接利用卡套的金属弹性变形实现密封。其密封原理如下：如图5-11所示，用手将油管2的端面靠紧接头体1的内端面a，然后旋紧螺母3，卡套4的头部在螺母推力的作用下被推进接头体1的锥孔，并随之拱起变形使球面c与锥孔接触密封，同时卡套锋利的内刃口b切入油管的外圆柱表面，形成一条封闭的圆环形密封线（这是密封好坏的关键所在），尾部也径向收缩抱住油管。卡套中部的轻微拱形凸起所具有的弹性还有利于防止螺母松动，保证其密封的可靠性。适当的螺母旋紧力对于圆环形密封线的形成是非常重要的。一般当螺母旋紧使管子不能转动后再继续旋转螺母1圈左右为宜。卡套用10号碳素钢经表面软氮化或氰化处理，硬度达HV680～800，硬度层深0.03 ～0.05mm。该接头的特点是结构先进，体积小，使用方便，适于油、气的管路密封，耐压160～320bar。但是，作油管用的冷拔钢管的外径尺寸精度要求较高，卡套的制造工艺（尺寸精度、热处理质量）和装配质量要求也高。随着液压技术的发展，卡套式管接头的应用将日趋广泛。

3.薄壁扩口管接头

图5-12所示为薄壁扩口管接头。先将油管2端面锉平，扩成喇叭口，修去毛刺，然后用螺母3把接口套4连同有喇叭口的油管一起紧压在接头体1的外锥面上形成密封。油管2可用薄壁铜管或薄壁钢管。如果发现接口套不露出或不垂直于螺母3，则说明锥面接触密封不良。

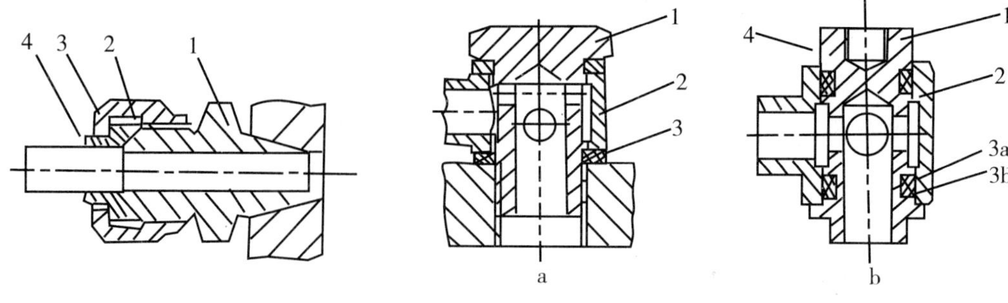

图5-12　薄壁扩口管接头　　图5-13　铰接管接头

4.铰接管接头

图5-13所示为铰接管接头。该接头与普通直角管接头相比,可克服螺纹拧紧后的被连接油管的方向性限制。有固定式(图中a)、活动式(图中b)两种。图中a所示固定螺钉1把两个组合密封垫圈3紧压在接头体2上达到密封。图中b所示接头芯子1靠台肩与弹簧挡圈4,与接头体2保持一相对位置,有间隙可转动,而密封则靠O形圈3a与保护挡圈3b来保证。

5.快速连接软管接头

图5-14为快速管接头。单向阀芯1、5相互顶紧使油液接通,若将套2左推,钢球3从接头体4中退出,即可拔去4,同时单向阀芯关闭,不使油液外流。这类接头密封性好,拆装方便,但压力损失大,结构复杂,价格较贵。液压支架上多用这种接头。

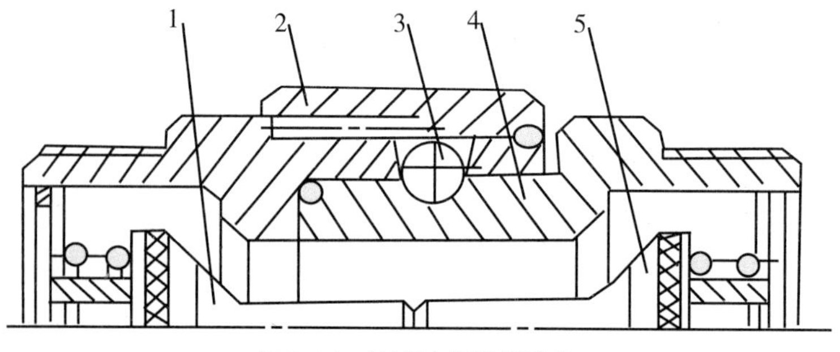

图5-14　快速连接软管接头

第三节　过滤器

液压传动系统中,液压油不可避免地含有各种杂质,如水锈、铸砂、焊渣、铁屑、涂料、油漆皮和棉纱屑等;外部进入的如煤尘、灰尘等;工作过程中产生的密封件的碎片、金属粉末、油液氧化变质产生的胶质、沥青、炭渣等。这些杂质随液压油循环工作,到处起破坏作用,致使液压元件中节流孔和缝隙卡死或堵塞;破坏相对运动部件间的油膜;划伤间隙表面;加剧油液的化学作用,使油液变质。根据生产统计,液压系统的故障中,有75%以上是由于油液中混入杂质造成的。因此,维护油液清洁,防止油液污染,对液压系统十分重要。清除杂质的最有效办法,除利用油箱沉淀一部分大颗粒外,更主要的是利用各种过滤器来滤除。

一般过滤器主要由滤芯和壳体组成,由滤芯上无数微小间隙或小孔构成油液的通流面积。因此，当混入油液的杂质尺寸大于这些微小间隙或小孔时，就会被过滤器滤除出来。

一、过滤器的主要性能参数

常用的过滤器的性能参数包括过滤精度、压差性能、纳垢容量和工作压力等。

1.过滤精度

过滤精度是指滤油器对不同尺寸的颗粒污染物的滤除能力。液压传动系统中所用过滤器的精度越高，工作液体的清洁度也就越高。评定过滤器过滤精度的指标各国不一，常用绝对精度、平均孔径、过滤效率和过滤比等来进行说明。

绝对精度是指能够通过其过滤元件的最大球形颗粒尺寸，单位是微米(μm)。绝对精度基本上反映了过滤介质的最大孔径尺寸。

平均孔径是指过滤介质孔径的平均值。这是用过滤介质的微观结构来评定过滤器过滤精度的一种方法。

过滤比是指过滤器上游单位体积液体中含有大于尺寸X的颗粒污染物的颗粒数Nu，与其下游单位体积液体中含有大于该尺寸颗粒污染物的颗粒数N_d之比，以β_x表示：

$$\beta_x=N_u/N_d \tag{5-1}$$

过滤器对于不同尺寸的颗粒，具有不同的过滤比。因此，目前采用对于尺寸为10μm的颗粒污染物的过滤比为β_{10}，作为评定过滤器过滤精度的标准。

过滤器的过滤精度用从工作液中过滤掉杂质的颗粒大小来表示。过滤掉杂质颗粒的颗粒度越小，过滤器精度越高。一般将过滤器分为粗、普通、精和特精四个等级。各个级别的过滤器所对应的过滤精度范围如表5-1所示：

表5-1　过滤器精度等级与过滤精度对照表

级 别	特精	精	普通	粗
绝对精度/μm	≥1～<5	≥5～<10	≥10～100	≥100

不同的液压传动系统和不同的情况，对于过滤器的过滤精度要求也不同。一般来讲，压力越高，要求过滤器的过滤精度也越高，通常可按表5-2的推荐值选用。

表5-2　液压传动系统的过滤器精度

系统种类		绝对精度/μm
低压工业用液压系统		100～150
7MPa工业用液压传动系统		50
10MPa工业用液压传动系统		25
7MPa工业用液压传动系统	往复运动	15
	速度控制装置	10～15
	机床进给液压传动系统	10
14～20MPa重型液压传动系统		10
带电液伺服的液压传动系统		2.5～5

2.压差特性

所谓压差特性是指过滤器进、出液口两端的压力差与其通过流量、液体黏度、工作时间以及过滤介质的通道形状和尺寸等因素的关系。

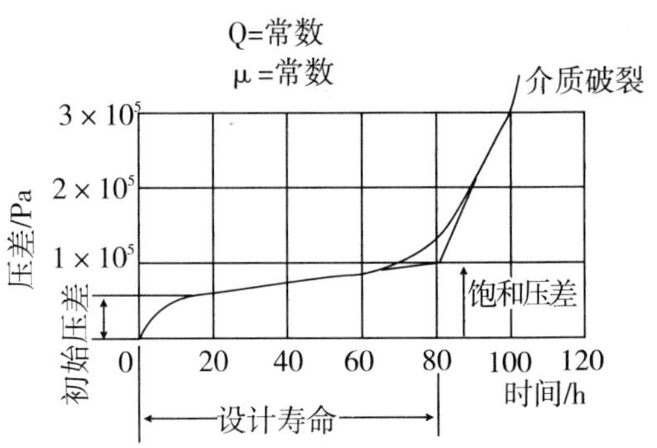

图5-15　某过滤器的压差一时间特性曲线

若以△p表示过滤器进、出液口两端的压差，随着工作液体的黏度增大，过滤器进、出液口两端的压力差相应增加；在过滤器通流流量一定时，过滤器的过滤精度增大，其压差也相应增大；当过滤器的使用达到其设计寿命时，过滤器两端的压差△p会急剧增大，致使过滤器报废，见图5-15。一般情况下，过滤器最大允许压差不超过0.015～0.03MPa。

3.纳垢容量

在过滤器的使用寿命内，被过滤元件截留的污染物的总质量，称为过滤器的纳垢容量，单位为克。过滤器纳垢容量越大，其工作寿命越长。

4.工作压力

工作压力是过滤器正常工作时所允许的最大压力，在此压力作用下过滤器可以长期安全地工作而不被破坏。过滤器的结构和材质不同，其工作压力也不同。

二、常用过滤器的类型、结构与性能

1.网式过滤器

网式过滤器是一种应用最多的粗过滤器，其结构如图5-16所示，由一层或两层铜丝网包围在金属骨架上而成。这种过滤器通常作吸液过滤器用，这时吸液管端的吸液口不应距网底太近，一般设在2/3网的高度。吸液过滤器没有外壳，而用于回液管或压力管道的网式过滤器必须带有外壳。

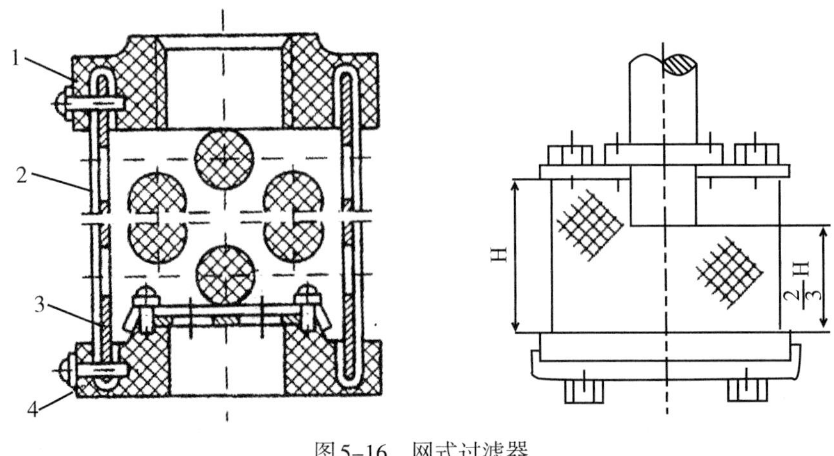

图5-16　网式过滤器

1——上盖；2——金属网；3——骨架；4——下盖

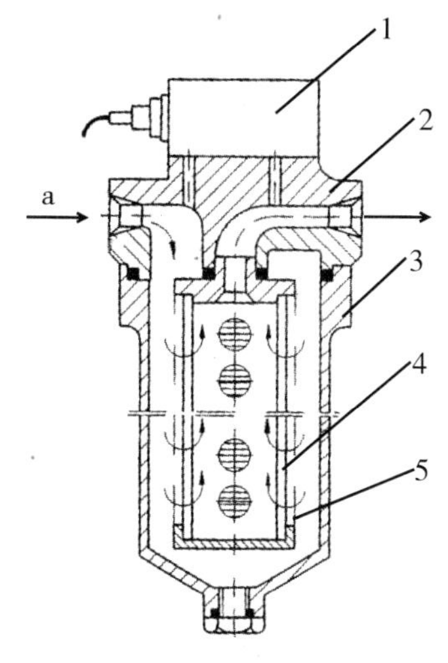

图5-17　线隙式过滤器

1——发讯装置；2——端盖；3——壳体；4——骨架；5——金属网

国产网式过滤器有0.08mm、0.1mm、0.18mm等3种过滤精度和多种过滤能力的规格可供选择。

网式过滤器的主要优点是结构简单、过滤能力强、压降小和便于清洗。其缺点是过滤精度低，铜质丝网会加速工作液体的氧化变质。

2.线隙式过滤器

线隙式过滤器通常是用直径为0.4mm的铜丝或铝丝缠绕在骨架上制成的，金属丝圈间的间隙即为过液间隙，其大小决定了过滤器的精度。国产XU系列线隙式过滤器的过滤精度有0.08 mm、0.1mm、0.15 mm、0.2mm等规格。线隙式过滤器也有带外壳和不带外壳两种，图5-17为带外壳的结构。这种过滤器的优缺点基本与网式的相同。

3.纸式过滤器

纸式过滤器以处理过的滤纸作为过滤材料。为了增加过滤面积，滤芯上的纸纹状，如图5-18所示。纸芯的过滤精度为5～30μm，压降为$(1\sim4)\times10^4$ Pa。纸式过滤器性能可靠，是液压传动系统中广泛采写的一种过滤器。但纸芯强度较低，且堵塞后不能清洗，必须更换纸芯。

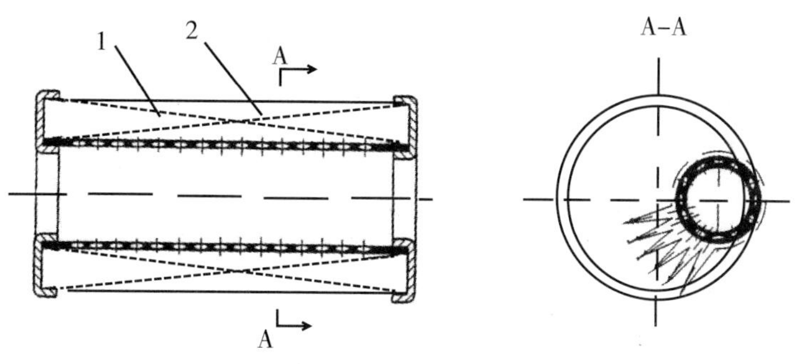

图5-18　纸式过滤器

1——滤纸；2——骨架

4.烧结式过滤器

烧结式过滤器的滤芯是分别由颗粒大小不同的青铜、低碳钢或镍铬粉末烧结而成的，有杯状、管状、蝶状和板状等形状。图5-19所示为杯状滤芯。工作液体从A口进入，经滤芯过滤后由B口流出。

烧结式过滤器的特点是：过滤精度较高，可达0.01～0.1mm；强度好，耐冲击，允许的压差大；可以在高温下工作；抗腐蚀能力强。缺点是容易堵塞，难清洗，工作中烧结颗粒可能脱落而污染油液，工作液体通过时压力损失较大，一般达0.03～0.2MPa。

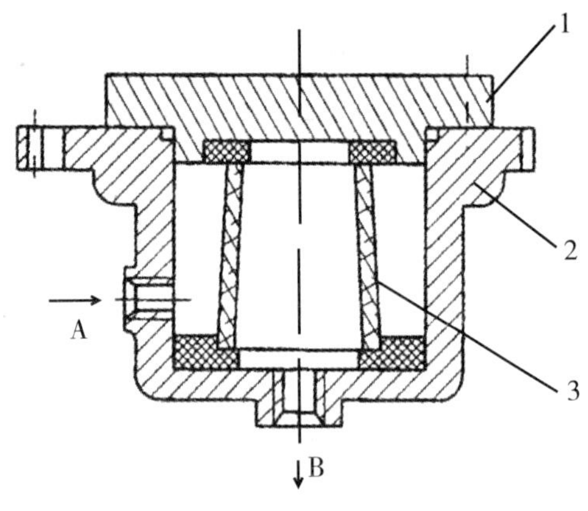

图5-19　烧结式过滤器

1——端盖；2——壳体；3——滤芯

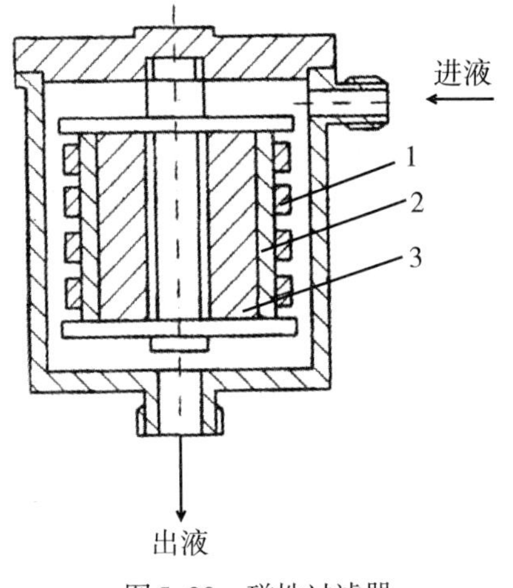

图5-20　磁性过滤器

1——铁环；2——非磁性罩子；3——永久磁铁

5.磁性过滤器

图5-20所示为管路中使用的一种磁性过滤器结构，滤芯由圆筒形永久磁铁3、非磁性罩子2和若干铁环1组成。每个铁环分成两半，它们之间用铜条连接起来。工作液体流经滤芯时，铁磁性杂质被吸附于各铁环间的间隙中。当间隙被杂质堵满时，可将铁环取下清洗。

表5-3　各种过滤器的特性和用途

过滤器型式	用　途	网孔/μm	过滤精度/μm	压力差/MPa	特性
网式过滤器	装在液压泵吸油管上，用于保护液压泵	74～200	80～180	0.01～0.02	结构简单，通流能力大，过滤效果差
线隙式过滤器	一般用于中、低压液压传动系统中	线隙100～200	30～100	0.03～0.06	结构简单，过滤效果较好，通流能力大，但不易清洗
纸质过滤器	用于要求过滤质量高的液压传动系统中	30～72	5～30	0.05～0.15	过滤效果好，精度高，但易堵塞，需常换滤芯
烧结式过滤器	用于要求过滤质量高的液压传动系统中		7～100	0.1～0.2	能在温度很高、压力较大的情况下工作，抗腐蚀性强
磁性过滤器	用于吸附铁屑，与其他过滤器合用				结构简单、滤清效果好

三、过滤器在液压传动系统的安装位置

图5-21画出了液压传动系统中过滤器各种可能的安装位置。

1.过滤器安装在液压泵吸油口

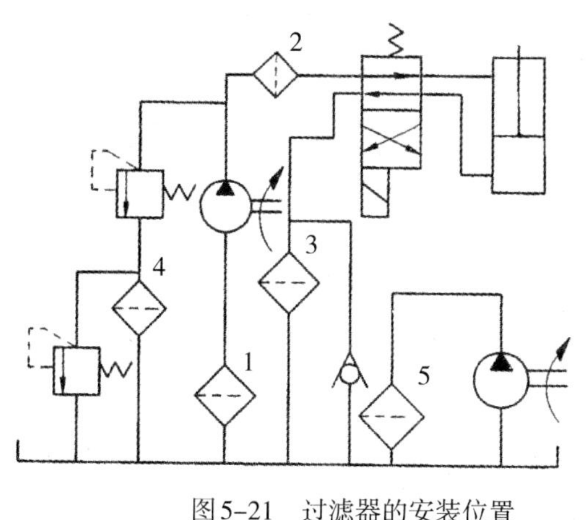

图5-21　过滤器的安装位置

1、5——过滤器

过滤器符号

图5-21中的过滤器1，位于液压泵吸油口，以避免较大颗粒的杂质进入液压泵，从而起到保护液压泵的作用。要求这种过滤器有很大的通流能力和较小的压力损失（不超过0.1×10^5 Pa，否则将造成液压泵吸油不畅，产生空穴和强烈噪声）。一般采用过滤精度较低的网式过滤器。

2.过滤器安装在液压泵压油口

如图5-21中的过滤器2，安装于液压泵的压油口，用以保护除液压泵以外的其他液压元件。由于它在高压下工作，要求过滤器外壳有足够的耐压性能。一般它装在管路中溢流阀的下游或者与一个安全阀并联，以防止过滤器堵塞时液压泵过载。

3.过滤器安装在回油管路

如图5-21中过滤器3，位于回油管路上的过滤器使油液在流回油箱前先进行过滤，这样就使油箱（液压传动系统）中的油液得到净化，或者说使其污染程度得到控制。此种过滤器壳体的耐压性能可以较低。

4.过滤器安装在旁油路

如图5-21中过滤器4所示，将过滤器接在溢流阀的回油路上，并有一个安全阀与之并联。作用也是使液压传动系统中的油液不断净化，使油液的污染程度得到控制。由于过滤器只通过泵的部分流量，过滤器规格可减小。

5.过滤器用于独立的过滤液压传动系统

如图5-21中过滤器5，这是将过滤器和液压泵组成的一个独立于液压传动系统之外的过滤回路。它的作用也是不断净化液压传动系统中的油液，与将过滤器安装在旁油路上的情况相似。不过，在独立的过滤液压传动系统中，通过过滤器的流量是稳定不变的，这更有利于控制液压传动系统中油液的污染程度。但它需要增加设备（泵），适用于大型机械设备的液压传动系统。

第四节　蓄能器和冷却器

一、蓄能器

蓄能器又称蓄压器，是一种储存压力液体的液压元件。当液压传动系统需要时，蓄能器所储存的压力液体在其加载装置的作用下被释放出来，输送到液压传动系统中去工作；而当液压传动系统中工作液体过剩时，这些多余的工作液体又会克服加载装置的作用力，进入蓄能器储存起来。因此，蓄能器既是液压传动系统的液压源，又是液压传动系统多余能量的吸收和储存装置。

1.蓄能器的功用

(1)短期大量供油

液压传动系统在工作循环中，只在很短时间内需要大流量，便可采用蓄能器来供油，以节约能耗和降低油温上升。

(2)液压传动系统的保压

某些液压传动系统中，要求液压缸到达某一位置时保持一定的压力，这时可使液压泵卸荷，用蓄能器提供压力油来补偿液压传动系统中的泄漏并保持一定的压力，以节约能耗和降低油温上升。

(3)应急能源

在停电或原动机发生故障时，蓄能器可作为液压传动系统的应急能源。

(4)缓和冲击压力

当阀门突然关闭时，可能在液压传动系统中产生冲击压力。在产生冲击压力的部位加接蓄能器，可使冲击压力得到缓和。

(5)吸收脉动压力

在液压泵的输出口并接一个蓄能器，可使液压泵的流量脉动以及因之引起的压力脉动减小。

2.蓄能器的类型

根据对蓄能器内油液的加载方式不同，蓄能器可以分为重锤式、弹簧式和充气式三种，目前前两种已较少使用，一般的液压系统中都采用充气式。

(1)重锤式

这是用重力对液体进行加载，用重锤的势能来储存能量的一种蓄能器，其压力取决于重锤的重量W和液体受压面积A。其特点是结构简单，输油过程中油液压力不变，但笨重、惯性大、反应不灵敏，仅用于固定设备的蓄能。

(2)弹簧式

这是用弹簧力对液体进行加载，用弹簧的势能来储存能量的一种蓄能器，其压力取决于弹簧刚度和压缩量。特点是结构简单，反应灵敏，但输油过程中压力是变化的(弹簧压缩量变化)，弹簧易疲劳，大容量时结构也趋庞大，适用于循环频率较低、容量不大的中低压系统中作缓冲或蓄能。

(3)充气式

这是用压缩气体对液体进行加载，利用压缩气体所具有的内能来储存能量的一种蓄能器。其输油压力取决于气体压力。其工作原理基于波义耳气体定律。预先对蓄能器充以有压气体并封口，然后在液压泵作用下将油液推入蓄能器，压缩其气体以增加内能储存能量。

此时气体压力与液体压力始终相等并处于浮动平衡。需要油液时，在气压作用下排油。之所以要采用气体，是因为它可以避免弹簧的疲劳破坏和重锤的迟钝反应。一般情况下，气体可选用空气或惰性气体（如氮气），但空气对油液或隔离材料容易引起氧化变质，尤其在空气迅速被压缩、压缩比较大、内能和气温骤然增加时，还可能引起爆炸。为克服上述弊病，往往使用氮气，然而成本较高。充气式蓄能器按结构又可分为气瓶式、活塞式和气囊式等，气瓶式又称气液直接接触式或气液非隔离式蓄能器，后两种又称隔离式蓄能器。

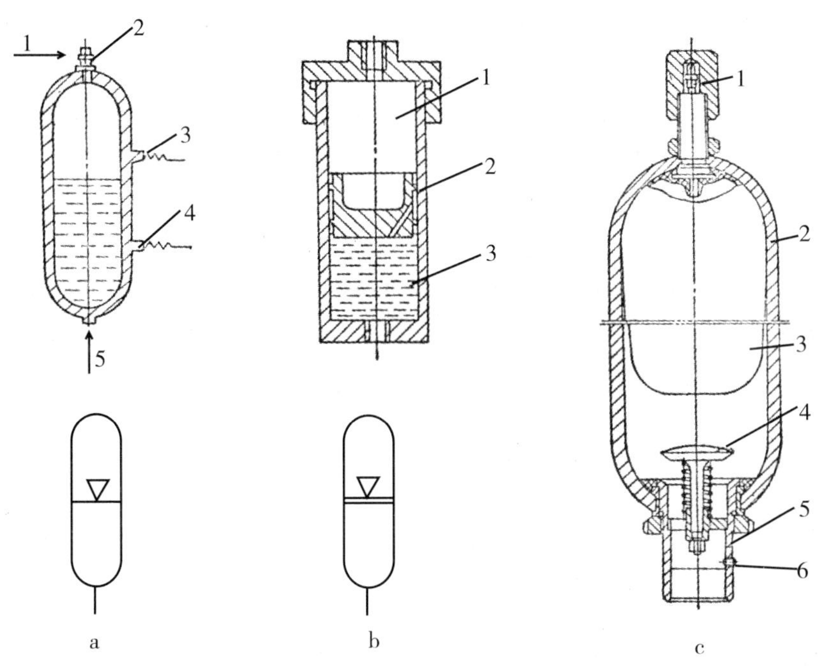

图5-22 充气式蓄能器的结构原理图及职能符号

图5-22a为气液直接接触式（又称气液非隔离式）蓄能器的结构原理图和职能符号。这种蓄能器通常采用耐压的气瓶作为容器，故又称为气瓶式蓄能器。在其上部通过元件2通入一定压力的气体，为防止油液氧化变质和防水，通常通入氮气。瓶的下部储存液体，气液直接接触。这种蓄能器没有活塞等运动部分，故惯性小，反应灵敏，容量也较大，而且缸体内壁也不需加工，结构简单。它的主要缺点是气体容易混入工作液体中，影响液压传动系统的工作稳定性。此外，还需要配置气源系统并经常充气。为防止液面下降过低导致气体进入系统内，还需对蓄能器内油液液位进行严格控制。这套液位控制装置费用较高，操作、维护也比较复杂。这种蓄能器一般用于大流量的中、低压回路。

图5-22b为气液隔离式（又称活塞式）蓄能器的结构原理图和职能符号。这种蓄能器中气体1与油液3由一浮动活塞2隔开，气体不易混入油液中，因此工作可靠，安装容易，维护方便，寿命较长。但其活塞有惯性和摩擦阻力，故反应不灵敏，另外容量也较小，这种蓄能器主要用来蓄压或供中、高压液压系统吸收脉动之用。

图5-22c为气囊式蓄能器。气囊3用特殊的耐油橡胶制成，固定在壳体2的上半部。气

体(通常为氮气)从充气阀1进入,气囊外部为压力油,在出油口设置一个常开的菌型阀门4,油液输入时阀门升起,而当系统压力下降,气囊内气体体积膨胀将油液排出的同时,由于皮囊的过分膨胀迫使菌型阀门关闭,从而防止油液排尽时气囊3膨胀出壳体之外。为使高速排油时菌型阀不致关闭,菌型阀的弹簧要有足够的刚度。这种蓄能器中油与空气完全隔离,结构紧凑、重量轻、无噪声,气囊惯性小,所以反应灵敏。但皮囊制造要求较高,由于受皮囊材料的限制,皮囊的使用温度应控制在-20℃~+70℃的范围内。蓄能器用的皮囊有折合型和波纹型两种,前者容量较大,适用于蓄能;后者对冲击的吸收能力较好,适用于吸收冲击压力。

二、冷却器

液压系统工作时的功率损耗,大部分转变为热能,使油液温度升高,如油温过高,大于80℃,将严重影响液压系统的正常工作,一般规定液压用油正常油液温度为15℃~65℃。如果液压系统的油箱散热条件不足,必须通过冷却器采取强制冷却。

冷却器要求结构紧凑,坚固,体积小,质量小,最好有自动控制油温装置。冷却器有水冷式和风冷式两种。现在主要用水冷式。水冷式冷却器又分为蛇管式、多管式、板翅式等型式。

1.蛇管式冷却器

蛇管式冷却器见图5-23。在油箱中安装水冷蛇管式冷却器是最简单的办法。它容易制造,设计安装方便,但冷却效率低,耗水量大,运转费用高,应用较少。

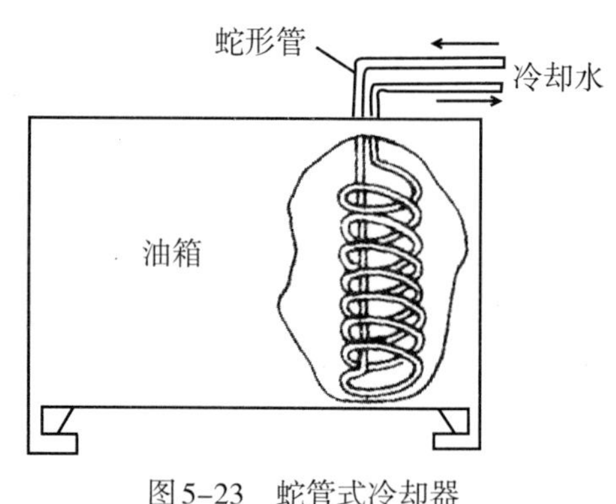

图5-23　蛇管式冷却器

2.多管式冷却器

多管式冷却器结构如图5-24。在冷却器外壳中装有92根铜制水管,外壳两端有端盖,端盖与法兰间有隔板分隔,将吸热管分为4组,每组23根。如图示,在端面通过冷却器中心逆时针一定角度画十字座标线,则4组水管分别在第Ⅰ、Ⅱ、Ⅲ、Ⅳ4个象限内。冷却水由上端A口进入先通过Ⅲ象限内水管,流过冷却器到达底端盖在这里Ⅲ和Ⅰ象限水管相连,但与Ⅱ、Ⅳ象限水管相隔,因此水经Ⅰ象限水管返回再次穿过冷却器流到上端,在这里Ⅰ、Ⅱ象限水管相通,水流再经Ⅱ象限水管,第3次穿过冷却器,最后在下端盖水流由Ⅱ象限流入Ⅳ象限水管,第4次穿过冷却器,最后由B管流出。

而热油由上部进油口进入,在冷却器内隔板4间,垂直于水管往复上、下流动。这种结构有利于充分进行热交换。水的流量不应小于20L/min。

这种冷却器由于采取强制对流,传热效率较高,结构紧凑,应用较广。

3.板翅式冷却器

板翅式冷却器。结构如图5-25所示。冷却器内部通油,外部通水。它由外壳2、芯子

1、水管进出口、油管进出口等组成。板翅式芯子有6片，每片由凹凸形的翅片4和2个板片组成，很像家庭用的暖气片，其内部通油，由A、B口流通，外部通水，由C、D口流通，即可进行热交换，冷却油液。翅片为很薄的铝板或铜板制成，因此增加了传热系数和散热面积，冷却效果好，体积质量都小，铝板制的造价低，不易生锈，应用广泛。

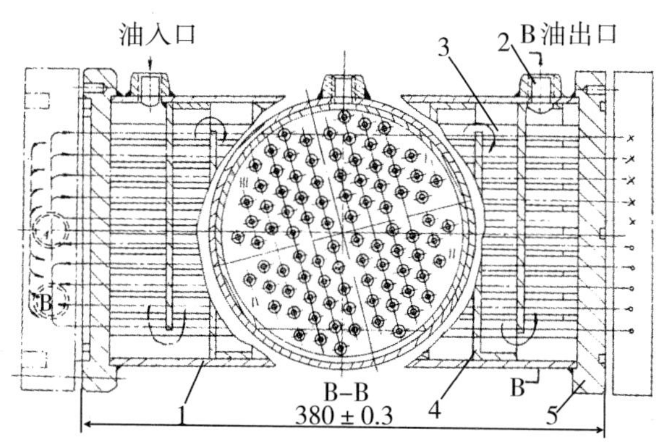

图5-24　多管式冷却器

1——外壳；2——油管接口；3——吸热管；4——隔板；5——法兰

A——水流入口；B——水流出口；X——表示流入（图纸背后）；O——表示（图纸背后）流出

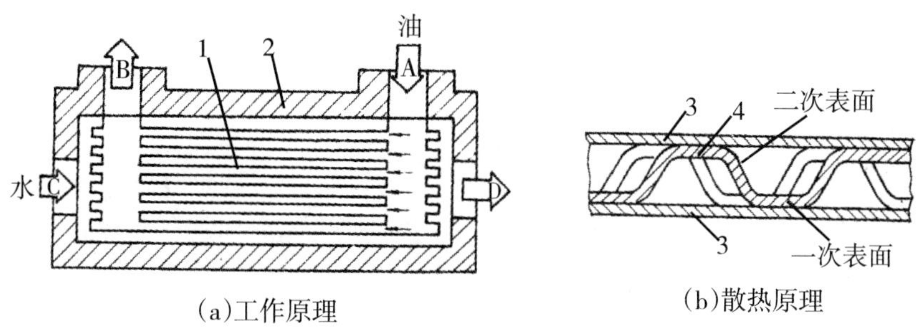

(a)工作原理　　(b)散热原理

图5-25　板翅式冷却器

第二部分　专业核心知识点

专业核心知识点包括以下内容

1.液压系统的辅助元件的种类。
2.密封装置的类型及常用密封元件的结构和性能。
3.油箱的分类、开式油箱设计时应注意的问题。
4.油管的分类及其优缺点、管接头的分类。
5.过滤器的类型及主要性能参数。
6.蓄能器的种类及其功用。
7.冷却器的分类。

第三部分　专业技能训练

技能一：密封装置的选用及安装

首先根据密封元件的使用条件和对密封件的要求，如最高压力、最大速度及负载变化，工作环境、使用寿命和对密封性能的要求等条件，选择合适的密封件的结构形式，然后再根据所用工作介质的种类和最高使用温度，正确选择密封件的材料。常用密材料与工作介质的适用性和使用温度可参照表5-4。

表5-4　常用密封材料与工作介质的适用性和使用温度

密封材料	石油基液压油和矿物基液压油	抗燃性液压油			使用温度范围(℃)	
		水——油乳化液	水——乙三醇基	磷酸酯基	静密封	动密封
丁腈橡胶	好	好	好	不好	-40 ~ 100	-40 ~ 80
聚氨酯橡胶	好	不太好	不好	不好	-30 ~ 80	-20 ~ 60
氟橡胶	好	好	好	好	-30 ~ 150	-30 ~ 100
硅橡胶	好	好	不好	不太好	-60 ~ 260	-50 ~ 260
聚四氟乙烯	好	好	好	好	-100 ~ 260	-100 ~ 260

技能二:密封装置常见故障及排除方法

密封装置常见故障及排除方法见表5-5。

表5-5 密封装置常见故障及排除方法

故障现象	原因分析	关键问题	排除方法
内、外泄漏	①密封圈预变形量小,如沟槽尺寸过大,密封圈尺寸太小 ②油压作用下密封圈不起密封作用,如密封圈老化、失效,唇型密封圈装反	密封处接触应力过小	①密封沟槽尺寸与选用的密封圈尺寸要配套 ②重装唇型密封圈,密封件的保管、使用要合理 ③V型密封圈可以通过调整来控制泄漏
密封件过早损坏	①装配时孔口划伤密封圈或运动时相关元件锐边刮伤密封圈 ②长期保管或长期停机,使密封件老化 ③密封件变形量过大或工作油温太低,使密封件失去弹性	使用、维护等不符合要求	①孔口采用圆角过渡;修磨有关锐边,提高配合表面质量 ②密封件保管期不宜超过一年,坚持定期开机 ③密封件变形量应合理,适当提高工作油温
密封件扭曲、挤入间隙等	①泊压过叫封件未设支承环或挡圈 ②配合间隙过大	受侧压过大,变形过度	①增加挡圈 ②采用Yx型密封圈,少用Y型或O型密封圈

技能三:油箱、油管及管接头常见故障和排除方法

油箱、油管及管接头常见故障及排除方法见表5-6和5-7

表5-6 油箱常见故障及排除方法

故障现象	故障原因	排除方法
油箱温度升高	①油箱离热源近、环境温度高 ②系统设计不合理、压力损失大 ③油箱散热面积不足 ④油液黏度选择不当	①避开热源 ②正确设计系统、减小压力损失 ③加大泊箱散热面积或强制冷却 ④正确选择油液黏度
油液污染	①油箱内有油漆剥落片、焊渣等 ②防尘措施差,杂质及粉尘进入油箱 ③水与泊混合(冷却器破损)	①采取合理的油箱表面处理工艺 ②采取措施防尘 ③检查漏水部位并排除
油液空气难以分离	油箱设计不合理	合理设计油箱
振动、有噪声	①电动机与泵同轴度差 ②液压泵吸油阻力大 ③油液温度偏高 ④油箱刚性太差	①控制电动机与泵的同轴度 ②控制油液黏度,加大吸油管 ③控制油温,减少空气分离量 ④提高油箱刚性

表5-7 油管及管接头常见故障及排除方法

故障现象	故障原因	排除方法
漏油	①泊管破裂漏油 ②油管与接头连接处密封不良 ③卡套式结合面差 ④螺纹连接处未拧紧或拧得太紧 ⑤螺纹牙型不一致	①更换油管、采用正确的连接方式 ②连接部位用力均匀,注意表面质量 ③更换卡套 ④螺纹连接处用力均匀拧紧 ⑤螺纹牙型要一致
振动、有噪声	①液压系统共振 ②双泵双溢流阀调定压力太接近	①合理控制振源 ②控制压力差大于1MPa

技能四:过滤器常见故障和排除方法

过滤器常见故障及排除方法见表5-8

表5-8 过滤器常见故障及排除方法

故障现象	故障原因	排除方法
滤芯变形	过滤器强度低并严重堵塞	更换滤芯或更换油液
浇结式过滤器滤芯颗粒脱落	滤芯质量不符合要求	更换滤芯

技能五:蓄能器常见故障和排除方法

蓄能器常见故障及排除方法见表5-9

表5-9 蓄能器常见故障及排除方法

故障现象	故障原因	排除方法
供油不均匀	活塞或气囊运动阻力不均匀	检查或更换活塞密封圈;检查气囊运动阻碍,并排除阻碍
供油压力低	①充气瓶无氮气或压力低 ②气阀泄漏 ③气瓶或蓄能器盖向外漏气	①补充氮气 ②修理或更换损坏零件 ③紧固密封或更换已损零件
不向外供油	①充气压力低 ②蓄能器内部泄漏 ③系统工作压力范围小且压力过高	①及时充气 ②检查活塞密封圈或气囊泄漏原因,及时修理或更换 ③调整系统压力
供油量不足	①充气压力低 ②系统工作压力范围小且压力过高 ③蓄能器容量偏小	①及时充气 ②调整系统压力 ③更换大容量的蓄能器

复习题

1.液压系统的辅助元件有哪些？

2.密封装置的类型有哪些？液压系统对密封装置的要求是什么？

3.油箱的分类有哪几种？

4.油管的分类有哪些？管接头分为哪几种？

5.过滤器的主要性能参数有哪些？常用的过滤器有哪几种？

6.蓄能器的作用是什么？常见的蓄能器有哪几种？

7.冷却器的分类有哪些？

讨论题

1.常用的密封元件有哪些？分别用在什么情况下?其优缺点分别是什么？

2.开式油箱在设计时应注意哪些问题？

3.试阐述过滤器在液压系统中可能的安装位置,其分别起什么作用？

第六章 液压系统的基本回路

第一部分 系统理论知识

各种液压传动的机器，其液压传动系统都是由一些液压基本回路组成的。所谓液压基本回路就是由一些液压元件组成的，用来完成某项特定功能的油路结构。例如，用来控制液压系统全部或局部压力的压力控制回路，包括调压回路、卸荷回路、增压与减压回路、平衡回路；用来控制执行元件运动速度的速度控制回路，包括调速回路、快速运动回路和速度换接回路；用来控制执行元件运动方向的方向控制回路，包括换向回路、锁紧回路和定向回路等，都是采掘机械中常见的基本回路。熟悉和掌握这些基本回路的结构组成、工作原理和功能，对于分析和设计采掘机械液压传动系统来说是必备的基础知识。

第一节 液压系统主回路

在液压系统中，所谓主回路就是指油液由液压泵到液压马达（液压缸），再从液压马达（液压缸）回到液压泵的流动循环回路，它是液压系统的主体。其他如控制油路、润滑油路、补油热交换油路等统称为辅助回路。

根据系统工作液体流动循环路线的不同，主回路可以分为开式循环系统和闭式循环系统两种基本形式，按照系统执行元件的类型不同，主回路可以分为泵—马达系统、泵—缸系统和混合系统三种，如果按系统回路的组合方式分类，主回路又可分为并联回路、串联回路、串并联回路和复合回路系统。

一、按工作液体的循环方式分类

1.开式循环系统

液压泵从油箱中取油液，液动机的回油直接又返回油箱的系统称为开式循环系统。图6-1是一种最简单的液压泵—液压缸开式循环系统 。由电机驱动的液压泵从油箱中经滤油器吸油，液压泵排出的压力油液通过三位四通换向阀进入液压缸一端的油腔中，并推动液压缸中的活塞运动，液压缸另一腔中的低压油液则经过三位四通换向阀再流回到油箱中。液压泵排油中处的溢流阀用来稳定系统的工作压力并防止系统出现超载。

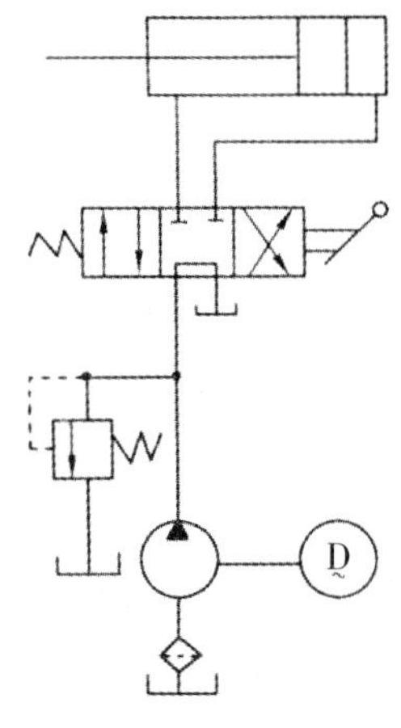

图6–1　开式循环系统

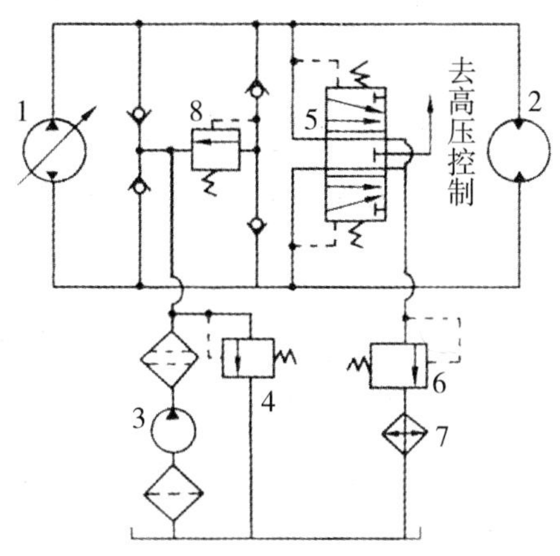

图6–2　闭式循环系统

开式循环系统具有结构简单、油液可以在油箱中很好地散热、冷却和沉淀杂质等优点，但因为油箱需要较大的容积，油液与空气接触面积大，容易造成污染和氧化，而且空气融入油液中会影响执行机构的平稳性等缺点。开式循环系统要求液压泵的自吸性能好，当主液压泵自吸能力差而必须采用辅助泵供油时，辅助泵的流量应大于主泵的流量。凡是执行元件为液压缸的系统，某些间歇运动的液压马达系统，以及采用节流调速的系统，都采用开式系统。

2.闭式循环系统

在液压系统的主回路中，液动机的回油管直接与主油泵的吸油管接通的系统称为闭式系统。图6–2就是一种闭式循环系统。变量液压泵1排出的压力油直接进入液压马达2，液压马达的回油又直接返回液压泵的吸油口，这样工作油液在液压泵和液压马达之间不断循环流动。为了补偿因泄漏造成的容积损失，闭式循环系统必须设置辅助液压泵3，负责向主液压泵供油。由于主回路中的油液不经过油箱而直接在系统中循环，因此，油温会不断上升。为了解决闭式循环系统中的油液散热问题，闭式循环系统中一般都要设置一液动换向阀5，使液压马达回油中的一部分经低压溢流阀6（背压阀）和冷却器7流回油箱，系统由此减少的油液则由辅助泵进行补充。液动换向阀5也称做热交换阀或梭行阀。图中溢流阀8是限制系统最高压力的高压安全阀，与辅助泵进行并联的辅助泵低压溢流阀4的调定压力应略高于背压阀6，以保证热交换能正常进行。

闭式循环系统的油箱容积小、结构紧凑；大部分油液在封闭的管道内循环，与空气的接触机会少，油液不容易被污染和氧化；又因回油有一定的背压，故传动平稳。但闭式循环系统散热条件差，一般都应安装冷却器，结构比较复杂。闭式循环系统多用于大功率采用容积调速的液压马达系统，如采煤机的液压牵引系统和其他许多工程机械的液压系统。

二、按系统执行元件的类型分类

1.泵—马达系统：执行元件只有马达的系统。通常旋转运动的机械采用这种系统。

2.泵—缸系统：执行元件只有缸的系统。通常直线往复运动的机械和机构采用这种系统。

3.混合系统：执行元件既有马达又有缸的系统。

三、按系统回路的组合方式分类

1.并联回路

所谓并联回路就是液压泵排出来的压力油同时进入两个或两个以上的执行元件，而它们的回油又同样流回油箱的回路（如图6–3）。

当两个执行元件同时启动时，油液首先进入外载荷小的元件，而且系统中任一执行元件的载荷发生变化时，都会引起系统流量重新分配，致使各执行元件的运动速度也会发生变化。所以这种系统只适用于外载荷变化小、对执行元件的运动速度要求不严格的场合。这种回路的特点是各执行元件中的油液压力均相等，都等于液压泵的调定压力，而各执行元件的流量可以不相等，但其流量之和应等于液压泵的输出流量。另一特点是各执行元件可以单独操作，而且相互影响较小。

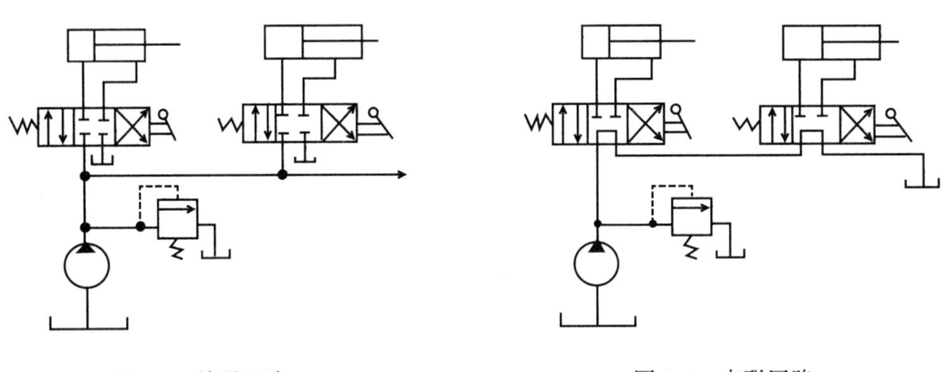

图6–3　并联回路　　图6–4　串联回路

2.串联回路

所谓串联回路就是液压泵排出来的压力油进入第一个执行元件，而此元件的回油又作为下一个执行元件的进油的回路（如图6–4）。

在相同情况下，串联系统中液压泵的工作压力应比并联系统大，而流量应比并联系统小。串联系统适用于负载不大、速度稳定的小型设备。串联回路的特点是进入各执行元件的流量相同，各执行元件的压力之和等于液压泵的工作压力。

3.串并联回路

所谓串并联回路就是指系统中各执行元件有的串联，有的并联的回路。这种回路的特点是一个液压泵在同一时间内，只能向一个执行元件供油液，这样的系统可以避免各执行元件的动作相互干扰。

4.复合回路

由上述3种回路的任何2种或3种组成的系统，称为复合回路。

第二节　压力控制回路

压力控制回路是利用压力控制阀来控制系统压力，或利用压力控制原理以达到某一功能的典型回路，用来实现系统的稳压、增压、减压、保压、卸荷、平衡等多种控制，以满足执行元件在力或转矩上的要求。

一、调压回路

液压系统油液的压力，必须与其承受的负载相适应，才能既满足液压系统的力或力矩的要求，又能节省动力损耗，减少油液发热，并提高运动的平稳性，保证系统的安全。

调压回路能控制整个系统和局部的压力，使之保持恒定或限定其最高数值。例如，定量泵系统中用溢流阀调定压力，可以使泵在恒定压力下工作；变量泵系统中用安全阀限定最高压力，防止系统过载等。当系统中需要两种以上不同的压力时，还可以采用多级调压回路。

1.单级调压回路

在定量泵系统中，溢流阀常和节流阀配合组成调压回路，如图6–5所示的调压回路是一种最基本、最常用的调压回路。其工作原理如下：

系统中需要的流量为Q_1，由节流阀2调节，一般$Q_B > Q_1$，油液在节流阀前受阻，至使液压泵出口管道系统的压力增高，达到溢流阀3的调定压力时，溢流阀开启，多余的油液Q_2从溢流阀流回油箱。回路的压力靠溢流阀调定，并在不断溢流的过程中保持回路的压力基本稳定。调压回路的性能主要取决于溢流阀的压力—流量特性。

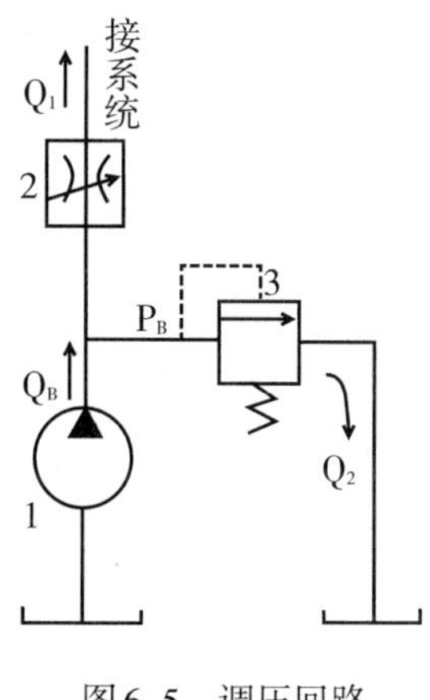

图6–5　调压回路

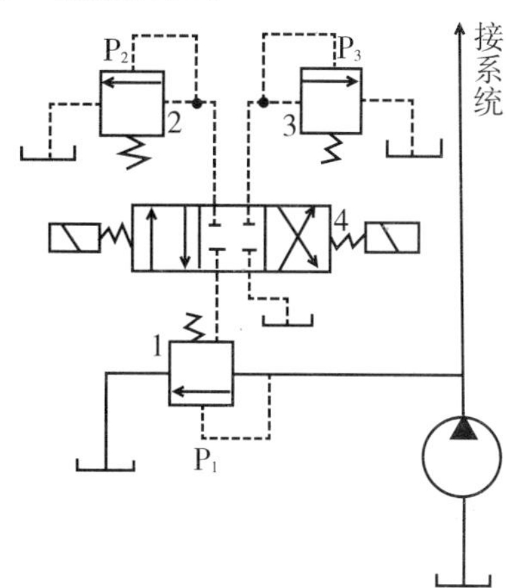

图6–6　多级调压回路

2.多级调压回路

图6–6是一种多级调压回路，当系统需要多级压力控制时，则可将主溢流阀1的远程控制口，通过三位四通换向阀4，分别连接远程调压阀（或小流量溢流阀）2、3的进油口上，使系统有三种压力调定值：换向阀4在左位时，系统压力由阀2调定，换向阀在右位时，系统压力由阀3调定，换向阀在中位时（图示位置），系统压力由主溢流阀1调定。但在系统中三个溢流阀的调整压力P_1、P_2、P_3必须满足：$P_1 > P_2$，$P_1 > P_3$，即液压泵的最高出口压力（系统的安全压

力值)是由主溢流阀1调定。

3.远程调压回路

图6-7是远程调压回路。将远程调压阀2接在先导式主溢流阀1的远程控制口上,液压泵的出口压力即可由阀2作远程调节。应该注意的是,远程调压阀仅起调节压力的作用,油液仍从主溢流阀溢走。回路中的主溢流阀的调定压力必须大于远程调压阀2的可调节的最高压力,只有在这种情况下,远程调压阀才能起到调节系统压力的作用。而先导式主溢流阀的调整压力则为系统的安全压力值。

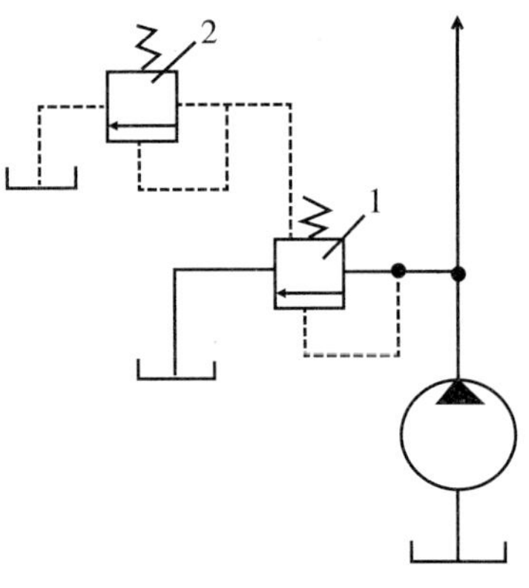

图6-7 远程调压回路

二、减压回路

减压回路是用来获得比系统工作压力低的稳定压力的回路,其值用减压阀来调节。在有多个执行机构共用一个液压泵供油的液压系统中,当其中的某个执行元件或某支路所需要的工作压力,低于溢流阀调定的系统压力,或要求有较稳定的工作压时,可以采用由减压阀组成的减压回路。如各种控制油路,润滑油路等。下面介绍两种常用的减压回路。

1.单级减压回路

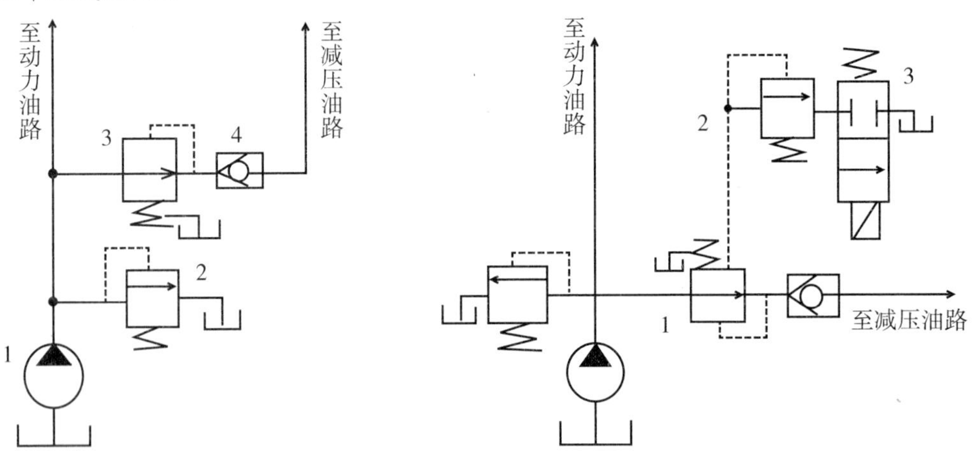

图6-8 单级减压回路

图6-9 多级调压回路

图6-8是一种常见的单级减压回路,在图中,泵1的供油压力根据动力油路上负载大小由溢流阀2来调定。减压油路所需的压力则靠减压阀3来调节。单向阀4的作用是在动力油路的压力降低到小于减压阀调整压力时,使减压油路和动力油路隔开,实现短时保压作用。

2.多级减压回路

如果在减压回路中,需要得到两种减压值时,可以采用二级减压回路,图6-9为二级减压回路。它是在先导式减压阀1的远程控制口上接入调压阀2来使减压回路获得两种预定的压力;在图示位置上,减压阀出口处的压力由先导式减压阀1调定,当换向阀3电磁铁通电时,减压阀1出口处的压力改由阀2所调定的另一个较低的压力值确定,把阀3接在阀2的出口处可以使压力转换时压力波动小一些。根据两级减压回路的原理，我们可以根据需要自行拟定多级减压回路。

三、增压回路

增压回路是用来提高系统中某一支路压力的，采用增压回路可以用较低压力的液压泵得到较高的局部系统压力。

1.单作用增压回路

图6-10为单作用增压回路。增压缸4是一个活塞缸与和一个柱塞缸串联而成，在图示位置，液压泵1输出的低压油进入活塞缸大腔a，推动活塞向右移动，柱塞缸b腔中排出高油压进入液压缸7无杆腔，推动活塞向下运动。增加倍数等于增压缸中活塞面积与柱塞面积的比。当换向阀3左位时，泵1输出的压力进入活塞缸4的小腔b，活塞带动柱塞向左移动，液压缸7的活塞在弹簧的作用下向上退回，这时油箱5中的油液可以通过单向阀6进入柱塞缸b，补充泄漏。高压油液是间断输出的，因此，这种增压回路的缺点是不能得到连续的高油压，适用于大负载小行程的工作场合。

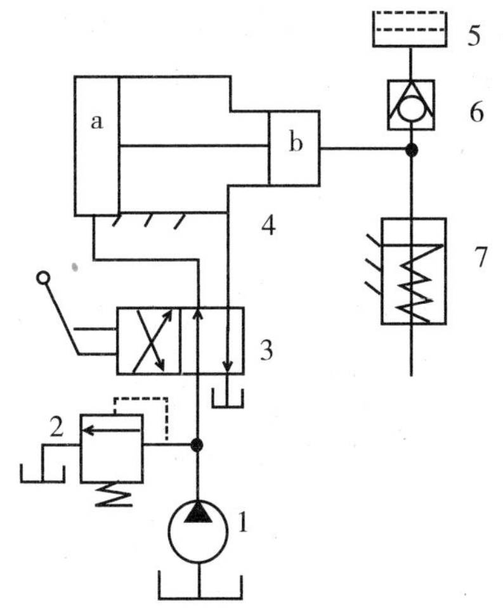

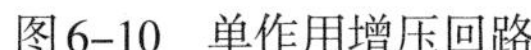
图6-10　单作用增压回路

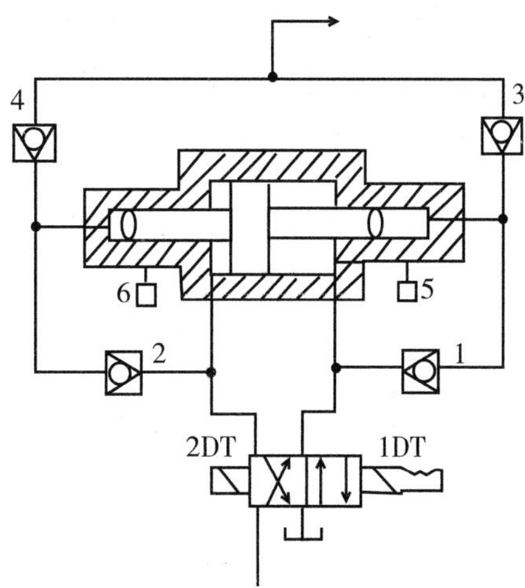

图6-11　双作用增压回路

2.双作用增压回路

图6-11为双作用增压回路。与前面讲到的单作用增压回路相比，双作用增压回路的不同处在于使用了一个双作用的增压缸，并采用电磁控制的自动换向回路。在图示位置时，压力油进入大缸右腔和右端的小腔，大缸左腔油液经换向阀流回油箱，活塞左移，左端小腔增压后的压力油经单向阀4输出，此时单向阀3和2均关闭。活塞移至顶端后，触动行程开关6使换向阀换向，活塞开始右移，右端小腔的压力油增压后经单向阀3输出，此时单向阀4和1均关闭。依靠换向阀不断换向即可连续输出高压油，从而解决单作用增压回路不能得到连续的高油压的问题。

四、卸荷回路

所谓卸荷就是指液压泵在很低的压力下，或者液压泵的排油压力虽然很高，但其流量很小的情况下运转。在许多机器中，当系统中各个执行元件暂时不工作时，若液压泵仍以溢流阀调定的压力值排油流回油箱，就会造成功率的大量损失和使油液发热等问题，所以我们必须使液压泵作空载运转（即让液压泵输出的油液全部在零压或很低压力下流回油箱），而不关闭电机。在某些功率较大的液压泵中，为了保护电机，也应该在卸荷情况下轻载起动。这样做可以节省功率消耗，减少液压油系统发热，延长液压泵和电机的使用寿命，一般液压系统大多都设有实现上述功能的卸荷回路。液压设备的卸荷方式多种多样，但常用的卸荷回路主要有以下几种。

1.采用三位换向阀的卸荷回路

图6–12为采用三位换向阀的卸荷回路，主要是利用三位换向阀具有M型、H型和K型等中位机能，使液压泵和油箱连通进行卸荷。当换向阀处于中位时，液压泵经换向阀直接连通油箱，这种卸荷回路结构简单，不需要另外添置液压元件，但油液流经换向阀和管道时，将引起压力损失，而且当压力较高、流量较大时，切换方向阀时压力波动大，容易产生液压冲击。因此当流量大、管道长时，不够理想，此回路一般用于中、低压小流量的液压系统中。

这种卸荷回路不适用于一个泵驱动多个液压缸的场合，也不适合同时给工作油路和控制油路供油的场合。如果将液压泵的出口处串联一个单向阀（如图6–13），就能用于后一种，因为这时液压泵虽然卸荷，液压泵出口处油液仍具有一定的压力，足以满足控制油路进行操纵之用。

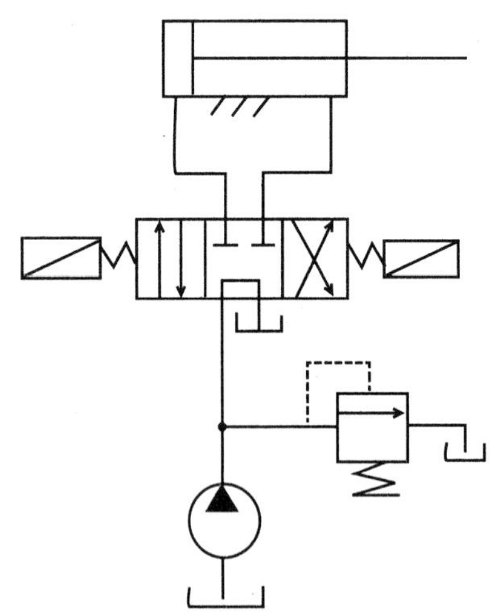

图6–12　采用三位换向阀的卸荷回路

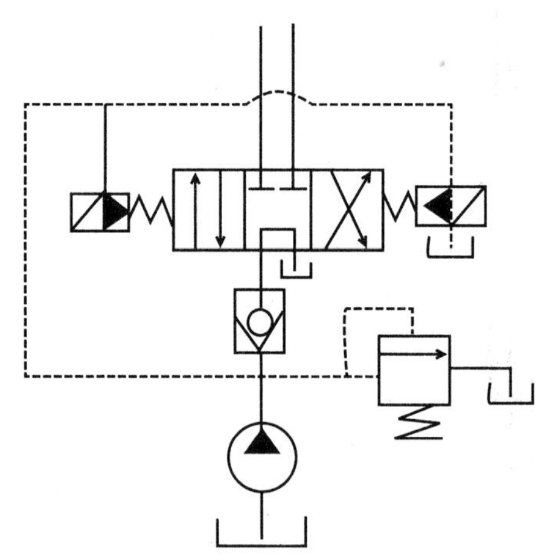

图6–13　串联单向阀的三位换向阀的卸荷回路

2.采用二位二通换向阀的卸荷回路

图6–14是采用二位二通阀的卸荷回路。在液压泵1的出口处并联一个二位二通电磁阀2，当系统工作时，阀2的电磁铁通电，切断液压泵与油箱的通道，液压泵1输出的压力油进入系统；当工作部件停止运动时，换向阀2的电磁铁断电，液压泵输出的压力油经阀2直接流回油箱。需要注意的是二位二通电磁阀的规格应选得与液压泵的额定流量相适应。这种卸荷回路的卸荷效果非常好。

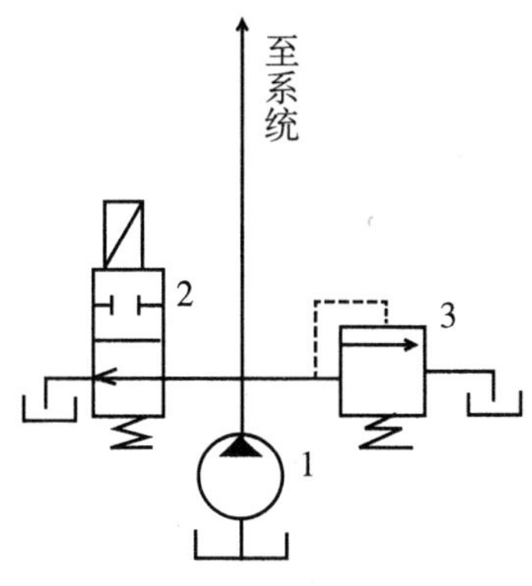

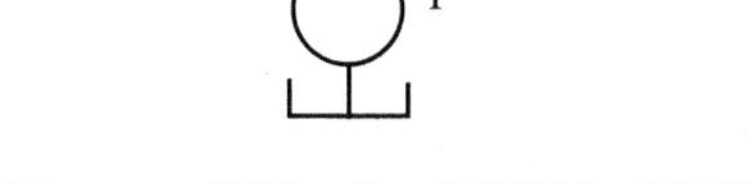

图6–14　采用二位二通阀的卸荷回路

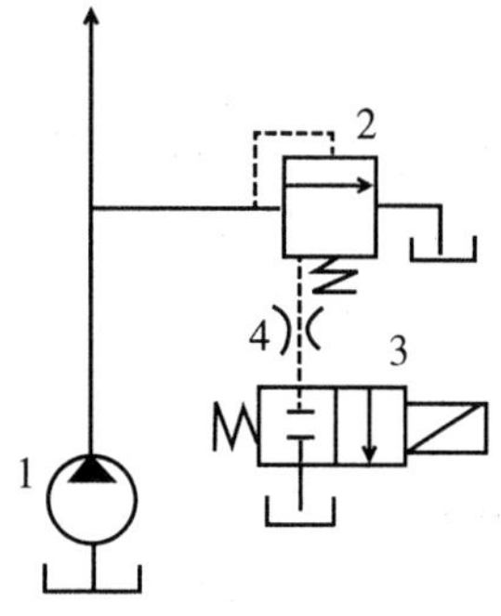

图6–15　采用先导式溢流阀的卸荷回路

3.采用先导式溢流阀的卸荷回路

图6–15是采用先导式溢流阀的卸荷回路。当需要液压泵卸荷时，使二位二通电磁阀3的电磁铁通电，溢流阀2的远程控制口通向油箱，液压泵的油以很低的压力打开先导式溢流阀2而全部流回油箱，实现卸荷。

4.采用卸荷阀的卸荷回路

图6–16是采用卸荷阀的卸荷回路。当系统压力低于顺序4的调定值时，液压泵1和液压泵2同时向系统供油，获得大流量；当系统压力升到顺序阀4调定值时，液压泵1出口通过顺序阀4接通油箱，实现卸荷，系统同液压泵2单独供油，流量减小，这时系统的压力由阀3控制。

5.利用液压泵结构卸荷的卸荷回路

图6–17是利用液压泵结构卸荷的卸荷回路，它利用限压式变量叶片泵，随着压力升高，排量自动减小到零，输出(N)为零，从而达到保压卸荷的目的。

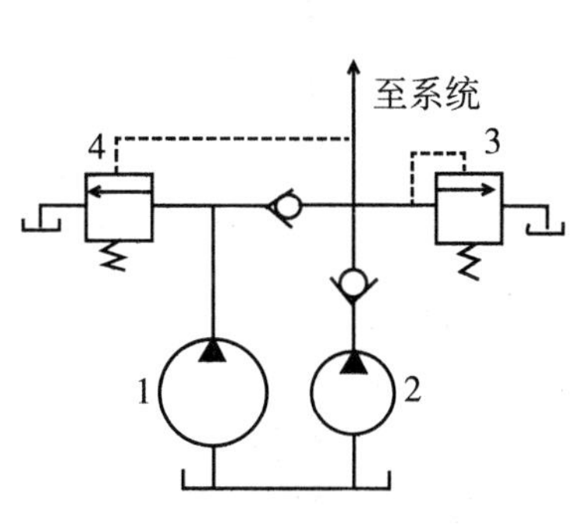

图6–16　采用卸荷阀的卸荷回路

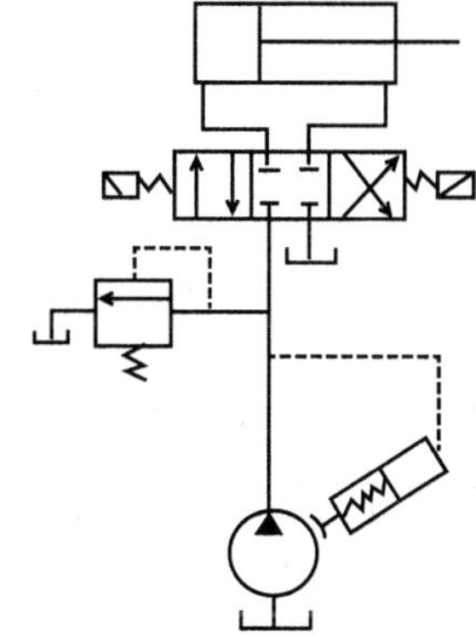

图6–17　利用液压泵结构卸荷的卸荷回路

五、平衡回路

为了防止立式液压缸或垂直、倾斜运动的工作部件因自重而下落或在下行运动中速度超过液压泵供油所能达到的速度而使工作腔形成真空，在液压系统中需要设置平衡回路。

平衡回路是指在立式液压缸的下行回油路上设置一个适当的液压元件,使之产生一定的背压的以阻止超速下落或减慢其下落速度,并使它们在任意位置上锁紧回路。下面介绍两种常见的平衡回路。

1.采用单向顺序阀的平衡回路

图6-18是采用单向顺序阀(也称平衡阀)组成的平衡回路。在这里,顺序阀a的调整压力应稍大于工作部件自重F_G在液压缸下腔中形成的压力。当换向阀处于中位时,活塞应该停留在任意位置上,但由于顺序阀a的泄漏,实际上活塞仍会缓慢地下移。这种回路当压力油进入液压缸上腔推动活塞向下运动时,由于背压的存在,运动进行的比较平稳。但是活塞向下快速运动时耗费在顺序阀a上的功率损失较大,因此这种回路只适用于工作部件重量不太大的液压系统中。

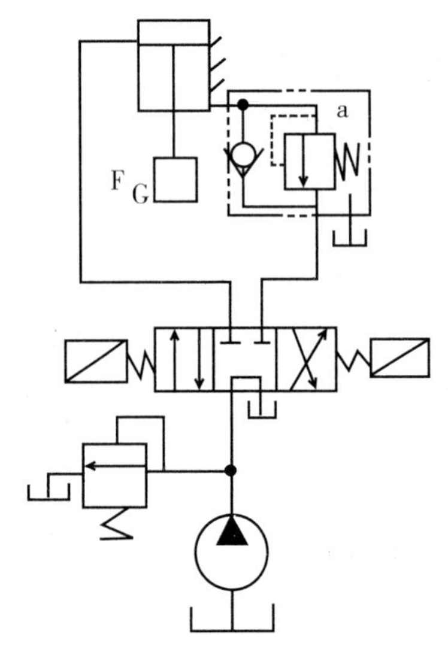

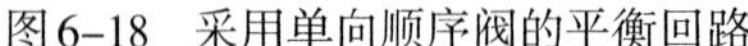
图6-18 采用单向顺序阀的平衡回路

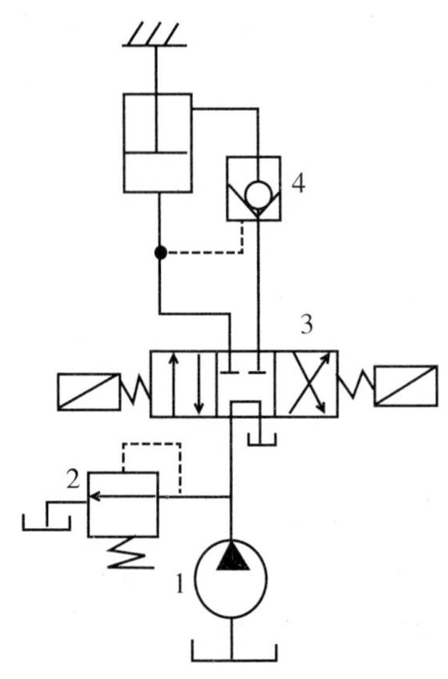

图6-19 采用液控单向阀的平衡回路

2.采用液控单向阀的平衡回路

图6-19是用液控单向阀组成的平衡回路。它的工作情况是:当换向阀3位于左位时,压力油进入无杆腔,这时液控单向阀4打开,液压缸有杆腔的油液经液控单向阀4、电磁阀3流回油箱,从而实现液压缸向下运动。但液压缸在低负载且负载波动的情况下运动时平稳性差,这是由于液压缸无杆腔的压力随负载的变化而波动,故使液控单向阀时开时关的缘故。当电磁阀3处于中位时,液压缸无杆腔失压,液控单向阀4迅速关闭,使液压缸立即停止运动。这种回路由于液控单向阀是锥面密封的,泄漏量小,闭锁性能好,所以工作可靠。

六、其他压力控制回路

以上列举的五种压力控制回路是常见的通用回路,除此以外,还因液压传动元件本身的特性要求和工作机构工况的需要,必须配置达到某一目的的其他回路。

1.压力保护回路

除了上述的在调压回路中利用安全阀进行压力保护外，液压设备还需要其他更完善的保护回路。现代液压系统中，还有各种高压保护、低压保护、“反转敲缸”保护、冷却喷雾保护等等，这时就需要压力保护回路。

（1）利用蓄能器保压的回路

图6-20所示为多缸系统一缸保压回路，进给缸快进时，泵压下降，液控单向阀3关闭，将夹紧油路和进给油路隔开。蓄能器用来给夹紧缸保压并补充泄漏。压力继电器4的作用是当夹紧缸压力达到预定值时发出讯号，使进给缸动作。

（2）利用液压泵保压的回路

图6-21所示为利用液压泵保压的回路，当系统压力较低时，低压大流量液压泵1和高压小流量液压泵2同时向系统供油。当系统压力升高到卸荷阀3的调定压力时，液压泵1卸荷，此时高压小流量泵2使系统压力保持为溢流阀4的调定值，泵2的流量只需略高于系统的泄漏量即可，以减少系统的发热。另外，也可以采用限压式变量泵来保压，它在保压期间仅输出少量用以补偿系统泄漏的油液量，效率较高。

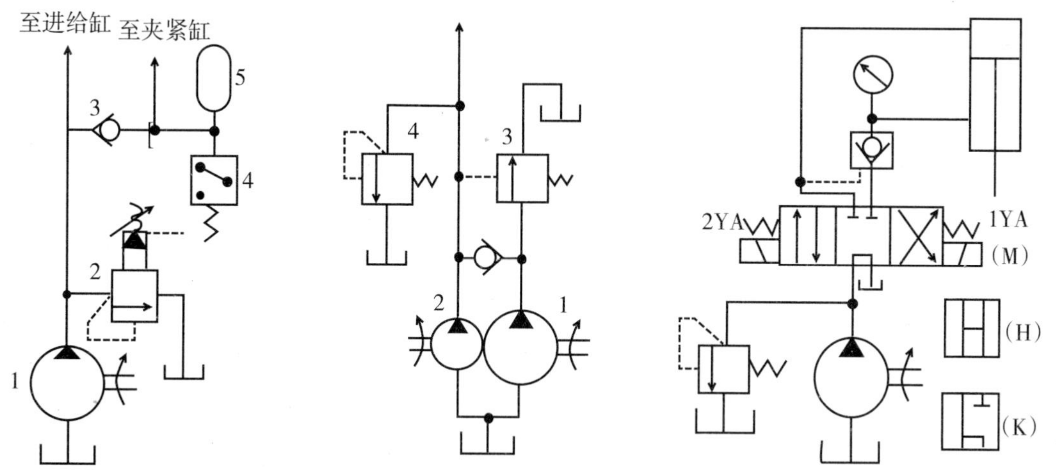

图6-20　利用蓄能器保压的回路　图6-21　利用液压泵保压的回路　图6-22　利用液控单向阀保压的回路

（3）利用液控单向阀保压的回路

图6-22所示为利用液控单向阀和电接触式压力表的自动补油式保压回路。当1YA通电时，换向阀右位接入回路，液压缸上腔压力升至电接触式压力表上触点调定的压力值时，上触点接通；1YA断电时，换向阀中位接入回路，泵卸荷，液压缸由液控单向阀保压，当液压缸上腔压力下降至电接触式压力表下触点调定的压力值时，压力表发出讯号，1YA通电，换向阀右位接入回路，液压泵给液压缸上腔补油使压力升高，直至上触点调定的压力值。

2.顺序回路

在多执行元件的液压系统中，用顺序阀可以控制多个执行元件的顺序动作。图6-23所示为使用控制阀的压力控制顺序动作回路。当换向阀右位接入回路且顺序阀1的调定压力大于液压缸A的最大前进工作压力时，压力油先进入液压缸A左腔，实现动力①；缸运动至终点后压力上升，压力油打开顺序阀1进入液压缸B的左腔，实现动作②；同样，当换向阀左位接入回路且顺序阀2的调定压力大于液压缸B的最大返回工作压力时，两缸按③和④的顺序返回。

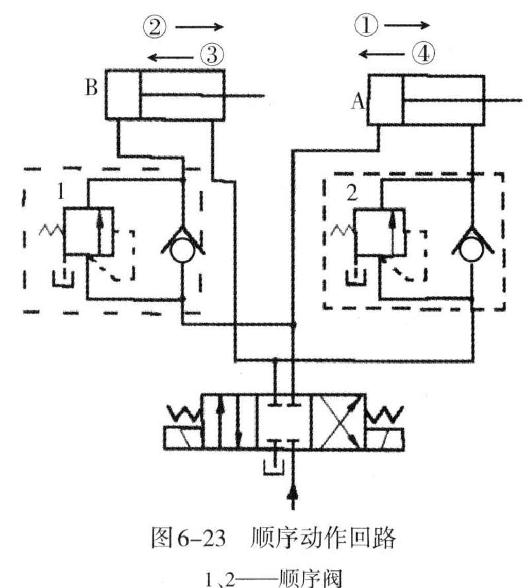

图6-23 顺序动作回路

1、2——顺序阀

3.缓冲回路

有的机械在工作过程中，经常会遇到冲击载荷。液压驱动机械，当执行元件突然停止或换向时，由于运动部件和油液的惯性作用，也会给系统带来液压冲击。这种冲击造成系统局部油路的压力急剧增加，有可能超出正常压力的若干倍，使系统中的元件和管路产生振动、噪声，甚至会使系统等到破坏，严重危害系统工作的平稳性和安全。因此，必须采用缓冲措施。除了在有关液压元件本身的结构上采用一些措施外(如液压缸盖上的凹部与活塞上的凸部间隙配合)，还可以采取以下办法：

(1)用行程阀逐渐关闭，避免油液突然变化而产生液压冲击的缓冲回路。

(2)用液动换向阀(或电液换向阀)控制阀芯移动速度，增加换向时间，防止换向冲击的缓冲回路。

(3)用蓄能器吸收油液冲击能量的缓冲回路。

(4)用单向顺序阀造成回油背压的缓冲回路。

4.背压回路

在液压系统中，为了保证液动机的正常工作，减少冲击和振动，增加运动的平稳性等，常常需在回油路上保持一定的回油压力，称为背压。在使用内曲线液压马达的系统中，为了防止马达转子上的滚轮脱离曲轨；在进油路和旁油路节流调速系统中，为了改善工作机构的运动平稳性；在某些补油热交换系统中，为了保证补油泵的顺利供油，都需要在系统的回油路上装设低压溢流阀、单向阀或单向节流阀等，构成背压回路。

第三节 速度控制回路

对于任何液压传动系统来说，速度控制回路是它的核心部分，这种回路可以通过事先的调整或在工作过程中通过自动调节来改变执行元件的运动速度，但是它的主要功能却是在传递动力(功率)。因而从本质上来看，它应更名为动力回路才更加确切和全面，才能把某些主机液压系统中同样是传递功率但不需调速的主回路概括进来。

速度控制回路主要可以分为调速回路、快速运动回路、同步回路和速度换接回路等几种典型的回路

一、调速回路

在液压传动系统中，调速回路占有突出的地位，它工作性能的好坏对系统起着决定性的作

用,例如机床上的主运动和进给运动都对运动速度有很高要求,它直接影响机床的加工质量。

一般说来,调速回路必须满足如下的一些要求:

1.能在规定的调速范围内调节执行元件的运动速度。

2.负载变化时,调好的运动速度最好不发生变化,或仅在允许的范围内变化。

3.具有驱动执行元件所需的力或转矩。

4.功率损失要少,以便节省能量,减少系统发热(后者对保证运动平稳性是很有利的)。

液压传动系统的执行元件有液压缸和液压马达两大类。当执行元件为液压缸时,液压缸的运动速度v,是由输入流量Q和液压缸的有效工作面积A决定的,即:

$$v= Q/A \tag{6-1}$$

而液压马达的转速n_M是由输入流量和液压马达的排量q_M决定的,即:

$$n_M=Q/q_M \tag{6-2}$$

可见,改变输入执行元件的流量Q,或者改变液压缸的有效工作面积A和液压马达的排量q_M都可以达到调速的目的。一般来说,改变液压缸的有效工作面积A是困难的,改变液压马达排量q_M,用变量马达是很容易做到的,而用得最多的还是改变输入或输出执行元件的流量Q。

调速回路按其使系统执行元件调速的方式不同,可以分为无级变速型调速回路和有级变速型调速回路两类;无级变速型调速回路又可分为节流调速回路、容积调速回路和容积—节流调速回路。

调速回路按调速方式可以分为以下三类:

1.节流调速:采用定量泵供油,由流量控制阀改变流入或流出执行元件的流量来调节速度。

2.容积调速:改变变量泵或变量马达的排量来调节执行元件的运动速度。

3.容积—节流调速(联合调速):采用压力反馈式变量泵供油,由流量控制阀改变流入或流出执行元件的流量来调节速度,同时又使变量泵的流量与通过流量控制阀的流量相适应。

就油路循环形式而言,调速回路又有两种不同式样:一种是开式回路,一种是闭式回路。在开式回路中,液压泵从油箱吸油,把压力油输给执行元件,执行元件排出的油则直接流回油箱。在闭式回路中,液压泵的排油腔直接与执行元件的进油管相连,执行元件的回油管直接与液压泵的吸油腔相连,两者形成封闭的环形回路。图6-24、图6-33都是开式回路的例子,图6-32是闭式回路的例子。

开式回路结构简单,油液能够得到较好的冷却,但油箱尺寸较大,空气和脏物容易进入回路中去。闭式回路的油箱尺寸小,结构紧凑,执行元件回油管与液压泵吸油腔的直接连通减少了空气及脏物进入回路的机会,但油液的冷却条件差,需要辅助泵进行换油冷却和补偿漏油,结构比较复杂。在实际应用中节流调速回路由于发热较多,都采用开式回路;容积调速回路由于要求结构紧凑,少受污染,发热较少,故多采用闭式路,但也有采用开式回路的。

(一)节流调速回路

节流调速回路是由定量泵、流量控制阀、溢流阀和执行元件等组成的，它通过改变流量控制阀阀口的开度来调节和控制流入或流出执行元件的流量，以调节其运动速度。这种回路的优点是结构简单，成本低，使用、维修方便，所以在机床液压系统中得到了广泛的应用；另一方面，由于它的能量损失大，回路效率低，发热大，故一般多用在功率不大的场合，例如各类机床的进给传动装置中。

节流调速回路按其流量控制阀安放位置的不同，有进口节流式、出口节流式和旁路节流式三种。

1.采用节流阀进口节流调速回路

这种调速回路将节流阀装在液压缸的进油路上，即串联在定量泵和液压缸之间，见图6-24。定量泵输出的流量Q_B是恒定的，在由溢流阀调定的供油压力p_B下，其中的一部分流量Q_1通过节流阀进入液压缸工作腔，此压力油以压力p_1作用在活塞面积A_1上，克服负载F，推动活塞向右运动；另一部分流量△Q则通过溢流阀流回油箱。调节节流阀的通流截面面积A_T，可以改变进入液压缸的流量Q_1，从而改变活塞的工作速度v。在工作过程中p_1随负载F变化而变化，液压泵压力p_B由溢流阀保持不变。从活塞的受力平衡条件可得：

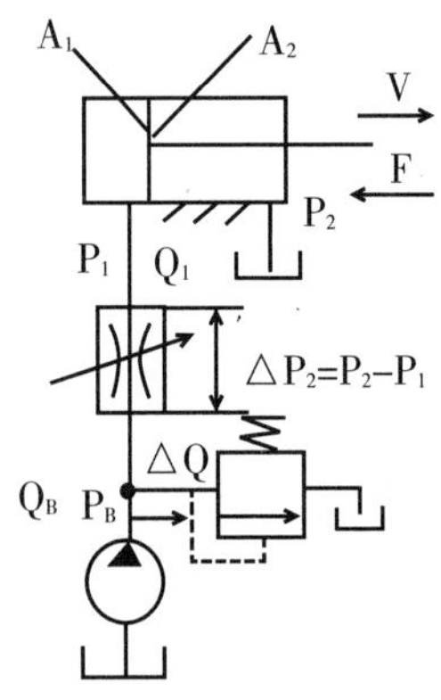

图6-24　采用节流阀进口节流调速回路

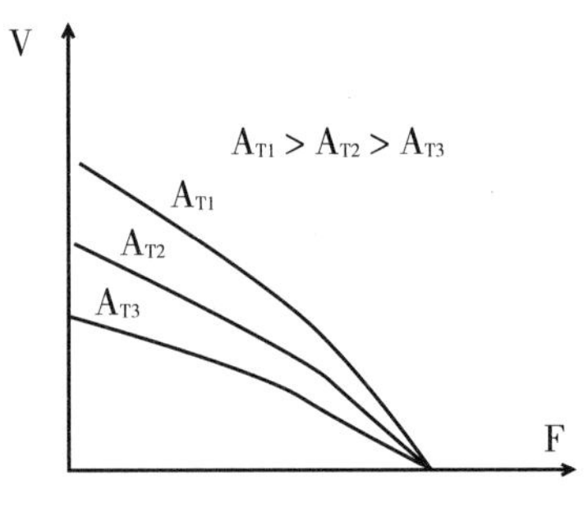

图6-25　节流阀进口节流调速回路的速度—负载特性曲线

$$p_1A_1 = F+ p_2A_2 \tag{6-3}$$

式中　A_1、A_2——液压缸无杆、有杆腔的有效面积；

p_1、p_2——液压缸压力油腔、回油腔的工作压力；

F——负载(包括工作阻力和摩擦阻力)。

当$p_2 = 0$(不计管道压力损失)，故得

$$p_1 = F/A_1 \tag{6-4}$$

$$\triangle p_T = p_B- p_1 = p_B-F/A_1 \tag{6-5}$$

通过节流阀进入液压缸的流量Q_1和活塞运动速度v为：

$$v =Q_1/A_1=CA_T\triangle p_T^m/A_1=CA_T(p_BA_1-F)^m/A_1^{m+1} \tag{6-6}$$

从式中可见，如负载加大，工作速度v将降低；反之，负载减小，工作速度v将增大。图

6–25为节流阀进口节流调速回路的速度—负载特性曲线，表示了这种变化关系。

2.采用节流阀的出口节流调速回路

图6–26所示为节流阀出口节流调速回路。这种调速回路将节流阀装在液压缸的回油路上，用它来控制从液压缸回油腔流出的流量Q_2，从而也就控制了进入液压缸工作腔的流量Q_1，因为这两者之间有固定的比例关系：

$$Q_1 = (A_1/A_2)Q_2 \tag{6-7}$$

定量泵输出的恒定流量Q_B，除了进入液压缸的Q_1外，多余的部分$\triangle Q = Q_B - Q_1$都通过溢流阀流回油箱。

在这种调速回路中，当不计管路和经过的阀等处的压力损失时，$p_1 = p_B$，活塞的受力平衡方程式为：

$$p_BA_1 = F+ p_2A_2 \tag{6-8}$$

$$p_2 = (p_BA_1 - F)/A_2 \tag{6-9}$$

由上式可知，负载F越小，p_2就越大。当$F\approx0$时，p_2有最大值。如果$A_1 = 2A_2$，则$p_2 = 2p_B$。

活塞的运动速度v决定于节流阀调节的流量Q_2，由于节流阀的出口压力接近于零，所以$\triangle p_T\approx p_2$，活塞的工作速度v为：

$$v =Q_2/A_2=CA_T\triangle p_2^m/A_2=CA_T(p_BA_1-F)^m/A_2^{m+1} \tag{6-10}$$

从上式可见，如负载F加大，其运动速度v就降低；反之，负载F减小，其运动速度v增大，也就是它的负载—速度特性较软。可见，出口节流调速与进口节流调速回路的负载—速度特性是一样的。

由于液压缸回油腔排出的油液要经过节流阀才回到油箱，节流阀的阻力给回油造成一个反压力，因此外界负载变化时可起缓冲作用，运动比较平稳，且可防止突进。虽然经过节流阀后油液温度升高，但油液回到油箱可以冷却，减少系统的发热和升温对流量的影响。

出口节流调速回路调速范围较大，运动平稳，但回路效率低，它广泛用于功率不大、有负值负载和负载变化较大或要求运动平稳性较高的液压系统。

3.采用节流阀的旁路节流调速回路

图6–27所示为节流阀的旁路节流调速回路。该回路将节流阀装在与液压缸并联的旁支油路上。定量泵输出恒定的流量Q_B，其中一部分流量Q_1进入液压缸的工作腔，推动活塞运动，另一部分流量$\triangle Q=Q_B -Q_1$通过节流阀流回油箱。当回路正常工作时，溢流阀起安全阀作用，该阀处于关闭状态。

当不考虑管路和所经阀等处的压力损失时，液压泵的供油压力p_B等于液压缸工作腔的压力p_1，即：

$$p_B = p_1 = F/A_1 \tag{6-11}$$

旁路节流回路活塞的运动速度v为:

$$v =(Q_B-CA_Tp_1^m)/A_1=[Q_B-CA_T(F/A_1)^m]/A_1 \tag{6-12}$$

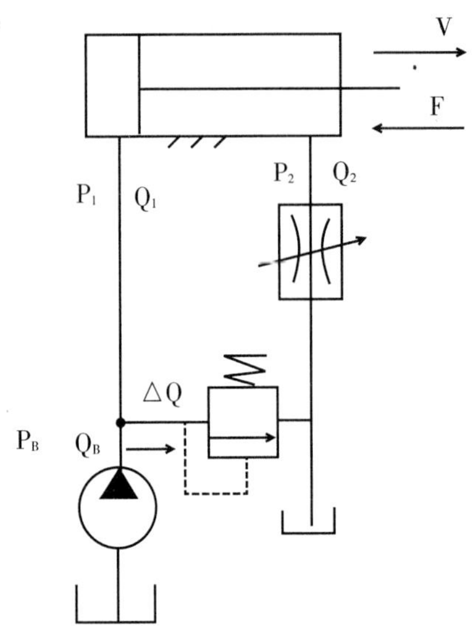

图6-26　采用节流阀的出口节流调速回路

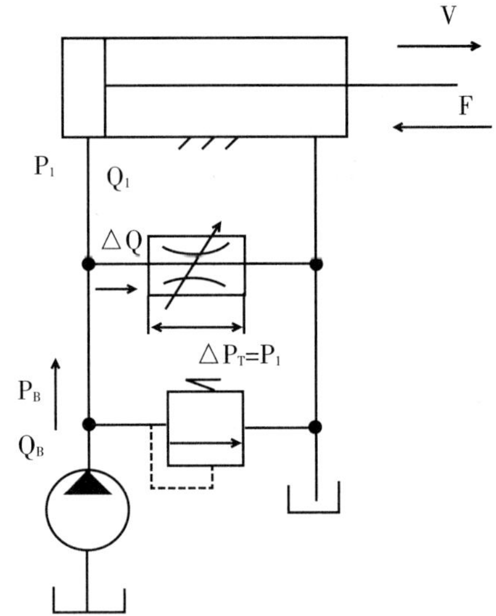

图6-27　采用节流阀的旁路节流调速回路

这种回路，负载F变化同样要引起工作速度变化。它的负载—速度特性比以上两种更软，这是由于负载变化除了直接影响动速度发生变化之外，还要引起液压泵输出流量Q_B的变化。节流阀开度为零时，液压缸运动速度v最大，随着节流阀开度的增大，液压缸运动速度逐渐减小。当节流阀开度增大到液阻很小时，液压泵压力就不会高了，系统承载能力将显著减小。所以，这种回路节流阀开度不能太大，只能在小流量范围内进行调节，调速范围小。

由于s液压泵压力P_B随负载变化而变化，其功率也随负载变化，因而回路效率较高；当负载变化时，节流阀进、出口压差$\triangle P_T$变化引起通过节流阀的流量改变，压力P_B的改变又会使液压泵内泄漏改变，也就是液压泵的输出流量也随之改变，所以当负载变化时回路运动速度稳定性很差，仅适用于动力较大、速度较高、速度稳定性要求不高、调速范围较小的场合。

由表6-1可见，从调速范围、运动平稳性及承受负值负载等方面来看，出口节流调速性能最好，进口节流次之，旁路节流最差。

表6-1　节流阀的三种调速方式综合比较

特　性	调　速　方　式		
	进口节流	出口节流	旁路节流
回路的主要参数	p_1、$\triangle p_T$、Q_1随F变，p_B、N_B为常数	p_2、$\triangle p_T$、Q_2（Q_1）随F变，$p_1=p_B$，N_B为常数	$p_B=p_1$，$\triangle p_T$、Q_1、N_B随F变
负载—速度 特性运动平稳性	较　软 较　差	较　软 好	最　软 最　差

负载能力	最大负载由溢流阀定,属于恒转矩调节		最大负载随节流阀开度增大而减小,低速承载能力差,不能承受负负载
	不能承受负负载	能承受负负载	
调速范围	较大,可达100		较　窄
功率情况	N_B与F、v无关,低速、轻载时功率损失小,效率低,发热大		N_B与F成正比,效率较高,发热小
发热量及泄漏的影响	油经节流阀发热后进入缸,影响泄漏和运动速度	油经节流阀回油箱,对泵、缸影响较小	泵、缸、节流阀的泄漏都对速度v有直接影响
其　　他	停车后启动无冲击,便于实现压力控制	停车后启动有冲击,压力控制不方便	停车后启动无冲击,便于实现压力控制

出口节流调速回路,实现压力控制及停车后起动冲击方面不如进口节流。在进口节流调速回路中,当碰上死挡铁停留时,液压缸停止运动,工作腔压力上升,直到与泵的供油压力(由溢流阀调定)相同,可用压力继电器发出正压信号(压力上升到一定值时发出电信号);在出口节流调速回路中,缸碰上死挡铁停留后,回油腔压力由高逐渐降低到零,可用压力继电器发出负压信号(压力由高降低到一定值时,压力继电器发出电信号)。

单杆活塞缸的进口节流调速回路,可比出口节流调速得到更低的运动速度,为此,采用进口节流调速时,往往在回油路上加上一个背压阀,从而提高运动平稳性并能承受一定的负值负载。

进口节流调速回路的最高压力是溢流阀的调定值;而出口节流的最高压力值当$F\approx 0$(空载)时是回油腔压力p_2;当$A_1=2A_2$时,$p_2\approx 2p_B$,为此应在液压缸、阀的设计与选择时加以充分注意。

4.采用调速阀的节流调速回路

采用节流阀的节流调速回路的运动速度v之所以随负载而变化,主要是负载变化引起了节流阀前后的压差变化,改变了通过节流阀流量的缘故。如果改用调速阀来代替节流阀,则回路的速度稳定性就能明显地提高。

采用调速阀的节流调速回路,同样分进口、出口和旁路节流三种节流调速回路。调速阀中的减压阀能够自动调节节流阀前后的压差基本上保持不变,这样,通过节流阀的流量也基本上保持不变,液压缸的工作速度也就基本上保持不变。除此之外,采用调速阀组成的节流调速回路的性能,与采用节流阀组成的相应的节流调速回路的性能完全一样。只是在调整时应注意保证调速阀前后的压差△p应大于4～5bar，这样才能保证回路的速度稳定性要求。

（二）容积调速回路

容积调速回路是依靠改变液压泵或液压马达的排量来改变液压执行元件（液压缸、定量马达、变量马达）的运动速度。容积调速回路的主要优点是没有节流调速回路那样的溢流损失和节流损失，所以回路效率高，发热少；主要缺点是变量泵和变量马达的结构比较复杂，成本较高，速度稳定性较差。它适用于功率大、工作速度高的液压系统。

容积调速回路有三种形式：

（1）变量泵和定量液压执行元件组成的调速回路；

（2）定量泵和变量马达组成的调速回路；

（3）变量泵和变量马达组成的调速回路。

1.变量泵和定量（液压）执行元件组成的调速回路

图6-28（a）是变量泵—定量马达式容积调速回路，（b）是变量泵—液压缸式容积调速回路。变量泵的流量是根据执行元件的工作速度调节的。工作时变量泵输出的流量全部输入液压执行元件的工作腔，推动其运动。为了防止系统过载，回路中设置了一个安全阀，用以限制系统最高压力。这种回路有以下特性：

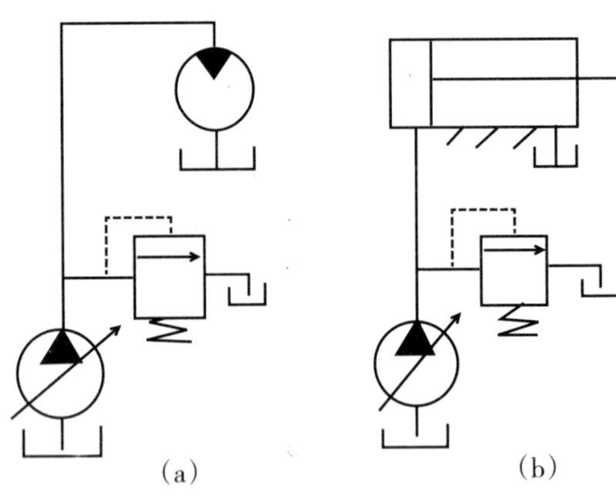

图6-28　容积调速回路

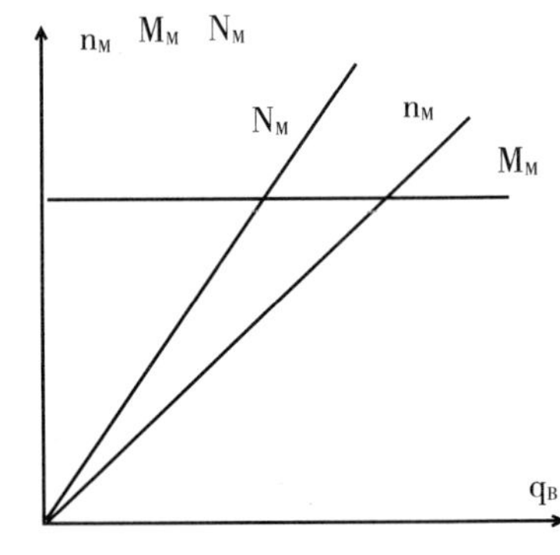

图6-29　N_m、M_m、n_M、q_B关系曲线

（1）液压缸或液压马达的最高速度取决于变量泵的最大输出流量；最低速度取决于变量泵的最小流量。一般变量泵能在很小流量下工作，这样就可以得到较低的工作速度，调速范围大。

（2）在各种工作速度下，液压缸（液压马达）所产生的最大推力F_M（最大转矩M_M）为：

$$F_M = p_B \cdot A \qquad M_M = p_B q_M / 2\pi \tag{6-13}$$

式中　p_B——液压泵的最高工作压力，由安全阀调定；

q_M——液压马达的排量；

A——液压缸的有效工作面积。

由于A和q_M是固定的，因此在各种速度下，当负载一定时，其最大推力F_M（或最大转矩M_M）是常数，称为恒转矩调速。

（3）如果略去系统内的损失不计，执行元件的输入功率等于液压泵的输出功率。在一定负载下油液的压力可视为常数，故执行元件的输出功率随变量泵输出的流量成线性变化。

图6-29示出了液压马达输出的转矩M_M、功率N_M和转速n_M与变量泵的排量q_B的关系曲线。

（4）液压泵和液压缸（马达）的容积效率是随系统的工作压力（负载）增大而减小的。容积效率减小意味着内泄漏增加，这样液压缸或液压马达的工作速度随负载的增大而减小，所以这种回路中速度稳定性差。

2.定量泵和变量马达组成的调速回路

图6-30所示为定量泵—变量马达式容积调速回路。定量泵的排量不变，变量马达的排量q_M是可变的。变量马达齿转速$n_M=Q_B/q_M$，n_M将随q_M的减小而增大。为防止系统过载，系统设置了一个安全阀。

这种调速回路有以下特性：

（1）变量马达的最低转速取决于其最大排量$(q_M)max$，最高转速取决于其最小排量$(q_M)min$。但$(q_M)min$不能调得太小，否则输出转矩M_M过小，以致不能带动负载，所以变量马达的调速范围较小。

（2）在改变变量马达排量q_M调速的同时，其最大输出转矩M_M也随之变化。由于$(p_B)min$由安全阀调定，减小q_M可提高n_M，其输出转矩M_M下降。而在各种转速时，液压泵的供油量Q_B没有改变，泵供给的最大功率$N_B=p_BQ_B$也不变，若不考虑回路效率，液压马达的输出功率在整个调速范围内是不变的，故称为恒功率调速。变量马达输出功率N_M、转矩M_M、转速n_M与变量泵的排量q_M的关系曲线见图6-31。

（3）回路效率较高，但由于液压泵和变量马达的内泄漏随压力（负载）的增大而增加，所以也有执行元件的工作速度随负载增大而下降的特性。

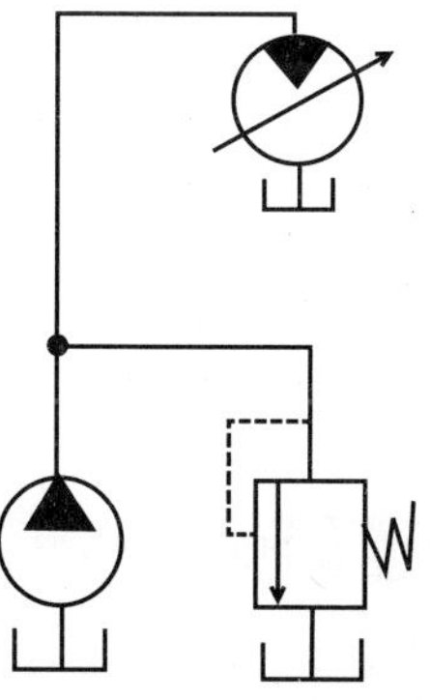

图6-30　定量泵—变量马达式容积调速回路

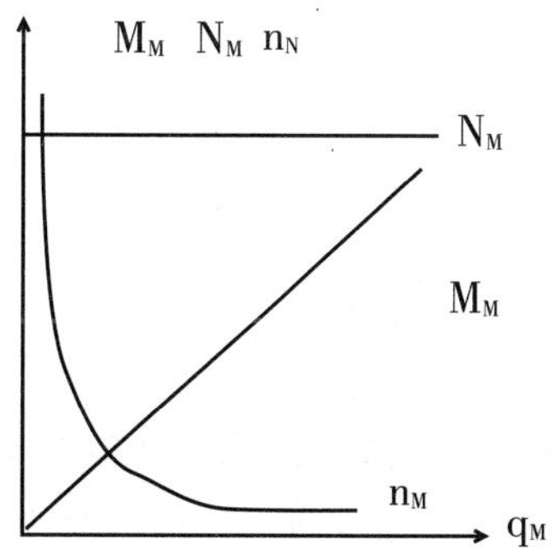

图6-31　N_M、M_M、n_M与q_M关系曲线

3.变量泵和变量马达组成的调速回路

图6–32所示为双向变量泵—双向变量马达式容积调速回路。在这种回路中各元件是对称布置的。变量泵2可以正反向供油，变量马达10可以正反向旋转，调节变量泵的排量q_B或变量马达的排量q_M都可以改变变量马达的n_M。当变量泵正向供油时，管路3是高压管路，管路11是低压管路，压力油进入变量马达使它正向旋转，安全阀7防止回路在马达正转时过载，正常时安全阀关闭。辅助泵1供给的低压油打开单向阀5向低压管路11供油，而另一单向阀4在高压油作用下封闭。在高低压管路的压差作用下，液动换向阀8的阀芯的上位接通回路，使溢流阀9和低压管路11接通，部分用过的热油通过溢流阀9排回油箱，与辅助泵1供给的冷油相交换。当高低压管路的压差很小时，液动换向阀8处于中间位置，切断了回路与溢流阀9的通路，这时辅助泵供给的多余油液就通过溢流阀12流回油箱。为了保证低压管路的热油能通过液动换向阀8和溢流阀9放出，辅助泵1供给的冷油能不断地进入低压管路，溢流阀12的压力应调得比溢流阀9的高一些。

当变量泵反向供油时，管路3是低压管路，管路11是高压管路，压力油进入变量马达使它反向旋转。这时辅助泵1供给的油液打开单向阀4向进入低压管路3，液动换向阀8的阀芯在高低压管路的压差作用下以其下位接入回路，使溢流阀9和低压管路3接通，一部分用过的热油通过溢流阀9排回油箱。安全阀6用来防止回路在马达反转时过载。

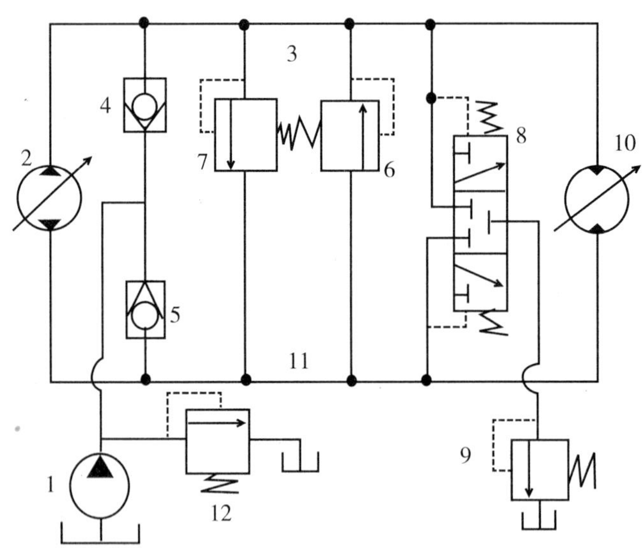

图6–32　双向变量泵—双向变量马达式容积调速回路

（三）容积—节流调速回路（联合调速回路）

容积—节流调速回路采用变量泵供油，节流阀或调速阀改变流入或流出液压缸的流量，以实现工作速度的调节，并使泵的供油量与液压缸所需的流量相适应。常用的容积—节流调速回路有：限压式变量叶片泵和调速阀联合调速，差压式变量柱塞泵与节流阀联合调速，差压式变量叶片泵与节流阀联合调速等多种。它们的特点是没有溢流功率损失，回路效率较高，速度稳定性比容积调速回路好。

1.限压式变量叶片泵和调速阀调速回路

图6-33所示为限压式变量叶片泵和调速阀式容积—节流调速回路。其工作情况如下：

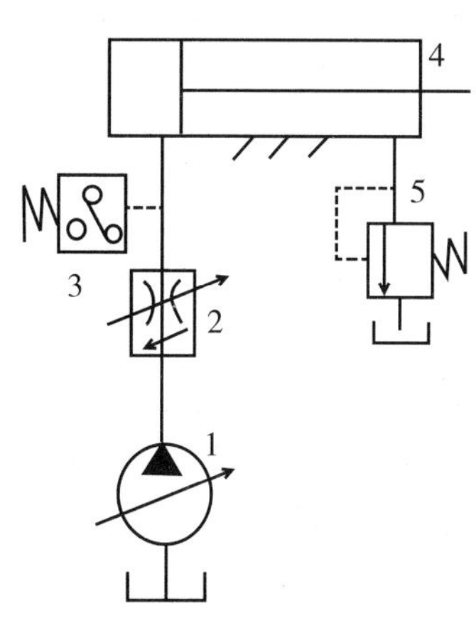

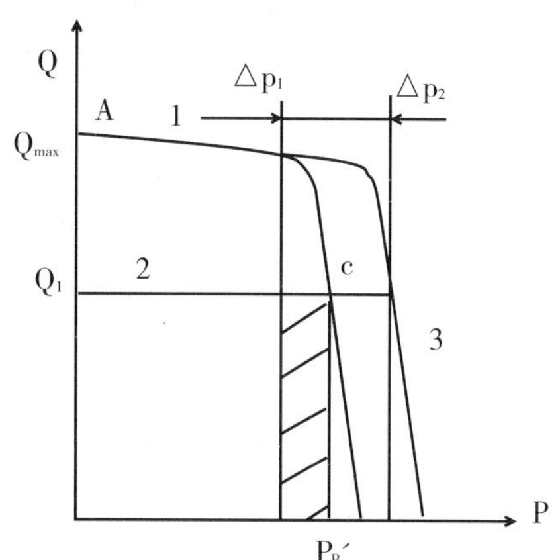

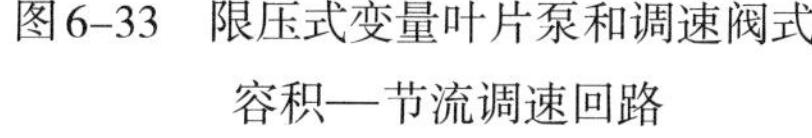
图6-33　限压式变量叶片泵和调速阀式容积—节流调速回路

图6-34　特性曲线

限压式变量叶片泵1输出的压力油经调速阀2进入液压缸4的工作腔，推动活塞移动，回油则经背压阀5流回油箱。活塞的运动速度则由调速阀来调节控制。调速阀2控制的流量Q_1（基本上恒定不变）进入液压缸，这时限压式变量叶片泵会自动调节它的供油量。例如：当调速阀中的节流阀开度为某一定值时，通过调速阀的流量为Q_1时，调速阀的压力—流量特性曲线2与限压式变量泵的压力—流量特性曲线1相交于C点（见图6－34的特性曲线），此交点表明这时泵流量和压力分别为Q_1、P_B'。如果泵的输出流量Q_B大于Q_1，多余的油迫使泵的供油压力P_B上升到P_B'，使泵的偏心距e减小，从而泵的输出流量减小，直到$Q_B=Q_1$止；反之，如果Q_B小于Q_1，则泵的供油压力一定低于P_B'了，这时通过调速阀的流量因小于Q_1使压力降低，限压式变量泵的偏心距e增大，泵的输出流量增加，直到$Q_B=Q_1$止。可见调速阀在这里的作用不仅保证了稳定的流量进入液压缸，而且还使泵的供油量与液压缸的需要量相适应。这种调速回路中的调速阀也可以装在回油路上。

在工作进给时，液压泵的供油压力是这样来确定的：

$$P_B = P_1 + \triangle P_1 \tag{6-14}$$

式中$\triangle P_1$为调速阀所需要的最低压力降，一般应为4～5bar。

当系统需要由压力继电器发出信号时，液压泵供油压力应调为：

$$P_B = P_1 + \triangle P_1 + \triangle P_2 \tag{6-15}$$

式中，$\triangle P_2$为压力继电器可靠地动作所需要的系统压力升高值，一般$\triangle P_2$为3～5bar。

液压泵的供油压力—流量曲线应调整得适当。压力调得低，会使系统工作不正常，压力调得过高，多余的压力会被调速阀中的减压阀消耗掉，变成热能，使系统油温升高。

2.差压式变量叶片泵调速回路

图6-35是差压式变量叶片泵的调速回路。差压式变量泵3输出的压力油通过节流阀4控制着进入液压缸的流量Q_1，并使泵自动调整其供油量。当泵的输出流量Q_B大于节流阀调

定的流量Q_1时，泵的供油压力P_B升高，泵上控制缸2的柱塞便压缩弹簧，推动定子向右移动，减小偏心距e，使其供油量减小，直到$Q_B=Q_1$为止；反之，如果Q_B小于Q_1时，则P_B降低，定子向左移动，加大泵的偏心距e，使其供油量加大，直到$Q_B = Q_1$为止。改变节流阀的通流截面面积A_T，可以调节液压缸的工作速度。固定节流阻尼孔7，用来防止变量泵定子移动过快而产生的振荡。6是背压阀，8是安全阀。

这种调速回路自动适应负载变化，保证速度稳定的机理是：当负载F增大时，工作压力P_1随着增大，泵的供油压力P_B随之增大，引起泵内泄漏量增加，泵的供油量减小，于是节流阀前后的压差也减小了，在控制缸的作用下，定子向左移动，加大偏心距e，直到通过节流阀4的流量恢复到接近其原来的调定值时为止。这时定子处于新的平衡位置，节流阀前后的压差$\triangle P_T = P_B - P_1$也恢复到其原来值；反之，也能自动适应。由此可见，这种调速回路中的流量Q_1基本上是不受负载变化影响的，也就是保证了工作部件移动速度的稳定性。由于这种回路能补偿因负载变化而产生的漏油变化，因此对于要求低速小流量的场合来说，效果更为显著。

在这种回路中，为使变量泵定子相对于转子的偏心距e获得可靠的控制，节流阀前后的压差$\triangle P_T$需保持3～4bar。

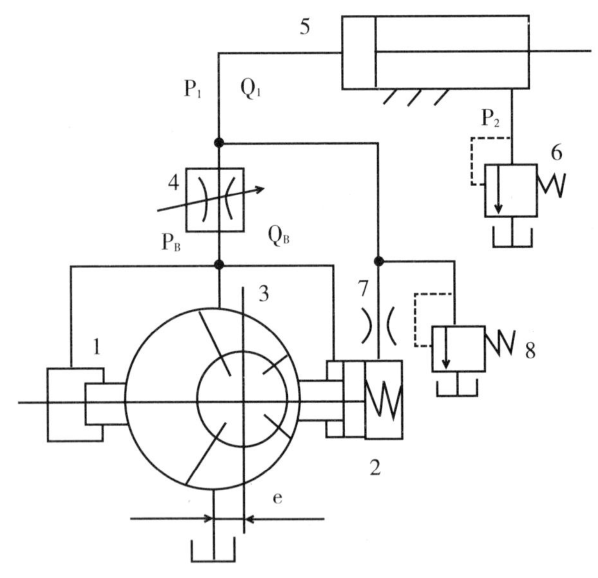

图6-35 差压式变量叶片泵的调速回路

（四）分级调速回路

当要求调速范围较大时，为了减小节流调速时的能量损失和容积调速时变量泵的容量，可以采用多泵供油的分级调速回路。

分级调速的方法是：采用几个流量不同的液压泵组合成供油系统，工作时根据所需流量的大小，液压泵通过组合进行供油，不供油的液压泵接通油箱卸荷；同时，油路上采用节流调速获得连续的无级调速。这样可以扩大调速范围，减少能量损失。

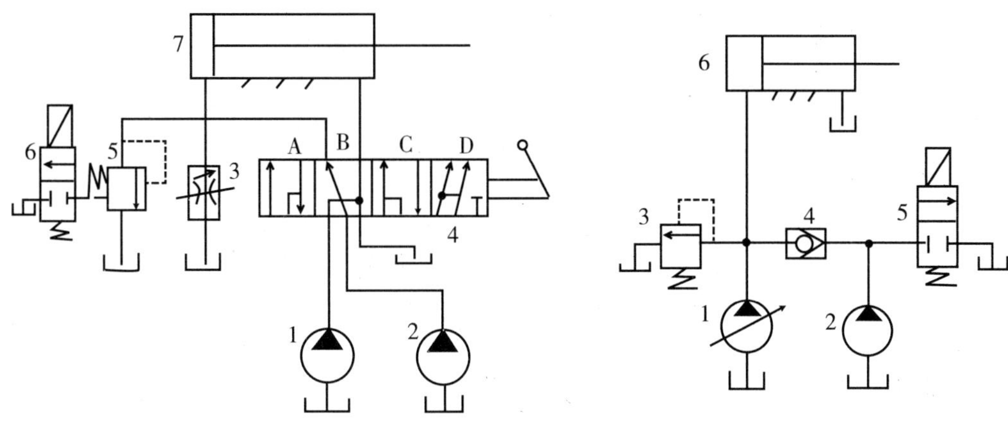

图6–36　双泵分级节流调速回路　　　图6–37　双泵分级容积调速回路

图6–36是双泵分级节流调速回路。液压泵1的流量Q_1小于泵2的流量Q_2。回路供油状态用换向阀4控制。当阀4处于位置A时，泵1供油，泵2卸荷；在位置B时，泵2供油，泵1在卸荷；在位置C时，泵1和泵2同时供油；在位置D时，泵1和泵2同时供油，并且缸7成差动连接。因此利用阀4可使液压缸7得到四种不同的速度。再利用装在旁路上的调速阀3，就可以在上述四种速度之间实现无级调速。为了防止系统过载，回路中装有安全阀5，利用二位二通换向阀6可使系统卸荷。

图6–37是采用二位二通换向阀5和单向阀4控制变量泵1和定量泵2的分级容积调速回路。系统在低速区段工作时，由变量泵1供油，此时二位二通换向阀5使泵2卸荷。系统在高速区段工作时，泵1和泵2同时供油。调节变量泵1的供油量，就可使液压缸6在高低速区段实现无级调速。安全阀3可以防止系统过载。

分级调速的缺点是液压泵的数量较多，控制阀也较复杂，它适用于调速范围较大的中等功率液压系统。调速方案的选择比较参见表6–2。

表6–2 节流阀的三种调速方式综合比较

调速方式	节流调速		容积调速			容积节流调速
	进口节流	出口节流	变量泵—定量马达	定量泵—变量马达	变量泵—定量泵	
适用工况	功率小、速度低的工况		功率较大，调速范围较大	功率不大，速度较高，调速范围较小	功率大、重载和中下工作，调速范围大的恒功率—恒转矩工况	中等功率，调速范围较大，有快、慢速，且低速要求平稳
	不能承受负值负载	能承受负值负载				

工作性能	1.速度—负载特性软，当要求硬时用调速阀 2.回油路加背压阀可承受少量负载 3.停车后启动平稳，换接精度高 4.油发热进入油缸影响运动速度 5.能获得更小的运动速度	1.速度—负载特性软，当要求硬时用调速阀 2.运动平稳性好 3.回油压力高，对阀、缸要求有较好的密封性 4.停车后启动平稳，易出现冲击现象	1.速度—负载特性软 2.恒转矩调速 3.用双向变量泵换向时换向平稳	1.泵在恒功率下工作，马达恒功率输出，输出转矩与排量成正比 2.排量越小输出转速越高，效率越低	具有变量泵—定量马达调速和定量泵—变量马达调速的优点，适用于闭式回路	1.速度换接平稳 2.速度—负载特性硬 3.适用于开式回路
功率消耗	有溢流损失和节流损失		无溢流损失和节流损失		功率大、效率高、发热小	有节流损失，效率较高

二、快速运动回路

为提高生产率，并使功率得到合理的利用，液压系统上的空行程一般需作快速运动。对于以液压缸为执行元件的液压系统来说，根据 $v = Q/A$ 的关系式可知，提高液压缸运动速度的办法有减小液压缸的有效工作面积和加大输入液压缸的流量Q，或者两者同时采用。

（一）差动连接快速运动回路

图6–38是差动连接快速运动回路。当二位三通电磁阀电磁铁通电时，即构成差动连接回路。快速运动时由于系统压力较低，故溢流阀处于关闭状态。差动连接回路，应计算其输出推力是否满足系统需要。

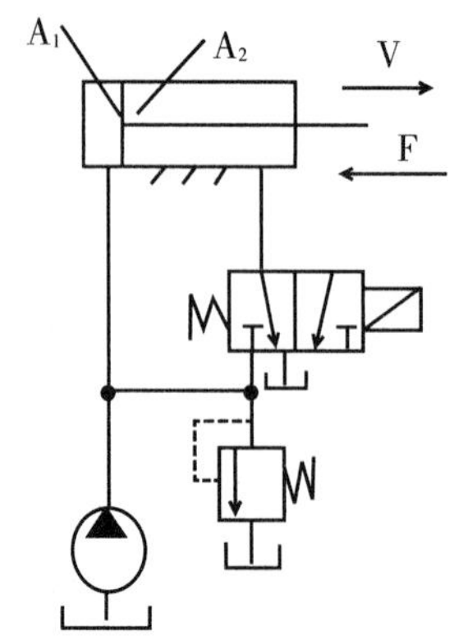

图6–38　差动连接快速运动回路

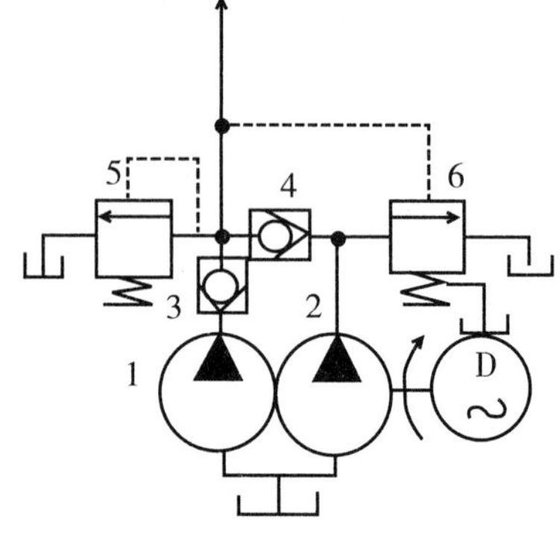

图6–39　双泵并联供油快速运动回路

（二）双泵并联供油快速运动回路

图6–39是双泵并联供油快速运动回路。泵1是高压小流量泵，泵2是低压大流量泵，液动顺序阀6压力调到比快速运动时的系统工作压力大3～5bar，溢流阀5的压力调到工作时

所需的工作压力。

当快速运动时，由于溢流阀5和液动顺序阀6的开启压力都大于系统的工作压力，故两个阀都关闭，泵1和泵2输出油量经单向阀汇合而输给系统，达到双泵供油的目的。

当工作进给时，系统的工作压力为溢流阀的调定压力，液动顺序阀6被打开，单向阀4将泵1、泵2输出的油液隔开，泵2经液动顺序阀6卸荷，泵1向系统供油。

（三）采用快速柱塞缸与变量泵的快速运动回路

在大型液压机器中，快速行程时，所需油量很大，此时除采用变量泵（或双联泵）供油外，还同时采用快速运动时减小液压缸有效面积的方法来实现快速运动。

图6–40所示为复合缸与变量泵组合的快速运动回路。快速运动时，系统压力低于顺序阀5的调定压力，变量泵以最大流量输入柱塞缸的A腔，B腔所需的油液经液控单向阀6从补充油箱吸取。当运动到有负载行程时，系统压力升高，打开顺序阀5，泵1的油液同时输入A、B腔，实现慢速运动，系统压力继续升高，变量泵输出流量减少，使运动速度减慢。快速退回时，压力油输入上油腔C，A腔的油液经换向阀4回油箱，B腔的油液由于液控单向阀6打开而回到补充油箱。

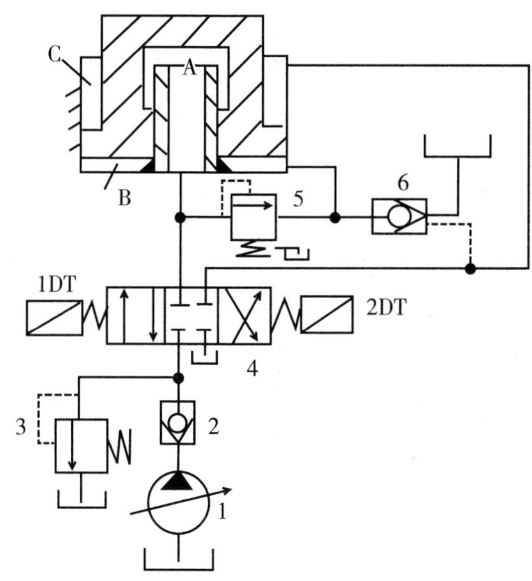

图6–40　采用快速柱塞缸与变量泵的快速运动回路

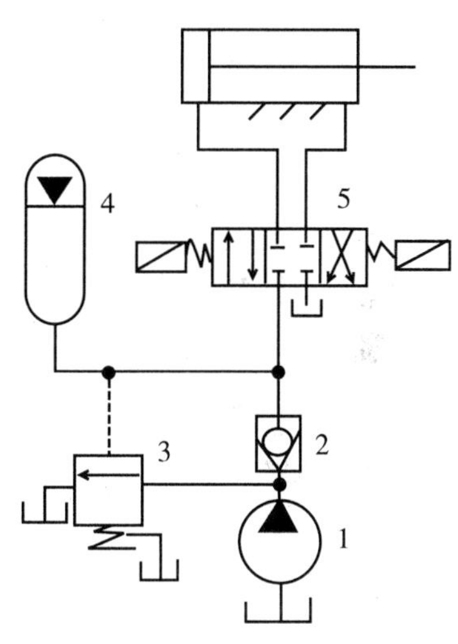

图6–41　采用蓄能器的快速运动回路

（四）采用蓄能器的快速运动回路

图6–41是采用蓄能器的快速运动回路。当换向阀5处于中位液压缸停止运动时，液压泵1通过单向阀2向蓄能器4充油，油液压力升到液动顺序阀3的调定压力时，阀3被打开，液压泵1卸荷。当液压缸工作时，由液压泵1和蓄能器4同时供油，使活塞获得较大的运动速度。这样可以采用小容量的液压泵，减少能量消耗。这种回路适用于短时需要大流量的场合，但在工作循环内必须有足够长的停歇时间，以便液压泵完成对蓄能器的充液工作。

三、速度换接回路

机器工作部件在实现一个自动工作循环过程中,往往需要有不同的运动速度,例如:机床刀具快速接近被加工零件(快进),然后慢速切削加工(工作进给);由一种工作进给速度转换成另一种工作进给速度,最后快速退回原位,实现一个完整的工作循环,这些动作如果用液压系统来完成,就需要速度换接回路。加工精度要求较高的机床,是不允许在速度换接过程中有前冲与振动的,必须要求换接时平稳。

(一)采用二位二通电磁阀与行程阀的速度换接回路

图6-42是用行程阀实现速度换接回路。当1DT通电时,液压泵输出的压力油经换向阀2进入液压缸无杆腔,有杆腔的油经行程阀3、换向阀2回到油箱,实现快进;当行程挡铁压下行程阀3滚轮EH时,液压缸回油腔的油经调速阀4、换向阀2回到油箱,实现出口节流调速工作进给。当2DT通电时,液压泵1输出的压力油经换向阀2、单向阀5进入缸的有杆腔,无杆腔经阀2回油,实现快退。动作循环见图6-43。

图6-44是用二位二通电磁阀实现的速度换接回路。动作循环见图6-45。

采用行程阀及二位二通电磁阀都可实现快进转工进的速度换接。采用行程阀式,动作可靠,换接平稳性好,换接精度高,但行程阀布置有时会受空间限制,管路复杂;用二位二通电磁阀式,布局不受空间限制,管路简单,但可靠性较差,换接平稳性差,换接精度低。

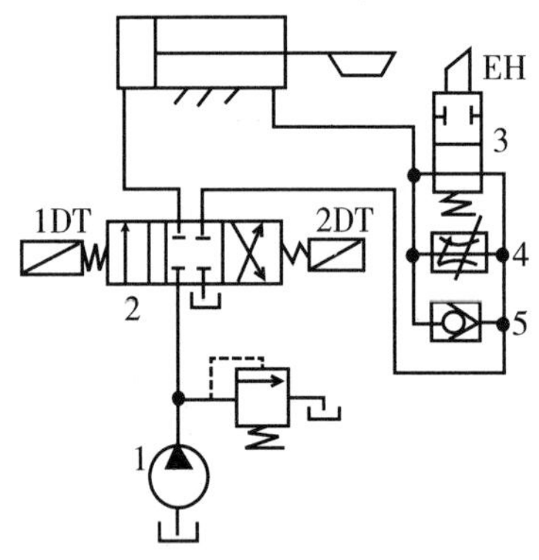

图6-42 采用行程阀实现的速度换接回路

	IDT	2DT	EH
快进	+	−	抬
工进	+	−	压
快退	−	+	抬
原位	−	−	抬

图6-43 动作循环图

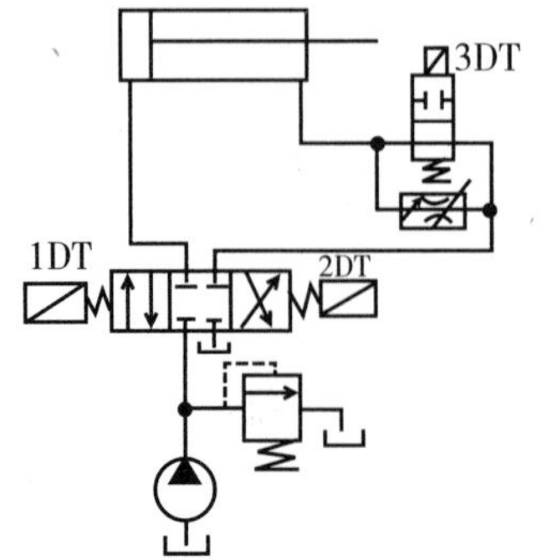

图6-44 用二位二通电磁阀实现的速度换接回路

	IDT	2DT	EH
快进	+	−	−
工进	+	−	+
快退	−	+	−
原位	−	−	−

图6-45 动作循环图

(二)采用液压缸自身结构的速度换接回路

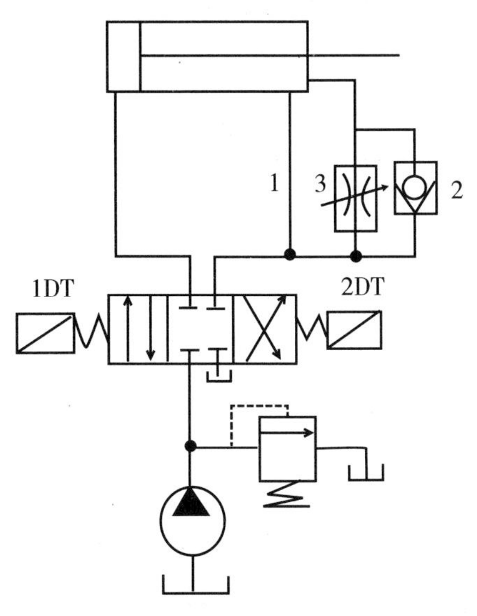

图6-46　特殊结构的液压缸实现速度换接的回路

图6-46是一种特殊结构的液压缸实现速度换接的回路。根据速度换接所需要的行程在液压缸壁开一个通油口,同调速阀3并联,实现快慢速的换接。

当1DT通电,液压泵输出的压力油经换向阀进入液压缸无杆腔,有杆腔的油液经油路1、换向阀回到油箱,实现快速运动;当活塞移到封住油路1处时,有杆腔的回油必须经过调速阀3和换向阀才能排回油箱,这样活塞的运动速度减慢下来,转为工作进给。当2DT通电时,泵输出的压力油经换向阀、单向阀2(活塞移动一段距离后经油路1)进入液压缸有杆腔,无杆腔的油经换向阀回到油箱,实现快退,到达原位时2DT断电,活塞在原位停止。

(三)两种进给速度的换接回路

图6-47为两个调速阀并联以实现两种进给速度的换接回路。在图示位置时,液压泵输出的压力油经调速阀1和换向阀进入液压缸;当换向阀电磁铁通电时,液压泵输出的压力油经调速阀2和换向阀进入液压缸,获得第二种进给速度。这种回路中两个调速阀的开度可以单独调整,互不影响。但是当一个调速阀工作时,另一个调速阀中没有油液通过,它的减压阀处于完全打开位置,换接时会使工作部件出现突然前冲的现象。

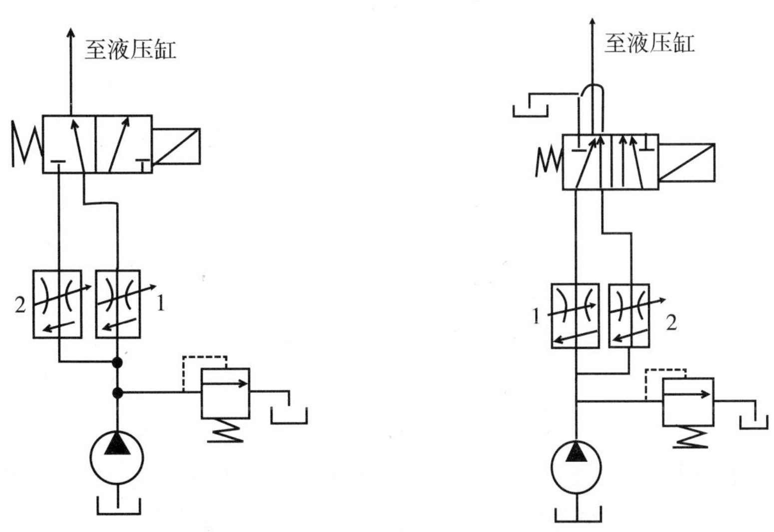

图6-47　两个调速阀并联的速度换接回路　　图6-48　两个调速阀并联的速度换接回路

图6-48为另一种调速阀并联的速度换接回路。两个调速阀一直处于工作状态,由一种

工作速度换接为另一种工作速度时，不会出现工作部件突然前冲现象，工作可靠。但是当一个调速阀起控制作用时，另一个调速阀高压回油会造成能量的损失，使系统发热，所以对于工作速度较大的工作部件来说，不宜采用这种回路。

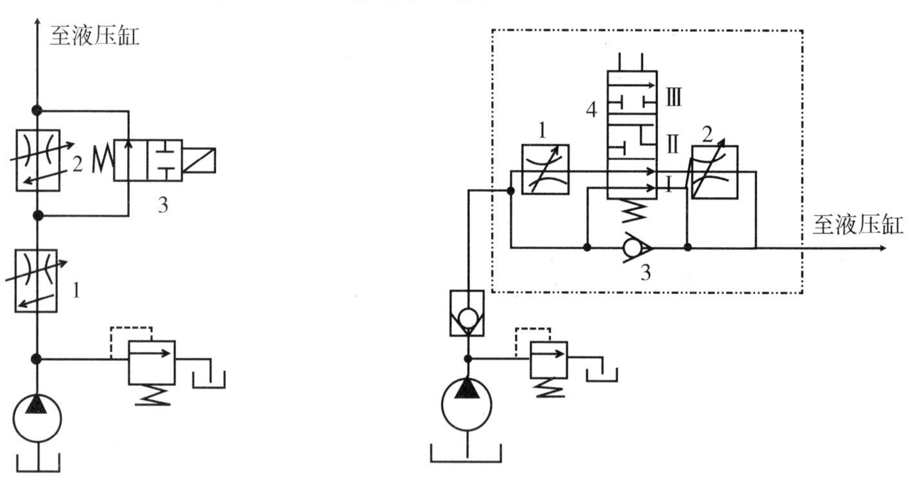

图6-49　两个调速阀串联的速度换接回路　　图6-50　采用单向行程调速阀的速度换接回路

图6-49为两个调速阀串联的速度换接回路。在图示位置中液压泵输出的压力油经调速阀1、换向阀3进入液压缸，这时的流量由调速阀1控制；当需要第二种进给速度时，换向阀3的电磁铁通电，泵输出的压力油先经调速阀1、再经调速阀2进入液压缸，这时的流量由调速阀2控制。这种回路中，调速阀2的节流阀的开度应比调速阀1的调得小，否则调速阀2将不起作用。该回路的能量损失介于前两者之间。由于调速阀1一直处于工作状态，它在速度换接开始瞬间限制着进入调速阀2的流量，因此，换接平稳性好。

(四)采用单向行程调速阀的速度换接回路

图6-50为采用单向行程调速阀的速度换接回路。该阀为一个组合阀，当行程阀处于位置Ⅰ时，调速阀1、2均不起作用，液压泵输出的压力油经单向阀、行程阀4进入液压缸，实现快速运动。当行程阀处于位置Ⅱ时，液压泵输出的压力油经单向阀、单向行程调速阀中的调速阀1、行程阀4进入液压缸，实现第一种进给速度；当行程阀处于位置Ⅲ时，压力油经单向行程调速阀中的调速阀1、行程阀4、调速阀2进入液压缸，实现第二种进给速度。

第四节　方向控制回路

方向控制回路是利用各种方向控制阀或双向变量泵，来控制液压系统中液流的通断或流向，从而控制执行元件按工况需要相应地作出启动、停止或换向等一系列动作。通常的方向控制回路有：换向回路、锁紧回路、定向回路和连续往复回路等。

一、换向回路

换向回路主要是利用各种换向阀实现工作部件换向。根据液压系统所采用的控制原理、控制方式及换向性能要求的不同，使用的换向阀类型也不同。对于简单的、换向不频繁的和不要求自动换向的液压系统，采用手动换向阀实现换向比较好；对于工作部件移动速度高、惯性大的液压系统，采用机动换向阀比较合理；对于换向精度要求高、换向平稳性有一定要求的系统，宜采用机—液或电—液换向阀实现换向。

二、锁紧回路

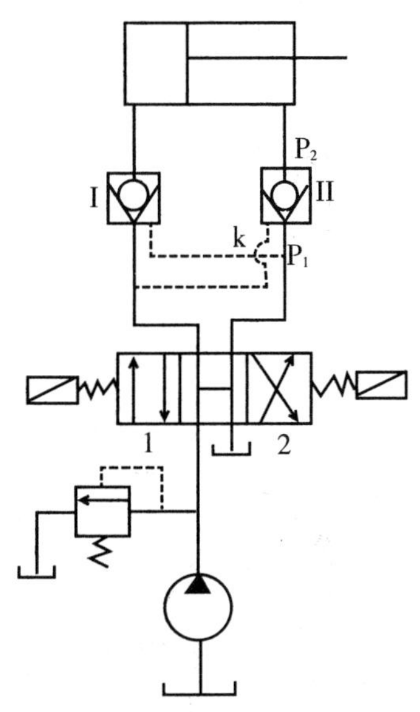

图6–51　利用液控单向阀实现双向锁紧回路

为了使液压缸能在任意位置上停止以及防止其在停止后因受外界影响（包括自重）而产生窜动，可采用锁紧回路。最简单的办法就是利用三位四通换向阀的“O”型或“M”型中位机能实现锁紧，但这种方法由于因换向阀的密封性能差，锁紧效果较差，只能用在锁紧要求较低的场合。在要求定位准确的设备中，大都采用液控单向阀锁紧。

图6–51为利用液控单向阀实现双向锁紧的回路。其工作原理是：当换向阀处于1位时，液压泵排出的压力油经液控单向阀Ⅰ进入液压缸左腔，同时压力油也进入液控单向阀Ⅱ的控制油口k，打开阀Ⅱ，使液压缸右腔的回油经阀Ⅱ及换向阀回油箱，活塞向右移动。当换向阀处于中位时，液压泵排出的压力油利用电磁换向阀的中位机能(H)实现卸荷。由于控制压力油的压力卸除，阀Ⅰ及阀Ⅱ关闭，将活塞锁紧。因为液控单向阀是锥面密封，泄漏很小，所以这种回路锁紧效果好，锁紧时间长。值得注意的是这种回路在活塞向前或向后运动时，回油路要有一定的压力（即背压），尤其当液压缸垂直安装时，在活塞下行时，回油路一定要设置起背压作用的元件（如单向节流阀、顺序阀等）。这是由于液控单向阀Ⅱ打开后，活塞会因自重而加速下降，使液压缸上腔失压，液控单向阀Ⅱ关闭，活塞停顿，待进油路压力重新升起，液控单向阀Ⅱ又打开，活塞又向前冲一下，上述过程将又开始重复，结果是活塞断续向下跃动，产生激烈振动。若回路中设置起背压作用的阀类元件（一般称作背压阀），上述情况就不会发生。

三、定向回路

图6–52为定向回路（桥式整流回路）。当需要液压泵1正反转而保证供油方向不变时，采用了由四个单向阀组成的定向回路。同样，当液压泵2的流向改变时，为了保证补油和安全阀3动作，设置了两组单向阀4和5组成的定向回路。

四、连续往复运动回路

如图6–53所示，阀C及阀D为行程换向阀，阀B是一个液动换向阀。在图示位置时，活塞向左运动，当撞块压下阀C的触头后，压力油使液动换向阀B左位接入系统，活塞开始向右运动。当撞块压下阀D触头后，活塞又向左运动。如此左右换向以实现连续往复运动。

本回路的特点是:行程换向阀可采用标准元件;活塞行程的长度可用两个撞块调节。如果只采用一个撞块,则必须调节行程换向阀C和D的位置,而且与阀相连的油路要采用软管。

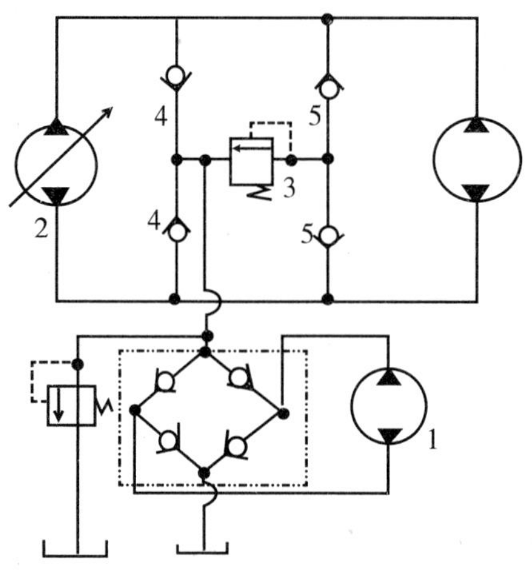

图6-52　定向回路

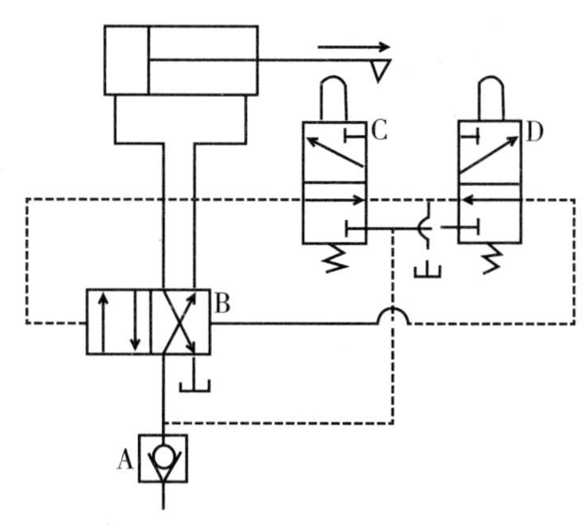

图6-53　连续往复回路

第二部分　专业核心知识点

专业核心知识点包括以下内容

1.液压系统基本回路的分类方式及种类。
2.压力控制回路的功用和工作原理。
3.速度控制回路的功用和工作原理。
4.方向控制回路的功用和工作原理。

复习题

1.什么是液压基本回路?
2.什么是压力控制回路?常见的压力控制回路有哪几种?
3.什么是速度控制回路?常见的速度控制回路有哪几种?
4.什么是方向控制回路?常见的方向控制回路有哪几种?
5.什么是卸荷回路?常见的卸荷回路有哪些?
6.什么是平衡回路?常见的平衡回路有哪些?
7.什么是容积调速回路?常见的容积调速回路有哪些?

讨论题

1.液压系统的基本回路有哪几种分类?分别可分为哪些种类?
2.调速回路在液压传动系统中的主要功能是什么?它应该满足哪些条件?
3.节流调速回路按其流量控制阀安放的位置可分为哪几种?其优缺点各是什么?

第七章　采煤机械

第一部分　系统理论知识

第一节　采煤机械的发展概况

采煤机械是机械化采煤的主要设备,其功能主要是把煤由煤层中采落下来(称为落煤)和把煤装入输送机(称为装煤)。目前,煤矿井下应用最广泛的采煤机械是滚筒式采煤机和刨煤机。采煤机械分为滚筒式采煤机、连续式采煤机和刨煤机三大类。

一、滚筒式采煤机

20世纪40年代初,英国和苏联相继研制出了链式滚筒采煤机,这种采煤机通过安装在截链上的截齿截落煤体,工作效率相对较低。

20世纪50年代初,英国和德国相继研制出了滚筒式采煤机,采用圆筒型的截煤滚筒,其上安装有截齿,由截煤滚筒实现落煤和装煤。滚筒式采煤机与可弯曲输送机配套,开辟了机械化采煤的广阔前景。这种采煤机的主要缺点是:截煤滚筒的高度不能在使用中调整,对煤层厚度及其变化适应性差,截煤滚筒的装煤效果不佳,限制了采煤机生产率的提高。

进入20世纪60年代,英国、德国、法国和苏联先后对采煤机的截割滚筒做出革命性改进。其一是截煤滚筒可以在使用中调整其高度,完全解决对煤层赋存条件的适应性问题;其二是把圆筒形截割滚筒改进成螺旋叶片式截煤滚筒,即螺旋滚筒,极大地提高了装煤效率。这两项关键的改进是滚筒式采煤机成为现代化采煤机械的基础。

可调高螺旋滚筒采煤机与液压支架和可弯曲刮板输送机配套,构成综合机械化采煤设备,使煤炭生产进入高产、高效、安全和可靠的现代化发展阶段。从此,综合机械化采煤设备成为各国地下开采煤矿的发展方向。

自20世纪70年代以来,综合机械化采煤设备朝着大功率、遥控、遥测方向发展,其性能日臻完善,生产率和可靠性进一步提高。工矿自动检测、故障诊断以及计算机数据处理和数显等先进的监控技术在采煤机上得到应用。

20世纪80年代以来,世界各主要采煤国家,为适应高产高效综采工作面发展和实现矿井集中化生产的需要,积极采用新技术,不断加速更新和改进滚筒采煤机的技术性能和结构,相继研制出一批高性能、高可靠性的“重型”采煤机。其中最具代表的是美国乔埃公司的LS系列、英国安德森公司的Electra系列、德国艾柯夫公司的SL系列和日本三井三池公司的MCLE－DR系列电牵引采煤机。这些产品有如下几个特点:

(1)装机功率和截割电机功率有较大幅度增加

为了适应高产高效综采工作面快速截煤的需要，不论是厚、中厚或薄煤层采煤机，均在不断加大装机功率(包括截割功率和牵引功率)。装机功率最大的已达1380kW，单个截割电动机的功率最高的已达600kW。

(2)电牵引采煤机已取代液压牵引采煤机而成为主导机型

德国艾柯夫公司最早开发电牵引采煤机，20世纪80年代中后期已基本停止生产液压牵引采煤机，研制出EDW系列电牵引采煤机，其中EDW450/1000和EDW300-LN是代表性的机型，90年代又研制成功交直流两用的SL300、SL400、SL500型采煤机。美国乔埃公司20世纪70年代中期开始开发多电机驱动的直流电牵引采煤机，80年代以来先后推出3LS、4LS、6LS三种机型，其中电控系统已改进多次，性能更趋完善。英国安德森公司在20世纪80年代中期研制了第一台直流电牵引采煤机Electra550，在美国使用成功后，又先后开发了Electra1000和Electra薄煤层电牵引采煤机。日本三井三池公司20世纪80年代中期着手开发高起点交流电牵引采煤机，在国际上是首创，最具代表性的是MCLE-DR101101、MCLE-DR102102采煤机。法国萨吉姆公司在20世纪90年代也已研制成功Pande-E型交流电牵引采煤机。世界各主要采煤机厂商20世纪80年代都已把重点转向开发电牵引采煤机，目前，美国长壁工作面中电牵引采煤机已超过90%，德国占56%，澳大利亚占52%，而且近几年来，几乎所有综采工作面的高产高效记录都是由电牵引采煤机创造的。交流电牵引近几年发展很快，由于技术先进，可靠性高，维护管理简单，有取代直流电牵引的趋势。

(3)牵引速度和牵引力不断增加

液压牵引采煤机的最大牵引速度为8m/min左右，而实际可用割煤速度为4~5m/min(相对最大牵引力时的牵引速度)，实际牵引功率仅为40~50kW，不适应快速割煤的需要。为适应高产高效工作面，电牵引采煤机牵引功率需要成倍增加。据报道，在美国18m/min的牵引速度已很普遍，个别的已超过24m/min，美国乔埃公司的一台经改进的4LS采煤机的牵引速度高达28.5m/min。由于采煤机需要快速牵引割煤，滚筒截深的加大和转速的降低，又导致进给量和推进力的加大，故要求采煤机增大牵引力，目前已加大到牵引力为1000kN的采煤机。

(4)采用多电动机驱动横向布置的总体结构

20世纪70年代中期以前，采煤机主要采用截割电动机纵向布置方式。70年代中期以后，美国的LS系列采煤机，原西德的EDW-150-2L-2W采煤机采用了多电动机驱动横向布置。由于这种布置方式是各部件由单独电动机驱动，机械传动系统彼此独立，取消了锥齿轮传动副和复杂通轴，机械结构简单，装拆方便，因此逐渐被广泛采用，现在的采煤机主要采用驱动电机横向布置结构。

(5)滚筒的截割深度不断增大

牵引速度的加快，提高了支架随机支护的速度，使得机道宽度内的空顶时间缩短，为加大支架步距创造了条件，也为加大滚筒截深提供了可能性。而今多数采煤机的截割深度已采用800mm和1000mm，1200mm和1500mm的截深。

(6)普遍采用中高压供电

20世纪80年代以来，由于装机功率大幅度提高，整个工作面供电容量超过5000kW，为了保证供电质量和电机性能，新研制的大功率电牵引采煤机几乎都提高供电电压，主要有2300V、3300V、4160V和5000V。

（7）完善的监控系统

包括采用微处理机控制的工况监测、数据采集、故障显示的自动控制系统，并能自动控制液压支架的移架、工作面输送机的动作和滚筒沿工作面煤层自动调节采高等。

（8）高可靠性

美国LS系列采煤机、英国Electra1000型采煤机的利用率可达95%～98%，维修期都在采煤350万t以上，最高的达1000万t。

我国的滚筒式采煤机是在引进、消化国外采煤机的基础上，开发了适合我国煤矿开采的各种机型。

二、连续式采煤机

第一阶段，20世纪40年代，截链式连续采煤机。这一阶段的连续式采煤机采用截链式落煤机构和螺旋式清煤装置，机器灵活性好，可适用于不同的开采条件，但结构复杂，装煤效果差，截割头宽度窄，生产能力较低。其代表机型为利诺斯公司的CM28H型和久益公司的3JCM型和6CM型。

第二阶段，20世纪50年代，摆动式截割头连续采煤机。这一时期的采煤机的落煤机构为带有2～3个截齿环的摆动式截割头。其生产能力高，装煤效果好，但其摆动头振动大，维护费用高。其代表机型为久益公司的8CM型。

第三阶段，20世纪60年代至今，滚筒式连续采煤机。20世纪60年代末，随着截割滚筒的出现，连续式采煤机采用了滚筒式截割机构，其生产能力、截割效率大大提高，装煤机构采用耙爪式或拨盘式，简单可靠，装煤效果好。其代表机型有美国久益公司的10CM和11CM系列连续采煤机。20世纪70年代末，久益公司又推出了12CM系列连续采煤机。

12CM系列连续采煤机有多种机型，可分别适用于中等硬度、坚硬和特坚硬的中厚及厚煤层开采。12CM系列连续式采煤机的齿轮强度不断增加，截割电动机功率较大，并采用新技术来提高机器的效率，从而实现连续采煤机的现代化目标。其齿轮箱的齿轮采用全圆角设计，增大压力角和齿轮中心距，超深齿廓线，使轮齿的抗弯强度达到最大，采用高质量钢材，采用感应淬火和碳化处理工艺，对整个齿轮箱内齿轮实现强度平衡，优化总体设计。

12CM系列连续采煤机截割电动机的功率范围从2×55kW到2×270kW，保证了截割效率和可靠性，最大生产能力达34t/min。

12CM系列连续采煤机行走履带普遍采用可控硅整流直流电动机牵引，并在截割与行走电动机之间建立反馈控制，系统传动简单、工作可靠，还能实现最佳截割。此外，机载除尘器和无线电遥控系统可以保证司机在破碎顶板和单巷长距离条件下掘进的安全。该系列采煤机还采用了机载微处理系统，可提供机器操作和工况全方位的监控。

我国引进连续采煤机始于1978年，迄今为止，大体上经历了单机引进和配套引进两个阶段。第一阶段:20世纪80年代,以单机引进为主。在1978年,作为掘进机械化机型之一引进了连续采煤机。目的是从众多国外先进掘进机械的使用比较中探索适合我国的机型,通过引进、消化,博采众长,研制开发国产掘进设备。第二阶段:20世纪90年代,以配套引进为主。这一时期,由于国内外高产高效矿井的迅速发展,煤层平巷的机械化掘进滞后问题引起了国内外普遍重视。国内一些煤矿企业针对适合使用连续采煤机的矿井及煤层,为了解决好采掘接替,使高产高效长壁回采工作面充分发挥设备的生产能力,实现快速回采和设备配套引进了连续采煤机设备。

三、刨煤机

20世纪40年代初,德国研制出了用刨削方式落煤的刨煤机。它沿工作面全长布置,截深较浅(30~120mm),牵引速度较大(一般为20 m/min~40m/min,快速刨煤机现在可达150m/min)。刨煤机可与工作面输送机组合为成套结构,实现落煤、装煤和运煤过程。

刨煤机的煤刨由一条无级牵引链拖动,依靠工作面刮板输送机导向,在悬臂梁支护的工作空间内,沿整个工作面往复穿梭运行,完成刨煤和装煤任务。刨煤机是一种仅次于采煤机而使用较多的一种采煤机械,具有以下优点:

(1)刨煤机沿煤壁表面刨煤,截深小,充分利用地压落煤,块煤率高,是各种落煤法中能耗最低的一种。

(2)结构简单,维修容易,操作方便。

(3)煤刨结构尺寸较小,适应于薄煤层的开采。

(4)在煤刨不带动力的情况下,不需要随煤刨拖移电缆和风管,简化了设备和管理工作。

(5)装煤效果较好,不怕片帮煤。

(6)煤尘少,瓦斯泄露均匀。

但是刨煤机存在对地质条件的适应性差,刨煤高度不能随意调整,开采硬煤层比较困难,过断层不易处理,高煤刨稳定性差,平衡控制困难,效率低等缺点。

我国自1958年开始,先后研制出了多种型号的刨煤机,并在使用中取得了较好的效果。

第二节　滚筒式采煤机的种类及组成

由于滚筒式采煤机的采高范围大,对各种煤层适应性强,可以截割硬煤,并能适应较复杂的顶底板情况,因而得到了广泛的应用。

一、滚筒式采煤机的分类

滚筒式采煤机按照不同的分类方法,可分为不同的种类:按照截煤机构的形式分为单滚筒式和双滚筒式;按照牵引部的位置可分为内牵引和外牵引;按照牵引部的传动方式可分为机械牵引、液压牵引和电牵引。

二、双滚筒式采煤机的组成

目前广泛使用的是双滚筒采煤机，其组成主要由电动机、牵引部、截割部和附属装置等四大部分组成，图7-1为双滚筒采煤机的组成。

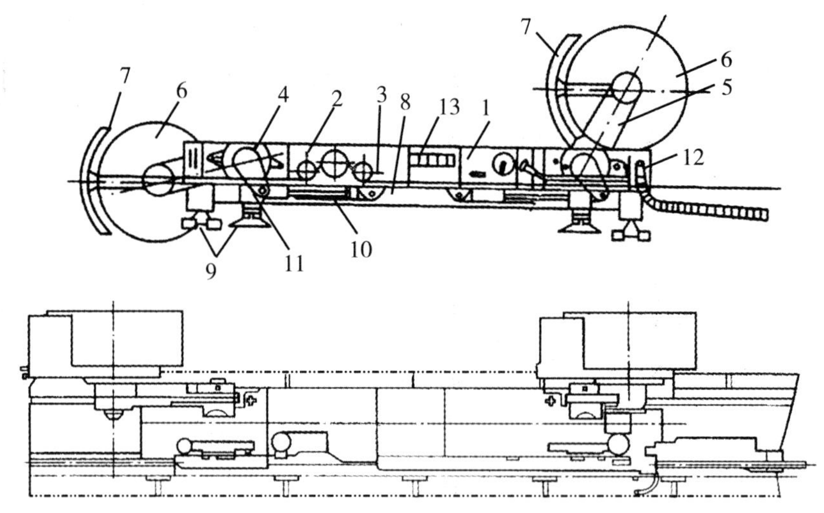

图7-1 双滚筒采煤机的组成

1——电动机；2——牵引部；3——牵引链；4——截割部减速器；5——摇臂；6——螺旋滚筒；7——挡煤板；8——底托架；9——滑靴；10——调高油缸；11——调斜油缸；12——拖缆装置；13——电气控制箱

电动机1是滚筒式采煤机的动力源，包括电动机和电气控制装置。它通过两端输出轴经传动机构分别将动力传递给两个截割部减速箱4和牵引部2，为采煤机落煤、装煤以及沿工作面运行提供动力。采煤机的电动机均采用隔爆型设计，并且通常采用定子水冷方式进行冷却降温。电气控制箱13内部装有各种电控元件，用于采煤机的各种电气控制和保护。

牵引部2是采煤机沿工作面运行的行走机构，它由牵引机构和牵引机构的传动装置组成。牵引部通过减速装置驱动采煤机主动链轮与固定在工作面刮板输送机上的牵引链3相啮合，使采煤机沿工作面移动。现代采煤机的牵引速度一般为0～10m/min，新型采煤机的牵引速度可达20m/min，其中高速牵引用于空载调动，截煤时的牵引速度一般在6m/min左右。

截割部由减速器和工作机构组成。滚筒采煤机的左、右截割部减速器4将电动机的动力经齿轮减速后传给摇臂5的齿轮，驱动螺旋滚筒6旋转。摇臂除起传动作用外，还可在调高油缸10驱动下摆动一定的角度以调节螺旋滚筒的高度，使之适应采高的要求。截割部工作机构由滚筒、轮毂、螺旋叶片和截齿组成。滚筒是采煤机落煤和装煤的工作机构，滚筒上焊有端盘及螺旋叶片，其上装有截齿。螺旋叶片将截齿割下的煤装到刮板输送机中。双滚筒采煤机有两个滚筒，一个沿顶板采煤，另一个沿底板采煤。为提高螺旋滚筒的装煤效果，滚筒一侧装有弧形挡煤板7，它可以根据不同的采煤方向来回翻转180°。

采煤机的辅助装置包括：底托架、冷却喷雾装置、拖缆装置和信号照明等。底托架8是固定和承托整台采煤机的底架，通过其下部四个滑靴9将采煤机骑在刮板输送机的槽帮上，其中采空区侧两个滑靴套在输送机的导向管上，以保证采煤机的可靠导向。底托架8内的调高油缸10可使摇臂连同滚筒一起升降，以调节采煤机的采高。调斜油缸11用于调整采煤机的纵向倾斜度，以适应煤层沿走向起伏不平时的截割要求。为降低电动机和牵引部的温度并提供内外喷雾降尘用水，采煤机设有专门的供水系统，用来扑灭截割破煤时产生的煤尘，改善工作环境和消灭不安全隐患。采煤机的电缆和水管夹持在拖缆装置12内，并由采煤机拉动在工作面输送机的电缆槽中卷起或展开。

双滚筒采煤机的两个滚筒，通常分别布置在机身两侧，机器结构对称，工作稳定性好，装煤效果好，可自开工作面两端的缺口，进行双向采煤，能一次采全高，适应范围大，生产率高，多用于中厚和厚煤层中。

第三节　机械化采煤工作面类型

按机械化程度的不同，机械化采煤工作面可分为普通机械化采煤工作面和综合机械化采煤工作面，且分别简称为普采工作面和综采工作面。

一、普采工作面

普采工作面设备布置如图7–2所示，通常由单滚筒采煤机1可弯曲刮板输送机2液压支柱或金属支柱3和铰接顶梁4配套，滚筒采煤机1骑在工作面刮板输送机2上，在长壁采煤工作面进行落煤、装煤、运煤和支护等几个主要采煤工序。

普采工作面因支护设备不同，又分为普通机械化采煤工作面和高档普通机械化采煤工作面。除采煤机和刮板输送机外，普通机械化采煤工作面用金属支柱和铰接顶梁支护，而以单体液压支柱代替金属支柱，则称为高档普采工作面。

单滚筒采煤机只有一个滚筒，为不对称布置，且机身、端头摇臂、牵引链张紧装置有相当的长度，采煤机不可能采到工作面端头，即单滚筒采煤机不具备自开缺口的能力，因此，在工作面两端需要预先用人工开出一定长度的上下缺口。上缺口长度一般为10m左右，下缺口长度为7m～8m，沿走向的缺口宽度一般在1.2m左右。

普采工作面的采煤工艺过程如下：

(1)采煤机的滚筒进入开凿的下缺口，然后沿工作面由下向上采煤。

(2)紧随采煤机之后，清理未被截落而留下的顶煤，挂铰接顶梁。

(3)在采煤机后面清理出新的机道，并在距采煤机10～15m后开始向前推移刮板输送机。

(4)当刮板输送机移到新机道上以后，在悬挂的顶梁下面支撑金属支柱或单体液压支柱。

当滚筒直径接近采高时，采煤机沿工作面全长截割一次(称为一刀)，工作面推进一个截深，就实现了一个完整的采煤循环，称为一刀一进方式。如果采高较大且顶煤不易垮落时，由于煤层厚度大于滚筒直径，不能一次采全高，此时，采煤机沿工作面上下往返牵引一次，分别沿底板和顶板采煤，才能实现一个完整的采煤循环，称为往返一刀一进方式。

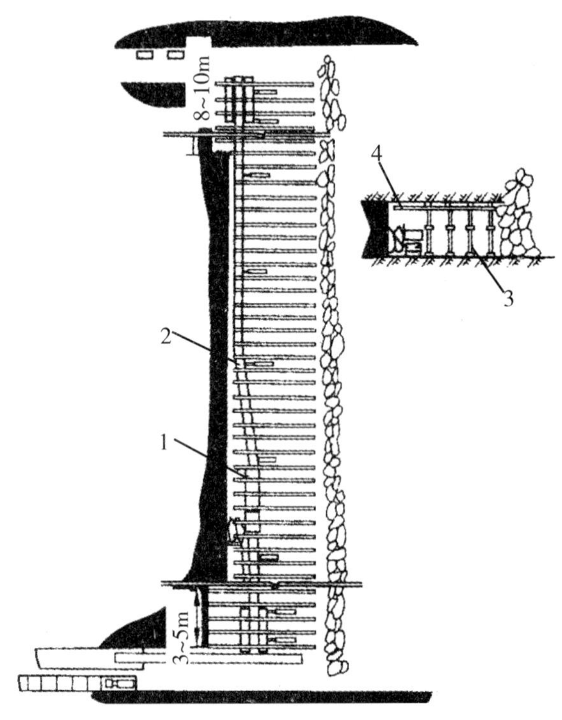

图7-2　机械化普采工作面配套

1——单滚筒采煤机；2——刮板输送机；3——单体液压支柱或金属支柱；4——铰接顶梁

二、综采工作面

综采工作面的配套设备如图7-3所示。综采工作面采用双滚筒采煤机1落煤与装煤，具有自开缺口功能，采煤机所骑刮板输送机2是可弯曲的刮板输送机，它将煤运出工作面，进入顺槽破碎与转载机7，由转载机将煤装上顺槽可伸缩带式输送机9运到采区煤仓15，工作面用液压支架3支护，随着采煤机采过后，液压支架通过推移千斤顶推动刮板输送机前移，并一架一架向前自移，以支护新裸露的顶板，液压支架所需的动力为高压乳化液，由安置在顺槽内的乳化液泵站12供给。综采工作面的截煤、运煤与推移、液压支架的支护与移架，实现了全程机械化。综采工作面的设备与工序之间密切联系，可连续作业，因而产量大、效率高、安全性好。综采工作面的采煤工艺过程如下：

(1)采煤机自工作面一端开始向另一端采煤。

(2)随着采煤机向前牵引，紧接着移动液压支架，并及时支护顶板。

(3)在采煤机后面一定距离处,推移工作面刮板输送机。

当采煤机移动到工作面另一端,各个工序都相应完成之后,就实现了一个完整的采煤循环。

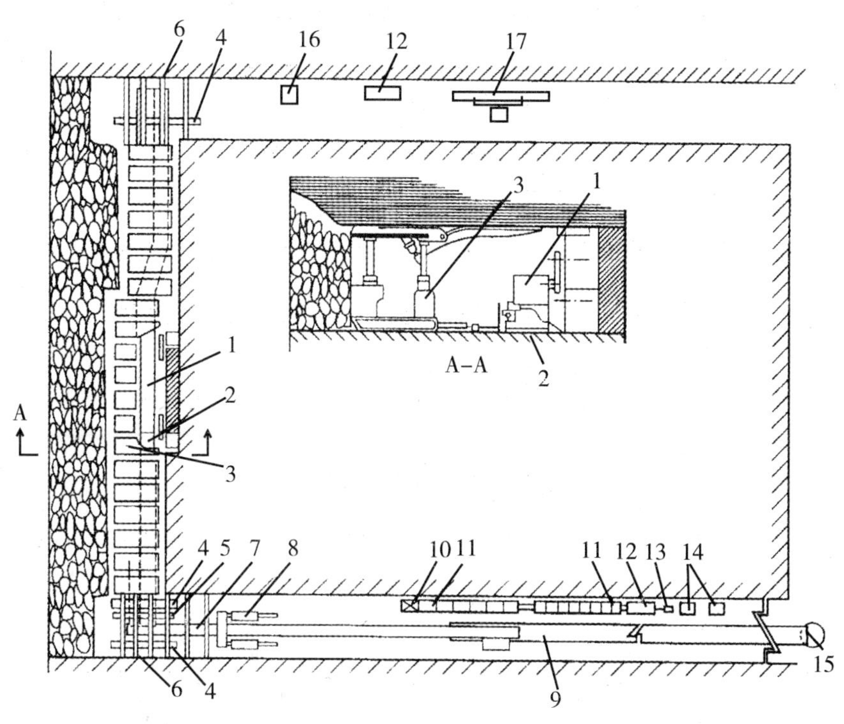

图7–3　机械化综采工作面配套

1——双滚筒采煤机;2——刮板输送机;3——液压支架;4——端头支架;5——锚固支架;6——巷道棚梁;7——破碎与转载机;8——转载机推移装置;9——带式输送机;10——控制箱;11——配电站;12——乳化液泵站;13——移动装置;14——移动变电站;15——煤仓;16——绞车;17——单轨吊车

综采工作面主要机械设备的作用关系如表7–1所示。

双滚筒采煤机的工作方式如图7–4所示。不论上行采煤还是下行采煤,总是前滚筒在上沿顶板截割,后滚筒在下沿底板截割,完成一次性采全高。

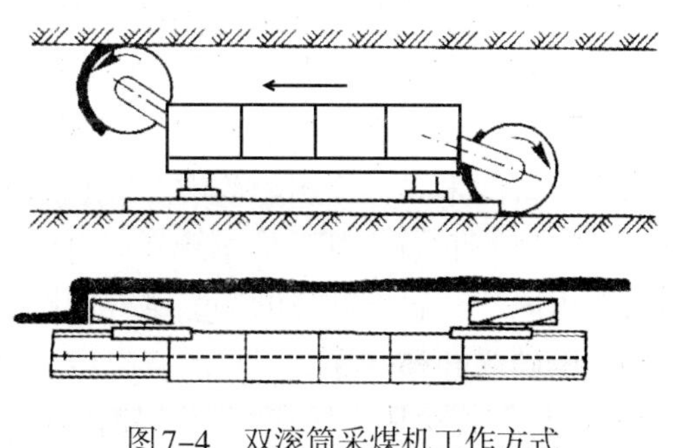

图7–4　双滚筒采煤机工作方式

表7-1　综采工作面主要机械设备的作用关系

设备	作用关系
双滚筒采煤机	以刮板输送机槽帮为轨道，沿工作面往复运行，完成落煤和装煤任务
液压支架	沿工作面全长布置，随着采煤作业推进推移刮板输送机并自行前移，支护和控制顶板，为采煤机提供安全的作业空间
刮板输送机	沿工作面铺设，与液压支架推移油缸相连接，为采煤机提供基础和运行轨道，将采煤机截下的煤运出工作面
破碎与转载机	铺设在顺槽中，将刮板输送机转运出的煤进行破碎，并转载到可伸缩带式输送机上
带式输送机	沿顺槽全长铺设，可随工作面推进而改变长度，进行相应的伸缩，将破碎与转载机转运的煤运出采区
端头支架	布置在液压支架两端，支护工作面与顺槽的连接空间处的顶板，推移工作面输送机机头、机尾和破碎与转载机
乳化液泵站	安置在顺槽的设备运输车上，为液压支架提供液压动力
移动装置	安置在工作面顺槽的轨道上，用于推动控制箱、泵站、移动变压器等随着采煤作业而推进
移动变电站	安置在顺槽的设备运输车上，为工作面设备提供电力
绞车	当工作面倾角大于15°以上时配备，防止链牵引采煤机断链时下滑
单轨吊车	安装在顺槽顶板上，作为综采工作面辅助运输设备、材料用

第四节　滚筒式采煤机的截割部

滚筒式采煤机的截割部由减速器和工作机构组成，是采煤机落煤和装煤的工作部分。截割部工作机构主要是指螺旋滚筒、螺旋叶片和截齿。

一、截齿

截齿是采煤机截割煤体的刀具，要求其强度高、耐磨性好、几何形状及参数合理、截割比能耗低、固定牢靠、拆装方便。根据煤层软硬及夹矸情况，截齿的受力将会有所不同，因而所采用的截齿的材料、加工工艺、几何形状和尺寸也将有所区别。截齿齿身常用35CrMnSi，35SiMnV或40Cr等合金钢制作，并经调质处理后获得足够的强度和韧性，截齿头部镶嵌有硬质合金片或碳化钨硬质合金。目前采煤机使用的截齿主要有扁形截齿和镐形截齿两种。

扁形截齿又称为刀形截齿或径向截齿，其断面呈矩形，如图7-5所示，它沿滚筒的半径方向安装在螺旋叶片和端盘的齿座中。扁形截齿的端头镶有硬质合金核或片。扁形截齿强度高、截割性能好，适用于截割坚硬煤和粘性煤。

镐形截齿又称为切向截齿，其刀体接近于滚筒切线安装，如图7-6所示。镐形截齿落煤时主要靠齿尖的尖劈作用楔入煤体而将煤碎落，故适用脆性及节理发达的煤层。镐形截齿的端头堆焊硬质合金，齿身刀头上镶嵌硬质合金并在外表面堆焊碳化钨合金层，以增加耐磨性。这种截齿制造容易，固定简单，如图7-6，只需将截齿插入齿座后，在其尾部环槽内装入弹性挡圈使之定位即可。从原理上讲，截煤时镐形截齿可在截割阻力作用下绕其轴线自转，达到自动磨锐齿尖的效果。

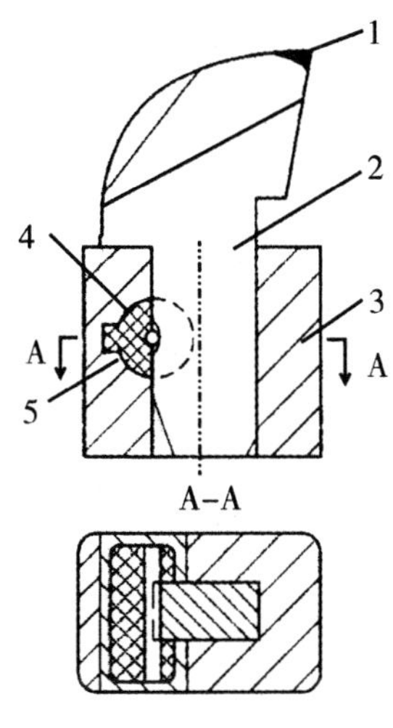

图7-5　扁形截齿

1——截齿头；2——截齿体；3——齿座；

4——胶套；5——柱销

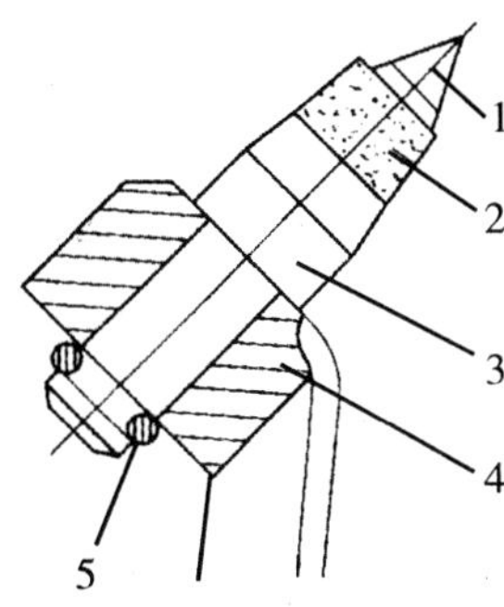

图7-6　镐形截齿

1——硬质合金头；2——碳化钨合金；

3——截齿体；4——齿座；5——弹性挡圈

二、螺旋滚筒

1.螺旋滚筒的结构

采煤机螺旋滚筒的结构如图7-7所示。螺旋滚筒由螺旋叶片1、端盘2、齿座3、喷嘴4及筒毂5等部分组成。筒毂与传动装置的滚筒轴固定在一起，它的外圆柱面上和靠近煤壁一侧分别焊接螺旋叶片和端盘，螺旋叶片和端盘的周边上按一定排列方式焊接有齿座，齿座内装入截齿。螺旋叶片用来将截落的煤推向输送机，实现装煤。端盘紧贴煤壁工作。端盘边缘的截齿向煤壁侧倾斜，以防止端盘与煤壁相碰。螺旋叶片上两齿座间布置有内喷雾喷嘴，内喷雾水则由喷雾泵通过供水系统引入滚筒并通向喷嘴喷向煤壁，起到降尘和冷却效果。

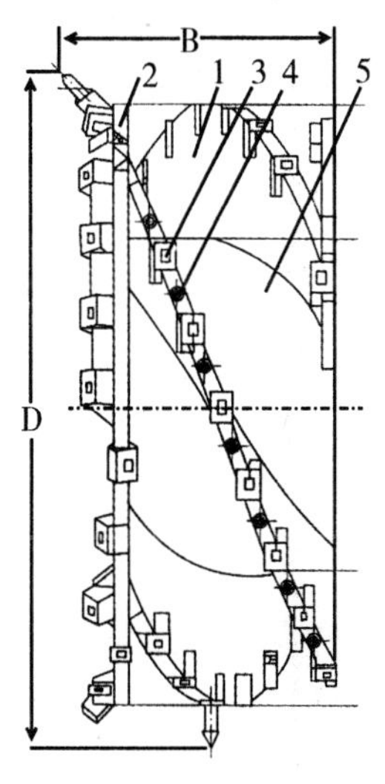

图7-7　螺旋滚筒

1——螺旋叶片；2——端盘；

3——齿座；4——喷嘴；5——筒毂

2.螺旋滚筒的参数

螺旋滚筒的参数有结构参数和工作参数两种。结构参数包括滚筒直径、滚筒宽度、螺旋叶片的旋向和头数；工作参数包括滚筒的转速和转向。

螺旋滚筒有三个直径，即滚筒直径D、螺旋叶片外缘直径Dy及筒毂直径Dg。

滚筒直径D是指滚筒截齿齿尖处的截割圆直径。目前采煤机的滚筒直径在0.65～2.3m范围内。滚筒直径尺寸已系列化,可根据所采煤层的厚度选择。双滚筒采煤机的滚筒直径按照稍大于最大采高的一半来选择,以便采煤机一次能够采全高。单滚筒采煤机的滚筒直径按照比煤层厚度小0.1～0.2m来选择。

筒毂直径Dg越大,螺旋叶片间容纳碎煤的空间就越小,不利于装煤。通常取Dy与Dg之比值为0.4～0.6。

滚筒宽度B是滚筒边缘到端盘最外侧截齿齿尖的距离,即采煤机的理论截深。采煤机的截深从0.6～1.0m有多种。对于较薄煤层,为了提高生产效率,滚筒宽度可取0.8～1.0m;对于较厚煤层,为了改善顶板支护,滚筒宽度可取0.6m。

滚筒的螺旋叶片有左旋和右旋之分,为向输送机推运碎煤,滚筒的旋转方向必须与滚筒的螺旋方向相一致。以站在采空区一侧看滚筒,逆时针方向旋转的滚筒,其叶片应为左旋,顺时针方向旋转的滚筒,其叶片应为右旋。

螺旋叶片的头数一般为2～4头,且以双头数用的最多,一般小直径的滚筒常采用2头螺旋叶片。截割中硬以下的煤层,多采用双头螺旋滚筒,截割中硬以上的煤层,多采用3头或4头螺旋滚筒。

滚筒的转向影响着采煤机的装煤能力和运行稳定性。采煤机螺旋滚筒上截齿的截割方向与截落下的碎煤下落方向相同时,称为顺转;截齿的截割方向与截落下的碎煤下落方向相反时,称为逆转。双滚筒采煤机的两个滚筒采取相背向外的转动方向,即面向煤壁看,采煤机的右滚筒应为右螺旋,顺时针旋转;左滚筒为左螺旋,逆时针转,如图7-8所示,这样的选择主要是考虑到采煤机司机的安全。一般情况下,双滚筒采煤机的前端滚筒沿顶板割煤,后滚筒沿底板割煤(即前顶后底),这样操作安全,煤尘少。单滚筒采煤机滚筒的转向为向内回转,其右工作面必须使用左螺旋滚筒,而左工作面必须使用右螺旋滚筒,如图7-9所示。

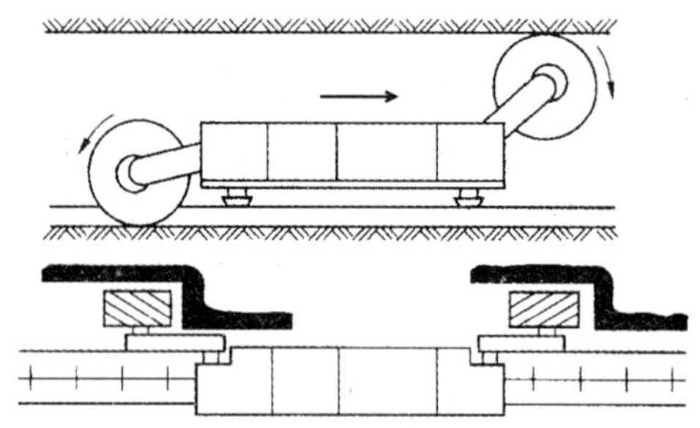

图7-8　双滚筒采煤机的滚筒转动方向和螺旋方向

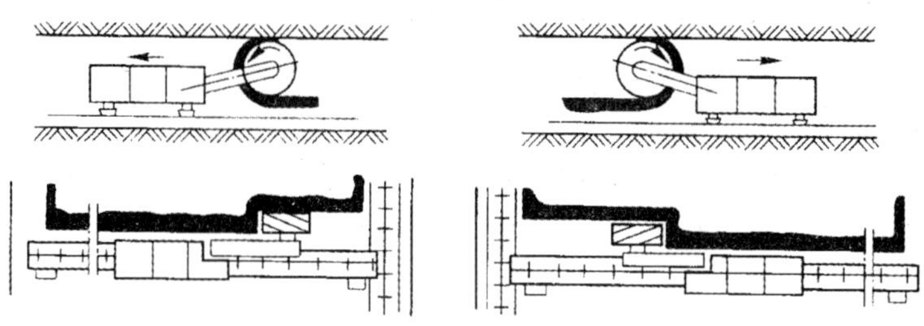

(a)右工作面　　(b)左工作面

图7-9　单滚筒采煤机的滚筒转动方向和螺旋方向

3.截齿的配置

截齿在螺旋滚筒上的排列规律称为截齿配置。在设计滚筒时，合理选择其工作参数和截齿的配置方式，可使采落的块煤度最佳，截割比能耗（截割比能耗是指截割单位体积的煤所消耗的能量）最小，滚筒所承受的截割阻力较小，采煤机运行平稳。

截齿的配置取决于煤的性质和滚筒直径等，一般用截齿配置图表示，如图7-10所示。截齿配置图就是将滚筒截齿齿尖所在圆柱面展开，并将截齿位置和安装角度标注其上而得到的图形。图中水平线长度是滚筒的周长，按照360°标注，每条水平线表示一个截齿的截割路线，称为截线，截线上每个小黑点表示截齿所在的位置，所有节线的宽度为滚筒的宽度（即截深）；相邻两条截线间的距离称为截距。截齿的安装角度是指截齿与滚筒轴线所在垂面的夹角，偏向煤壁一侧的称为正角度齿，偏向采空区一侧的称为负角度齿，不发生偏斜的称为零角度齿。图中AB段为螺旋叶片上的截齿排列，BC段表示端盘上的截齿排列。

（1）端盘上的截齿：端盘上的截齿用以切出新的整齐的煤壁，为叶片工作开出自由面，并防止滚筒端面与煤壁摩擦。端盘截齿在半封闭的截割条件下工作，受力较大，磨损严重，工作条件恶劣，因此，配置时端盘上截齿密度大，截距小。端盘上的截距通过调整截齿座倾角来获得，向煤壁侧倾斜的用“+”号，向采空区侧倾斜的用“-”号。端盘截齿沿圆周方向应均匀分布，以减少滚筒上的扭矩脉动。端盘上的截齿按角度排列沿圆周分为2～4组，每组由0°、-5°、+35°、+20°、+35°、-15°、0°、+35°、+20°及+35°等10个齿组成。端盘截割宽度一般为70～130mm。

（2）叶片上截齿：叶片上截齿的截距一般为32～65mm。叶片上每条截线的截齿数为1～3。为了使滚筒上的载荷均匀，两相邻截齿沿圆周的角度应该相等。螺旋叶片上的截距都相等地排列称为等截距截齿排列，如图7-10所示；螺旋叶片上的截距不相等的排列称为变截距截齿排列。变截距截齿排列一般是为了适应截齿载荷由煤壁向采空区方向不断减小的工作条件而设计的，如图7-11所示。

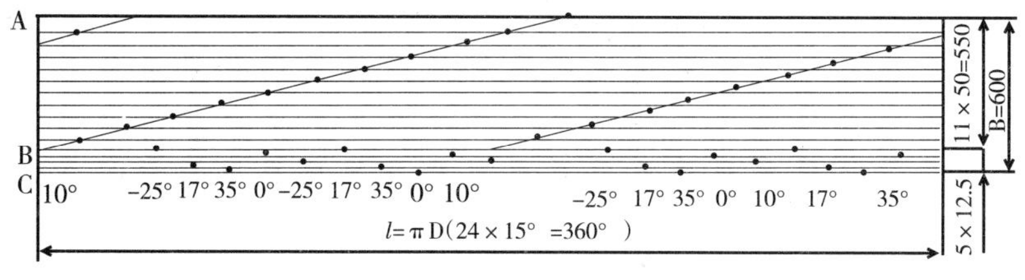

图7-10　等节距截齿配置图

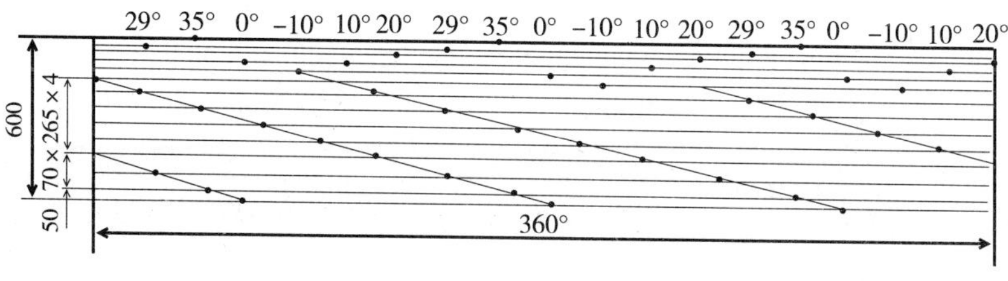

图7-11　变节距截齿配置图

叶片上截齿的配置方式分为以下几种：

（1）顺序配置。截齿沿截线一个紧挨一个排列，如图7-12所示，截齿所受侧向力较大，叶片头数与同一截线上的截齿数相等。适用于硬煤的截割。

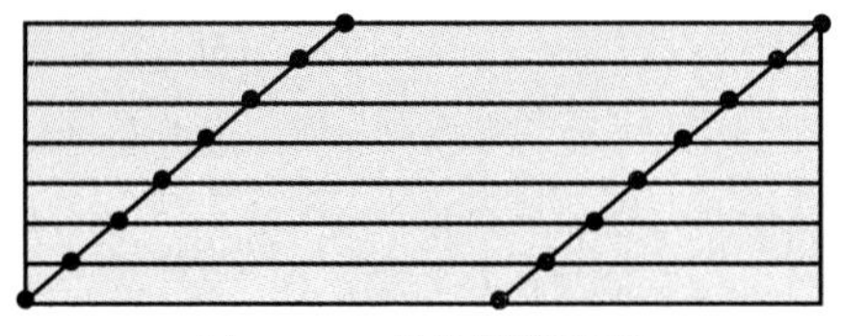

图7-12　截齿顺序配置

（2）交错配置。截齿沿截线交错排列，如图7-13所示，截割时，每个截齿在相邻两截齿超前开出半个切屑厚度的煤体上工作，截割条件好，截齿不受侧向力，双头螺旋和四头螺旋叶片可采用这种配置。适用于脆性煤的截割。

（3）混合配置。将顺序配置和交错配置结合起来的截齿配置方式形成了混合配置，如图7-14所示。混合配置有多种形式，适用于脆性煤的截割。

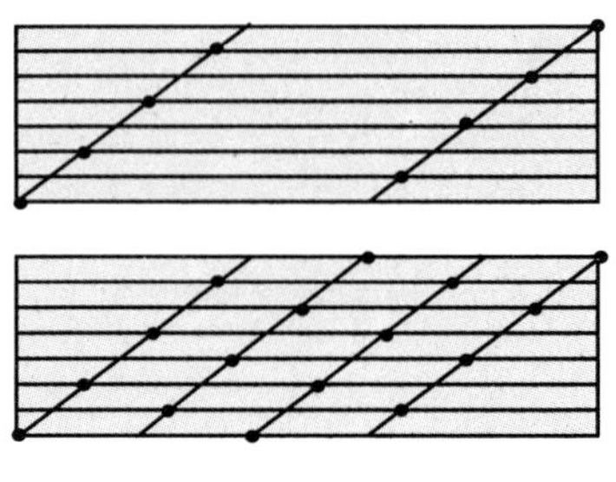

图7-13　截齿交错配置

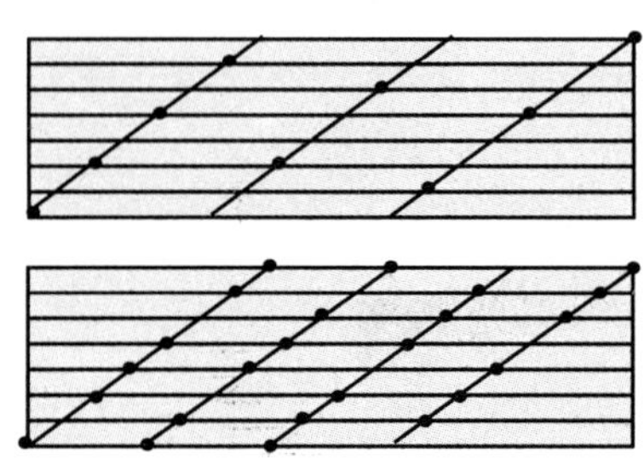

图7-14　截齿混合配置

三、截割部传动系统

截割部传动系统的功用是将电动机的动力经减速器减速后传递给螺旋滚筒，以满足滚筒工作的需要。由于采煤机截煤部工作载荷大，条件恶劣，其外形尺寸又受到限制，因此要求截割部传动装置具有较高的强度、刚度和可靠性，同时应具有良好的密封、散热条件和高的传动效率。

截割部传动系统主要包括固定减速器、摇臂减速器和摇臂组成。截割部传动系统具有如下特点：

（1）采煤机电动机转速在1450r/min ~ 1475r/min范围内，而滚筒转速一般为30 r/min ~ 50r/min，因此截割部总传动比为50 ~ 30，齿轮减速级数为3 ~ 5级。

（2）纵轴布置式采煤机截割电动机的轴线与滚筒轴线垂直，因此传动系统中必须有一级圆锥齿轮传动。为了便于加工，减小传递扭矩和延长使用寿命，圆锥齿轮应设置在高速轴上。

（3）为适应开采不同性质煤层的需要，有些采煤机备有2种或3种滚筒转速，常利用变换齿轮变速。

（4）为了调动或检修采煤机，要将螺旋滚筒与电动机脱离传动，因此在传动系统中需要设置离合器。离合器也应设在高速级，以减少尺寸、使操作轻便。

(5)为扩大调高范围,保证摇臂有适当的长度,摇臂减速器内常装有若干个惰轮。

(6)截割部承受的冲击载荷较大,为保护传动零部件,在一些采煤机截割部中设有专门的安全保险销。

(7)为了减小截割部传动系统的尺寸,常在传动的最后一级采用行星齿轮传动,以减少传动级数。

(8)在大功率采煤机上装有破碎滚筒,以破碎大的煤块。

(9)采煤机的传动齿轮均采用大变位、大模数、少齿数和硬齿面,以实现低速重载条件下运行。

1.截割部传动方式

采煤机截割部都采用齿轮传动,常见的传动方式有以下几种:

(1)电动机—固定减速箱—摇臂—滚筒,如图7-15(a)所示。这种传动方式的特点是传动简单,支撑可靠,强度和刚度好。但摇臂下降的最低位置受输送机限制,卧底量较小。DY-150、BM-I00型采煤机均采用这种传动方式。

(2)电动机—固定减速箱摇臂—行星齿轮传动滚筒,如图7-15(b)所示。这种方式在滚筒内设置了行星传动装置,从而使前几级传动比减小,简化了传动系统,但是滚筒壳体尺寸增大了,故这种传动方式适用于中厚煤层采煤机,如在MLS-170、MXA-300、AM-500和MG系列等采煤机中采用。

(3)电动机—减速箱—滚筒,如图7-15(c)所示。 这种传动方式取消了摇臂,靠电动机、减速箱和滚筒组成的截割部来调高,其齿轮数大大减少,机壳的强度、刚度增大,且调高范围大,采煤机机身也可缩短,有利于采煤机开缺口工作。MXP-240和DTS-300型采煤机采用这种传动方式。

(4)电动机—摇臂—行星齿轮传动—滚筒,如图7-15(d)所示。这种传动方式的电动机轴与滚筒轴平行,取消了容易损坏的锥齿轮,传动更加简单,而且调高范围大,机身长度小。横轴式电牵引采煤机都采取这种传动方式。

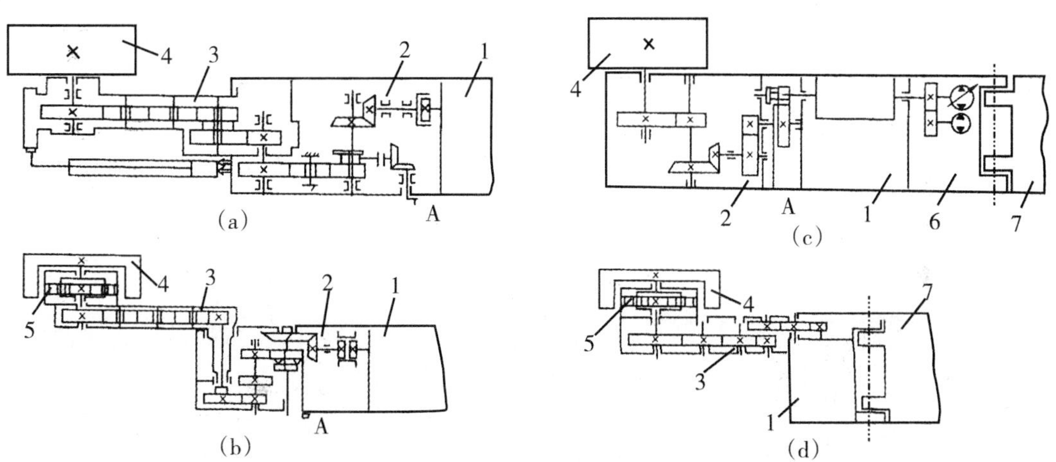

图7-15　截割部传动方式

1——电动机;2——固定减速器;3——摇臂;4——螺旋滚筒;5——行星减速器;6——液压泵箱;7——采煤机机身

2.截割部摇臂

截割部摇臂用于固定和支撑截割部减速器，除传动作用外，还具有调高作用，它对截割部的工作影响较大，目前常使用侧面布置悬臂支撑式和端面布置两侧支撑两种方式。

侧面布置悬臂支撑式的摇臂突出在机身之外，如图7-16(a)所示，呈悬臂支撑式。优点是有利于缩短开缺口的长度，扩大调高的范围。缺点是滚筒距离输送机较远，不利于装煤，刚度较差，影响采煤机的稳定性。

端面布置两侧支撑式的摇臂位于机身之内，如图7-16(b)所示，其两侧均有支撑点。优点是滚筒距离输送机近，对装煤有利，支撑刚性好。缺点是自开缺口的长度较大，卧底的性能较差。

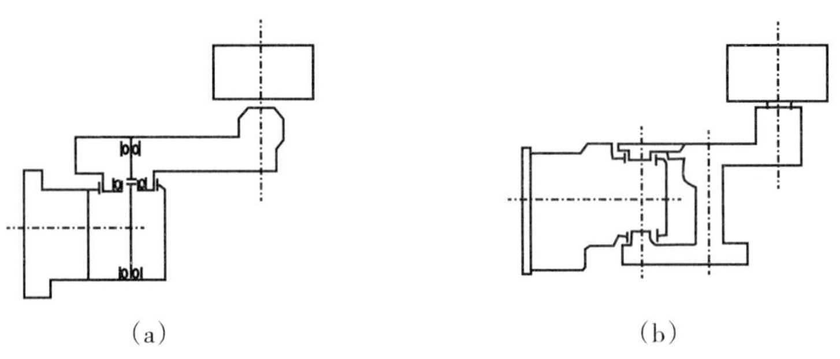

图7-16　截割部摇臂布置

调高油缸对摇臂和滚筒的高度进行调节，满足采高的要求。其布置方式有：

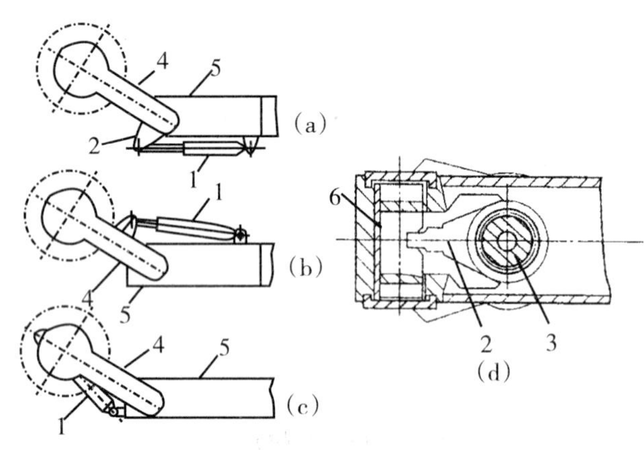

图7-17　调高油缸的布置方式

1——调高液压缸；2——小摇臂；3——摇臂轴；

4——摇臂；5——固定减速器；6——活塞

(1)调高油缸布置在机身下面，如图7-17(a)所示。这种方式液压缸受力合理，不易损坏。但是不便于维修，减小了底托架下的过煤空间。常用于中厚煤层采煤机。

(2)调高油缸布置在机身上面，如图7-17(b)所示。这种方式液压缸便于维修。缺点是液压缸易被碰撞损坏，摇臂上摆靠油缸拉力实现，要求较大的缸径和供油压力。

(3)调高油缸布置在机身端头和摇臂侧面，如图7-17(c)所示。这种方式液压缸支撑刚性好，维修方便。缺点是液压缸易被碰撞损坏，摇臂摆动力臂变化大，调高力不稳定。

(4)调高油缸布置在减速箱体内，如图7-17(d)所示。液压缸布置在减速器箱体内，其活塞6推动小摇臂2绕摇臂轴3旋转，从而驱动摇臂摆动，实现调高。这种方式有利于降低采煤机身高度，常用于薄煤层采煤机上。

3.截割部传动润滑

截割部所消耗的功率较大，约占采煤机总功率的80%~90%，而且工作条件恶劣，负荷变化大，振动剧烈，因而传动装置的润滑显得十分重要。采煤机截割部通常采用以下几种润滑方式：

（1）飞溅润滑，适用于减速器轴布置在同一水平或接近同一水平上，其润滑效果好，散热快，对油质变化不敏感且不需附加设施。但是在倾斜工作面工作时，位于高位的传动部件润滑条件较差。

（2）强迫润滑，由于摇臂的上下摆动，摇臂减速箱内可采用喷油润滑，即用专门的润滑泵将润滑油供给到包括齿轮和轴承在内的各个润滑点，使润滑条件得到改善。

（3）油脂润滑，由截割部中一些相对运动速度不大的传动件（如摇臂与固定减速器连接处，齿轮联轴器）采用压力注油器定期注入油脂润滑来实现润滑。

为了保证润滑效果，要求所有润滑油有较好的抗磨性、良好的抗乳化性以及抗氧化性。采煤机截割部大都选用150～460mm^2/s的级压齿轮油作为润滑油，且以N220和N320硫磷型级压齿轮油最为常用。

第五节　滚筒式采煤机的牵引部

滚筒式采煤机的牵引部担负着移动采煤机、使螺旋滚筒连续落煤或调动机器的任务。滚筒式采煤机的牵引部包括牵引机构及传动装置两部分。

一、对采煤机牵引部的基本要求

1.具有足够大的牵引力，适应困难情况下割煤。

2.总传动比大，具有较低的牵引速度。

3.可实现无级调速，满足采煤机负荷的剧烈变化。

4.牵引方向不受滚筒转向的影响。

5.具有可靠的调速系统和完善的保护装置。

6.具有足够的强度和可靠性。

7.操作使用方便。

二、滚筒式采煤机的牵引机构

牵引机构是直接移动采煤机的装置，有钢丝绳牵引、锚链牵引和无链牵引三种类型。早期的采煤机采用钢丝绳牵引，其牵引力小，易发生断绳事故，且断绳后不易重新连接。后来广泛使用的是锚链牵引，现阶段无链牵引得到了全面的推广和应用。

1.锚链牵引机构

锚链牵引分为内牵引和外牵引两种形式。内牵引是牵引部传动装置设置在采煤机的机身上，锚链固定不动，由传动装置驱动采煤机链轮啮合锚链来实现采煤机移动。外牵引是牵引部传动装置设置在工作面端头或平巷内，锚链通过主动轮和导向轮分别固定在采煤机的两端，由传动装置通过驱动锚链来拖动采煤机形成无级传动。图7-18为锚链内牵引机构。

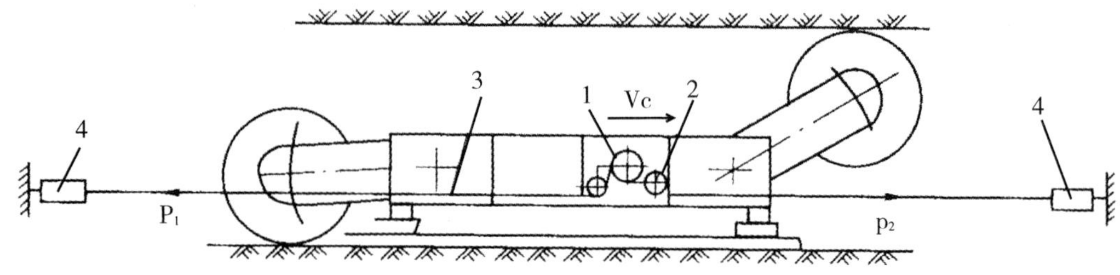

图7-18 锚链内牵引原理

1——主链轮；2——导向链轮；3——牵引锚链；4——张紧装置

锚链牵引机构包括牵引锚链、链轮和张紧装置等。其工作原理为牵引锚链3与牵引部传动装置的主链轮1相啮合，并绕过导向链轮2与锚链张紧装置4连接，两个张紧装置分别固定在工作面刮板输送机的机头和机尾上。张紧装置的作用是使牵引锚链具有一定的初拉力，使吐链顺利。当主动链轮逆时针方向旋转时，牵引锚链从右段绕入，这时左段锚链为松边，右段锚链为紧边，此时采煤机向右端运行。

根据安装位置的不同，锚链牵引机构的牵引链轮有水平链轮和立式链轮两种方式。由于锚链自重原因，立式链轮吐链方便，故应用较多。水平链轮的链子容易堆积，造成锚链在链轮处卡死，出现磨损和脱链现象。因此，在中厚煤层采煤机上，广泛使用的是立式链轮布置。

锚链牵引的特点：

①强度高，承载能力大；

②锚链牵引是依靠链轮齿与链环相啮合来实现传动，工作可靠；

③使用寿命长，断链时弹性小，不易伤人，可用连接环连接，修复方便；

④ 锚链节距较大，在链轮作等速运行时，锚链的移动作周期性变化，牵引速度不均匀，会导致采煤机负载不平稳。

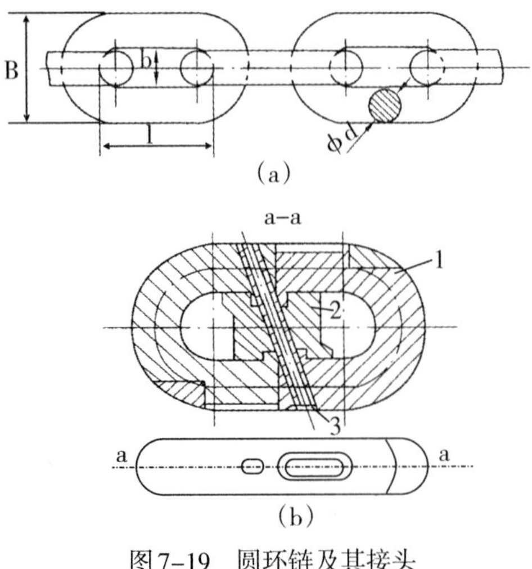

图7-19 圆环链及其接头

1——半圆环；2——限位块；3——弹性销

(1)牵引锚链

牵引锚链使用的是由23MnCrNiMo优质钢棒料压弯成型后焊接而成的高强度(C级或D级)矿用圆环链。采煤机常用的牵引链尺寸为φ22mm×86mm圆环链。

矿用圆环链一般做成由奇数个链环组成的链段，使用时将这些链段用链接头(图7-19)连成所需的长度。链接头由两个半圆环1侧向扣合而成，用限位块2横向推入并卡紧，再用弹性销3紧固。

（2）链轮

如图7-20(a)所示，链轮通常用35CrMnSi钢制成。圆环链缠绕到链轮上后，平环链棒料中心所在的圆称为链轮节圆，其直径为Do，链棒料各中心点的连线在节圆内构成了一个内接多边形。若链轮齿数为Z，圆环链棒料直径为d，则内接多边形边数为2Z，边长分别为(t+d)和(t-d)。故链轮旋转一圈，绕入的圆环链长度为：Z(t+d)+Z(t-d)=2Zt，因此锚链牵引采煤机的平均牵引速度为

$$v_q=\frac{2Ztn}{1000} \tag{7-1}$$

式中，v_q为牵引速度，m/min；Z为链轮齿数；t为圆环链截距，mm；n为链轮转速，r/min。

锚链牵引速度不均匀，采煤机负载不平稳，且链轮齿数越少，速度波动越大，其牵引速度变化如图7-20所示。主动链轮的齿数一般为5～8个。

（3）牵引锚链张紧装置

牵引锚链通过张紧装置固定在输送机两端，张紧装置产生的预紧力可使牵引锚链拉紧，克服采煤机运行时的空行程，提高效率。

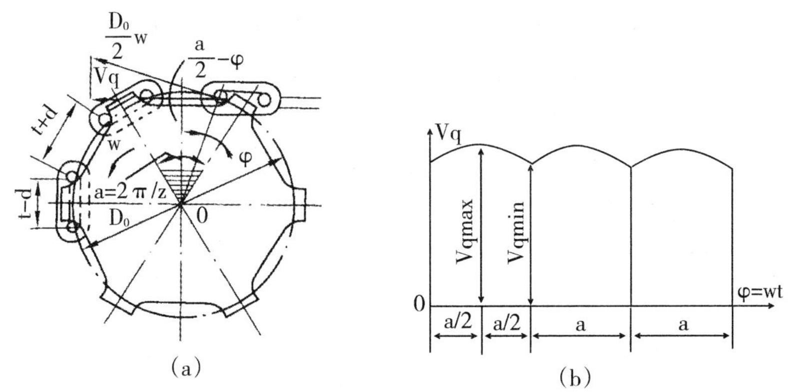

图7-20　链轮及其链速变化曲线

采煤机牵引部锚链张紧装置主要有弹簧式和液压式两种。

弹簧式张紧装置的工作原理如图7-21所示。牵引锚链的两端经由导引链管1绕过与输送机头(尾)固定的导向链轮2，穿过弹簧装置3后由卡链销4卡在压板5上。为了保持一定的初张力，弹簧具有一定的预压缩量。

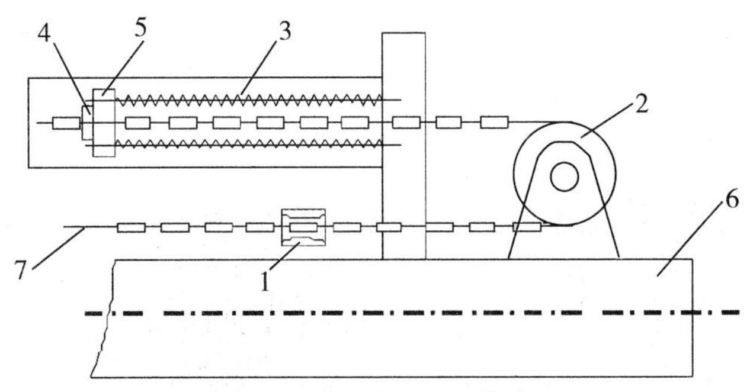

图7-21　弹簧式锚链张紧装置

1——导引链管；2——导向链轮；3——弹簧；4——卡链销；5——压板；6——运输机头(尾)；7——锚链

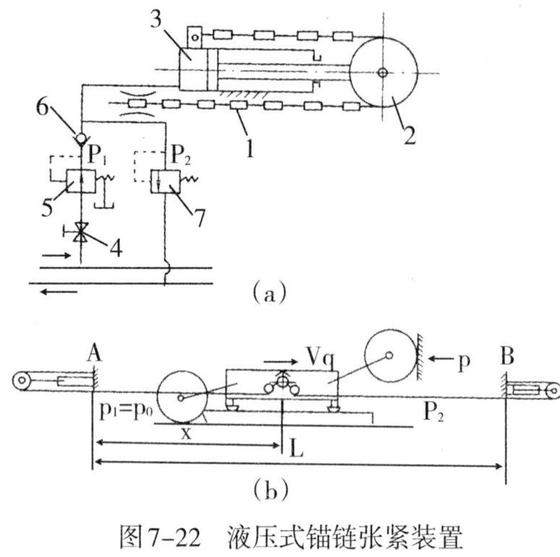

图7-22　液压式锚链张紧装置

1——牵引锚链；2——导向轮；3——紧链缸；4——截止阀；5——减压阀；6——单向阀；7——安全阀

液压张紧装置的工作原理如图7-22(a)所示。液压油液经截止阀4、减压阀5、单向阀6进入紧链缸3，使连接在活塞杆端的导向轮2伸出而张紧牵引锚链。牵引部预紧力为活塞推力的一半。将紧边液压缸活塞全部收缩，松边液压缸使牵引锚链达到预紧力[如图7-22(b)]。紧边因拉力大而有很大的弹性伸长量，随着机器向右移动，紧边的弹性伸长逐渐转向松边，使松边拉力大于预紧力，一旦拉力大到使液压缸内的压力超过安全阀7的调定压力，则安全阀开启，从而使松边链保持恒定的初拉力。

液压张紧装置的优点是非工作边能保持恒定的张力，从而使工作边的拉力也能维持较稳定的数值。非工作边初张力的大小由定压减压阀的调定值决定，而在工作过程中非工作边的张力大小由安全阀的调定值决定。

2.无链牵引机构

锚链牵引机构存在弹性伸长量，使采煤机在移动时产生振动，其最大振幅可达到50～80mm，从而导致采煤机载荷的剧烈变化，使各零部件承受较大的动载荷，这是锚链牵引的最大缺点。随着采煤机向大功率、重型化和大倾角方向发展，圆环链强度已不能满足要求，且断裂后易危及人身安全，因此，无链牵引机构在滚筒式采煤机上得到了广泛推广和使用。

无链牵引具有以下优点：

(1)采煤机的牵引速度更加均匀，减弱了采煤机移动时的脉动和振动，降低了故障率，延长了机器使用寿命。

(2)取消了工作面的牵引链，避免了断链事故和断链伤人事故。

(3)对底板起伏、工作面弯曲、煤层不规则等的适应性更强。

(4)采煤机可以采用多级牵引，使牵引力提高到400～800kN，可以在大倾角工作面使用。

(5)在同一工作面可以使用多台采煤机，特别适合于超长高产高效工作面的需要。

无链牵引的缺点是：对输送机的弯曲和起伏不平要求高，输送机的弯曲段较长(约15m)，对煤层地质条件变化的适应性差。此外，无链牵引机构使机道宽度增加约100mm，提高了对支架控顶能力的要求，加长了支架的控顶距离。

无链牵引机构主要有以下几种类型：

(1)齿轮销排型。这种牵引机构是以采煤机牵引部驱动齿轨轮与铺设在输送机上的圆柱销排式齿轨相啮合(图7-23)，使采煤机移动。圆柱销排结构与安装如图7-24所示。

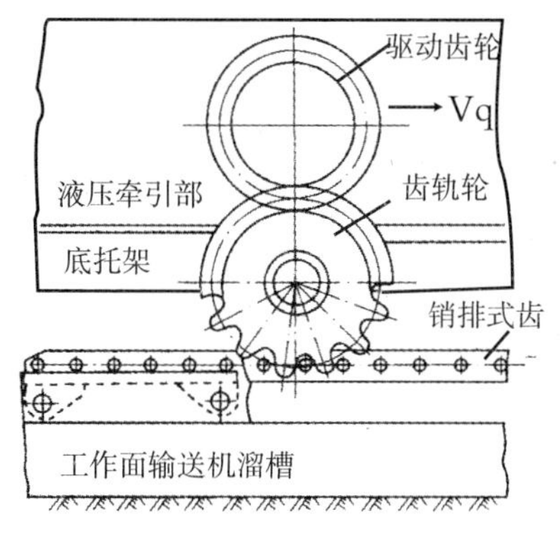

图7-23　齿轮销排型牵引机构

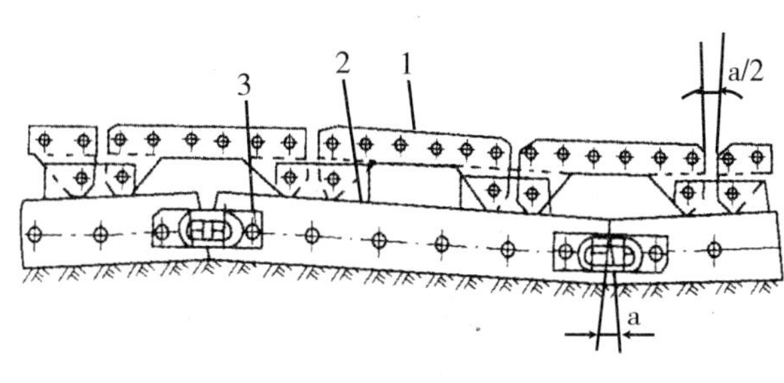

图7-24　销排及其安装

1——销排；2——销排座；3——刮板输送机溜槽

齿轮销排型牵引机构的驱动轮齿形为圆弧曲线，销轨由圆柱销（直径55 mm）与两侧厚钢板焊成节段（销子节距125 mm），每节销轨长度是输送机中部槽长度的一半（750mm），销轨接口与溜槽接口相互错开。当相邻溜槽的偏转角为α时，相邻齿轨的偏转角只有α/2，以保证齿轮和销轨的啮合（图7-24）。

（2）滚轮齿条型。这种无链牵引机构（图7-25）由装在底托架内的两个牵引传动箱分别驱动两个滚轮，滚轮与固定在输送机上的齿条相啮合而使采煤机移动。滚轮由5个圆柱销组成。牵引部主泵经两个液压马达分别驱动牵引传动箱。这种牵引机构的牵引力大，工作可靠，可用于大倾角煤层工作。

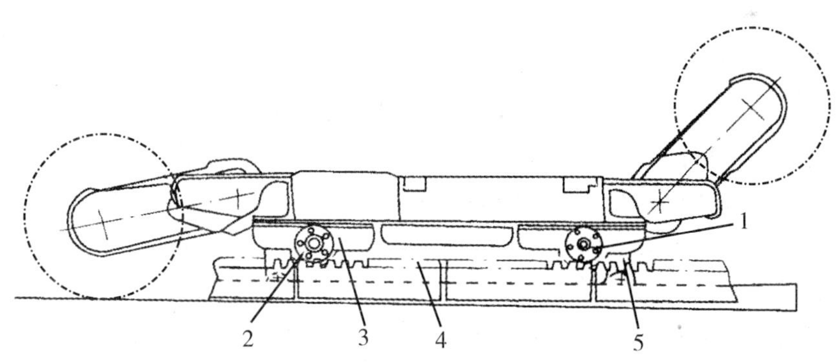

图7-25　滚轮齿条式牵引机构

1、2——驱动滚轮；3、5——牵引传动箱；4——齿条

（3）链轮链轨型。如图7-26所示，这种牵引机构由牵引部传动装置1的驱动链轮2与铺设在输送机采空侧挡板5内的不等节距圆环链3相啮合而驱动采煤机移动。与链轮同轴的导向滚轮6支撑在链轨架4上，用以导向。底托架7两侧用卡板卡在输送机相应槽内定位。这种牵引机构利用挠性好的圆环链作齿轨，使采煤机和中部槽在垂直面内偏转可达±6°，水平可偏转±1.5°，因而适合在底板起伏大并有断层的煤层条件下工作。

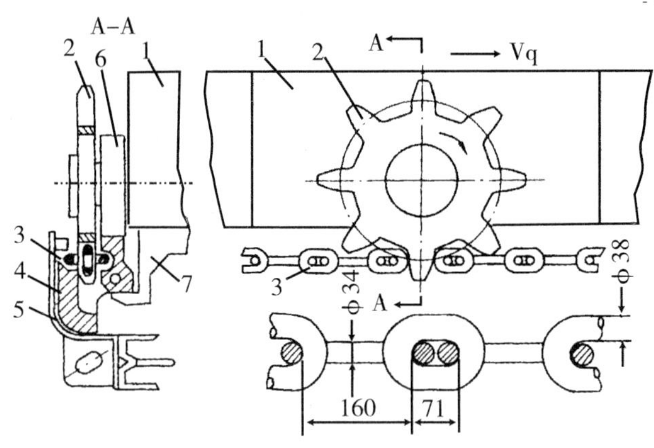

图7-26　链轮链轨式牵引机构

1——传动装置;2——驱动链轮;3——圆环链;4——链轨架;5——挡板;6——导向滚轮;7——底托架

三、牵引部传动装置

牵引部传动装置的功用是将采煤机电动机的动力传递到主动链轮或驱动轮上,实现对采煤机的移动,同时满足对牵引部包括调速在内的各项性能要求。现有牵引部传动装置分为三类:机械牵引、液压牵引和电牵引。

1.机械牵引传动系统

机械牵引是指全部采用机械传动装置的牵引部。其特点是工作可靠,但只能进行有级调速,且传动结构复杂,目前已很少采用。

2.液压牵引传动系统

液压牵引是利用液压传动来驱动的牵引部。这是一种机械传动与液压传动相结合的形式。液压传动主要由泵、马达和控制阀等液压元件组成。马达到链轮的传动采用机械传动,其传动方式通常有三种:

(1)高速马达。高速马达的转速一般为1500~2000r/min,其结构形式与泵相同。这种系统马达需要经过较大的传动比减速后带动链轮,但传动不易于布置。

(2)中速马达。中速马达常用于行星转子式摆线马达,其额定转速为160~320r/min。这种系统需要经过减速后带动驱动滚轮,其齿轮传动比不大,马达和减速装置尺寸较小,便于安装在双牵引装置中。

(3)低速马达。低速马达常用于径向柱塞式马达,马达出轴转速一般为0~40r/min。这种马达可经一级减速或直接带动驱动链轮,其结构简单,但马达径向尺寸较大,存在回链敲缸现象。

液压传动的牵引部可以实现无级调速,变速、换向和停机等操作比较方便,保护系统比较完善,并且能随负载变化自动地调节牵引速度。液压牵引的调速有三种方式:恒功率自动调节、恒压自动调节和限压式调节。

(1)恒功率自动调节原理是当外负荷发生变化时,以牵引部油压变化为信号,通过调速系统使牵引速度产生相应的变化，并通过速度反馈作用维持牵引部功率的恒定。具体来说就是在牵引力T增加时，系统压力升高，此时，按一定的函数关系降低供给牵引系统的流量，以减小牵引速度v，并维持系统压力和流量的乘积，即牵引功率P=Tv基本不变。

（2）恒压自动调节原理是当外负荷发生变化时，油压随之变化，以牵引部油压为信号，通过速度调节系统来维持油压（或牵引力）的恒定。

（3）限压式调节方式是通过对采煤机牵引部的油压设置过压保护装置，即对其牵引力过载；油压过载或压力传感器超过整定值时使液压泵供给流量减少，从而使牵引速度降低甚至为零。

液压牵引采煤机制造精度较高，调速方便，过载保护能力强，但在井下作业时易被污染，而且维修困难，使用费用高，效率和可靠性较低。

3.电牵引传动系统

电牵引传动是采用直流或交流电机来驱动采煤机的牵引部。如图7-27所示。电牵引采煤机是将直流或交流电输入采煤机的控制箱1控制电动机2调速，然后经齿轮减速装置3带动驱动轮4使机器移动的。两个滚筒7分别用电动机5经摇臂6来驱动。由于截割部电动机5的轴线与机身纵轴线垂直，所以截割部机械传动系统没有锥齿轮传动，截割部兼作摇臂的结构而使机器的长度缩短。摇臂调高系统的液压油泵由单独的电动机驱动。

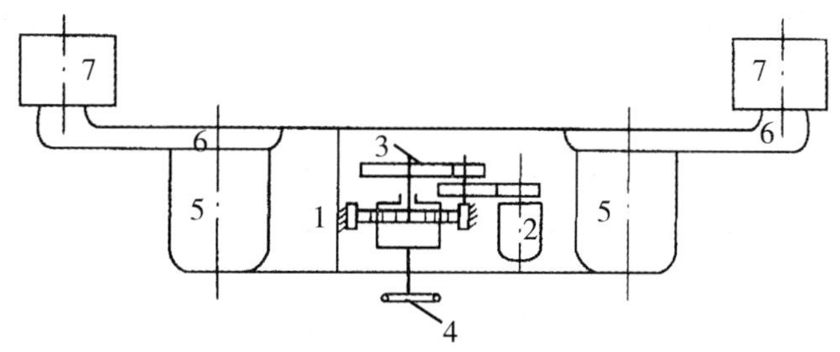

图7-27　电牵引采煤机示意图

1——控制箱；2——牵引电动机；3——减速器；4——驱动轮；5——截割电动机；6——摇臂；7——滚筒

1976年，德国Eickhoff公司制造出世界上第一台电牵引采煤机。在随后的20年中，美国、日本、法国、英国等都大力研制并发展了电牵引采煤机，电牵引采煤机是当今采煤机发展的主要方向，近年来，综产高产高效工作面的生产记录都是由电牵引采煤机创造的。

电牵引采煤机的优点：

（1）具有良好的牵引特性。可在采煤机前进时提供牵引力，在采煤机下滑时进行发电制动，机器能够在各种条件下按要求的速度运行。电牵引采煤机可用于40°的大倾角煤层。

（2）反应灵敏，动态特性好。电牵引采煤机通过电子系统来完成控制，各种参数的测量与传递快速而且准确，控制灵敏。

（3）有完善的监测与显示系统。电牵引采煤机在运行中，各种参数如电压、电流、温度、速度、水压等均可实时监测和动态显示，并会在某些参数超限时发出报警信号，严重时可以自行切断电源，停止运行。

（4）结构简单，效率高，运行可靠，使用寿命长。

电牵引采煤机的调速：

电牵引采煤机的牵引方式有直流牵引和交流牵引两大类。

(1)他励直流电牵引：

直流电机的励磁方式是指对励磁绕组如何供电、产生励磁磁通势而建立主磁场的问题。他励直流电牵引的励磁绕组与电枢绕组无联接关系，而由其他直流电源对励磁绕组供电的直流电机称为他励直流电机，接线如图7-28(a)所示。图中M表示电动机。永磁直流电机也可看作他励直流电机。

他励直流电动机的转矩为 $$M=C_m\Phi I_S \tag{7-2}$$

电动机电枢的感应电势为 $$E_S=C_n\Phi n \tag{7-3}$$

电枢电压为 $$U=E_S+I_S R_S \tag{7-4}$$

电动机的机械特性方程为 $$n=\frac{E_S}{C_n\Phi}=\frac{U-I_SR_S}{C_n\Phi} \tag{7-5}$$

式中 n——电动机转速；

E_s——加在电枢回路上的电压；

I_s——电枢回路上的电流；

R_s——电动机电枢回路总电阻；

Φ——电动机磁通；

C_n——电动势常数；

M——电动机转矩；

C_m——转矩常数。

式(7-2)也是直流电动机的调速公式。通过改变电枢回路总电阻R_s、外加电压U及磁通Φ中的任何一个参数，都可以改变电动机的机械特性，并对电动机进行调速。

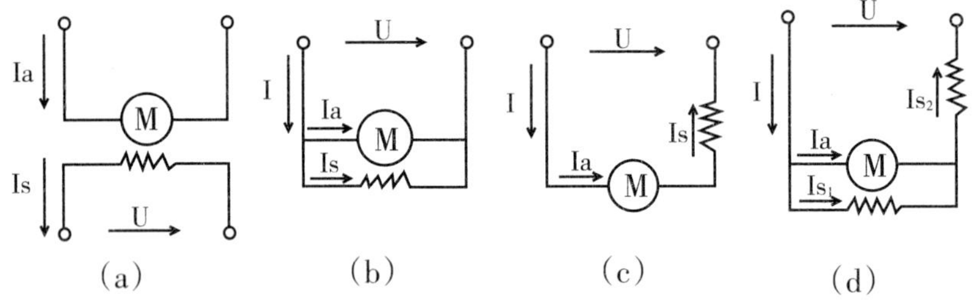

图7-28 直流电动机的励磁方式

(2)并励直流电牵引：

并励直流电机的励磁绕组与电枢绕组相并联，接线如图7-28(b)所示。其励磁绕组与电枢共用同一电源，从性能上讲与他励直流电动机相同。

(3)串励直流电牵引：

串励直流电机的励磁绕组与电枢绕组串联后，再接于直流电源，接线如图7-28(c)所示。串励直流电机的励磁就是电枢电流，磁通Φ将随电枢电流的变化而变化。由式(7-5)得到串励电动机的机械特性方程为

$$n=\frac{U}{C_n\Phi}-\frac{R_S}{C_nC_M\Phi^2} \qquad M=\frac{U}{C_n\Phi}-\frac{R_S}{C_n\Phi^2}I_S \tag{7-6}$$

由于串联励磁的接线特点，磁通Φ是电枢电流的函数。由于电机磁路的饱和，Φ和I_s的关系不能用准确的表达式来表示，因而无法求出准确的机械特性。厂家一般提供相应电机的试验曲线，包括机械特性n=f(M)和转矩电流关系曲线M=f(I_s)。

对于串励电动机，调速方法包括：电枢回路串接附加电阻、降低供电电压、磁场并联分路电阻、电枢串联电阻等。而在采煤机上一般采用改变电枢供电电压或激励电压的大小和方向的方法调节串励电动机的转向和转速。其控制接线如图7-29所示。串励电动机作为采煤机的牵引电机，常利用可控硅控制触发电路改变电枢电压的大小和极性(励磁电流方向)，完成采煤机的调速和双向行走控制。

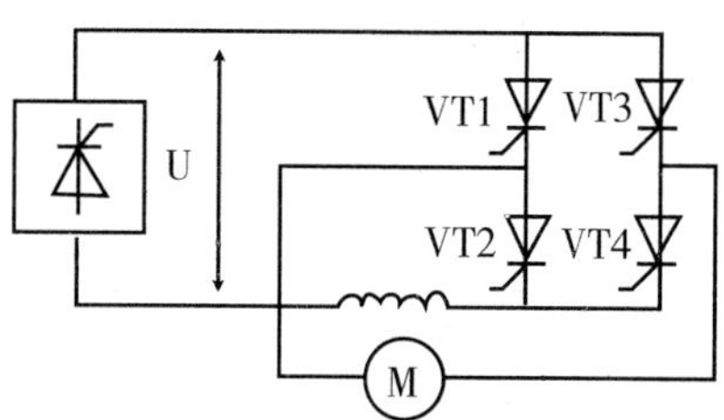

图7-29　串励电动机的控制接线

(4)复励直流电牵引：

复励直流电机有并励和串励两个励磁绕组，接线如图7-28(d)所示。若串励绕组产生的磁通势与并励绕组产生的磁通势方向相同称为积复励。若两个磁通势方向相反，则称为差复励。

不同励磁方式的直流电机有着不同的特性。一般情况下，直流电动机的主要励磁方式是并励式、串励式和复励式。

(5)交流电牵引：

交流异步电动机构造简单，运行可靠，已成为采煤机械的主要动力源。交流异步电动机的转速取决于供电电源的频率，其转速为

$$n=\frac{60f}{p}(1-s)\,r/min \tag{7-7}$$

式中　n——电动机转速；

f——供电电源频率，Hz；

p——电机极对数；

s——转差率。

可见，交流电动机的调速有改变极对数p、调节转差率s和改变供电电源频率f三种方式。

通过变换电动机绕组的极对数来改变电动机转速而进行的调速称为变极调速。变极调速主要用于笼型异步电动机，属于一种有级调速，且极数变化很少，在采煤机上很少使用。

滑差率取决于电机轴的载荷，不易直接控制。

通过调节电源频率可以调节电动机的转速，称为变频调速。随着电力、电子器件、微电子技术以及控制理论的发展，由晶闸管、大功率晶体管组成的异步电动机变频调速系统逐步发展和成熟，现阶段已得到广泛应用。为了实现变频调速过程中的恒扭矩，在工频电压以下变频调速的同时还应调节电源电压，且保持U/F=常数，使电动机的功率正比于转速而变化，这称为恒压频比调速。为了实现变频调速过程中的恒功率控制，在变频调速的同时也应调节电源电压，使电动机的转矩和转速的乘积保持不变，即功率保持恒定。

第六节　滚筒式采煤机附属设备

采煤机的附属设备主要包括降尘和水冷系统、调高和调斜装置、防滑装置、挡煤板、底托架、电缆拖移装置等。

一、降尘和水冷系统

随着采煤机械化程度的提高和采煤机功率的不断增加，工作时产生的煤尘也急剧增加。为了抑制煤尘飞扬，避免滚筒截割过程中的火花引起煤尘爆炸，同时为了改善工作条件，采煤机上均设计有内外喷雾降尘装置。

喷雾降尘是用喷嘴把压力水高度扩散，使其雾化，形成水幕，将粉尘源与外界隔离，拦截飞扬的粉尘而使其沉降，同时起到冲淡瓦斯、冷却截齿、湿润煤层和扑灭截割火花等作用。

降尘喷嘴装在截割滚筒上，压力水流经滚筒轴的中心孔道，从滚筒里向截齿喷射，称为内喷雾。内喷雾靠近截齿，把粉尘消除在刚刚生成阶段，并可防止其扩散，耗水量较小，降尘效果较好，但供水管要通过滚筒轴和滚筒，需要可靠的回转密封，喷嘴也容易堵塞和损坏。降尘喷嘴装在采煤机机身上，将水从滚筒外向滚筒及煤层喷射，称为外喷雾。外喷雾的喷嘴离粉尘源较远，粉尘容易扩散，并且耗水量较大，但供水系统的密封和维护比较容易。

典型的喷雾冷却系统如图7-30所示。供水由喷雾冷却泵站沿顺槽管路、工作面拖移软管接入采煤机，经截止阀、过滤器及水分配器分配成4路：1、4路供给左、右截割部，进行内、外喷雾；2路供给牵引部，完成牵引部冷却及外喷雾；3路供给电动机进行冷却和外喷雾。

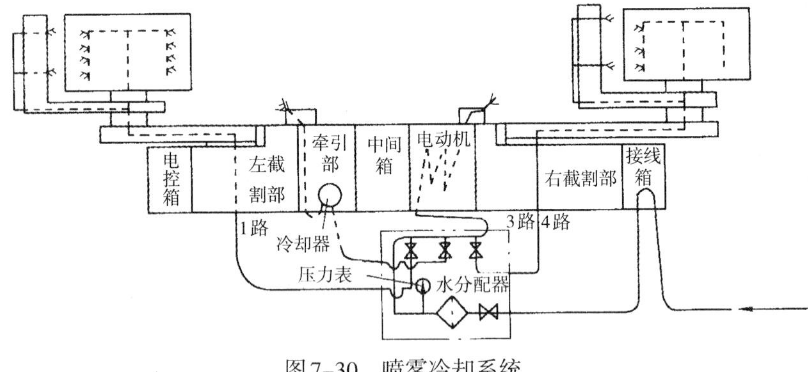

图7-30　喷雾冷却系统

采煤机常用的喷嘴结构如图7-31所示。图(a)为平射型喷嘴，受直槽约束，其喷雾断面呈扁平矩形；图(b)为旋涡型喷嘴，装有双头螺旋槽的旋轮，使喷射出的喷雾具有旋转力，喷雾断面呈圆形；图(c)为冲击型喷嘴，压力水进入喷嘴后分为两路，分别从喷嘴内梯形槽的两端相向流入，在喷嘴中央碰撞后从正方形小口喷出，其喷雾断面形状呈矩形；图(d)和(e)为引射型喷嘴，它的六角端头有径向引风孔，喷嘴内装有螺旋槽轮，其中心孔有导水的作用，喷嘴喷射角约为60°，从喷嘴中心喷出的高速水流，把喷嘴周围的空气经引风孔吸入喷嘴，水气混合后使雾化效果得到改善，同时也可从空气中捕获粉尘，因而降尘效果大大提高，喷嘴出口不易堵塞和磨损。

滚筒式采煤机还采用负压二次降尘，其原理是将引风筒置于采煤机机身上面，引风筒内安装喷嘴，高压水通过喷嘴喷向引风筒一端，水流带动空气，在吸风端形成负压场，煤尘被吸入筒内后在雾化水作用下而沉降，筒内喷出的水雾可进一步实现降尘，达到二次降尘的目的。

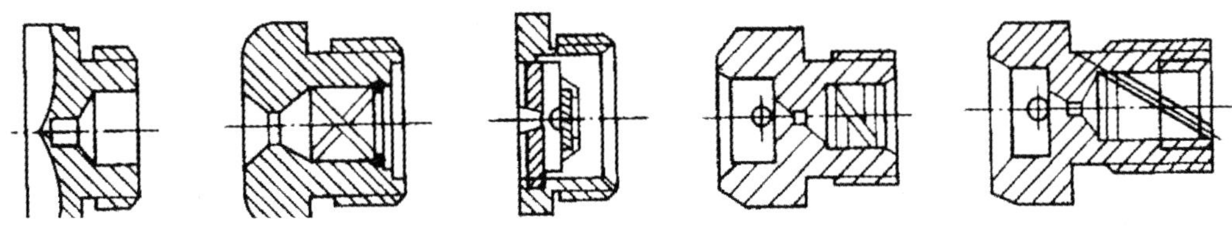

图7–31　常用喷嘴结构

当前，采煤机一般都采用水冷式电动机，这种电动机的定子与外壳之间有一个水套，冷却水流经水套时将电机的热量带走，以降低电机的运行温度，保证电机长时间稳定运行。

二、调高和调斜装置

为了使滚筒能适应底板沿煤层走向的起伏，使采煤机机身绕纵轴摆动称为调斜。为了适应煤层厚度的变化，在煤层高度范围内上下调整滚筒位置称为调高。

调斜通常用底托架下靠采区侧的两个支撑滑靴上的液压油缸来实现，用来调节采煤机机身相对煤壁的倾斜角度，保证采煤机在截割煤层时处在正确的位置。调斜油缸的一端固定在采煤机底托架上，活塞杆的一端固定在采煤机滑靴上，调节液压缸的活塞伸缩，即可实现采煤机机身相对于煤壁的倾斜角度。

采煤机调高用来保证采煤机的采高，有摇臂调高和机身调高两种类型，它们都是靠调高油缸来实现的。调高装置一般由液压泵、液压缸、双向液压锁、安全阀、换向阀、过滤器等组成。

摇臂调高通常将调高千斤顶装在采煤机底托架内〔图7–32(a)〕，小摇臂和摇臂固联，当液压缸驱动小摇臂摆动时，摇臂也随之摆动，实现滚筒的升高和降低。图7–32(b)是将调高千斤顶安装在小摇臂的端部。图7–32(c)是将调高千斤顶安装在截割部的固定减速箱内，调高油缸为齿条式结构，摇臂端部安装有齿轮，调节时相对的两个调节油缸相向运动，齿条与齿轮啮合拨动摇臂旋转，完成滚筒的升高和降低调节。

机身调高的摇臂千斤顶有安装在机身上部的，如图7–33所示，也有装在机身下面的。

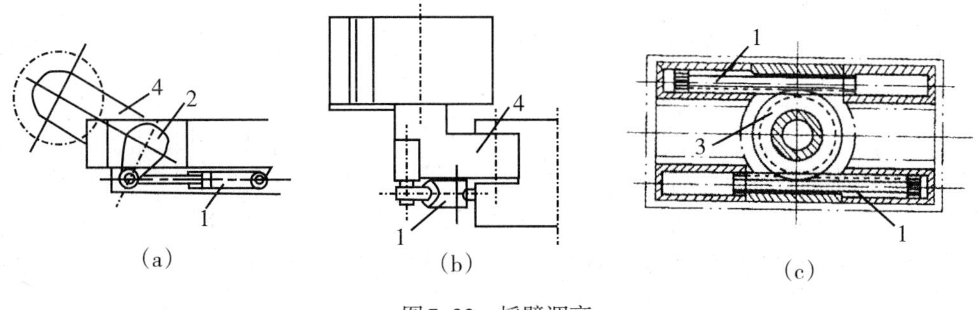

图7–32　摇臂调高

1——调高油缸；2——小摇臂；3——摇臂轴；4——摇臂

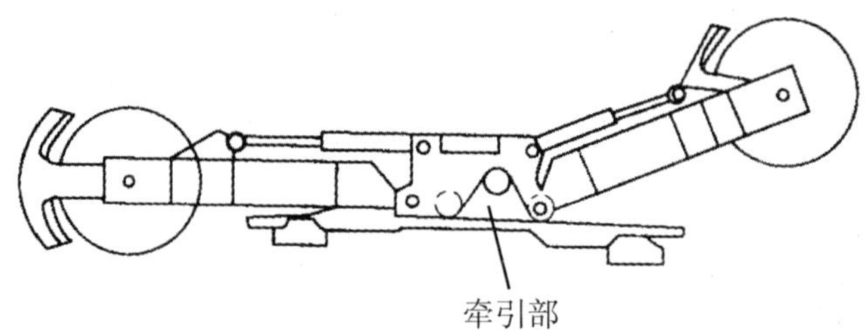

图7–33 采煤机机身调高

三、防滑装置

骑在刮板输送机上工作的采煤机，当煤层倾角大于10°时，就有下滑的危险。特别是链牵引采煤机在上行工作时，一旦断链，就会造成机器下滑的重大事故。因此，在倾斜工作面，当倾角大于采煤机的自滑坡度时，采煤机应设置防滑装置。常用防滑装置有防滑杆装置、抱闸制动装置和液压安全绞车等。

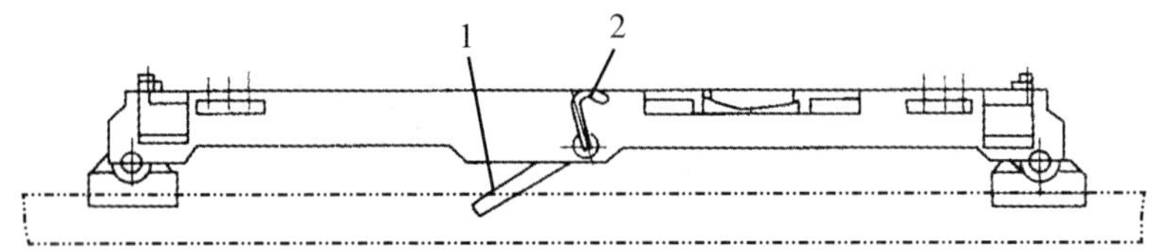

图7–34 防滑杆装置

1——防滑杆；2——把手

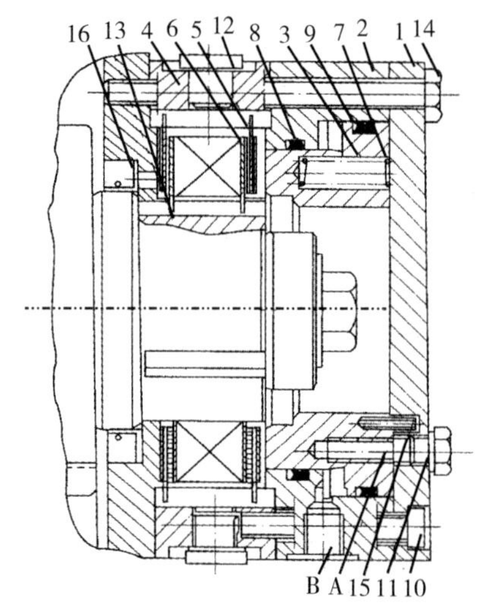

图7–35 圆盘摩擦片式液压制动器

1——端盖；2——油缸体；3——活塞；4——离合器外壳；5——外摩擦片；6——内摩擦片；7——弹簧；8、9——密封圈；10、14——螺钉；11、12——丝堵；13——马达轴；15——定位销；16——油封

防滑杆装置是在采煤机底托架下面顺着煤层倾斜向下的方向设置防滑杆（如图7–34），它利用把手操纵，在采煤机上行采煤时将防滑杆放下，采煤机万一发生断链下滑，防滑杆即插在刮板链上，只要及时停止输送机，即可防止采煤机的下滑。在下行采煤时将防滑杆抬起。这种装置只用于中、小型采煤机，且需要手工操作，使用较繁琐。

在无链牵引中，采煤机的防滑制动通过圆盘摩擦片式液压制动器，它设置在牵引部液压马达的输出轴上，制动器合上时，马达输出轴与采煤机体固联，被制动，制动器分离时，马达输出轴与采煤机体分离，可以转动，停机时离合器处于合状态。制动器的分与合由控制系统根据采煤机速度实时控制，防止采煤机下滑。

液压制动器的结构如图7–35所示。

外摩擦片5通过花键套在离合器外壳4的槽中，内摩擦片6装在马达轴的花键槽中。内、外摩擦片相间安装，并靠活塞3中的预压弹簧7压紧。弹簧的压力使摩擦片在干摩擦情况下产生足够大的制动力以防止机器下滑，这可用于机器停机时的制动。在控制阀作用下，当控制油由B口进入油缸时，活塞3压缩弹簧7而右移，使摩擦离合器松开，采煤机即可牵引运行；当液压油由B口流出油缸时，压缩弹簧7复位而使活塞3左移，使内、外摩擦片压紧，马达输出轴的动力经过内、外摩擦片传递给离合器外壳，实现制动。

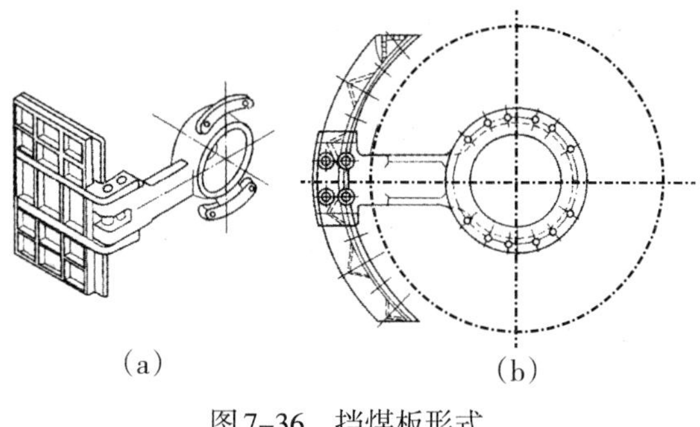

图7-36 挡煤板形式

四、挡煤板

为了提高装煤效率，减少浮煤量和抑制煤尘飞扬，采煤机螺旋滚筒后设置有挡煤板。

挡煤板有门形和弧形两种形式。门形挡煤板如图7-36(a)所示，挡煤部分形状为平板形。图7-36(b)为弧形挡煤板，因挡煤部分形状为圆弧形而得名，它套在摇臂头上，可绕滚筒轴线翻转180°，根据采煤机不同的牵引方向，利用安装在摇臂上的液压缸可将其翻转到滚筒的任何一侧，实现挡煤的效果。弧形挡煤板的装煤效果好，在滚筒式采煤机上得到普遍应用。

五、底托架

底托架是采煤机的基座，用来支承整个采煤机，也是采煤机在工作面刮板输送机上的导向滑动部分。

底托架的高度要根据采高、滚筒直径、机面高度及卧底量等因素来确定。底托架与输送机的支承导向部分的结构尺寸必须相匹配，同时底托架下还必须留有足够的过煤空间，保证刮板输送机上煤流顺畅通过。

底托架的结构有焊接式和铸造式两种。但都要求其具有高强度、刚性好、重心低和过煤能力大的特点。

六、电缆拖移装置

采煤机沿工作面牵引时，其电缆、水管等设备要随着采煤机一起拖着移动。为了保护这些设备不被采煤机压坏或煤块砸坏，采煤机上安装有电缆拖移装置。

电缆拖移装置如图7-37所示，其主要部分为电缆夹，由框形链环1用铆钉连接而成，各段之间用销轴2连接。链环朝采空区侧是开口的，电缆和水管由开口侧放入框形链环1并用锁紧销3挡住。电缆夹的一端用一个可回转的弯头5固定在采煤机的电气接线箱上。为了改善靠近采煤机机身这一段电缆夹的受力情况，在电缆夹的开口一边装有一条节距相同的板式链4，以使链环不致发生侧向弯曲或扭绞。

采煤工作面上的电缆和水管，前一半固定不动地铺设于输送机槽帮的电缆夹内，后一半从工作面中点附近引出，并夹入电缆夹内。当采煤机沿工作面上行时，电缆叠为两层，当采煤机运行到工作面两端时，电缆夹全部展开。

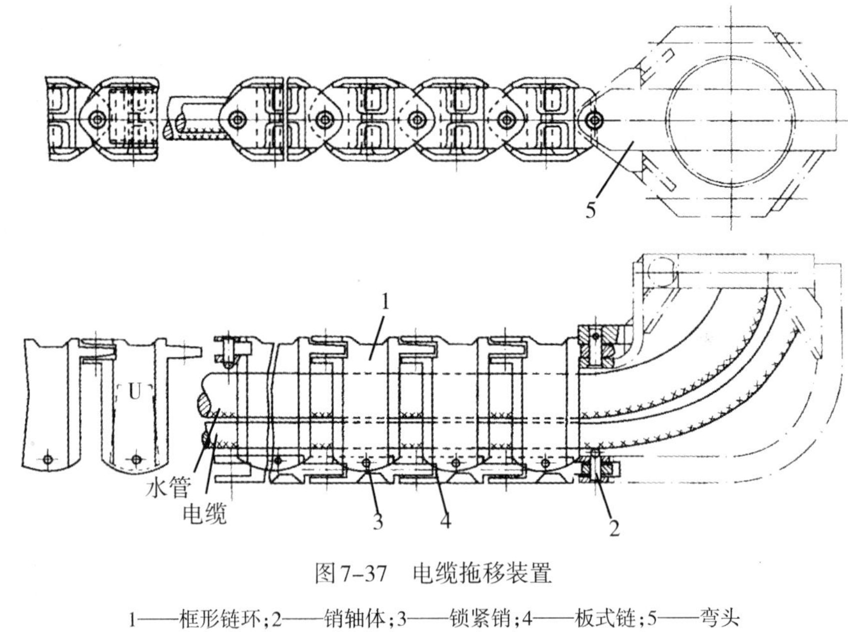

图7-37　电缆拖移装置

1——框形链环；2——销轴体；3——锁紧销；4——板式链；5——弯头

第七节　MG750/1915-WD型采煤机

一、概述

MG750/1915系列采煤机是一种多电机驱动、电机横向布置，采用机载式交流变频调速装置的新型无链电牵引采煤机。

型号含义：MG750/1915-WD

M——采煤机

G——滚筒式

750/1915——截割电机功率(kW)/装机总功率(kW)

W——无链牵引

D——电牵引

MG750/1915-WD型采煤机适用于开采煤层厚度在2.5～4.7米、倾角小于15°的中硬或硬煤层，并含有少量夹矸的长壁式采煤工作面。它与SGZ-880/630型刮板输送机配套。

MG750/1915-WD型电牵引采煤机总装机功率为1915KW，截割电机功率为2×750KW，油泵电机功率为35KW，牵引电机2×110KW，破碎机电机160 KW，整机采用单电缆供电，供电电压为3300V。

二、性能特点

1.采用多电机驱动，截割电机横向布置在摇臂上。摇臂与机身通过销轴铰接，没有动力传递，全部采用正齿轮传动，结构简化。

2.采用分体式直摇臂结构，左右摇臂除过渡架不能通用外，其余部分可以互换。

3.主机身分三段，取消底托架结构，采用圆柱定位销与高强度液压螺栓联接，简单可靠，装拆方便。

4.采用交流变频调速技术，“一拖一”，即两台变频器分别拖动两台牵引电机的工作方式，实现牵引速度无级变速。电牵引传动效率高、牵引力大，本采煤机最大牵引力为936kN。

5.牵引传动箱与液压泵站布置在一个箱体内，结构紧凑。

6.采用大节距、承载能力大的无链牵引结构，安全可靠。

7.该机控制齐全，既可手动操作，也可离机无线电遥控，并设有主电机和牵引电机的功率、过热、过电流保护，油压保护，水压保护等多种保护功能。

8.主电机、牵引电机、泵电机均可在采空侧拆装，维修方便。

9.采用网络结构式采煤机工况监测和故障诊断的专用数字信号处理系统。

10.采煤机各种操纵开关、控制按钮、显示装置均设在采空侧，操作安全方便。

11.设有内、外喷雾装置，冷却、降尘效果好；摇臂减速箱内部设冷却水管，冷却效果更显著。行星头外齿圈循环冷却。

12.自带破碎机，可破碎机前大块煤以防止大块煤堵塞机身下面的过煤通道。

13.系统采用了先进的信号传输及通讯技术，以网络形式连接，便于扩展系统性能。

14.安装大量的传感器，可对系统状况进行较全面的监视。

15.采用大屏幕液晶显示器，人机界面友好，提供全中文显示界面。

16.具有运行状态及参数超限、故障报警和故障记忆功能，电控系统具备较强的故障自诊断能力。

三、主要技术特征

采高范围(m)	2.5 ~ 4.7
适合倾角 (°)	≤15°
截深 (mm)	865
机面高度 (mm)	1745
两摇臂回转中心距离(mm)	8560
配套滚筒直径 (mm)	φ2500，φ2700
最大采高 (mm)	4709，4809
下切深度 (mm)	605，705
摇臂结构形式	分体式直摇臂
摇臂长度 (mm)	2880
摇臂总摆角 (°)	61°
上 摆 (°)	45.5°
下 摆 (°)	15.5°
截割功率与供电电压	2×750kW，3300V

项目		参数
滚筒转速　（r/min）		26.7，26.7
截割速度　（m/s）		3.49 ,3.77
牵引与调速型式		销轨式、交流变频调速
牵引功率与供电电压		2×110kW,380V
牵引速度　（m/min）		10/20,12/24,
牵引力　（kN ）		1144/572,953/476
破碎功率与供电电压		160kW,3300V
泵站电动机型号		YBCB-35G
泵站电动机功率 （kW ）		35
供电电压　（V ）		3300
喷雾方式		内、外喷雾
冷却方式		截割、牵引、破碎、泵站电机，摇臂水套，变频箱用水冷
喷雾泵站	喷雾泵型号	PB－320/10
	最高工作压力（MPa）	10
	额定工作流量(l/min)	320
	供水管型号	KJ38/100
配套电缆型号	主电缆	UGFP 3×150+1×50+6×6
整机重量　（t）		128

四、组成部分及机械传动系统

MG750/1915-WD型采煤机如图7-38所示。整机主要由下列几部分组成：

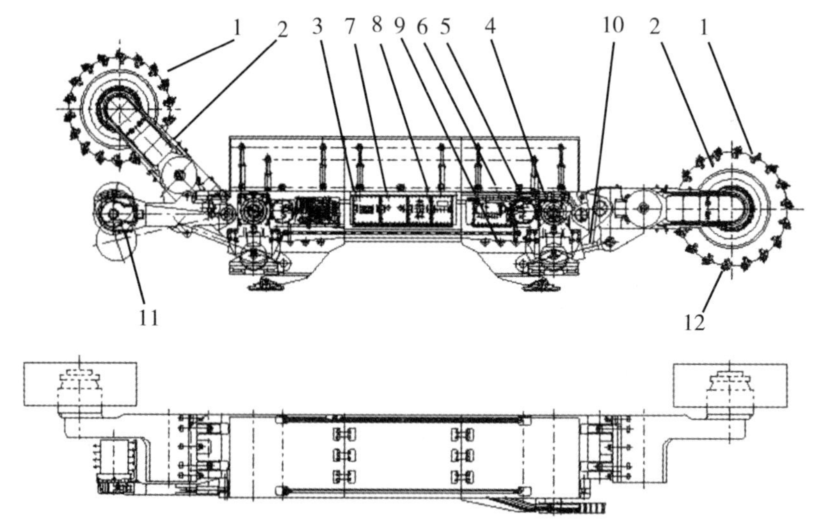

图7-38　MG750/1915-WD型采煤机

1——截割滚筒；2——摇臂；3——电气系统；4——牵引部；5——牵引传动箱；6——泵站；7——高压控制箱；8——牵引控制箱；9——主机架；10——调高油缸；11——破碎机构；12——喷雾冷却装置

1.截割部

分左、右两部分,由左右截割滚筒、左右摇臂、内外喷雾冷却装备等组成,完成截煤和装煤的作用。

2.牵引部

分左、右两部分,左牵引部由牵引减速箱、调高泵站、行走箱、左支撑腿、滑靴等组成;右牵引部由牵引减速箱、高压电气箱、行走箱、右支撑腿、滑靴等组成。牵引部是机器行走的执行机构。

3.主机架

由中间框架、组合控制箱等组成。这是机器的主体框架。

4.破碎机构

由臂架、破碎电机、破碎传动机构、破碎滚筒、护罩组成,用以破碎大块煤。

5.液压系统

由泵电机、双联齿轮泵、液压泵站、过滤器等组成,实现摇臂、破碎机、顶护板的升降。

6.喷雾冷却系统

由喷雾泵站、反冲洗过滤器、节流阀、减压阀、安全阀、流量计、流量压力开关等组成,用以冷却和喷雾降尘。

7.操作系统

本系列采煤机有三种操作方式:

(1) 手动操作:操作点在调高泵站和电控箱面板上;

(2) 左右端头站操作:电按钮集中在端头站上,并分别固定在机器两端;

(3) 无线电离机操作:司机随身携带无线电遥控器,可以在离机身一定范围内的任何位置操作机器。

这三种操作的功能均能实现对整机的不同程度的各种控制,如各电机的开停,控制摇臂、破碎机、顶护板的升降,机器的牵引方向、速度以及停机等。

五、截割部

截割部是采煤机的工作部件,其组件主要有:过渡架、截割电机、摇臂减速箱、带柔性轴的操作离合器、截割滚筒、冷却和喷雾装置等。

截割电动机直接横向安装在摇臂箱体内,摇臂减速箱内的机械传动部分含行星减速器,与传统的采煤机机型相比,没有固定减速箱、摇臂回转套,结构简单、紧凑。

两个摇臂分别与过渡架连接,再分别用销轴同左、右牵引减速箱铰接。同时通过摇臂回转腿上的Φ180孔用销轴与安装在牵引减速箱上的调高油缸铰接,通过油缸活塞杆的伸缩,实现左、右滚筒的升降。

1.截割部特点

(1)摇臂回转采用销轴结构,摇臂与机身没有机械传动,自成独立传动部件;

(2)摇臂齿轮减速都是简单的直齿传动,传动效率高;

(3)截割电动机和摇臂一轴齿轮之间,采用细长柔性扭矩轴联接,可补偿电动机和摇臂一轴轴齿轮位置的少量偏差,不影响动力传递,在滚筒受到较大的冲击载荷时对截割传动系统的齿轮和轴承起到缓冲作用,提高可靠性;

(4)摇臂采用直摇臂形式,左右摇臂除过渡架不能通用外,其余都可通用;

(5)摇臂外壳上、下有冷却水套,齿轮减速箱内部设两组冷却水管,用以降低摇臂内油液的温度;

(6)输出端采用560×560mm方形联接套和滚筒连接,其直径可根据煤层厚度在φ2.5m和φ2.7m中选取。

2.截割部的传动系统

截割部的传动系统,如图7-39所示。

截割部电动机的输出轴是带有内花键的空心轴,通过细长柔性扭矩轴与齿轮Z1相连,电动机输出转矩通过齿轮Z1、Z2、Z3、Z4、Z5、Z6、Z7、Z8传到行星减速器I,行星减速器I的行星架将动力传给行星减速器II,行星减速器II的行星架输出,将动力传给方形联接套,最后传到截割滚筒。采煤机截割机构总传动比为:

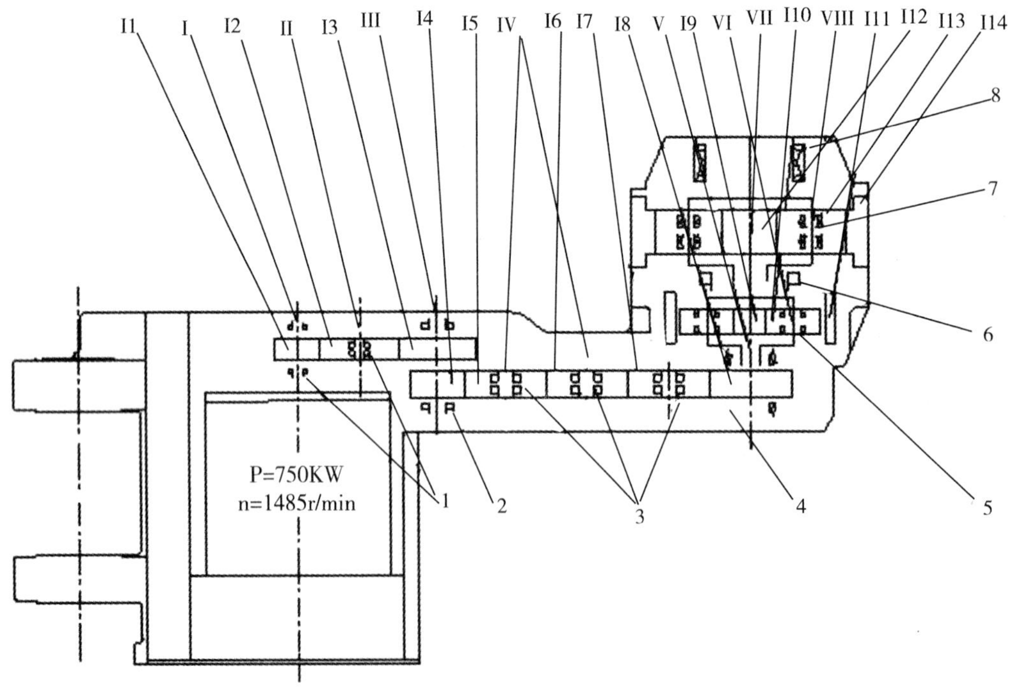

图7-39　截割部传动系统

1-8——轴承;I-VIII——减速器轴号;Z1-Z14——传动齿轮

$$i=\frac{Z3}{Z1}\times\frac{Z8}{Z4}\times(1+\frac{Z11}{Z9})\times(1+\frac{Z14}{Z12})=\frac{40}{27}\times\frac{40}{29}\times(1+\frac{85}{19})\times(1+\frac{81}{23})=56.395$$

传动齿轮特征及规格详见表7–2。

表7–2　传动齿轮特征及规格表

齿轮参数表														
序号	Z1	Z2	Z3	Z4	Z5	Z6	Z7	Z8	Z9	Z10	Z11	Z12	Z13	Z14
模数	8			8					7			10		
齿数	27	41	40	29	43	43	43	44	19	33	85	23	29	81
传动比	1.48			1.52					5.474			4.522		
轴号	Ⅰ	Ⅱ	Ⅲ		Ⅳ			Ⅴ		Ⅵ		Ⅶ	Ⅷ	
转速r/min	1485	977	1003		675			660		431	0	120	100	0

支承轴承特征及规格详见表7–3。

表7–3　轴承特征及规格表

序号	1	2	3	4
型号	NJ324ECJ/C3	NJ326ECJ/C3	NJ2230ECJ/C3	32940
尺寸（d×D×b）	120×260×55	130×280×58	150×270×73	200×280×51
序号	5	6	7	8
型号	22220E/C3	NU1080J/C3	22320ES/C3	351084
尺寸（d×D×b）	100×180×46	400×600×90	100×215×73	420×620×206

3.截割电动机

截割电动机为矿用隔爆型三相交流异步电动机，用于环境温度小于40℃有甲烷或爆炸性煤尘工作面。横向安装在采煤机摇臂上，中间空心轴上的内花键与细长柔性扭矩轴相联，外壳水套冷却。截割电动机的技术参数见表7–4。

表7–4　截割电动机技术参数

型号	YBCS–750	工作制	S1
功率　(kW)	750	接法	Y
极数	4	绝缘等级	H
额定电压 (V)	3300	冷却方式	水套冷却
额定电流 (A)	150	冷却水量 (l/min)	35
频率　(Hz)	50	冷却水压 (MPa)	≤3
转速　(r/min)	1485	外形尺寸	Φ795×1050

4.摇臂减速箱

摇臂外形图如图7-40所示,摇臂结构如图7-41所示。

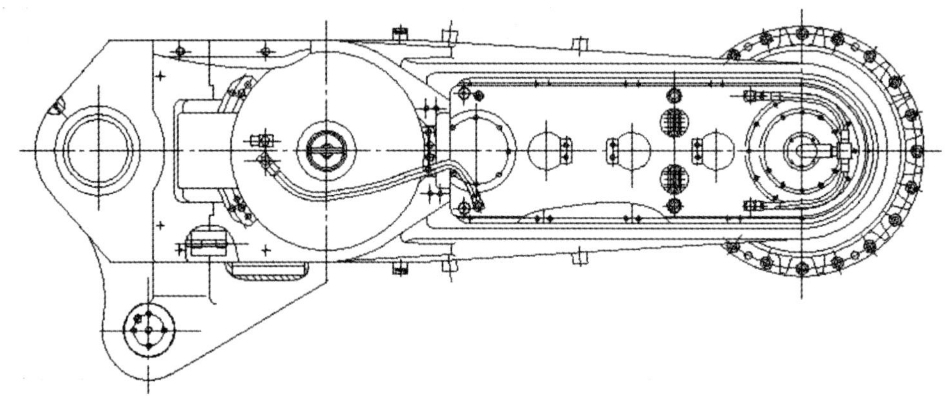

图7-40　摇臂外形图

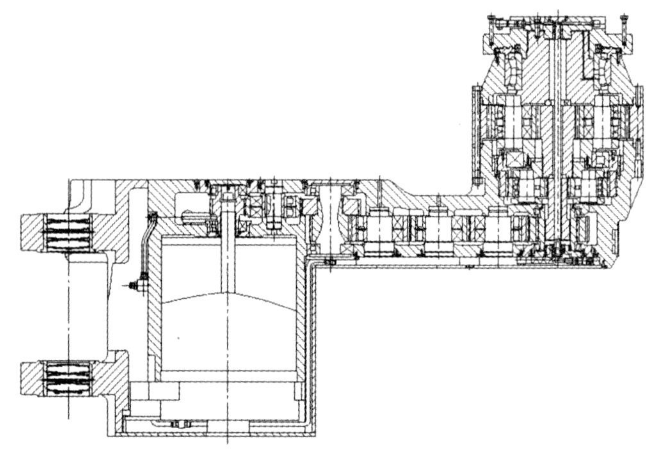

图7-41　摇臂结构图

摇臂主要由壳体、轴组、行星减速器、内外喷雾装置等组成。摇臂壳体采用整体铸钢结构,外壳有一焊接的冷却水套,水套上面装有六只喷嘴,用于外喷雾降尘。

Ⅰ轴组件齿轮由轴承对称支承在轴承杯上,齿轮通过渐开线花键与电动机柔性扭矩轴相联。轴承的轴向间隙应保持在0.5～0.7之间。

Ⅱ轴组件为惰轮组,主要由心轴、轴承、偏心套、齿轮等组成,靠心轴、偏心套、与壳体台阶定位。

Ⅲ轴组件齿轮通过内花键套在轴齿轮上,轴齿轮由两个轴承支承在箱体上,齿轮采用花键两端的圆柱面相配合而径向定心,增强了联接的稳定性。轴承的轴向间隙,保持在0.3～0.5㎜之间。

Ⅰ、Ⅱ、Ⅲ轴组成摇臂齿轮传动第一级,也是变速级,当选择不同的滚筒旋转速度时,只需要按照表7-2提供的传动比,更换Ⅰ轴、Ⅲ轴齿轮以及改变Ⅱ轴偏心套方向即可。

Ⅶ轴组件轴齿轮由两个轴承支承在箱体上，增强了联接的稳定性。轴承的轴向间隙，保持在0.3～0.5㎜之间。

内喷雾供水装置结构如图7–42。由接头座、水封、距离环、套、供水管、高压软管、铰接接头、铰接螺栓、接头、通水座、轴承、油封、副水封、主水封等组成。

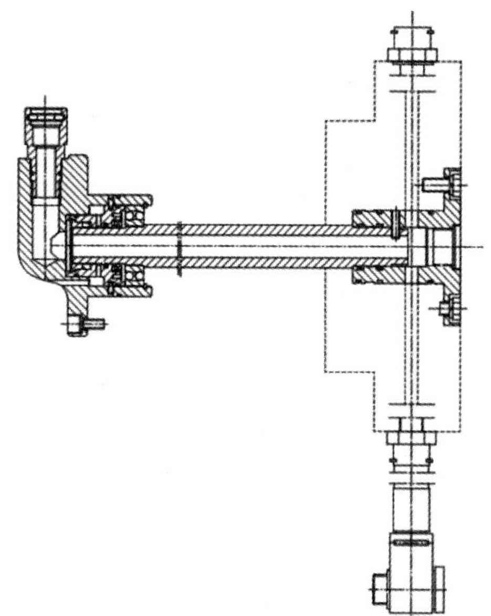
图7–42　内喷雾供水装置

行星减速器分为两部分。行星减速器Ⅰ为四行星轮减速机构。主要由太阳轮、行星轮、内齿圈、行星架等组成。太阳轮的另一端与摇臂大齿轮的内花键相联，输入转矩。当太阳轮转动时，驱动行星轮沿自身轴线自转，同时又带动行星架绕其轴线转动，行星架通过花键和行星减速器Ⅱ的太阳轮联接，将输出转矩传给行星减速器Ⅱ。

行星减速器Ⅱ也为四行星轮减速机构。主要由太阳轮、行星轮、内齿圈、行星架、支承轴承、平面浮动密封装置和方形联接套等组成。当太阳轮转动时，驱动行星轮沿本身轴线自转，同时又带动行星架绕其轴线转动，行星架通过花键和方形联接套联接，将输出转矩传给滚筒。

行星减速器Ⅰ采用太阳轮与行星架双浮动结构，行星减速器Ⅱ采用太阳轮浮动结构，太阳轮浮动量通过花键侧隙来保证。两级行星减速器的技术参数如表7–5所示。

表7–5　行星减速器技术参数

分级	行星架输出转矩 (kN·m)	行星架最低转速 (r/min)	传动比	行星减速器外径 (mm)
行星减速器Ⅰ	62.75	106	5.47	ϕ680
行星减速器Ⅱ	275.1	23.5	4.52	ϕ1000

行星架前端靠32940型轴承支撑，后端靠351084型轴承支撑，该轴承两端面需控制轴向间隙为0.2～0.4mm。

方形联接套采用平面浮动油封装置，能适应行星机构的轴向窜动，适应在有煤尘和煤泥水的工况下工作。

5.截割滚筒

滚筒如图7–43所示。担负着落煤、装煤的作用。主要由滚筒筒体、截齿、齿座和喷嘴等

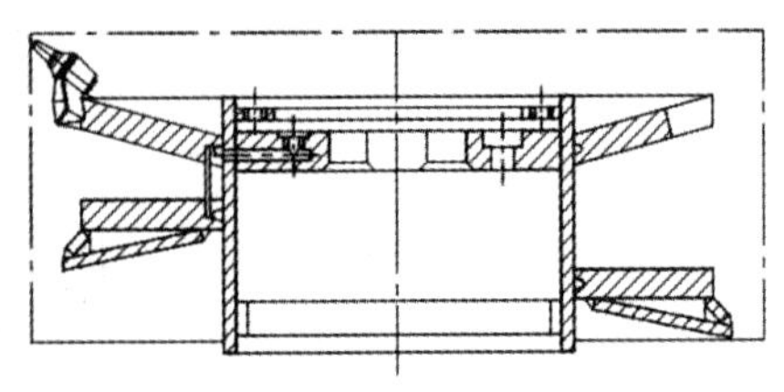

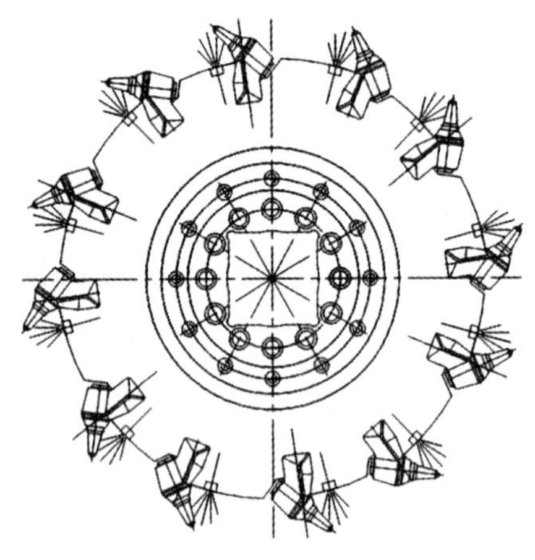

图7-43 截割滚筒

组成。滚筒与摇臂行星减速器输出轴采用方形联接套联接,联接可靠,拆卸方便。

滚筒筒体采用焊接结构,螺旋叶片上设有内喷雾水道和喷嘴,压力水从喷嘴雾状喷出,直接喷向齿尖,以达到冷却截齿降低煤尘和稀释瓦斯的目的。为延长螺旋叶片的使用寿命,在其出煤口处采用耐磨材料喷焊处理。为适应较高牵引速度的要求,采用新型大镐形齿以及与之相配套的大齿座。齿座采用了特殊材料和特殊加工工艺,强度高,截齿固定方便、可靠。

六、牵引部

牵引部分为左牵引部和右牵引部两部分。左右牵引箱不对称,左牵引部由牵引电机、机械传动系统、泵站电机、泵箱及阀组等组成;右牵引部由牵引电机、传动系统、电控箱等组成。

传动系统由牵引减速箱和行走箱两部分组成。牵引减速箱内有牵引电动机、两级直齿传动和两级行星机构。行走箱内有驱动轮、惰轮、行走轮和导向滑靴。牵引电动机输出的动力经减速后,传到行走箱的行走轮,使其与刮板输送机的销轨相啮合,使采煤机行走。通过导向滑靴在销轨上的限位对采煤机进行导向,并保证行走轮与销轨正常啮合。

牵引传动装置有如下特点:

(1)采用强力销轨式无链牵引系统,承载能力大,导向好,维修方便;

(2)采用双浮动、三行星轮和四行星轮行星减速器,轴承寿命和齿轮的强度大,可靠性高;

(3)行走箱与牵引减速箱分开,能方便地配套不同槽宽的刮板输送机和选用不同的无链牵引系统,或改变机面高度;

(4)导向滑靴回转中心与行走轮中心同轴,保证行走轮与销轨的正常啮合。

1.机械传动系统

如图7-44所示。牵引电动机出轴花键与Ⅰ轴齿轮相联,将电动机输出转矩通过齿轮Z_2、Z_3、Z_4、Z_5传给行星减速器,经两级行星减速后由行星架输出,传给行走箱内的驱动轮Z_{12},驱动轮Z_{12}与惰轮Z_{13}相啮合,惰轮Z_{13}与行走轮组件中的大齿轮Z_{14}($Z_{14}=22$,$m=25$)啮合,最后再由行走轮Z_{15}与工作面刮板机上的销轨啮合,使采煤机行走。变换Z_1、Z_2,可有三种传动比,以满足不同牵引力与牵引速度的需要。

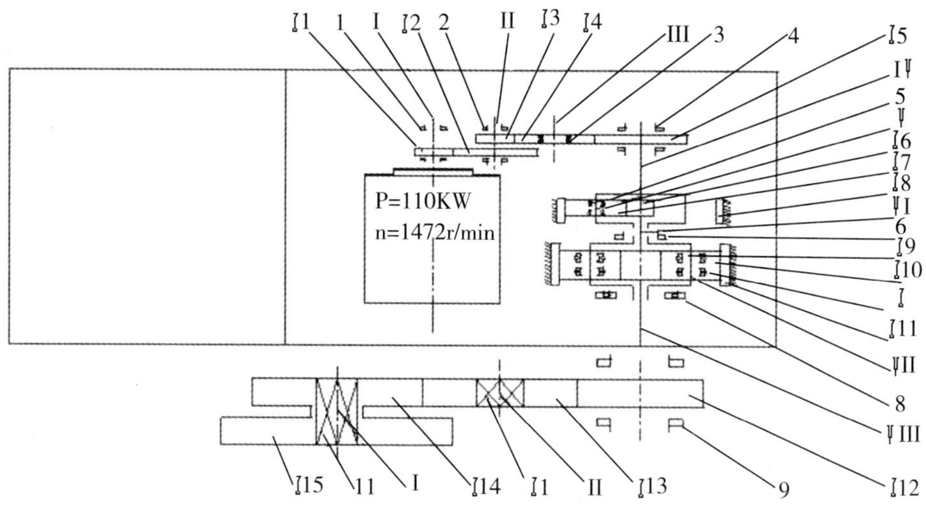

图7-44　牵引部传动系统图

1-11——轴承；I-X——减速器轴号；Z1-Z15——传动齿轮

牵引传动装置的传动比 i_1、i_2、i_3：

$$i=\frac{Z2}{Z1}\times\frac{Z5}{Z3}\times(1+\frac{Z8}{Z6})\times(1+\frac{Z11}{Z9})\times\frac{Z14}{Z12}=\frac{49}{28}\times\frac{55}{25}\times(1+\frac{84}{15})\times(1+\frac{71}{17})\times\frac{22}{15}=192.90$$

$$i=\frac{Z2}{Z1}\times\frac{Z5}{Z3}\times(1+\frac{Z8}{Z6})\times(1+\frac{Z11}{Z9})\times\frac{Z14}{Z12}=\frac{52}{25}\times\frac{55}{25}\times(1+\frac{84}{15})\times(1+\frac{71}{17})\times\frac{22}{15}=229.27$$

$$i=\frac{Z2}{Z1}\times\frac{Z5}{Z3}\times(1+\frac{Z8}{Z6})\times(1+\frac{Z11}{Z9})\times\frac{Z14}{Z12}=\frac{55}{22}\times\frac{55}{25}\times(1+\frac{84}{15})\times(1+\frac{71}{17})\times\frac{22}{15}=275.57$$

牵引传动装置的传动齿轮特征及规格见表7-6。支承轴承特征及规格见表7-7。

表7-6　齿轮特征及规格表

齿 轮 参 数 表															
项目	牵引减速箱										行走箱				
序号	Z1	Z2	Z3	Z4	Z5	Z6	Z7	Z8	Z8	Z10	Z11	Z12	Z13	Z14	Z15
模数	5		5			5			7			25			46.8
齿数	28 （25） （22）	49 （52） （55）	25	51	55	15	34	84	17	26	71	15 （18）	18	22	11
传动比	1.75		2.2			6.6			5.176			1.47			
轴号	Ⅰ	Ⅱ		Ⅲ	Ⅳ		Ⅴ		Ⅵ	Ⅶ		Ⅷ	Ⅸ	Ⅹ	
转速 r/min	1472	841		412	382		201	0	58	41.8	0	11.2	9.3	7.63	

表7-7 轴承特征及规格表

轴承参数表						
序号	1	2	3	4	5	
型号	NJ216ECJ/C3	NJ2216ECJ/C3	NJ314ECJ/C3	NJ226ECJ/C3	22310EJ/C3	
尺寸 (d×D×b)	80×140×26	80×140×33	70×150×35	130×230×40	50×110×40	
序号	6	7	8	9	10	11
型号	NJ1056	22312EJ/C3	16048	NJ248J/C3	专用轴承	
尺寸 (d×D×b)	280×420×56	190×260×45	240×360×37	240×440×72		

2.牵引电动机

牵引电动机为隔爆型三相交流电动机，与变频调速装置配套，作为采煤机的牵引动力源，可适用于环境温度不高于40℃，相对湿度不大于95%，且有甲烷或爆炸性煤尘的场合。

开机前必须先通水，当断水或有其他异常响声时，必须立即停机检查。拆装时应特别注意部件的隔爆面，不得损伤。其主要技术参数如表7-8所示。

表7-8 牵引电机特征

型　号	YBC-110S	工作制	S1
功率(kW)	110	接法	Y
极数	4	绝缘等级	H
额定电压(V)	380	冷却方式	水套冷却
额定电流(A)	206	冷却水量 (l/min)	20
频率(Hz)	50	冷却水压 (MPa)	≤1.5
转速(r/min)	1472	外形尺寸	Φ425×800

3.牵引减速箱

牵引减速箱由壳体、牵引电机、传动齿轮、轴承、支撑腿、调高油缸等组成。左右牵引箱不完全对称，图7-45为左牵引部减速箱外形图。图7-46为左牵引部减速箱结构图。图7-47为右牵引部减速箱结构图。

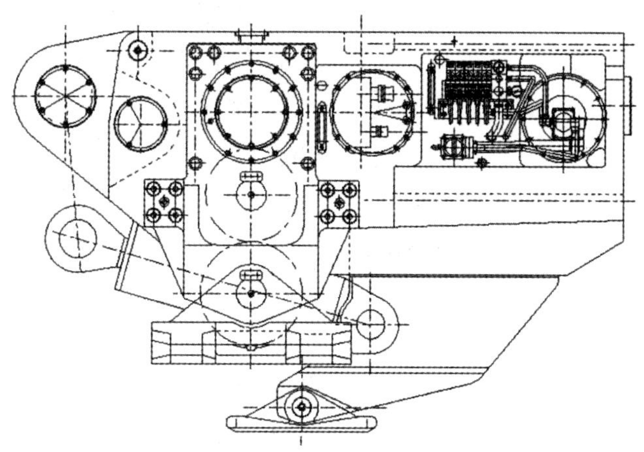

图7-45　左牵引部减速箱外形图

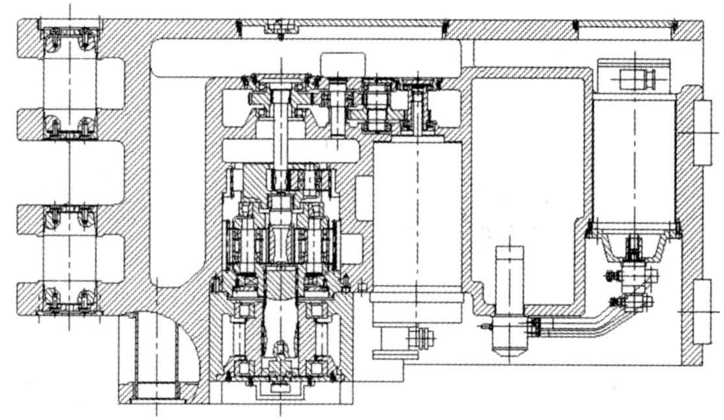

图7-46　左牵引部减速箱结构图

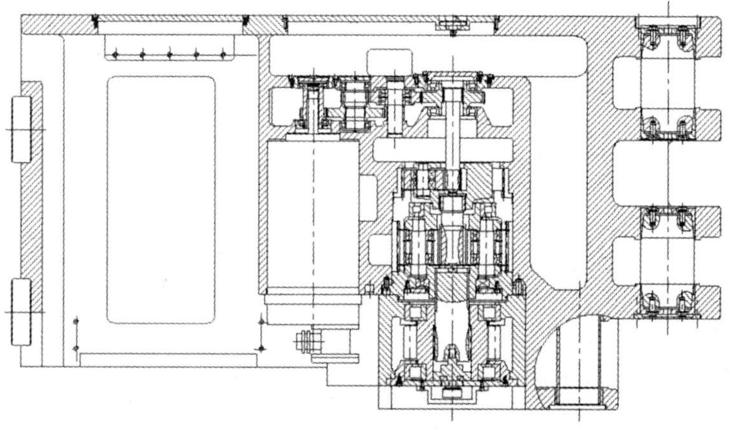

图7-47　右牵引部减速箱结构图

牵引减速箱一端通过销轴与摇臂铰接，另一端台阶对接面由Φ300圆柱销与中间框架对接，对接面由高强度液压螺栓副拉紧。煤壁侧的支撑腿上安装调高油缸，并安装有支撑滑靴。牵引箱的采空侧通过Φ540的止口并用8条M42螺栓和8条M30螺栓将行走箱把紧。其内部,牵引电机将动力通过渐开线花键与Ⅰ轴齿轮内花键相联传递给Ⅰ轴齿轮,经过两级直齿和两级行星减速,将牵引电机动力传给驱动轮。驱动轮又通过惰轮和双联齿轮中的大齿轮,将动力传递给行走轮,最后行走轮与销轨不断啮合,实现采煤机的行走。

牵Ⅰ轴组件齿轮由轴承分别支承在轴承杯和支承座上,齿轮通过渐开线花键与电机出轴相联。轴承的轴向间隙应保持在0.5~0.7之间。

牵Ⅱ轴组件主要由齿轮轴、大齿轮、轴承等组成,由轴承支承在壳体上。轴承的轴向间隙应保持在0.5~0.7之间。

惰轮轴组主要由心轴、轴承、套筒、齿轮等组成,靠心轴、轴承、套筒与壳体台阶定位。

牵Ⅲ轴组件主要由大齿轮、花键轴、轴承组成,由轴承分别支承在壳体和轴承座上。花键轴一端是渐开线外花键,与大齿轮的渐开线内花键啮合;另一端是齿轮,即牵引行星机构Ⅰ的太阳轮。

牵引行星机构包括牵引行星机构Ⅰ和牵引行星机构Ⅱ。牵引行星机构Ⅰ为三行星轮减速机构。主要由太阳轮、行星轮、内齿圈、行星架、支承轴承等组成。太阳轮的另一端与牵Ⅲ轴组件大齿轮的内花键相联,输入转矩。当太阳轮转动时,驱动行星轮沿自身轴线自转,同时又带动行星架绕其轴线转动,行星架通过花键和牵引行星机构Ⅱ的太阳轮联接,将输出转矩传给行星减速器Ⅱ。行星减速器Ⅱ为四行星轮减速机构。主要由太阳轮、行星轮、内齿圈、行星架、支承轴承、大轴承、骨架油封等组成。当太阳轮转动时,驱动行星轮沿自身轴线自转,同时又带动行星架绕其轴线转动,行星架通过渐开线内花键和行走箱花键轴联接,将输出转矩传给行走箱。

4.行走箱

图7-48为牵引部行走箱结构图,由箱壳、驱动轮、惰轮(只有高型有惰轮)、行走轮、心轴、导向滑靴及密封件等组成。

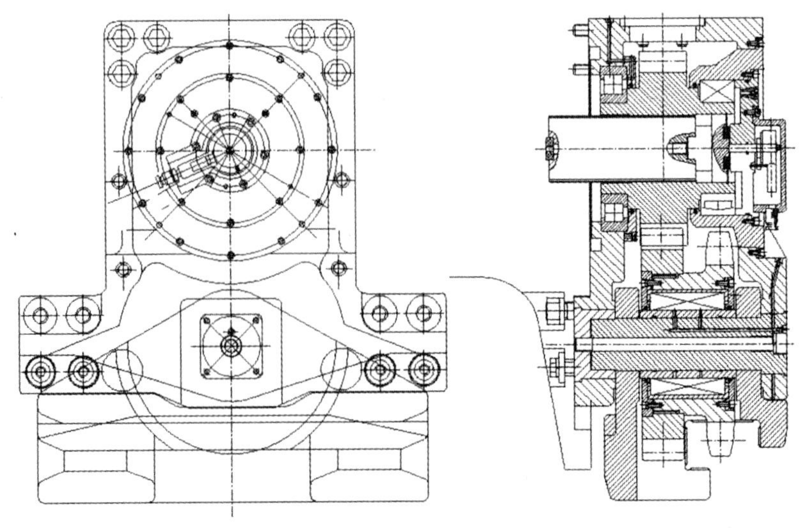

图7-48 牵引部行走箱结构图

左、右两个牵引行走箱通用。行星减速器出轴通过花键轴带动驱动轮，驱动轮由短圆柱滚子轴承支承在箱壳上。惰轮和行走轮组件内装有专用满装滚子承。心轴座安装在箱壳上，且挂有导向滑靴；导向滑靴上下、左右限位在销轨上，对采煤机进行导向。同时还承受行走轮的径向力及采煤机工作时的侧向力。导向滑靴与销轨的导向间隙，应能保证运输机垂直弯曲3°，水平弯曲1°时采煤机能顺利通过。行走箱内的支承轴承用油脂润滑，需定期检查油脂并加油。在行走箱的顶部设计有油箱组件，是为了定期为行走箱内的齿轮进行注油润滑。

5.调高油缸

调高油缸结构如图7–49所示。调高系统的主要技术特征如表7–9。

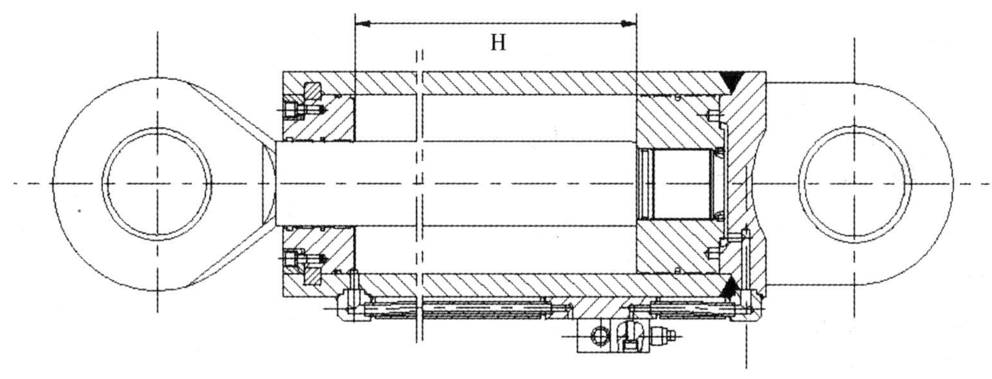

图7–49　调高油缸

表7–9　调高油缸技术特性

工作油压　MPa	△P=30
油缸行程　mm	H=695
工作推力　kN	P1=2413
工作拉力　kN	P2=1883

调高油缸上安装有双向液力锁，只要油缸一腔进油，油缸另一腔自动打开排油；并增加了两个安全阀，以防止强烈冲击对油缸造成损坏。由于工作压力较大，为了避免摇臂下降时产生振动，在油缸无杆腔侧还增加了一个单向节流阀MK15G1.2/2。

6.破碎机构

如图7–50所示，破碎机由左右护板、左右护罩、破碎机构以及升降油缸等组成，用来破碎机前大块煤，以防止大块煤堵塞机身下的过煤通道。

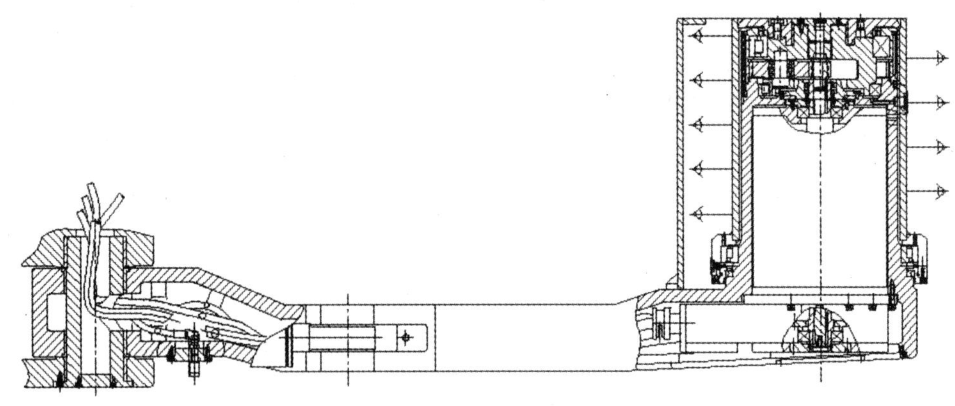

图7-50　破碎机

破碎机臂架为对称结构，根据需要可以安装在左牵引箱或是右牵引箱壳体上。破碎电机输出功率通过花键传递给联结套组件中的联结套，联结套由两个轴承16014支撑在支撑座中，联结套通过内外花键的啮合将功率传递给行星减速器的太阳轮。最后，动力由行星架输出，并通过花键传递给破碎机滚筒。破碎机滚筒和整机滚筒相似，通过截齿来破碎，不同的是破碎机滚筒没有叶片，只有齿座。破碎机内部的轴承通过齿轮油润滑，为防止漏油，在联结套组件与电机之间，行星架支承轴承(NCF2972V)与滚筒之间设有骨架油封。

整个破碎机通过臂架连接在牵引箱壳体上，再通过油缸的伸缩来调节破碎机构所处的位置，以适应破碎时所需要的高度。

破碎机的传动齿轮特征及规格见表7-10。破碎机的轴承特征及规格见表7-11。

破碎电动机为隔爆型三相交流电动机YBC-160G，作为采煤机的破碎机动力源，可适用于环境温度不高于40℃，相对湿度不大于95%，且有甲烷或爆炸性煤尘的场合。

表7-10　破碎机传动齿轮技术特性与规格

齿 轮 参 数 表			
序号	Z1	Z2	Z3
模数	4		
齿数	14	51	118
传动比	9.43		
轴号	32	32	32
转速r/min (50Hz)	1470	156(行星架)	0

表7-11　破碎机轴承技术特性与规格

轴承参数表				
序号	1	2	3	4
型号	NCF2972V	22209CCJ/C3	NCF1868V	16014
尺寸 (d×D×b)	360×480×72	45×80×23	340×420×38	70×110×13

七、液压系统

液压系统原理图如图7-51所示。系统中双点划线内的所有元部件都集成在泵站上，该泵站安装在左牵引减速箱的右部。

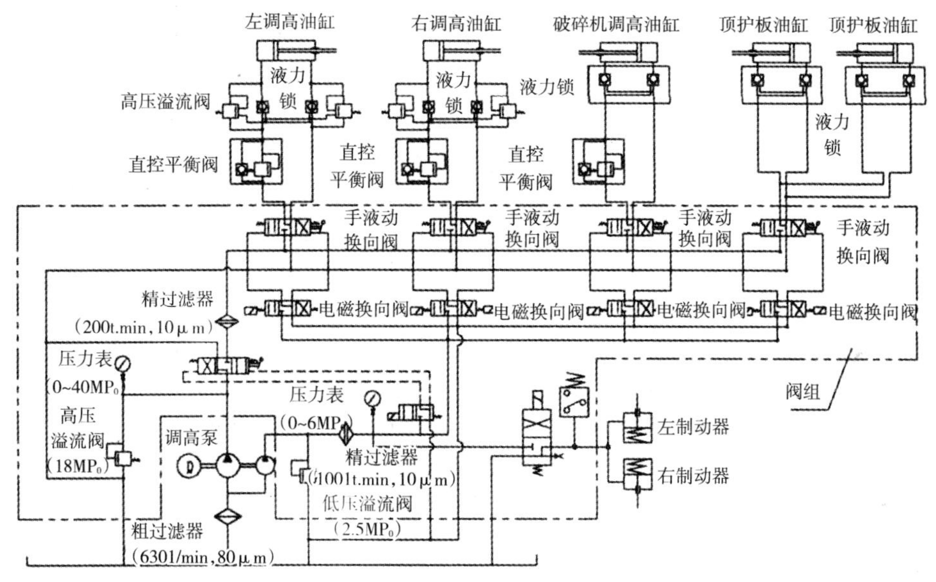

图7-51　液压系统原理图

1.液压系统工作原理

本液压系统为开式系统，由35kW电机带动双联齿轮泵工作。双联齿轮泵中，靠轴端侧为大泵，靠后端侧为小泵。大泵供液压系统主油路工作，小泵供检测油路工作。在所有油缸不工作时，大泵输出的油液通过二位三通换向阀回油池，小泵通过低压溢流阀溢流后回油池。当司机需要左调高油缸工作时，只要按动相应的电按钮或相应的无线电遥控器按钮，此时，控制左调高油缸的三位四通电磁阀首先动作，经过ΔT时间后靠近泵出口的二位四通电磁阀动作，二位三通手液动换向阀随之动作，主油路的油通过二位三通阀进入控制左调高油缸的三位四通液动换向阀，此时因手液动换向阀已经换向，主油路的油通过液动单向阀进入油缸，使油缸工作，带动摇臂升降。与液控单向阀并联连接的安全阀是为了限制油缸的最高工作压力，起保护油缸的作用。在油缸活塞腔回路上的单向节流阀是用于采煤机滚筒下降时不使摇臂颤动。顶护板升降后用机械锁定，故省去安全阀保护和单向节流阀防颤动。手液动换向阀也采用“O”型机能，其他三位四通手液动换向阀采用“Y”型机能。

2.液压泵

齿轮泵的型号为HY/ZGFS11/38+4R401，为双联齿轮泵。齿轮泵体积小，重量轻，结构简单，工作可靠，拆装方便，其主要技术参数见表7-12。泵站电动机为矿用隔爆型三相异步电动机YBCD-35G。

3.液压组件

本机设有五只手液动换向阀，一只为二位三通手液动换向阀，三只为Y型三位四通手液动换向阀，一只为H型三位四通手液动换向阀。五只手液动换向阀集成为阀组，内部油路并联，电磁阀集成在对应的手液动换向阀上，通过内部孔道与集成阀块一起与手液动换向阀两端的控制油腔接通。电磁换向阀的油源从集成阀块经过精滤后与各手液动换向阀并联连接，并且接通电磁阀的P口，通过电按钮或无线电操纵电磁换向阀来控制手液动换向阀的工作位置。

表7-12　液压泵技术参数

内容 泵	大泵	小泵
理论流量　(ml/r)	38	4
理论流量　(l/ min)	55.67	5.86
容积效率　(%)	92	
工作压力　(MPa)	20	1
工作转速　(r/min)	1465	

双联齿轮泵的出口各安装有高压安全阀和低压溢流阀，均采用DBD直动型溢流阀。高压安全阀选用DBDS20K10/31.5型，实际工作压力为20MPa。低压溢流阀选用DBDS10K10/5型，实际工作压力2.5MPa。其工作原理是当压力油从进油口进入阀座前腔，若作用在锥阀芯上的油压力大于弹簧力时，锥阀芯被打开溢流。这种直动溢流阀，结构简单，由于采用了阀芯尾部导向结构，阀芯开启平稳，复位可靠。

在液压系统中，设有粗精过滤器各一个。粗过滤器安装在油箱的采空侧，其型号为LXZ-630×80F-S，采用网式滤芯，过滤精度为80μm，额定流量为630L/min。过滤器采用自封式结构，在其尾部设有单向阀，当更换阀芯时，单向阀关闭，防止油箱中的油液溢出。该过滤器还具有滤芯污染发讯器和油路旁通阀，以提高液压系统的可靠性。当滤芯的污染物堵塞到出油口的真空度为0.018Mpa时，发讯器便发出讯号报警，提醒使用者应及时更换或清洗滤芯。若不能马上停机更换滤芯，油路旁通阀会自动打开，以免油泵出现吸空故障。

精过滤器设在集成阀块的上部，主要保证控制油源的油质清洁。采用纸质滤芯，型号HX-25/10，过滤精度为10μm，流量25L/min。

在采煤机的工作过程中，为了随时监视液压系统中的工作状况，在集成阀块上安装有高、低压压力表，分别显示高压及控制油源的压力。为防止表针剧烈振动而损坏，在压力表表座中有阻尼塞。

液压系统中使用两种电磁阀，一种是34GDEY6BTZ隔爆型电磁换向阀，作为三位四通手液动换向阀的先导控制。另一种电磁阀是24GDEYH6BTZ隔爆型电磁换向阀，作为二位三通手液动换向阀的先导控制。

其他附件包括加油口、放油口，油位指示和透气装置等。

八、辅助装置

1.中间框架

中间框架与左右牵引减速箱间由高强度螺栓联接而组成采煤机的机身。机身安装变频调速器、变压器等。这些部件均安装在防爆箱内，可以从老塘侧抽出，便于维修。在框架内靠煤壁侧留有布管线通道，用来保护电缆、油管和水管。其结构如图7-52所示。

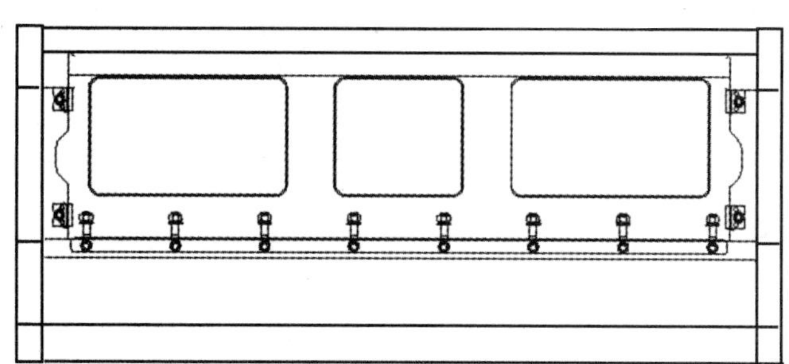

图7-52　中间框架

2.液压螺母

液压螺母由螺母、活塞、密封圈、油堵、紧圈组成。

其工作原理：由超高压泵提供高压油，通过超高压软管、快速接头注入液压螺母油腔，缓慢拉伸高强度螺栓，达到规定压力后，用紧圈机械锁紧，使螺栓始终处于拉伸状态，以达到防松的目的。本机

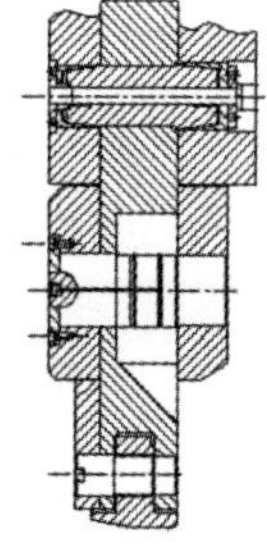

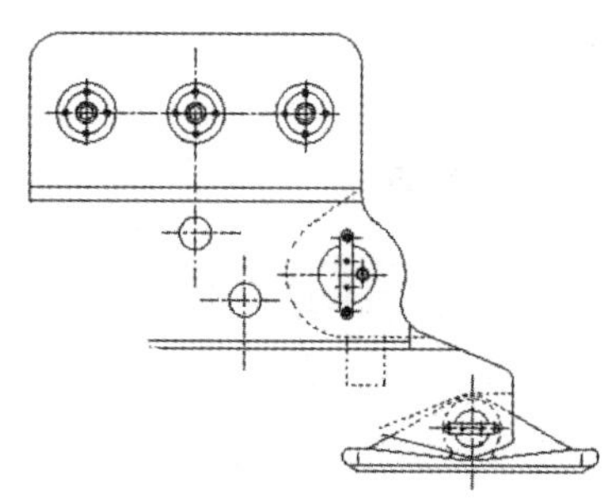

图7-53　滑靴

选用三种规格的液压螺母，即MYCM42×3，机身对接面连接用，配短螺栓；MYCM64×4，机身对接面连接用，配长螺栓；MYCM72×4，摇臂与过渡架对接连接用，限定油压为180MPa。

3.滑靴组件

采煤机依靠左右行走箱上的两只导向滑靴和煤壁侧的两组滑靴组件(支撑腿)骑在工作面刮板输送机的销轨和铲煤板上。煤壁侧滑靴组件(支撑腿)的结构如图7-53，它是由支撑腿、滑靴、定位销、紧固螺钉、压板等组成。由于本机没有底托架，两组滑靴组件分别直接安装在左右牵引减速箱靠煤壁侧的箱体上。改变支撑腿的高度和行走箱的结构可以改变机器的机面高度。

4.拖缆装置

如图7-54所示。由拖缆架、联接板、链条、销、电缆夹板、磁铁和传感组件等组成。

使用电缆夹板的主要目的是当采煤机沿工作面运行时，使拖曳力主要由电缆夹板来承受，以保护电缆和水管，同时还能使拖曳平稳、阻力小。

拖缆装置固定在右牵引箱的上部，临近电控箱，以便电缆能顺利进入电控箱。电缆和水管进入工作面后安装在工作面输送机侧面的固定电缆槽内，至输送机的中点再进入电缆槽并装电缆夹板，故移动电缆和水管的长度为工作面长度的一半左右。

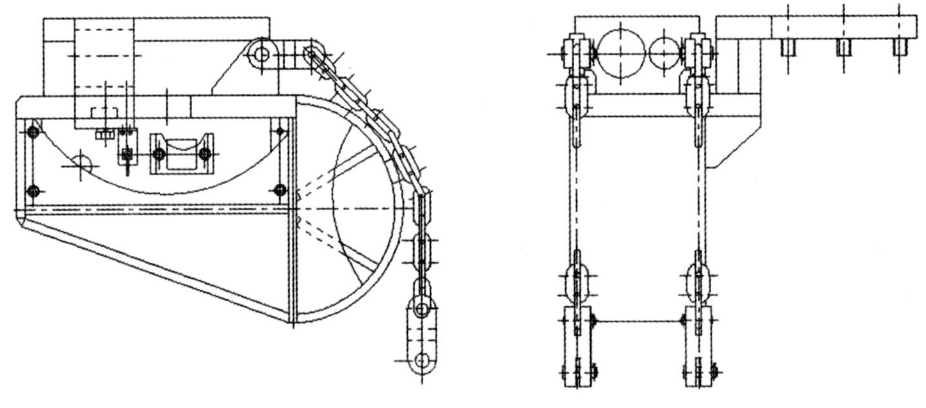

图7-54　拖缆装置

5.喷雾冷却系统

为了提高降尘效果，本机采用中高压喷雾，喷雾冷却系统原理如图7-55所示，由反冲洗过滤器、节流阀、减压阀、安全阀、流量计、流量压力开关、高压管路及有关联接件等组成。来自喷雾泵站的水由供水管进入反冲洗过滤器后分成三路，1路减压后用于冷却，2路分别供左、右滚筒喷雾降尘。

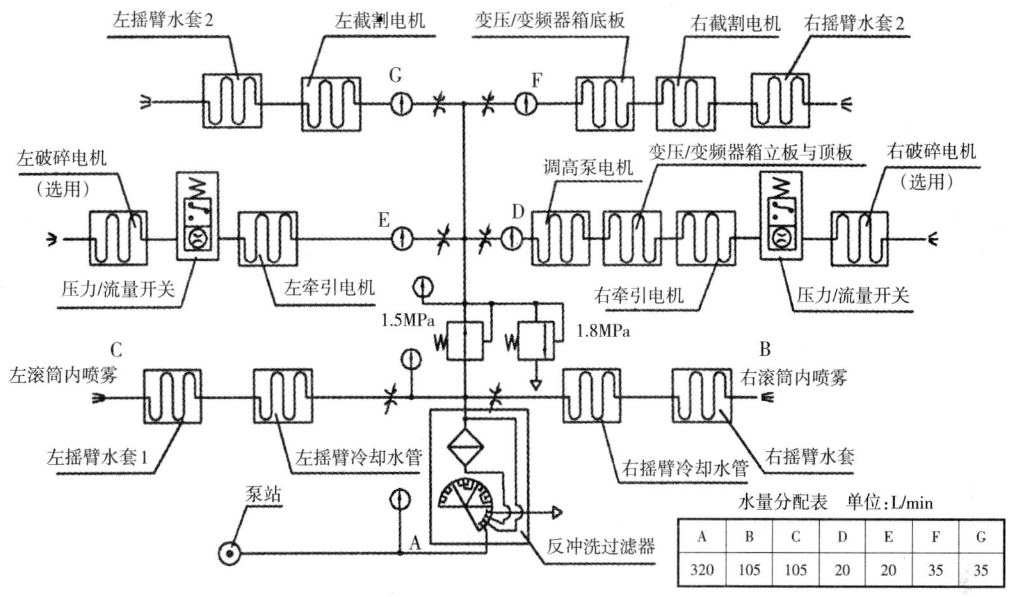

A	B	C	D	E	F	G
320	105	105	20	20	35	35

图7-55 喷雾冷却系统原理图

喷雾泵站的供水压力达10Mpa,供水流量为320 L/min。高压水通过反冲洗过滤器后分成3路,其中2路分别供给左、右截割滚筒用作喷雾降尘,水量都是105L/min。为了达到较好的降尘效果,可通过节流阀调节进入左、右滚筒的水量。高压水经摇臂内的冷却水管、摇臂水套至行星减速器的内喷雾供水装置进入滚筒的叶片水道中,通过安装在各截齿间的喷嘴喷出。喷嘴型号:PLZC-2/55T。

另一路为冷却用水,水量为110L/min。由于冷却水套耐压有限,要求水压限制在1.5MPa以下。为此,在这一路设有减压阀,将供水压力降至1.5MPa。为确保安全,还装有安全阀,实现双重保护。高压水经减压后分成4路,1路用于泵站电机、左牵引电机、左破碎电机的冷却;1路用于变频器、变压器立板与顶板、右牵引电机、右破碎电机(选用)的冷却。这2路水量都为20L/min,冷却水分别通过喷嘴喷出,喷嘴型号:PZB-3.2/70。第3路用于左截割电机和左摇臂水套冷却;第4路用于变频器、变压器底板,右截割电机和右摇臂水套冷却,这2路水量都为35L/min,分别通过摇臂上的喷嘴喷出,作为外喷雾水量。各水路中均装有节流阀和流量计,便于观测和调节各路水量大小。为了确保变频器和变压器正常工作,在供应调速箱底板、电阻箱和调速箱大盖板、隔板的2路冷却水路上设有流量/压力开关,当流量和压力达不到设定的最低值时,通过电气控制回路发出警告。

6.挡煤顶护板

由于本机型机身较高,采高也很高,为了防止煤从煤壁砸到采空侧,保证人员和设备的安全,使工作能顺利开展,特别设计了顶护板。顶护板为焊接件,为减小体积,分为左、中、右三段,装机时将两两之间搭接在一起,并用螺栓紧固,从而连接成一个整体。顶护板靠煤壁一端铰接在机身上,另一端与可伸缩的支柱组件、顶护板油缸铰接。支柱组件和护板油缸也是一端与机身铰接,另一端与顶护板铰接。

工作时，左、右顶护板油缸大腔同时进油，活塞杆伸出，推动顶护板绕机身的铰接点旋转，顶护板倾斜升起，支柱组件上的支撑杆与其筒体之间产生位移，顶护板达到所需的倾斜角度，并使支撑板上的光孔与筒体上的光孔相对时，用销轴插入。在销轴一端装上开口销，把顶护板锁定在所需的工作位置上。

九、电气控制系统

1.特点

MG750/1915-WD型交流电牵引采煤机是为实现煤矿高产高效而开发研制的新型双滚筒采煤机。该机电气系统的主要特点有：

(1)以DSP为核心的专用计算机控制系统，模块化的设计体现了先进的设计理念；

(2)用“一拖一”即2台变频器分别拖动2台牵引电机的工作方式；

(3)系统采用了先进的信号传输及通讯技术，以网络形式连接，便于扩展系统性能，数字信号的传递提高了数据的可靠性和准确性；

(4)安装大量的传感器，可对系统状况进行较全面的监视；

(5)采用大屏幕液晶显示器，人机界面友好，提供全中文显示界面，系统参数显示全面准确；

(6)具有运行状态及参数故障记忆功能，有助于分析查找系统故障原因；

(7)电控系统具备较强的故障自诊断能力；

(8)开机语音报警及瓦斯超限、故障报警，可防止事故发生，用户可根据需要更改报警内容。

2.系统组成

电控系统主要由高压电气箱和组合电气箱组成。

(1)高压电气箱

高压电气箱布置于采煤机的右牵引箱内，具有控制、操作、显示、电源配置及连线、分线等功能。如图7-56所示。

高压箱由电气腔和接线腔组成，电气腔除靠老塘侧开前盖外，还开有2个上盖，便于元器件的安装和布线，接线腔靠煤壁侧开盖。电气腔内装有3300V输入电源的隔离开关(不能带负荷通断)，控制左右截割电机、破碎电机和泵电机用的4个高压真空接触器，检测各电机电流和牵引变压器电流的电流互感器，各电机的漏电闭锁器等。前盖装有隔离开关手把、各操作按钮以及观察窗，前盖的上部还装有一块小盖板，小盖板上装有一个采煤机电源先导回路的试验开关，不用开前盖，只要打开这块小盖板，就可检查控制回路的保险丝等。高压箱的3300V电源由老塘侧前盖左上角的弯喇叭口引入。

接线腔的左右两侧共装有12个喇叭口，左右截割电机、破碎机电机、泵电机的连线，以及组合控制箱牵引变压器的输入线均由此引出，其余的小喇叭口分别用于各控制线的出入。

(2)组合电气箱

组合电气箱布置于采煤机的中间框架内，具有控制、操作、显示、电源配置及连线、分线等功能，如图7-57所示。

整个组合电气箱由变压器腔、计算机控制腔、变频器腔和接线腔组成，除接线腔靠煤壁侧开盖外，其余各腔均在老塘侧开盖。

变压器腔内安装着由水冷墙隔开的3300/440V向变频器供电的牵引变压器。计算机腔内设有计算机系统、控制盒、本安电源和非本安电源以及大屏幕中文显示器等。

变频器腔内安装着分别向左右牵引电机供电的两个变频器，变频器输入电源侧的真空接触器，外围控制电路以及能耗制动用的制动单元和电阻器等。

各腔之间的连线均在接线腔内完成，接线腔左右两侧共装有25个喇叭口，高压箱送入的3300V电源线、左右牵引电机的连线均由此出入，其余的小喇叭口分别用于连接端头控制站、传感器、分线盒、无线电遥控接受天线，以及和相邻高压电气箱的连接控制线。

3.控制原理

(1)控制方式

采煤机由先导控制将顺槽磁力启动器，3300V主电源送入高压箱，经隔离开关，由真空接触器执行各高压电机操作，另有一路则进入组合控制箱，在组合控制箱内，3300V电源由牵引变压器降压为400V电源，分别送入变频调速系统和计算机监控系统。变频调速系统由2个变频器组成，分别控制左右牵引电机执行无级调速，计算机系统是整机电气系统的核心，分别对系统完成监测、控制、保护和自动调节的作用。

(2)高压控制箱

系统主电路3300V电源经隔离开关Q分成5路，4路送入真空接触器KM1、KM2、KM3、KM4，操作左右截割电机、破碎电机和泵电机的运行，另1路经电流互感器直接由接线腔送出，作为采煤机另一配套设备组合电气箱的输入电源。

系统主回路电源的先导控制回路由送电SQ、断电ST按钮，以及隔离开关、辅助触点、综合保护触点等控制，自保功能由并联在SQ两端的75R电阻完成。先导回路有一个试验开关，可以检测各个环节正常与否，并配有发光二极管显示。

真空接触器由按钮、继电器和保护触点等构成的电路控制，它可分别控制各个电机的运行，也可顺序控制这些电机的运行。系统控制变压器的电源取自组合电气箱的400V电源。

真空接触器控制的4个电机分别配有漏电闭锁保护，任意一个保护动作，相应接触器就不能投入工作。

接触器线圈回路的交流220V电源，具有漏电保护电路，一旦保护动作，所有电机都将停止工作。

每个接触器控制的电机都配备由组合电气箱计算机系统控制的综合保护触点，一旦发生过载、过热等问题，相应电机就停止工作。

(3)组合控制箱

组合控制箱控制功能可大致分为以下几部分：

①恒功率自动控制。

设置恒功率自动控制的目的是为了充分利用截割电机的功率，同时也不使电机超载而损坏。根据功率公式，功率P正比于电流I。所以，采用两个电流互感器分别检测各截割电机的单项电流，就可以知道电机负荷状况，电流互感器输出信号由电机综合保护模块进行处理，后通过现场总线传送给主机进行比较，得到欠载、超载信号。设P为截割电机实际功率；Pe为截割电机额定功率。当两台电机都欠载($P\leq 90\%Pe$)时，发出加速信号，牵引速度增加(最大至给定速度)；当任一台电机超载($P>110\%Pe$)时，发出减速信号，直至电机退出超载区域。

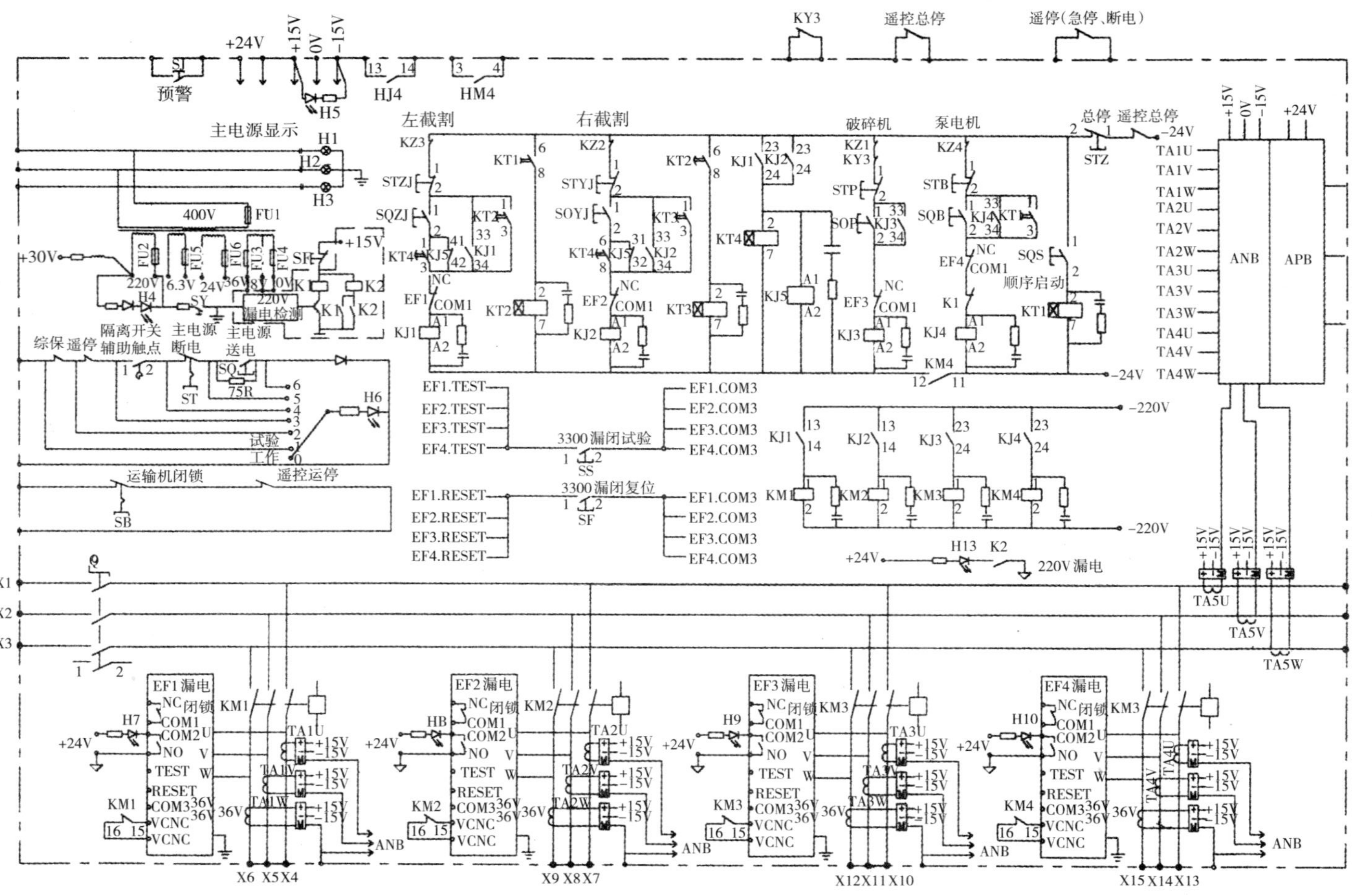

图7-56 高压控制箱原理图

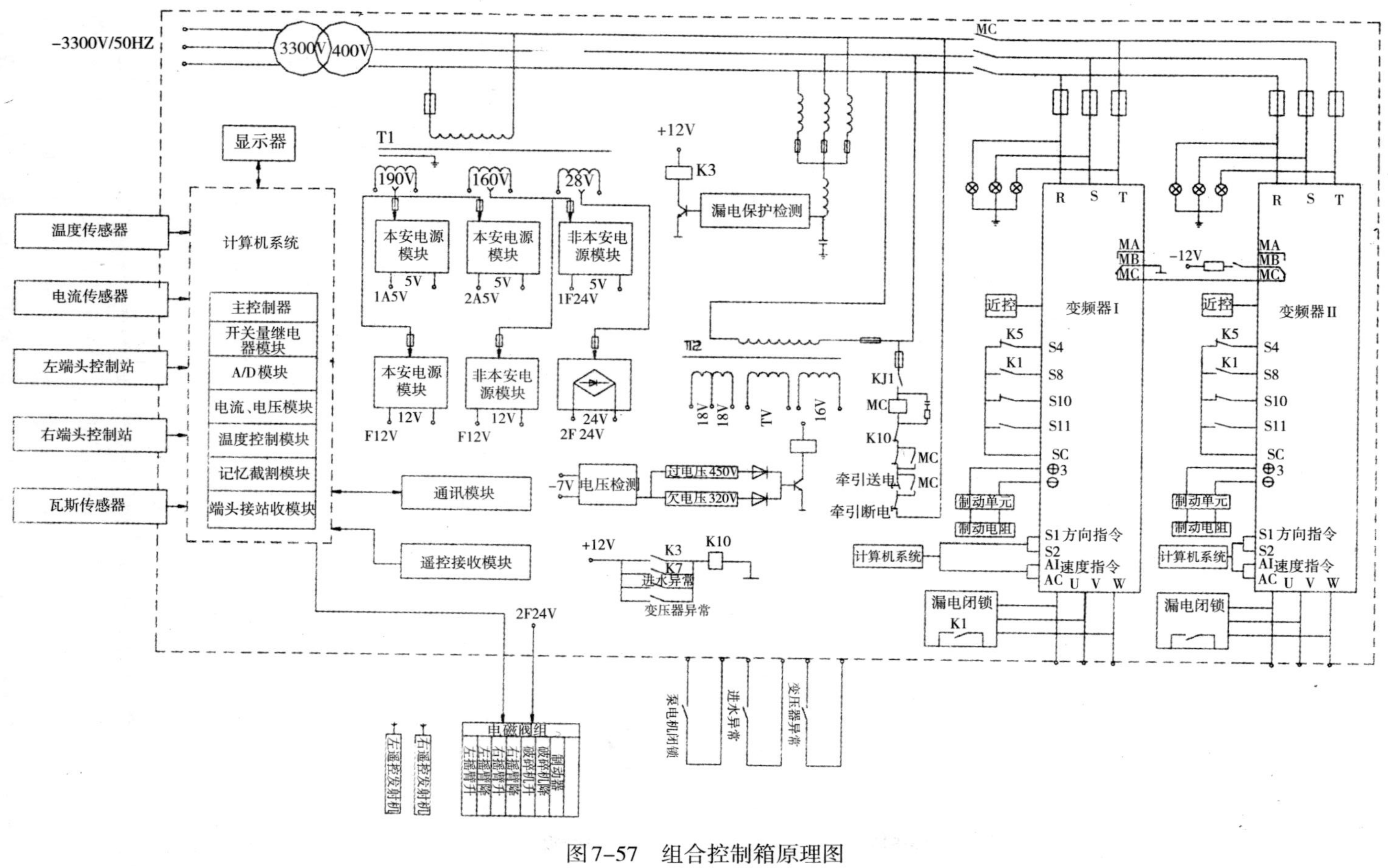

图7-57　组合控制箱原理图

②重载反牵控制。

重载反牵引功能的设置是为了使采煤机避免严重过载，达到保护电机的目的。当任一截割电机负荷大于130%Pe时，通过计算机的反牵定时电路使采煤机以给定速度反牵引一段时间后，再继续向前牵引。

③电机温度保护。

在左、右截割电机绕组内埋设Pt100热电阻，热电阻直接接入主控制计算机模拟量接口板。当任一台电机温度达135℃时，电机降低容量30%运行，达155℃时，控制计算机输出信号将截割电机控制回路切断，使截割电机停止运行。

④电机过载保护。

在高压控制箱每个控制回路(左截割电机，右截割电机，破碎电机，泵电机)均装有三个电流互感器检测实时电流，经处理后以数字量通讯方式送入主控制盒，经运算后根据过载情况来控制各个电机的接触器的通断。

⑤牵引电机热保护。

在左、右牵引电机绕组内埋设Pt100热电阻，Pt100直接接入主控制计算机模拟量接口板。当任一台电机温度达135℃时，电机降低容量30%运行，达155℃时，计算机输出信号将使牵引启动回路断开，停止牵引。

⑥机载瓦斯断电控制。

当采煤工作面瓦斯浓度超标时，瓦斯传感器发出信号，断开采煤机控制回路的瓦斯断电触点，采煤机停止运行。

⑦遥控原理。

采用150MHz频段，在离采煤机一定范围内，左、右发射机分别控制左、右摇臂的升降，并共同控制牵引方向、牵引加、减速、牵引停止、采煤机急停等。

⑧端头控制站原理。

采用单片机将操作信号以RS485串行通信方式，将端头站的控制命令传至电气箱，由主控计算机来控制牵引方向、牵引加、减速、牵引停止、采煤机急停和左、右摇臂的升降等操作。

⑨变频调速装置。

变频器为交—直—交、电压型变频器。来自牵引变压器的400V、50Hz三相交流电源，经真空接触器MC送入变频器输入端R、S、T，然后经熔断器、三相交流接触器、电流互感器、三相交流电抗器，由变频器输入侧的桥式整流电路整流，向滤波电容充电；为限制起始充电电流，这部分电路工作顺序为：首先交流接触器不吸合，三相电源由R、T两相，经与接触器触点并联的限流电阻，整流后向滤波电容充电，以限制起始充电电流，当充电电流小到一定值、直流回路建立足够电压时，三相交流接触器吸合，将限流电阻短接，此时电路建立起稳定的直流电压。然后再经过输出侧IGBT组成的逆变电路，将直流电逆变成变频变压的交流电(即VVVF电源)，此电源接到牵引电机，即可调速。当由于外力的作用，例如采煤机在倾斜煤层空载下坡时的下滑力，牵引电机的速度超过同步转速而运行于发电状态，此时发电能量将通过变频器输出侧IGBT的反并联二极管回馈到中间直流回路，然后由变频器制动单元通过制动电阻消耗掉。

变频器输出侧有12个IGBT,组成三相桥式电路。IGBT工作于开关状态,其导通与关断由驱动信号来控制。驱动信号由主控板形成,经驱动板放大后加到IGBT的门极,控制IGBT的导通和关断。

为了牵引电机的制动性能,在变频箱内安装了制动单元,在运行过程中如果负载转矩大于该时刻电机的电磁转矩,即电动机运行在发电状态,产生的电动势通过逆变电路进入变频器直流回路,当变频器控制回路检测的直流回路电压过高,制动单元开始工作,将直流电通过电阻变换为热能。

⑩变频器外围电路

外围电路是指为完成变频器远控操作而设置的控制及保护电路。主要由隔离开关、交流接触器、控制变压器、控制盒、通讯电路、显示器以及操作按钮组成。

第八节　采煤机的操作与维护

一、采煤机的操作

1.工作面的检查

司机开车前须对工作面进行全面检查,如顶板状况、硫磺包、夹矸、断层等是否已提前处理完毕;工作面轨道是否平直;工作面信号装置是否畅通;停止输送机的按钮是否可靠等。

2.操作前的检查

(1)各操作按钮、旋钮、手把应灵活可靠,并置于"零位"和"停止"位置。

(2)必须将截割部离合手把打到"断开"位置,并插上闭锁插销。

(3)滚筒截齿要齐全、锐利和牢固。

(4)各部联接螺栓要齐全牢固。

(5)牵引链或链条无扭结现象或裂纹,齿条联接销要牢固,紧链装置及其安全阀要可靠。

(6)电缆及电缆拖移装置应完好无损。

(7)水管完好无损,水冷却及喷雾防尘装置要齐全完好,喷嘴畅通,水压和流量符合规定。

(8)各部分油量要适宜(符合润滑图规定)。

3.启动采煤机顺序

(1)解除各紧急停止按钮。

(2)打开供采煤机冷却用水的截止阀。

(3)合上断路器控制手把至"接通"位置。

(4)转动电动机启动、停止旋柄(按钮),再旋到"停止"位置,待电动机即将停止转动时,合上截割部离合器及破碎机构离合手把。

(5)按规定的截割方向、采高和倾斜度旋动相应的手把(按钮),将挡煤板、滚筒与机身调到要求的位置。

(6)空转试车前,必须发出警告信号或喊话。当确认机组周围无人妨碍采煤机正常工作时，方可启动电动机。空转试车时，检查滚筒旋转方向是否正确，各部动作和声响是否正常。

(7)当初次开车或停车时间较长的采煤机再开车时，应在只给电动机水的情况下(电动机不得断水)，打开截割部离合器，让电动机空转10～15min，使油温升至40℃，并按要求排净混入液压系统的空气。

(8)正式开动时，先给输送机司机发出讯号，待输送机"启动"后，再打开给水截止阀。

(9)采煤机开动时，应先将滚筒转起来，再给牵引速度，牵引速度应由小逐渐加大到整定值。

4.停止采煤机顺序

(1)将牵引控制旋钮逐渐调到"零位"，电动机恒功率开关回"零位"，停止牵引。

(2)待截割滚筒将浮煤排净时，即可用电动机控制旋钮停止电动机。

(3)关闭喷雾截止阀。

(4)如司机离机或需长时间停机时，须打开左、右截割部离合器；将隔离开关打到零位；关闭供水总截止阀。

5.紧急情况停车

遇有下列情况之一者应紧急停车：

(1)采煤机在工作中负荷太大，电动机发生闷车现象时。

(2)附近严重片帮、冒顶时。

(3)采煤机内部发生特异声响时。

(4)电缆拖移装置卡住时。

(5)出现人身或其他重大事故时。

6.操作注意事项

(1)没有经过培训且没有取得上岗证的人员不得开车。

(2)采煤机禁止带负荷启动和频繁启动。

(3)一般情况下不允许用隔离开关或断路器断电停机(紧急情况除外)。

(4)无冷却水或冷却水的压力、流量达不到要求不准开机，无喷雾不准割煤。

(5)截割滚筒上的截齿应无缺损。

(6)严禁采煤机滚筒截割支架顶梁和输送机铲煤板等物体。

(7)采煤机运行时，随时注意电缆的拖移状况，防止损坏电缆。

(8)必须在电动机即将停止时操作截割部离合器。

(9)煤层倾角大于10°应设防滑装置，大于16°应设液压防滑安全绞车。

(10)采煤机在截割过程中要割直、割平并严格控制采高，防止出现工作面弯曲和台阶式的顶板和底板。

(11)牵引部顶部的手动操作手柄或旋钮，只允许在处理事故中使用。

(12)检查滚筒、更换截齿或在滚筒附近工作时，必须打开截割部离合器。

(13)开机前，应注意查看采煤机附近有无人员及可能危害人身安全的隐患，然后发出信号及大声喊话。

(14)司机在翻转挡煤板时应正确操作,防止变形。

(15)注意防止输送机上的中大异物带动采煤机强迫运行。

(16)认真填写运转记录和班检记录。

二、采煤机的维护

为充分发挥采煤机的效能,延长使用寿命,提高生产效率,除要求采煤机本身应具有先进性能外,还应具有科学合理的操作维护制度和检修技术,以保证采煤机可靠、高效地工作。

采煤机维护具体体现是严格执行“四检”,即班检、日检、周检(旬检)、月检。

1.班检

(1)检查和处理采煤机表面情况,保持采煤机各部位清洁,无浮煤、浮矸,无积水和其他杂物。

(2)检查各种信号、压力表、油位指示,保持各信号、压力表、油位正确显示。

(3)检查各部位螺栓(机身对口、挡煤板、滑靴、滚筒等易松部位)是否松动、断折,进行紧固、更换。

(4)检查采煤机导向或齿条联接装置联接是否牢固齐全。

(5)检查各部位是否漏油、渗油,保持规定液面,在运行卡中记录,对渗、漏油进行处理。

(6)更换、补充损坏和缺少的截齿,检查齿座损坏情况,保证齿座齐全完整、无开焊变形,截齿锋利不短缺,联接销齐全牢固。

(7)检查电缆、电缆夹的联接与拖拽情况。电缆应联接可靠、无扭曲挤压,电缆夹板无缺损,并记录电缆破坏情况。

(8)检查操作手把、按钮应灵活可靠。

(9)检查牵引链、联接环及张紧装置。牵引链应无断裂,扭结、严重咬伤及变形,联接环安装位置正确,张紧装置应安全可靠。

(10)检查防滑与制动装置,应达到制动可靠、动作灵活,牵引防滑装置安全可靠。

(11)检查并询问冷却、喷雾、供水情况,水流畅通无泄漏,喷雾效果良好,供水压力流量符合要求。

(12)检查液压翻转装置,清理支承架上的煤粉。要求液压翻转装置翻转灵活,支撑架转动副内不得有煤粉。

2.日检

(1)处理好班检中处理不了的问题。

(2)处理电缆、电缆夹板、电缆槽故障,电缆无扭结、拖拽自如,电缆夹板完好。

(3)处理滑靴、对口联接和翻转挡煤板等处的螺栓,补充、紧固、防松。

(4)检查冷却喷雾系统(水压、流量)水管畅通无泄漏,喷嘴畅通无损坏。按冷却图检查水泵流量、压力,牵引部最小流量应符合规定。

(5)检查各部油位和注油点。按润滑油图表要求加注润滑油,油质符合规定,油量适宜。

(6)检查调斜、升降翻转千斤顶等无损坏、泄漏,动作灵活可靠。

(7)检查和处理牵引链、牵引齿条、联接环和张紧装置故障。牵引链无断裂、无扭结、严重咬伤及变形,联接环安装正确,张紧装置安全可靠。

(8)检查和处理防滑制动器和防滑装置故障,要求其动作可靠、灵活,牵引防滑装置安全可靠。

(9)检查和处理操作手把按钮故障。

(10)检查和处理过滤器,使其保持正常的过滤效果。

3.周(旬)检

(1)处理日检处理不了的问题。

(2)检查各部油质和油量。按润滑图表加注油脂,油质符合规定,油量适宜并取油样进行外观检查。

(3)检查、处理滑靴、支承架、机身之间的联接部位,应紧固可靠。

(4)清洗或更换油、水过滤器,保证过滤效果。

(5)检查电气控制箱,要求防爆面符合规定,接线不松动,控制箱保持干燥,无杂物、油污。

4.月检

(1)处理周(旬)检处理不了的问题。

(2)处理漏油并取油样检查。按油脂管理细则规定取油样化验和进行外观检查,按规定更换油或清洗油池,处理各联接部位的漏油。

(3)检查滑靴的磨损量,一般不超过10mm。

(4)检查和处理牵引链损伤,节距变形;牵引链轮磨损,齿条、齿形变形。按《综采设备质量检修标准》,建议每隔45天强制更换联接环,保证运行安全。

(5)进行电动机绝缘性能测试。用1000V摇表,绝缘电阻大于1.1MΩ,密封良好。

(6)检查电动机密封。

(7)根据电动机的特殊要求,对其轴承注入锂基脂。

(8)检查电气箱防爆面和电缆,要求其符合防爆规定。

(9)检查防滑制动闸等防滑装置。

(10)检查滚筒轴承运转情况,联接螺栓紧固情况,滚筒是否有裂纹、开焊、严重磨损。

三、采煤机的检修

为保证采煤机的正常运转和设备完好,充分发挥采煤机的效能及延长机器的使用寿命,除了做好采煤机的日常维护工作,严格执行“四检”外,还必须定期对采煤机进行强制检修。按采煤机的检修内容分为小修、中修、大修三种。

1.小修

采煤机小修是指采煤机在工作面运行期间，结合“四检”进行强制维修和临时性的故障处理（包括更换个别零部件及注油），以维持采煤机的正常运转和完好。小修周期为一个月。

2.中修

中修是指采煤机采完一个工作面后，整机（至少是牵引部）上井由使用矿进行定检和调试。中修除完成小修内容外，还需完成以下任务：

（1）采煤机全部解体清洗、检修、换油，根据磨损情况更换密封圈及其他外供零部件。

（2）采煤机各种护板的整形修理和更换，底托架及滑靴（或滚轮）的修理。

（3）截割滚筒的局部整形及齿座修复。

（4）导轨、电缆槽和电缆拖移装置的修理、整形。

（5）控制箱的检验及修复。

（6）整机调试，试运转合格后方可下井使用，并要求实验记录齐全。

中修周期为4～6个月。

3.大修

在采煤机运转2～3年，产煤80万t～100万t后，如果其主要部位磨损超限，整机性能普遍降低，并且具备修复价值和条件的，可以进行恢复其主要性能为目的的整机大修。采煤机检修质量应符合《综采设备检修质量暂行标准》。大修除完成中修任务外，还必须完成以下任务：

（1）截割部的机壳、端盖、轴承杯、轴、摇臂套、小摇臂的修复或更换。

（2）摇臂的机壳、轴承座、行星轮架（系杆）、联接凸缘的修复或更换。

（3）截割滚筒的整形及配合面的修复。

（4）调高、调斜、张紧千斤顶的修复或更换。

（5）牵引部的液压泵、液压马达、辅助泵及所有阀件及其他零件的修复或更换。

（6）牵引部行星轮机构的修复。

（7）冷却喷雾系统的修复。

（8）电动机整机重绕或更换部分线圈，以及防爆面的修复。

（9）为恢复整机性能所必须的其他零件的修复或更换。

（10）整机调试试运转合格后，喷涂防锈漆。

四、采煤机的故障分析与处理

1.故障分析处理的原则依据

由于检查不周、维护不良或者违章操作等各种原因，均会导致采煤机在运行中发生某些意料不到的故障。如何正确判断这些故障并及时排除，对发挥采煤机的效能关系甚大。要分析处理好采煤机故障，首先，要认真阅读采煤机有关技术资料，弄清采煤机机械、液压系统结构原理；然后，了解采煤机故障表现形式，据此分析故障产生的原因；依据由表及里、由外到内的原则，制定出排除故障的顺序，并依次检查各机械零部件或液压元件，最后查出故障部位。排除故障既要遵循保证采煤机恢复主要性能,不影响采煤机正常工作,同时又要考虑经济的原则。

2.处理故障的一般步骤

(1)了解故障的表现和发生经过

对于故障的情况可以直接观察了解,也可借助各种仪表,如电气仪表、温度计、压力表等进行检查测试,取得确定的数据资料,以便进行分析研究。

(2)分析故障原因

分析故障原因时,要在熟悉机器各部分的结构和动作原理的基础上,结合有关故障的具体情况来分析各种可能的原因,最后再做出判断。

采煤机的故障可能发生在机械部分,也可能发生在液压部分,还可能发生在电气部分或冷却、喷雾部分。

机械部分的故障可能是属于联接件方面的,如因联接松动、联接件断裂或脱落,引起有关机件相对位置的变动而造成的故障;可能是属于传动件方面的,如因机件过度磨损,变形过大,甚至断裂损坏而引起的;也可能是属于润滑方面的,如因缺乏润滑油脂而造成的升温过高,甚至机件粘接、烧坏而引起的;也可能是属于其他方面的,如箱壳、座架变形、断裂等。

液压部分的故障可能是机械方面的故障,如机件松动、磨损、粘接、变形或断裂等;可能是液压方面的故障,如因密封失效而漏油、串油或进气,以致压力上不去,流量不够或运转不稳定等;还可能是液压油方面的故障,如油量不足,油温过高,油中混入水、气,油液老化、污染或滤油器失效等。

电气部分的故障可能是电气元件的机构失灵或机件损坏;也可能是电气元件的绝缘失效、短路、接地等;还可能是主回路、控制回路内的接点接触不良,或断线、脱焊等。

冷却喷雾部分的故障,或是水压、水量不足,或是喷嘴堵塞、损坏,或是水管和接头漏水或损坏等。

(3)做好排除故障前的准备工作

排除故障前,要先把情况了解详细,原因分析清楚,并把需要的工具、备件和材料等准备齐全,同时还要把场地周围和其他准备工作做好。

(4)排除故障

排除故障中,打开盖板或拆卸机件时,要记住机件的相对位置和拆卸顺序。安装时要注意机件位置是否正确,联接是否牢固,联接件是否齐全。作业中要注意保持四周环境清洁,严防杂物落入箱内。

对于采煤机的各种故障,应当根据实际情况具体分析处理。

3.采煤机故障分析与处理

采煤机常见故障及其可能原因及处理方法见表7-13。由于采煤机型号不同,因而故障原因及处理方法也不相同,此表仅供参考。

表7-13　采煤机常见故障、原因及处理方法

部位	故障现象	可能原因	处理方法
牵引部	牵引力太小(高压表压力过低)	1.主油管路漏油 2.液压马达泄漏量大 3.冷却不好 4.高压安全阀、过压关闭阀整定值低 5.补油量不足 6.液压油不合格(粘度指数低、变质)	拧紧、更换密封件或换油管 更换 调定供水压力、流量达到规定值 重新整定,达到规定值 清洗过滤器或更换泄漏量小的补油泵,背压阀调至规定值 更换合乎规定的液压油
	牵引速度低(主液压泵流量小)	1.管路漏油 2.液压马达或主液压泵泄露过大 3.主液压泵调节机构不正确 4.过滤器堵塞	拧紧或更换 更换 重调至要求 清洗或更换
	高压表频繁跳动	主泵柱塞卡死,复位弹簧断裂(主泵配油盘严重磨损)	更换
	补油压力过低(低压表压力过低),补油泵排量不足	1.滤油器堵塞 2.补油泵漏损严重 3.油面低	清洗或更换 更换 注油至要求
	补油回路泄油	1.背压阀整定值低 2.管路漏油	重新调定至要求 拧紧或更换
	过载保护装置动作后,重新启动时,开关把手总跳回"关"位	主泵"零"位不正确	重新调定至要求
	工作油温不正常,主牵引链轮一转就停	1.主回路漏油 2.去高压安全阀的管路漏油 3. 高压安全阀失灵或漏油	调整漏油处 拧紧或更换 重调或更换
	牵引力超载,采煤机不停	保护油路失灵(包括保护阀失灵,开关活塞失灵,过压关闭阀失灵,高压安全阀失灵)	重调或更换
	牵引部发出异常响动	主油路系统不正常(缺油、漏油、混入空气,液压泵马达损坏)	加油,排出空气后拧紧,更换
	牵引部油乳化	1.冷却器漏水 2.牵引部上盖密封不严渗水 3.湿空气吸入 4.油质低劣	更换 换密封,涂密封胶 定期从排油孔排出一定含水油 更换合格油品
	牵引部机头齿轮箱发热	1.油品不合格(混入水、杂质及低劣油质) 2.油位过低 3.轴承等摩擦副卡研或损坏 4.齿轮传动件损坏或擦伤	更换合格油品 加注新油 更换 更换

截割部	开车摇臂立即升起或下降	控制系统失灵 1.控制按钮失灵 2.控制阀卡研 3.操作手把松脱	更换 更换 紧固或更换
	摇臂升不起，升起后自动下降或升起后受力下降	油路密封不严 1.液压锁失灵 2.液压缸串油 3.管路漏油 4.安全阀整定值过低	更换 更换 拧紧或更换 重调至要求
	液压油箱和摇臂温度过高	1.轴承副研损 2.齿轮副擦伤、胶合 3.油质低劣 4.液压油泵运转蹩劲 5.冷却效果不好	更换 更换 更换合格油品 更换 加强至合适的冷却水压力和流量
	挡煤板翻转动作失灵	油路漏油 1.供油路漏油 2.翻转液压缸漏油 3.液压马达漏油 4.换向阀串油 5.保护用安全阀失灵	修复 更换 更换 更换 调整复位或更换
	离合器手把蹩劲	离合器变形、卡研	更换或修复
	电动机启动后操纵牵引按钮时不牵引	1.牵引控制回路断线 2.供电电压太低	修复 恢复供电电压
	只有一个方向牵引	一个方向的电磁铁损坏	修复或更换
	牵引速度只能增不能减，或只能减不能增	1.按钮接触不良 2.电磁换向阀芯卡住	修复 修复或更换
	调斜不灵活	1.按钮接触不良 2.电源供电电压低	修复 恢复供电电压
	调斜缸不动	1.回路断路 2.无电或供电电压低	修复 恢复供电电压
	电动机启动不起来	1.控制回路断路 2.主线路接触器烧坏	接通 更换
	一启动就停机	1.保护系统动作 2.接地 3.相间通路	调整至要求 更换 更换
	电动机温度过高	1.冷却水量小或无 2.轴承副研损 3.断笼条	按规定供水 更换 更换

液压油故障	乳化	进水	更换
	黑褐色、有刺激气味	变质	更换
	有可见金属颗粒或悬浮物	混入煤粉、金属屑等固体物质	更换
	重度、酸值增加明显	变质	更换

第九节　采煤机液压系统的常见故障原因及处理方法

液压系统的故障是多种多样的。这些故障有的是由某一液压元件失灵而引起的;有的是因系统中多个液压元件的综合性因素造成的;有的是因为液压油被污染造成的;也有的是由机械、电器以及外界因素引起的。

要对液压系统的故障进行分析与处理,首先,必须熟悉设备的液压系统原理图,熟悉各液压元件的结构、性能、作用以及在液压系统中的安装位置;其次,要了解设备的使用和维护情况,认真分析故障可能的原因,采用“先外后内”、“先调后拆”、“先洗后修”的步骤,通过看、听、摸、问及查阅有关记录及技术档案,大多数故障是会很快排除的。

任何一台完好的液压传动采掘机械设备,在使用操作时,除了必须按照机器本身的操作规程和要求操作外,还应注意日常、定期的检查和维护。

一、日常检查与维护

日常检查可以及早发现和处理事故的隐患,保证液压系统正常运转。日常检查与维护包括启动前的检查与维护、运转过程中的检查与维护以及机器停车后的检查与维护。

1.启动前的检查

(1)检查油量:从油位指示器检查油箱的油量是否足够。

(2)检查泄漏:所有接头部位有无泄漏、松动迹象。

(3)检查油温:一般要求油温在0℃以上,油泵才允许启动。

2.系统启动后的检查

(1)点动:油泵在正式开始运行前,应当用点动的方式先试启动,判断其转向是否正确,有无油液排出,如果有异常情况,应立即停机检修。当未发现异常后,即可投入正式运行。

(2)检查滤油器:液压泵若排液量不足、噪声过大等,均与滤油器堵塞有关,故应经常检查滤油器。

(3)回路元件的运行检查:运行过程中,注意对回路中各元件的动作状况检查。同时,从压力表的波动情况、声音的大小和外部渗漏等现象来判别各元件是否正常。

3.系统停止运转前的检查

(1)油温检查:正常油温应低于70℃,乳化液温度则应低于50℃ 。油温过高时,应立即检查问题所在,并加以解决。

(2)油质检查:检查有无气泡、变色或发出恶臭。油液白浊是混入空气所造成,应查清原因及时排除;油液发黑或发臭是氧化变质结果,必须更换。

(3)泄漏检查:系统的泄漏主要发生在各管接头和法兰部位。

(4)噪声和振动源的检查:噪声通常来自油泵,当油泵吸入空气或磨损,都会出现较大的噪声。振动则应检查有关管道、控制阀、油缸或液压马达的状况,还应检查它们的固定螺栓和支撑部位有无松动。

二、定期检查

定期检查的内容,包括规定必须作定期维修的部件以及日常检查中发现的不良现象而又未及时排除的地方。

定期检查的时间一般与滤油器的检查时间相同,约三个月一次。检查的顺序可按传动路线进行,从泵开始,经油箱、滤油器、压力表、压力控制阀、换向阀、流量阀至油缸或马达,直至管件及蓄能器等。在定期检查时不可盲目拆卸元件,不能把不同的油混合使用;泵、马达和各类阀不得任意解体;更换管路辅件时,必须在油压消失后进行。

三、综合检查

综合检查随采掘机械的大修同时进行,液压元件、管路及其他辅助元件都要一一拆卸,分解检查,分别鉴定各元件的磨损情况、精度及性能。根据拆检和鉴定,做必要的修理或更换。

四、液压系统常见故障及处理方法

液压设备因其液压系统的组成不同,所出现的故障也会有一定差别,但其常见故障主要有:振动和噪声、液压冲击、泄漏、温升、爬行和油液污染等。

1.系统产生振动和噪声

表7-14为系统产生振动和噪声的可能原因和处理方法。

表7-14　系统产生振动和噪声的可能原因和处理方法

故障现象	可能原因	处理方法
液压缸(液压马达)内有空气	液压系统渗入空气	利用排气装置排气
液压泵吸空	1.油箱内油液面过低 2.油箱通气孔堵塞 3.吸液管浸入油池中太浅 4.过滤器堵塞 5.液压泵吸液高度过高 6.液压泵进液管漏气 7.吸液管过长过细 8.连接处松动 9.油液粘度过大 10.补油泵供油不足	1.加足油液 2.清理通气孔 3.吸液管浸入油池2/3处,且与回液管隔开 4.清洗 5.将吸液高度降至500mm以下 6.找出漏气处并排除 7.增大管径,减少弯头 8.紧固 9.选择合适粘度的油液 10.检查补油泵

液压泵故障	1.齿轮泵齿形精度低 2.叶片泵困油 3.轴向间隙大,内泄露严重 4.泵型号不对,转速过高 5.泵轴承等元件损坏或精度变差	1.对研齿轮 2.修正配油盘三角槽 3.调整轴向间隙 4.更换液压泵,调整转速 5.检修或更换损坏元件
液压泵故障	1.齿轮泵齿形精度低 2.叶片泵困油 3.轴向间隙大,内泄露严重 4.泵型号不对,转速过高 5.泵轴承等元件损坏或精度变差	1.对研齿轮 2.修正配油盘三角槽 3.调整轴向间隙 4.更换液压泵,调整转速 5.检修或更换损坏元件
控制阀故障	1.弹簧变形、损坏 2.阀座密封不良 3.阻尼孔堵塞 4.阀芯移动不灵活 5.节流阀流量小、流速高 6.换向过快,造成换向冲击	1.更换弹簧 2.修研密封面,更换密封件 3.清理阻尼孔 4.清除污物,研光阀芯 5.减小节流阀前后压差,换小规格阀 6.降低换向速度
安装不良	1.液压泵与电机同轴度低 2.联轴器松动 3.油管细长,未加固定,产生振动 4.油管相互撞击	1.重新安装联轴器,保证同轴度小于0.1mm 2.紧固 3.加设管夹 4.分离油管

2.系统运转不起来或压力提不高

表7–15为系统运转不起来或压力提不高的可能原因和处理方法。

表7–15　系统运转不起来或压力提不高的可能原因和处理方法

故障部位	可能原因	处理方法
液压泵电动机	1.电动机接反 2.电动机功率不足,转速不够	1.调换电动机接线 2.检查电压,电流大小,采取措施
液压泵	1.泵进出油口接反 2.泵吸油不畅,进气 3.泵径向、轴向间隙过大 4.泵体缺陷造成高、低压腔互通 5.叶片泵叶片与定子内表面接触不良或卡死 6.柱塞泵柱塞卡死	1.调换吸、压油管位置 2.清理滤网,排除空气 3.检修液压泵 4.更换液压泵 5.检修叶片及定子内表面 6. 检修柱塞泵
控制阀	1.压力阀主阀芯或锥阀芯卡死在开口位置 2.压力阀弹簧断裂或永久变形 3.某阀泄漏严重以致高、低压油路连通 4.控制阀阻尼孔被堵塞 5.控制阀的油口接反或接错	1.清洗、检修压力阀,使阀芯移动灵活 2.更换弹簧 3.检修阀,更换已损坏的密封件 4.清洗、疏通阻尼孔 5.检查并纠正接错的管路
液压油	1.粘度过高 2.粘度过低,泄漏太多	1.用指定粘度的液压油 2.用指定粘度的液压油

3.运动部件速度低或不运动

表7-16为运动部件速度低或不运动的可能原因和处理方法。

表7-16 运动部件速度低或不运动的可能原因和处理方法

故障部位	可能原因	处理方法
液压泵	泵供油不足,压力不足	参见泵的故障排除方法
控制阀	1.压力阀卡死,进、回油路连通 2.流量阀的节流小孔被堵塞 3.互通阀卡住在互通位置	1.清洗,更换油液 2.清洗、疏通节流孔 3.检修互通阀
液压缸	1.装配精度或安装精度超差 2.活塞密封圈损坏,缸内泄漏严重 3.间隙密封的活塞、缸壁磨损过大,内泄漏多 4.缸盖处密封圈摩擦力过大 5.活塞杆处密封圈磨损严重或损坏	1.检查,保证达到规定的精度 2.更换密封圈 3.修研缸内孔,重配新活塞 4.适当调松盖螺钉 5.调紧压盖螺钉或更换密封圈

4.工作循环不能正确实现

表7-17为工作循环不能正确实现的可能原因和处理方法。

表7-17 工作循环不能正确实现的可能原因和处理方法

故障现象	可能原因	处理方法
液压回路间互相干扰	1.同一个泵供油的各液压缸压力、流量差别大 2.主油路与控制油路用同一泵供油,当主油路卸荷时,控制油路压力太低	1.改用不同泵供油或用控制阀(单向阀、减压阀、顺序阀等)使油路互不干扰 2.在主油路上设控制阀,使控制油路始终有一定压力,能正常工作
控制信号不能正确发出	1.行程开关,压力继电器开关接触不良 2.某些元件的机械部分卡住(如弹簧、杠杆)	1.检查及检修各开关接触情况 2.检修有关机械结构部分
控制信号不能正确执行	1.电压过低,弹簧过软或过硬使电磁阀失灵 2.行程档块位置不对或未紧牢固	1.检查电路的电压,检修电磁阀 2.检查档块位置并将其固紧

5.系统产生爬行

表7-18为系统产生爬行的可能原因和处理方法。

表7-18　系统产生爬行的可能原因和处理方法

可能原因	处理方法
1.液压缸内进入空气 2.液压元件运动件间的摩擦阻力太大或变化 3.液压缸轴线与导轨平行,活塞杆弯曲,缸筒内圆拉毛,两端油封调整过紧 4.节流阀性能差 5.导轨几何精度低 6.导轨润滑不良 7.油液污染 8.回油无背压 9.负载变化,引起供油波动	1.防止液压泵吸空,更换损坏的密封件,紧固各连接处,利用排气装置排气 2.检修液压元件 3.检修液压缸,调整安装位置 4.更换节流阀 5.修复导轨 6.调整润滑压力与流量,选用防爬行导轨润滑油 7.更换油液,保持清洁 8.设置背压阀 9.选用低速稳定性好的调速阀

6.系统产生泄露

表7-19为系统产生泄露的可能原因和处理方法。

表7-19　系统产生泄露的可能原因和处理方法

可能原因	处理方法
1.密封件装错、装反 2.密封件损坏 3.结合面几何精度低 4.阀芯磨损、间隙增大 5.连接处、管接头松动 6.压力过高 7.油管破裂造成严重泄漏	1.更换、重装密封件 2.更换密封件 3.修研结合面 4.重配阀芯 5.紧固 6.调整压力至规定范围 7.更换油管

7.系统产生液压冲击

表7-20为系统产生液压冲击的可能原因和处理方法。

表7-20　系统产生液压冲击的可能原因和处理方法

可能原因	处理方法
1.换向阀阀芯作成锥角或开轴向三角槽 2.液压缸缓冲柱塞与端盖柱塞孔间隙过大 3.液压缸的缓冲节流阀调节不当 4.运动件、油液惯性力大	1.换向阀换向过快;采用电液动换向阀 2.修复、研配缓冲柱塞 3.调整节流阀开口至适当大小 4.增设蓄能器

8.系统温度升高

表7-21为系统温度升高的可能原因和处理方法。

表7-21　系统温度升高的可能原因和处理方法

可能原因	处理方法
1.液压泵及各连接处泄漏,容积效率低	1.检修液压泵,严防泄漏
2.油箱容积小,散热性能差	2.增大油箱容积,必要时增设冷却装置
3.控制元件规格选用不合理,工作不良	3.更换、调整
4.系统阻力大,沿程功率损失大	4.选择合适管径,减少弯头,缩短长度
5.液压元件加工精度低,装配不良,摩擦力大	5.检修液压元件,重新装配
6.压力调定值过高	6.适当降低调定值
7.定量泵功率浪费,造成温度升高	7.改用变量泵
8.油液粘度太大	8.选择适当粘度的油液
9.环境温度过高	9.设置反射板或利用隔热材料将系统与热源隔开

第二部分　专业核心知识点

专业核心知识点包括以下内容

1.双滚筒式采煤机的组成。
2.机械化采煤工作面的两种类型。
3.滚筒式采煤机的截割部组成及工作原理。
4.滚筒式采煤机的牵引机构及牵引部传动装置。
5.滚筒式采煤机的附属设备。
6.MG750/1915-WD型采煤机的特征、结构及原理。

第三部分　专业技能训练

技能一：采煤机的操作

1.工作面的检查

对工作面进行全面检查：包括采煤面的检查、工作面轨道的平直性检查、工作面信号装置检查、停止输送机的按钮可靠性检查。

2.操作前的检查

(1)各操作按钮、旋钮、手把应灵活可靠，并置于"零位"和"停止"位置。

(2)必须将截割部离合手把打到"断开"位置，并插上闭锁插销。

(3)滚筒截齿要齐全、锐利和牢固。

(4)各部联接螺栓要齐全牢固。

(5)牵引链或链条无扭结现象或裂纹，齿条联接销要牢固，紧链装置及其安全阀要可靠。

(6)电缆及电缆拖移装置应完好无损。

(7)水管完好无损，水冷却及喷雾防尘装置要齐全完好，喷嘴畅通，水压和流量符合规定。

(8)各部分油量要适宜。

3.启动采煤机顺序

(1)解除各紧急停止按钮。

(2)打开供采煤机冷却用水的截止阀。

(3)合上断路器控制手把至"接通"位置。

(4)转动电动机启动、停止旋柄(按钮)，再旋到"停止"位置，待电动机即将停止转动时，合上截割部离合器及破碎机构离合手把。

(5)按规定的截割方向、采高和倾斜度旋动相应的手把(按钮)，将挡煤板、滚筒与机身调到要求的位置。

(6)空转试车前，必须发出警告信号或喊话。当确认机组周围无人妨碍采煤机正常工作时，方可启动电动机。空转试车时，检查滚筒旋转方向是否正确，各部动作和声响是否正常。

(7)当初次开车或停车时间较长的采煤机再开车时，应在只给电动机水的情况下(电动机不得断水)，打开截割部离合器，让电动机空转10~15min，使油温升至40℃，并按要求排净混入液压系统的空气。

(8)正式开动时，先给输送机司机发出讯号，待输送机"启动"后，再打开给水截止阀。

(9)采煤机开动时，应先将滚筒转起来，再给牵引速度，牵引速度应由小逐渐加大到整定值。

4.停止采煤机顺序

(1)将牵引控制旋钮逐渐调到"零位"，电动机恒功率开关回"零位"，停止牵引。

(2)待截割滚筒将浮煤排净时，即可用电动机控制旋钮停止电动机。

(3)关闭喷雾截止阀。

(4)如司机离机或需长时间停机时，须打开左、右截割部离合器；将隔离开关打到零位；关闭供水总截止阀。

5.紧急情况停车

遇有下列情况之一者应紧急停车：

(1)采煤机在工作中负荷太大，电动机发生闷车现象时；

(2)附近严重片帮、冒顶时；

(3)采煤机内部发生特异声响时；

(4)电缆拖移装置卡住时；

(5)出现人身或其他重大事故时。

技能二:采煤机的维护

1.班检

(1)检查和处理采煤机表面情况，保持采煤机各部位清洁。

(2)检查各种信号、压力表、油位指示无误。

(3)检查各部位螺栓是否松动、断折，进行紧固、更换。

(4)检查各部位是否漏油、渗油，对渗、漏油进行处理。

(5)更换、补充损坏和缺少的截齿，检查齿座损坏情况。

(6)检查电缆、电缆夹的联接与拖拽情况。

(7)检查操作手把、按钮，保证其灵活可靠。

(8)检查牵引链应无断裂、扭结、严重咬伤及变形，张紧装置应安全可靠。

(9)检查防滑与制动装置，确保安全可靠。

(10)检查并询问冷却、喷雾、供水情况，水流畅通无泄漏，喷雾效果良好，供水压力流量符合要求。

(11)检查液压翻转装置，应翻转灵活，支撑架转动副内不得有煤粉。

2.日检

(1)处理好班检中处理不了的问题。

(2)处理电缆、电缆夹板、电缆槽故障。

(3)处理滑靴，补充、紧固、防松对口联接和翻转挡煤板等处的螺栓。

(4)检查冷却喷雾系统(水压、流量)水管畅通无泄露，检查水泵流量、压力，牵引部最小流量应符合规定。

(5)检查各部油位和注油点。按要求加注润滑油。

(6)检查调斜、升降翻转千斤顶等无损坏、泄露，动作灵活可靠。

(7)检查和处理牵引链、牵引齿条、联接环和张紧装置故障。

(8)检查和处理防滑制动器和防滑装置故障。

(9)检查和处理操作手把按钮故障。

(10)检查和处理过滤器，保持正常的过滤效果。

3.周(旬)检

(1)处理日检处理不了的问题。

(2)检查各部油质和油量。按润滑图表加注油脂,油量适宜并取油样进行外观检查。

(3)检查、处理滑靴、支承架、机身之间的联接部位,应紧固可靠。

(4)清洗或更换油、水过滤器,保证过滤效果。

(5)检查电气控制箱,要求接线不松动,控制箱保持干燥,无杂物、油污。

4.月检

(1)处理周(旬)检处理不了的问题。

(2)处理漏油并取油样检查。

(3)检查滑靴的磨损量,一般不超过10mm。

(4)检查和处理牵引链损伤,节距变形;牵引链轮磨损,齿条、齿形变形。建议每45天强制更换联接环,保证运行安全。

(5)进行电动机绝缘性能测试。

(6)检查电动机密封。

(7)根据电动机的轴承润滑加注锂基脂。

(8)检查电气箱防爆面和电缆,要求符合防爆规定。

(9)检查防滑制动闸等防滑装置。

(10)检查滚筒轴承运转情况,联接螺栓紧固情况,检查滚筒是否有裂纹、开焊、严重磨损。

技能三:采煤机液压系统的使用

一、日常检查与维护

1.启动前的检查

(1)检查油量:油位指示器检查油箱的油量是否足够。

(2)检查泄漏:检查所有接头部位有无泄漏、松动迹象。

(3)检查油温:一般要求油温在0℃以上,油泵才允许启动。

2.系统启动后的检查

(1)点动:油泵在正式开始运行前,应当用点动的方式先试启动,判断其转向是否正确,有无油排出,如果有异常情况,应立即停机检修。

(2)检查滤油器:经常检查滤油是否堵塞。

(3)回路元件的运行检查:运行过程中,对回路中各元件的动作状况检查。同时,从压力表的波动情况、声音的大小和外部渗漏等现象来判别各元件是否正常。

3.系统停止运转前的检查

(1)油温检查:正常油温低于70℃,乳化液温度则应低于50℃。

(2)油质检查:检查有无气泡、变色或发出恶臭。

(3)泄漏检查:检查各管接头和法兰部位是否泄漏。

(4)噪声和振动的检查:检查油泵是否吸入空气或磨损而出现较大的噪声。检查管道、控制阀、油缸或液压马达的固定螺栓和支撑部位有无松动而引起振动。

二、定期检查

以三个月为周期对采煤机液压系统进行定期检查。可按传动路线进行,从泵开始,经油箱、滤油器、压力表、压力控制阀、换向阀、流量阀至油缸或马达,直至管件及蓄能器等。

三、综合检查

综合检查随采掘机械的大修同时进行，液压元件、管路及其他辅助元件一一拆卸，分解检查，分别鉴定各元件的磨损情况、精度及性能。根据拆检和鉴定，作必要的修理或更换。

技能四：采煤机液压系统常见故障及处理方法

要求学生充分掌握采煤机液压系统的常见故障现象，可能发生故障的部位、可能的原因，并能够对故障原因准确分析，做出相应的处理，排除故障。采煤机液压系统常见的故障现象有：

1.系统产生振动和噪声。

2.系统动转不起来或压力提不高。

3.运动部件速度低或不运动。

4.工作循环不能正确实现。

5.系统产生爬行。

6.系统产生泄露。

7.系统产生液压冲击。

8.系统温度升高。

采煤机液压系统常见故障的部位、原因及处理方法前面章节已详述，在此不再重复。

复习题

1.采煤机截割部的组成及各组成部分的作用分别是什么？

2.滚筒式采煤机是如何分类的？

3.对滚筒式采煤机牵引部的基本要求是什么？

4.采煤机维护的班检、日检、周检及月检的内容有哪些？

5.一般的双滚筒采煤机由哪几部分组成？各部分的作用是什么？

6.机械化采煤工作面分为几种类型？各有什么特点？

讨论题

1.采煤机的基本操作过程是如何的？

2.采煤机的液压系统常见故障有哪些？如何处理？

3.根据双滚筒采煤机的组成，说明采煤机的启动顺序，并阐述启动顺序为什么这样排列。

第八章　乳化液泵站

第一部分　系统理论知识

第一节　乳化液泵站的工作形式与结构

一、乳化液泵站的功用和组成

乳化液泵站是向综采工作面的液压支架输送高压乳化液的设备，是液压支架的动力源，它工作的好坏直接影响液压支架的工作性能和使用效果。

通常一套乳化液泵站系统由2台乳化液泵组(1台工作，1台备用和1台乳化液箱“两泵一箱”)及管路和比较完善可靠的控制装置组成。也可以由2套以上，多套乳化液泵组和1套乳化液箱(或数个液箱)及管路、附件等组成集中泵站，安设在井下专用的乳化液泵站房内，同时向几个工作面提供高压乳化液，这种乳化液泵站叫作集中泵站。

采用何种泵站，要根据井下采区条件合理确定。

乳化液泵站排出的乳化液的压力和流量，应当和工作面配套的液压支架，单体液压支柱或者其他的液压执行设备所需要的乳化液的压力和流量相符。如果需要两个不同压力等级的乳化液时，在乳化液泵的高压排液管路上，设置一套减压站，由减压站排出的乳化液压力值由减压阀调定，此压力值低于乳化液泵直接排出乳化液的压力值。

乳化液泵组由乳化液泵3，防爆电机1，联轴器2，底架4等组成，泵组的作用就是把电能转化为压力能，为工作面的液压支架提供一定压力的乳化液。

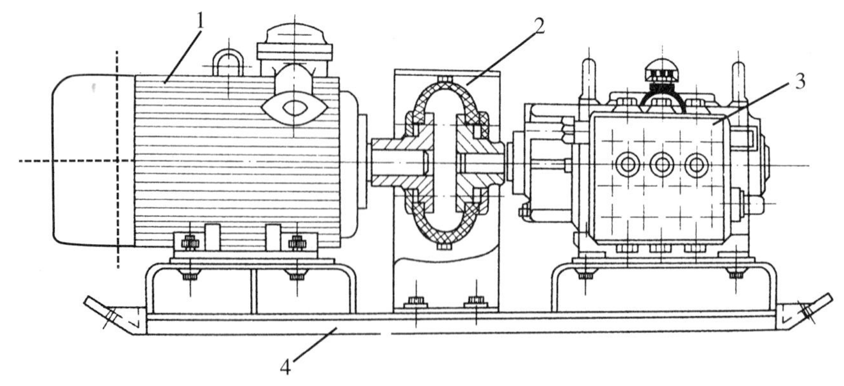

图8-1　乳化液泵组

二、乳化液泵站的液压系统

该系统是由2台乳化液泵，1台乳化液箱及2套相同部件组成的双路系统。其主要零部件的作用如下：

(1)吸液过滤器组件：通过内设的粗过滤网芯，保证泵吸液时得到过滤。同时在需要检修而拆吸液管时保证液箱内液体不流出。

(2)高压过滤器：使泵排出的高压液得到过滤，保证泵输出液体的清洁。

(3)蓄能器：减少输出系统的脉动，保证供液平稳。

(4)卸载阀：使泵能自动卸载。当工作面不用液时保证空载运行；当工作面用液时又能及时回复供液，并能调定乳化液泵的工作压力。

(5)安全阀：当泵压超过其调定压力110%时卸载，保证泵不损坏。

(6)压力表：指示乳化液泵站的工作压力。

(7)回液断路器：保证检修时液箱液体不外泄。

(8)过滤网和磁性过滤器：其作用是对乳化液进行过滤，并将水中的铁屑吸出，保证水的清洁。

(9)截止阀：其作用是开、闭系统输出管路，使泵站按需要供液。

(10)乳化液箱：用于储存和配制乳化液。

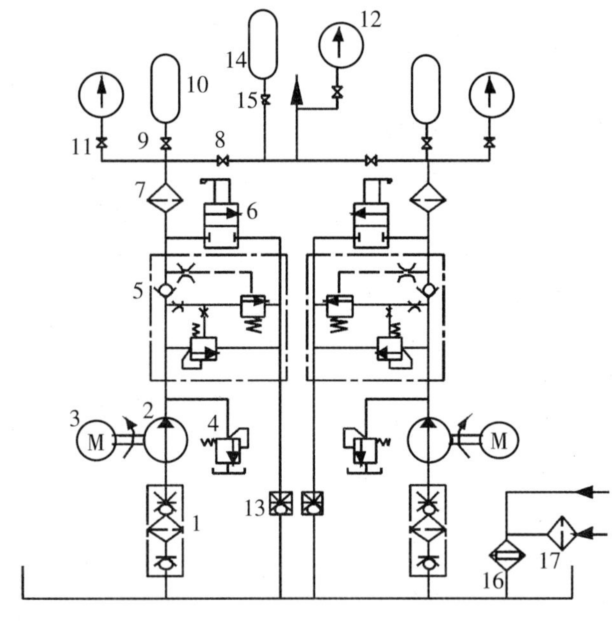

图8-2　常用的“两泵一箱”乳化液泵站系统图。

1——吸液过滤器组件；2——乳化液泵；3——防爆电动机；4——安全阀；5——自动卸载阀；6——手动卸载阀；7——高压过滤器组件；8——球形截止阀；9——蓄能器截门；10——小蓄能器；11——压力表开关；12——压力表；13——卸载回路断路器；14——大蓄能器；15——大蓄能器截门；16——过滤网和磁性过滤器；17——回液过滤器；18——乳化液箱

三、乳化液泵的工作原理

乳化液泵一般都采用往复式柱塞泵，它的工作原理如图8-3所示。

当电动机带动曲柄1按逆时针方向旋转时(图中箭头方向)，曲柄1就带动连杆2运动，连杆2带动滑块3沿滑槽作左右往复运动，滑块3就带动柱塞5作左右往复运动。当柱塞往左运动时，在缸体6内就形成真空，乳化液箱内的油液在大气压的作用下，把进油阀9顶开，排液阀7在排液管道内的油液压力作用下关闭，乳化液就进入缸体中，把柱塞让出的空间充满。当柱塞往右运动时，柱塞就把缸体中的乳化液挤压出油缸，而把排液阀7顶开，把吸液阀9关闭，液体就排到主油管而输送到工作面。这样，柱塞往复一次，就排油液一次，柱塞不断运动，就不断排液。

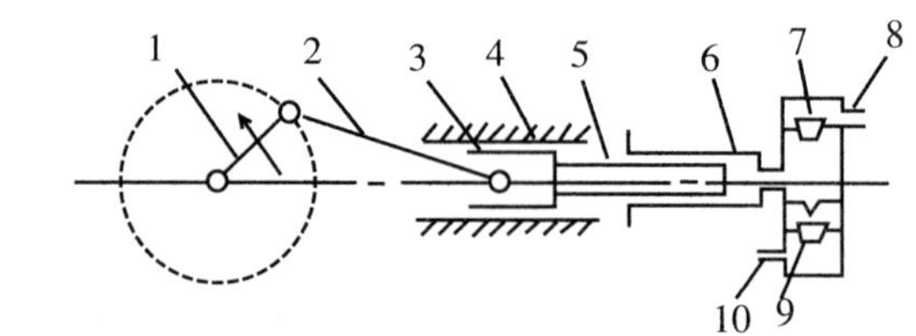

图8-3　往复式柱塞泵工作原理

1——曲柄；2——连杆；3——滑块；4——滑槽；5——柱塞；6——缸体；7——排液阀；8——排液口；9——进液阀；10——进液口

由此可知，一个柱塞在吸油过程中就不能排液。所以，单柱塞的排液是很不均匀的。为了排液比较均匀，一般都做成三柱塞或五柱塞。尽管这样，它的排液量还是不均匀的，致使压力有所波动，通常在泵的出口要加装蓄能器。

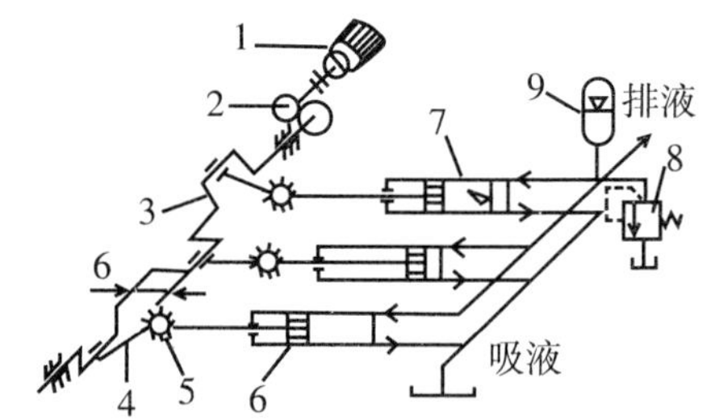

图8-4　卧式三柱塞泵的工作原理

1——电动机；2——齿轮减速机；3——曲轴；4——连杆；5——滑块；6——柱塞；7——缸体；8——安全阀；9——蓄能器

图8-4为三柱塞泵的工作原理。

三柱塞泵的工作原理，如图8-4所示，电动机1经联轴器驱动齿轮减速机2，经过一级减速后带动曲轴3转动。曲轴上有三段互成120°夹角的轴颈，其上套有连杆4。连杆的另一端连接滑块5，滑块5与柱塞6相连接，柱塞6在缸体7的缸孔中。当电机运转时，柱塞在缸孔中做往复运动。缸孔的另一端连接进液阀和出液阀，在柱塞往复运动时配合进液阀和出液阀的交替动作实现乳化液的输送，出口连接的安全阀起到调定压力的作用，蓄能器吸收压力波动的作用，尽量使输出液体平稳。

四、乳化液泵的流量和压力

1.泵的流量

从上面所讲的往复泵的工作原理可知，柱塞排液1次所排出的乳化液量也就是柱塞1次行程中柱塞所占有的体积，如图8-5所示。

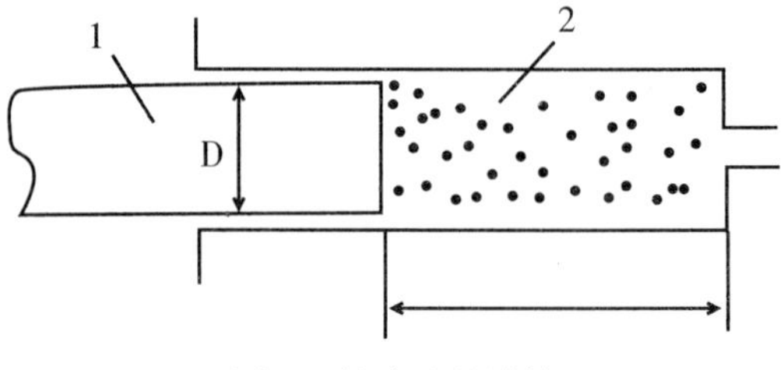

图8-5 柱塞流量计算

1——柱塞；2——缸孔

所以，柱塞一次排出液体的体积：柱塞面积×柱塞行程。

$$q_v=A_{柱塞}\times S_{柱塞}=\frac{1}{4}\pi D^2 S \tag{8-1}$$

如果柱塞在1min内往复n次，乳化液泵有Z个柱塞。那么泵在1min内所排出的乳化液量，即乳化液泵的流量为：

$$Q=\frac{1}{4}D^2SZ_n\pi \tag{8-2}$$

式中　Q——往复泵的理论流量；

D——柱塞直径；

S——柱塞行程；

n——柱塞一分钟往复次数；

Z——柱塞数目。

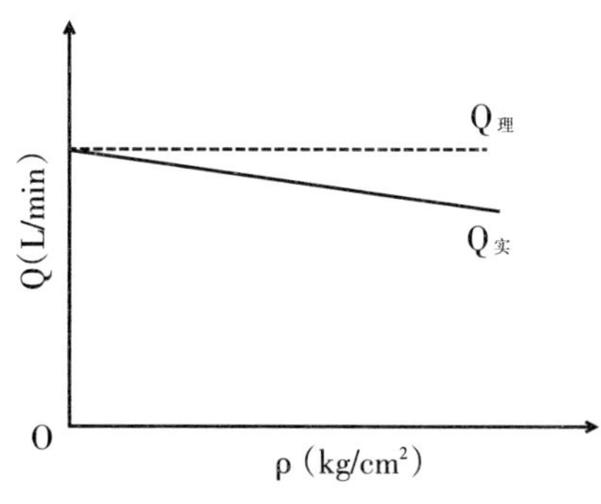

图8-6　油泵流量与压力变化关系图

乳化液泵的流量一般都用“升/分”（L/min）表示。实际上，因为泵有泄漏，所以泵的实际流量要比理论流量小一些。

从上面的公式中可以知道，某一具体的泵，它的柱塞尺寸、转数、行程都是一定的，所以它的流量基本上是一定的，与压力无关。但实际上压力的大小通过油液的泄漏，间接地对流量有一定影响。如图8-6所示，油泵的工作压力升高时，由于泄漏增加，流量要有所减少。

2.泵的压力

从泵的工作原理可知，油泵的排液压力（单位为kg/cm^2）取决于油泵的负载，也就是取决于液压系统中阻止油液流动的工作阻力。对液压支架而言，乳化液泵站输出乳化液的压力取决于顶板对支架的压力和供液管路的阻力。这两种力愈大，乳化液泵提供的乳化液的压力愈大。但是泵的压力不允许无限增大，因为泵的结构、材料及制造等情况只能承受一定的压力。另外，油泵的最大压力受油泵的密封性能和结构强度的限制，也受电动机功率的限制。所以，泵总是规定出一个额定压力，在工作中一般不允许超过这一压力。例如：GRB-315/31.5型乳化液泵的额定压力为31.5MPa。

五、乳化液泵的构造

液压支架的工作介质为水包油的乳化液，该类型的乳化液的粘度低，润滑性能差。因此，乳化液泵与一般以矿物油为工作介质的油泵相比，在结构上就有明显的两个特点：

（1）由于乳化液的粘度低，泵的压力又高，因此，柱塞与缸筒之间不能采用间隙密封，必须采用密封圈密封的型式。

（2）由于乳化液的润滑性能差，因此，传动部分与工作部分必须隔开，传动部分用专用润滑油进行润滑。

由于以上原因，一般的油泵（例如齿轮油泵、叶片油泵等）不能用来代替乳化液泵使用，否则将造成漏损严重，运动部件严重磨损而不能工作。

如图8-7所示，乳化液泵是一种多柱塞的径向柱塞泵，在传动轴上装有3套或5套柱塞副互成120°或72°形成三柱塞泵或五柱塞泵。实际上，它是各个单柱塞泵的组合体，每个柱塞泵都装有单独的吸排油阀进行吸油和排油。它们的共同结构为由曲轴传动箱机壳11,传动斜齿轮2和3,曲轴1、连杆4、柱塞7、导向套5、滑块6、油缸8、吸油阀9和排油阀10等主要部件组成。油泵的传动轴通过一对斜齿轮带动曲柄轴旋转,曲柄轴则通过连杆和滑块带动柱塞在缸孔内往复运动实现吸油和排油。

乳化液泵的曲轴传动箱和泵体分成两部分,中间有一个隔离空间,防止乳化液流入传动箱,以免将传动箱内的润滑油乳化,失去润滑作用。油泵工作时,滑块6在导向套5中往复运动,为防止滑块前部空间在从小变大时产生部分真空而增加阻力,必须使该空间直通大气,这样不论空间如何变化,仍能保持大气压力,使滑块的前后空间压力平衡。乳化液泵与一般油泵不同的另一个特点,是柱塞和油缸V形夹织物橡胶密封圈而不是采用间隙密封。柱塞与连杆必须用带万向接头的滑块连接,才能保证柱塞沿轴缸轴向运动,防止侧向力将橡胶密封破坏。在油缸周围的泵体上铸有环形方孔,乳化液经该环形孔进入吸油阀9,对油缸进行冷却。

乳化液泵站有BRW80/35型、BRW125/31.5型、BRW315/31.5型、BRW315/31.5型等多种型号,它们都是往复式三柱塞或五柱塞泵,结构及原理相似。

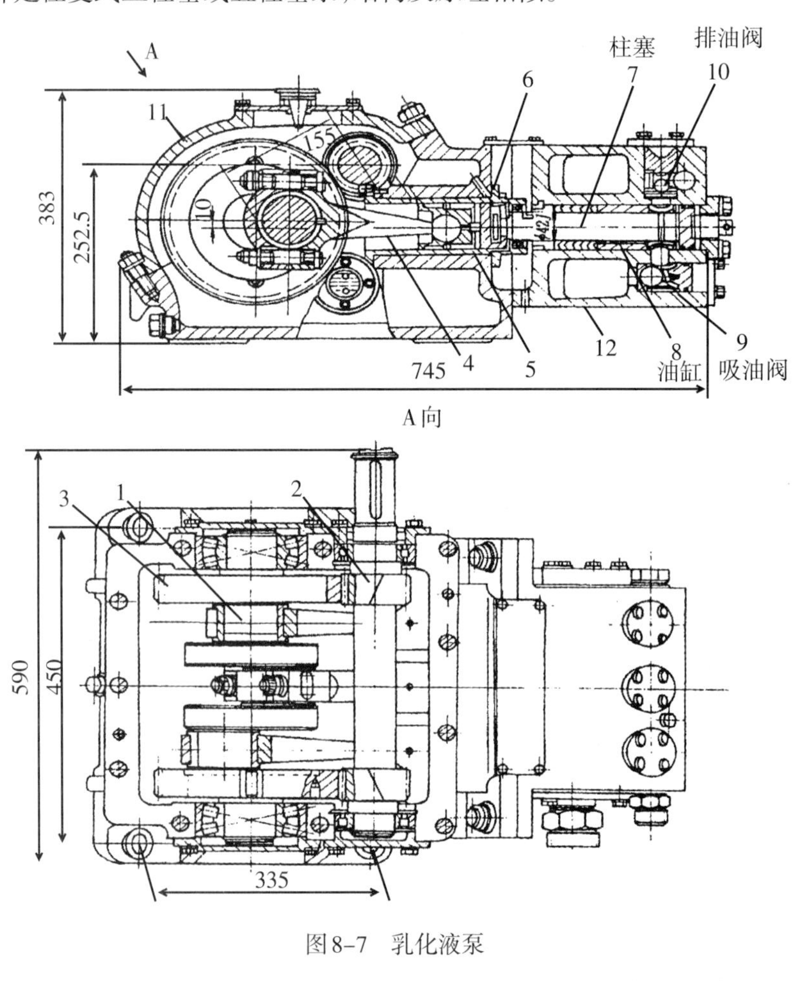

图8-7　乳化液泵

1——曲轴;2——斜齿轮轴;3——大斜齿轮;4——连杆;5——导向套;6——滑块;7——柱塞;8——油缸;9——吸油阀;10——排油阀;11——壳体;12——缸体

第二节　BRW80/35型三柱塞乳化液泵站

一、BRW80/35型三柱塞乳化液泵参数与构造

1.BRW80/35型三柱塞乳化液泵的主要技术参数及性能指标

额定压力(MPa):35　　曲轴转数(r/min):517

额定流量(L/min):80　　泵外形尺寸(mm):760×680×847

柱塞直径(mm):32　　柱塞数量(个):3

柱塞行程(mm):70　　工作介质:乳化液

为满足不同工作条件对泵压力的要求,有几种不同的工作压力型号:15 MPa、20 MPa、35 MPa等,它们分别配用30KW、45KW、55KW的电机。

2.构造

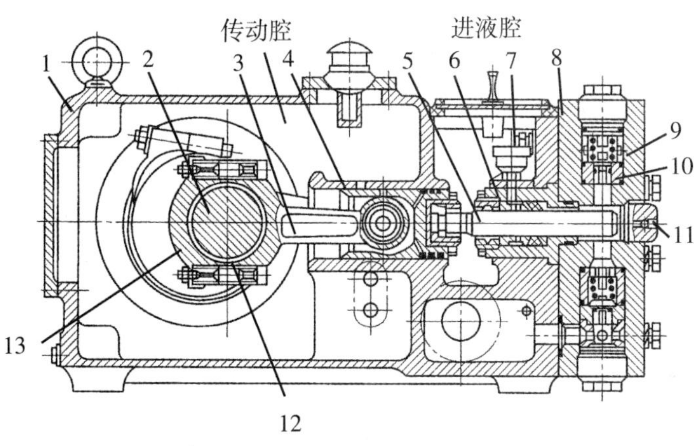

图8-8　BRW80/35型乳化液泵

1——箱体;2——曲轴;3——连杆;4——滑块;5——柱塞;6——高压钢套;7——油杯;8——泵头;9——阀芯;10——阀座;11——排液接头;12——前轴瓦;13——后轴瓦

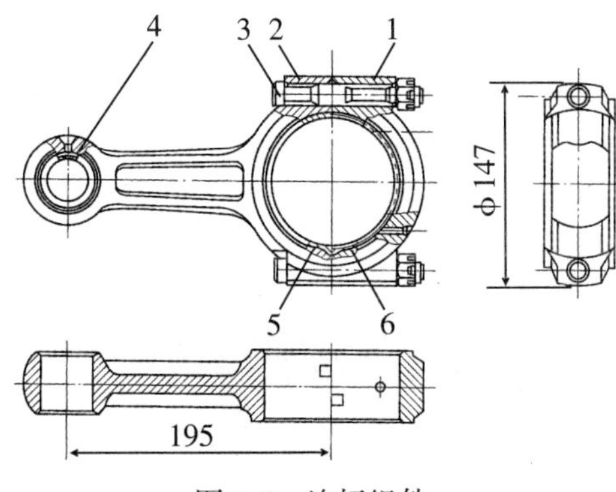

图8-9　连杆组件

1——瓦盖;2——连杆体;3——连接螺栓;4——铜套;5——前轴瓦;6——后轴瓦;

(1)箱体传动部分

箱体分为3个腔体:曲轴箱、乳化液进液腔及隔离腔。

曲轴腔两侧安装曲轴和齿轮轴的镗孔,底部设有放油孔,顶部设有注油孔。在注油孔上装有过滤网,以防注油过程中将杂质带入腔体;注油孔上装有空气滤清器,用来供曲轴呼吸过滤。曲轴腔中部有3个滑道孔,滑块装入孔内并沿滑道孔作往复运动。

泵的主动轴经一对齿轮减速而带动曲轴旋转。大齿轮装在曲轴上，小齿轮装在主动轴上。主动轴经联轴器与电动机联接。曲轴有三个曲拐共装三个连杆，呈120°均匀布置。连杆表示在图8-9中，连杆大头内装有铝青铜的轴瓦，连杆运动就能带动滑块在缸体内作往复运动。

柱塞与滑块的连接考虑到更换柱塞的方便，在滑块的一端开一个滑块槽，在柱塞的连接端铣一扁块，把扁块装入滑块槽中，定中心后，再压入一个定位销，进行角向定位，防止柱塞旋转和滑块脱出，如图8-10图所示。这样，更换柱塞时，只要将泵头上的钢套拉出，松开衬套螺母，把柱塞拉高一点并把扁块旋对滑块槽，就可以将柱塞取下。

图8-10 柱塞与滑块连接示意图

(2)泵头

泵头由锻钢加工而成，强度高，结构紧凑，结构如图8-11所示。

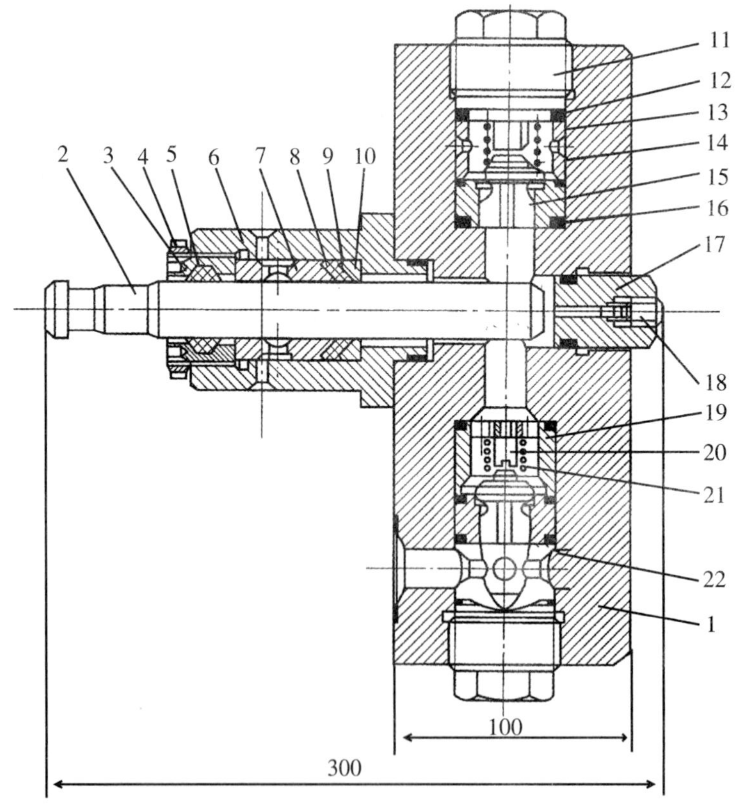

图8-11 泵头

1——泵头体；2——柱塞；3——缸套丝堵；4——螺母；5——毡圈油封；6——钢套；7——导向铜套；8——压环；9——密封环；10——底环；11——排液螺栓；12——定位螺钉；13——阀套；14——排液阀弹簧；15——阀芯；16——阀座；17——工艺堵；18——放气堵；19——吸液阀套；20——吸液阀定位螺钉；21——吸液阀弹簧；22——丝堵

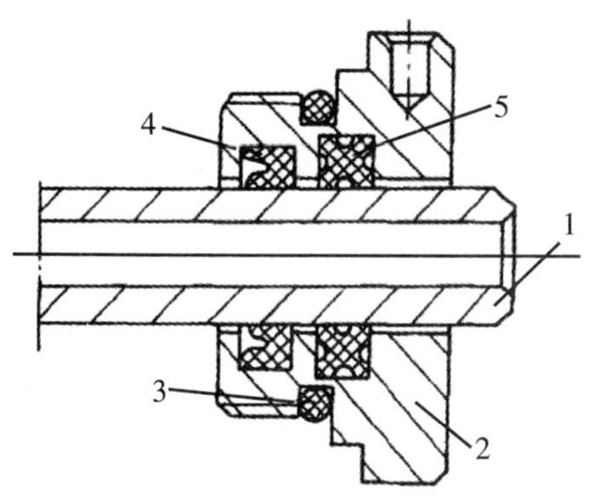

图 8-12　柱塞密封结构

1——柱塞;2——衬套螺母;3——O 型密封圈;
4——Y 形密封圈;5——X 形密封圈

泵头主要由进液阀、排液阀和钢套组成。进液阀和排液阀都是端面阀。铜套实质上就是一个可拆装的缸体。柱塞与缸体的密封用唇形密封圈 9,更换密封圈时只要把螺栓 4 松开,拉出钢套,卸下缸套螺母 3,钩出密封圈 9。为了放出缸体内的空气,在钢套的前端装有放气螺钉 18。

柱塞在油箱一侧的密封采用 Y 形密封圈和 X 型密封圈,以防止油箱内的润滑油流出,如图 8-12 所示。更换密封圈时拉出泵头上的钢套,卸下衬套螺母,再钩出密封圈。

(3)润滑系统

BRW80/35 型乳化液泵的运动部分采用“飞溅润滑”。由于结构上的关系形成了下列润滑系统。在滑块与柱塞密封之间形成一个非严格意义上的“压缩腔”,由于飞溅使润滑油在滑道孔上方凹坑处集聚,当滑块向左运动时,润滑油经呼吸孔吸入“压缩腔”,如图 8-13 所示。当滑块向右运动时,由于压缩作用“压缩腔”中的润滑油就由滑块前端的斜孔进入球座,再经连杆通孔进入轴瓦与曲轴间的摩擦面构成良好的油膜,形成强迫润滑,如图 8-14 所示。

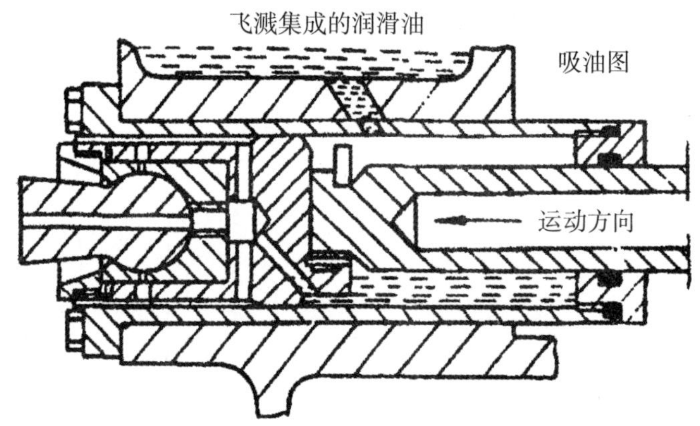

图 8-13　滑块向左运动

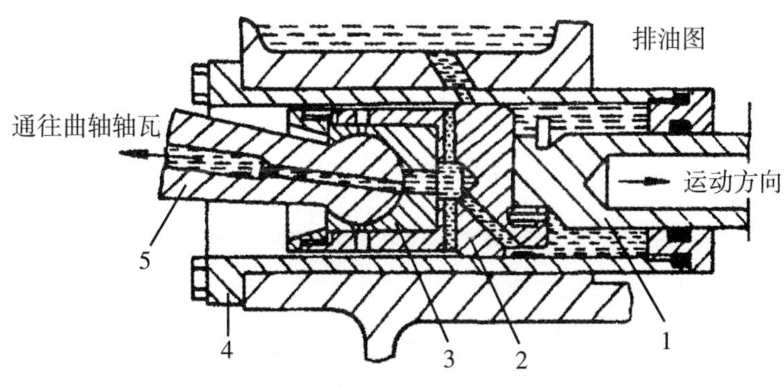

图 8-14　润滑示意图

1——柱塞;2——滑块;3——球头座;4——缸套;5——连杆

二、BRW80/35型乳化液泵的组件

从乳化液泵的结构特点可知,它是一种定量泵。要想适应工作面液压支架多变的工作方法,必须在泵体上安装流量调节装置。同时为了安全保护,防止外部系统发生故障而导致泵的压力过高,在泵头出口一侧装有安全阀。

图8-15所示为BRW80/35型乳化液泵站的液压系统。

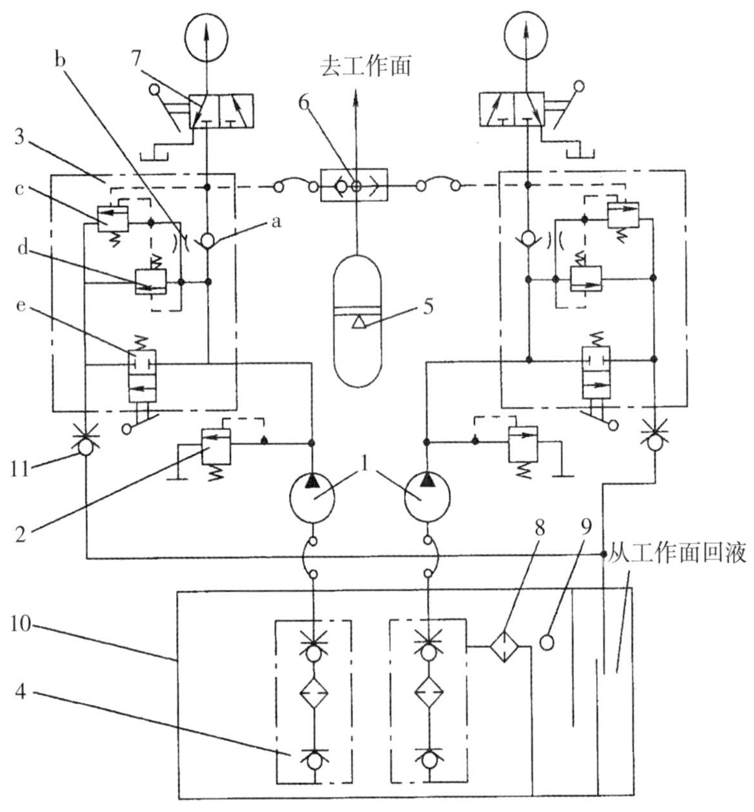

图8-15　BRW80/35型乳化液泵站液压系统

1——乳化液泵;2——安全阀;3——卸载阀组;4——吸液过滤器;5——蓄能器;6——交替截止阀;7——压力表开关;8——过滤网;9——磁性过滤器;10——化液箱;11——节流孔

a——单向阀;b——节流阀;c——先导阀;d——主阀;e——手动卸载阀;

1.卸载阀组

图8-16所示为卸载阀组的结构图。卸载阀主要是由主阀10、先导阀5和顶杆3组成。乳化液泵排出的油液由P孔进入卸载阀,推开单向阀12由接头1到工作面。同时油液也自P向上通过内部孔道阀10上的节流孔11、孔6到达先导阀下面的先导阀下腔4,液压作用在先导阀5上。当液压力低于弹簧7的弹簧力时,先导阀关闭,在此油路中油液不流动。因此,在

节流孔11两侧的压力是一样的。作用在主阀上向下的液压力加上弹簧力大于作用在主阀上向上的液压力，因此，主阀关闭，不能卸载。当工作面乳化液用量减少或不使用时，泵的压力升高达到调整压力时（额定压力），把先导阀5打开，这样就使先导阀腔4与回液孔R导通，同时，先导阀下腔4压力下降，顶杆3上升，顶住先导阀5。因此，一部分液体就经孔P、节流孔11、孔6、先导阀下腔4回液孔R流入乳化液箱。当油液流过节流孔11时，产生压力降，使节流孔内侧，即弹簧一侧的压力低于节流孔11外侧的压力，因此，作用在主阀10上向下的液压力加弹簧力就小于作用在主阀10上向上的液压力，把主阀10打开。油液就经孔P向上、主阀11与阀座的间隙直接由回油孔R回油。与此同时，泵压力立刻下降，单向阀12关闭，顶杆继续顶住先导阀，维持在打开位置，泵一直处于卸载状态。当工作面管路压力低于恢复压力时，弹簧7把先导阀关闭。先导阀下腔4与回油孔R不通，节流孔11中油液就不流通，节流孔11两侧压力相等，主阀就向下动作而关闭。泵压力升高打开单向阀12继续向工作面供液。

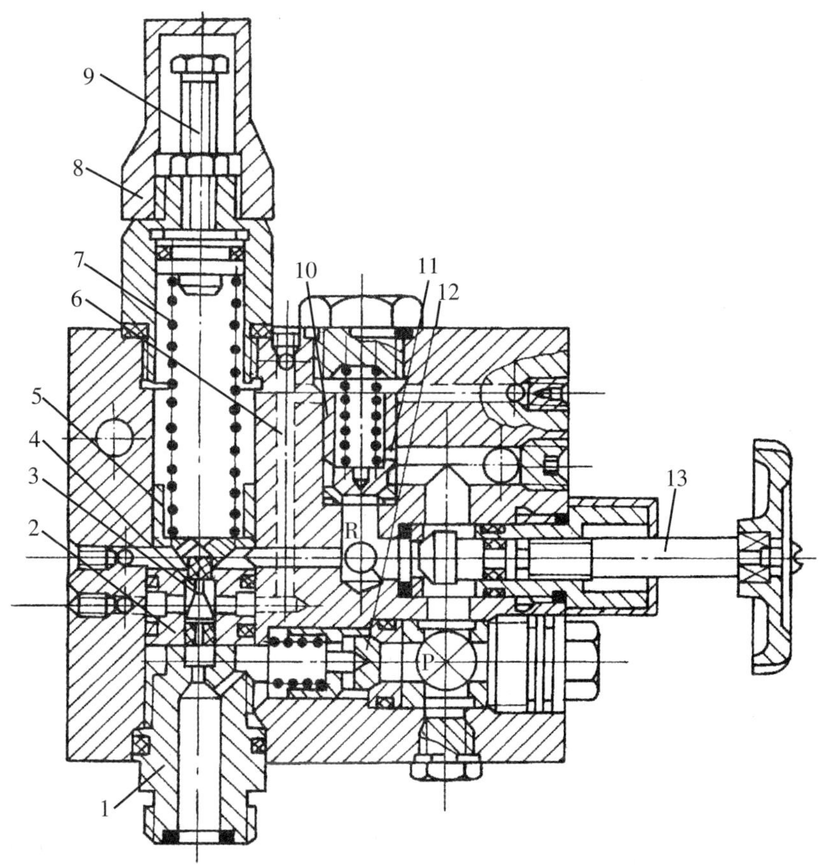

图8-16　卸载阀

1——接头；2——先导阀座；3——顶杆；4——先导阀下腔；5——先导阀；6——孔道；7——调压弹簧；8——保护帽；9——调压螺钉；10——主阀；11——节流阀；12——单向阀；13——手动卸载阀

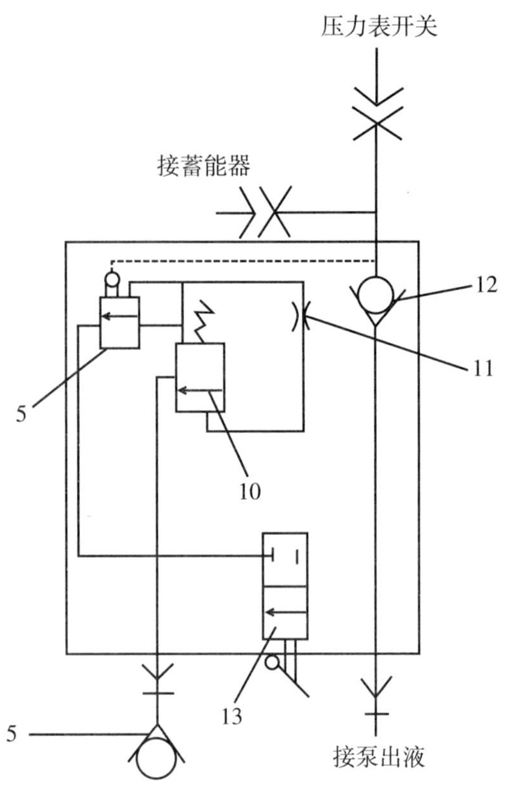

图8-17　卸载阀液压原理图

2.安全阀

乳化液泵站的安全阀在泵头的一侧。图8-18为安全阀的结构图。该阀为制动式安全阀。安全阀释放出的油液不回乳化液箱而直接喷于外界。安全阀调整压力为工作面压力的1.1～1.2倍。

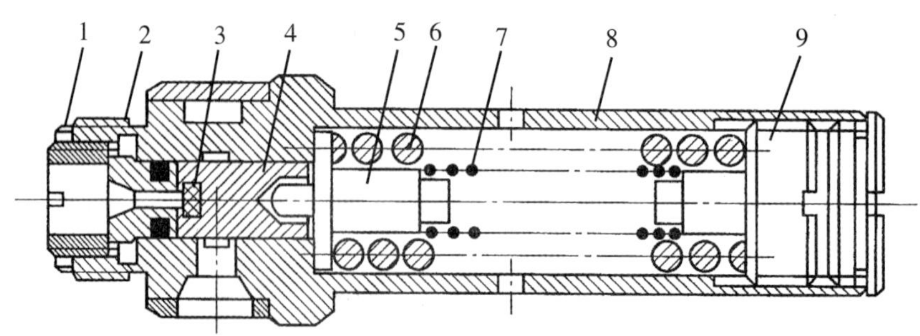

图8-18　安全阀

1——锁紧螺母；2——阀座；3——阀垫；4——阀芯；5——顶杆；6——大弹簧；7——小弹簧；8——阀壳；9——调压弹簧

三、乳化液箱及其部件

1.液箱

图8–19型泵的乳化液箱示意图。液箱的工作容积为640L。在液箱的一端装有2个卸载阀、1个蓄能器、2个吸液断路器。两个卸载阀同时会接于交替截止阀，由交替截止阀的1个接头去工作面。这样，1台乳化液箱可以连接2台乳化液泵：1台工作，1台备用。

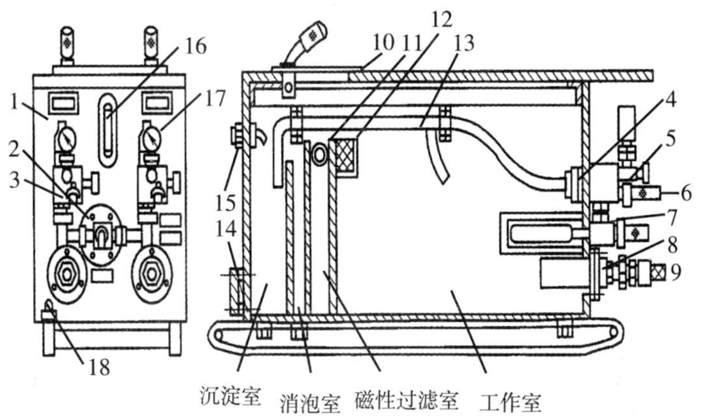

图8–19　BRW80/35型乳化液箱

1——箱体；2——交替阀；3——卸载阀；4——回液断路阀；5——压力表开关；6——高压软管；7——蓄能器；8——吸液断路器；9——吸液软管；10——视孔盖；11——磁性过滤器；12——网状过滤器；13——总回液管；14——清渣孔；15——工作面回液接头；16——观察窗；17——压力表；18——溢流管

在箱体内的一端有沉淀室、磁性过滤器室、消泡室和网式过滤槽。工作面和卸载阀的回液先进入沉淀室，再返上去经过磁性过滤器、网式过滤槽到乳化液室。

2.蓄能器

往复式柱塞泵的流量是不均匀的，压力有波动，这种波动引起沿线软管振动，使软管接头等容易损坏等，并使支架操纵不稳定。为了减少压力波动，稳定工作压力。在液压系统中必须设置蓄能器。在乳化液泵中，一般都采用气囊式蓄能器。如图所示。蓄能器由无缝钢筒做成，内装有一橡胶囊。由充气阀向胶囊中充以氮气。为了防止蓄能器爆炸，在胶囊中禁止充氧气或压缩空气。充气压力一般为泵站工作压力的60%～80%。

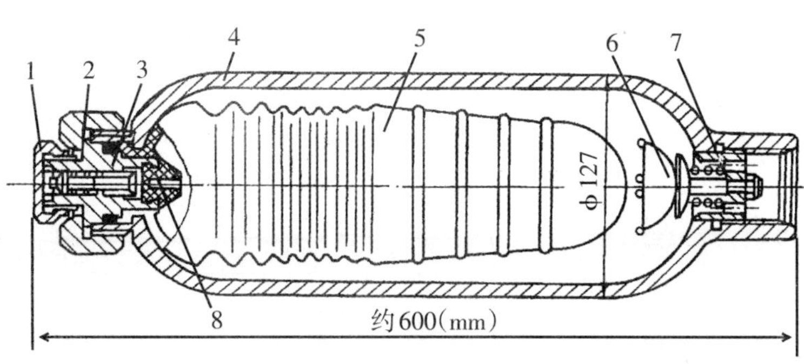

图8–20　蓄能器

1——螺盖；2——压帽；3——充气阀；4——外壳；5——胶囊；6——托阀；7——阀座

第三节　BRW315-31.5型五柱塞乳化液泵站

一、技术参数

BRW315-31.5型乳化液泵站适用的乳化液泵为五柱塞泵，是以通用的曲轴箱为基础，派生出系列压力流量参数的新泵，主要为中厚煤层综合机械化采煤液压支架提供动力源。该泵站通常也为二泵一箱结构。

公称压力：31.5MPa　　　　公称流量：315L/min

曲轴转速：650r/min　　　　柱塞直径：45mm

柱塞行程：66mm　　　　柱塞数目：5

电机功率：200kW　　　　总重量：4800kg

外形尺寸（长×宽×高）：3210×1235×1270

安全阀出厂调定压力：34.7MPa～36.2MPa

卸载阀出厂调定压力：31.5MPa

卸载阀调定压力：调定压力的75%～85%

蓄能器容积：25L

泵选用四极电动机驱动，用一对齿轮来减速，减速后驱动五曲拐的曲轴旋转，曲轴带动连杆和滑块，滑块带动柱塞往复运动，配合吸液阀和排液阀的动作，为工作面输输送高压液体。

五柱塞泵、电动机、蓄能器、卸载阀等固定于滑橇式底拖上组成五柱塞泵总成。

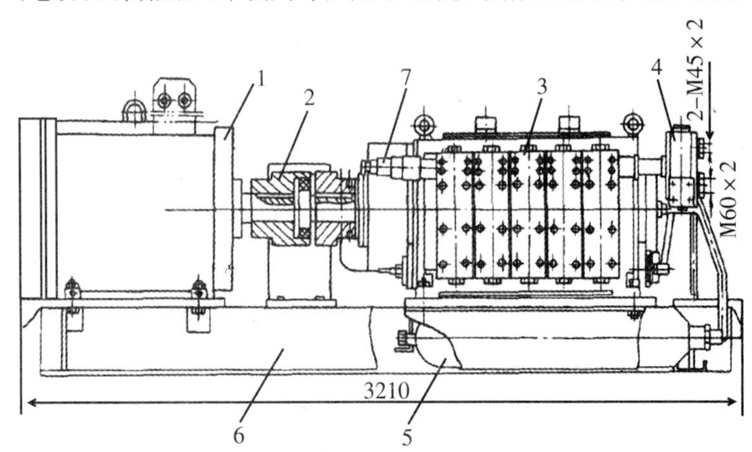

图8-21　BRW315-31.5乳化液泵

1——电动机；2——联轴器；3——泵；4——卸载阀；5——蓄能器；6——底拖；7——安全阀

二、泵体结构

泵体主要由曲轴箱、高压钢套、泵头等组件，泵的液力端采用5个分立的泵头组成，泵头下部安装吸液阀，上部安装排液阀，排液腔由一高压集液块与5个分立的泵头高压出口相连而成，一侧装有安全阀，另一侧装有卸载阀。曲轴箱设有冷却润滑系统，安装在齿轮箱上的齿轮油泵经箱体下方的网式滤油器吸油，排出压力油经过设在泵吸液腔的油冷却器冷却后到曲轴润滑连杆大头。齿轮油泵工作压力调定为0.2～0.5MPa，在箱体下方设有磁性过滤器，以吸附润滑油中的铁磁性杂质。在进液腔盖的上方设有放气孔，以放尽腔内空气。

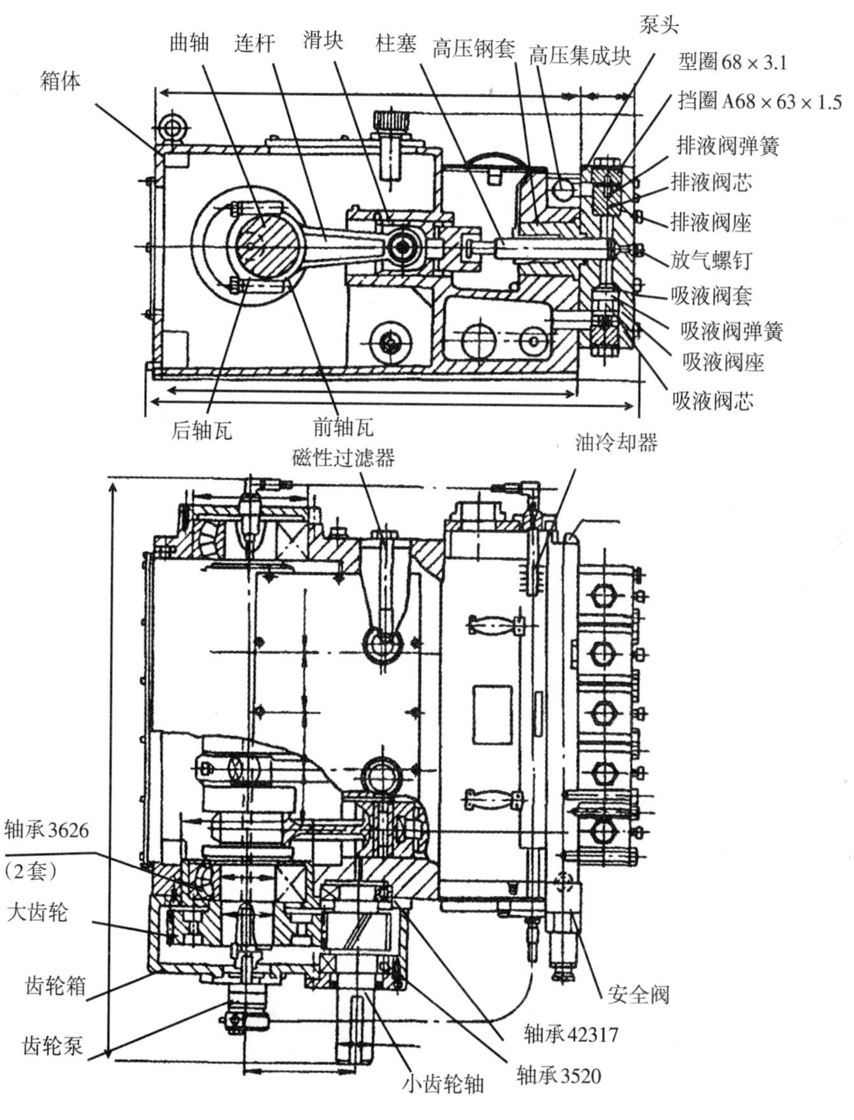

图8-22　BRW315-31.5乳化液泵体

三、卸载阀

卸载阀主要由2套并联的单向阀、主阀和1个先导阀组成。工作原理:泵输出的高压液体进入卸载阀后,分成4条液路。1.高压液体冲开单向阀向工作系统供液。2.高压液体冲开单向阀后,先到达先导阀滑套下腔,给阀杆一个向上的推力。3.泵输出的高压乳化液经中间的控制液路和先导阀杆下腔作用在主阀推力活塞下腔,使主阀关闭。4.经主阀阀口,是高压乳化液的卸载回液液路。

当支架停止用液或系统压力升高到先导阀的调定压力时,作用于先导阀的高压液体开启先导阀,使作用于主阀推力活塞下腔的高压液体卸载回零,主阀打开,此时,液体经主阀回液箱;同时单向阀在乳化液作用下关闭,单向阀后腔为高压密封腔,从而维护阀的持续开启,实现阀稳定卸载状态,泵处于低压运行。当支架重新用液或系统漏损,单向阀后高压腔压力下降至卸载阀的恢复压力时,先导阀在弹簧力和液压力的作用下关闭,活塞下腔重新建立起压力,主阀关闭,泵站恢复供液状态。调节卸载阀的工作压力时,需调节先导阀调整螺套,即调节先导阀碟形弹簧作用力,其出厂时调定压力为泵的公称压力。

四、蓄能器

本泵采用公称容量为125L的NXQ-125/320-A型皮囊式蓄能器,其主要作用是补充高压系统中的漏损,从而减少卸载阀的动作次数,延长液压系统中的液压元件的使用寿命,同时还能吸收高压系统中的压力脉动。

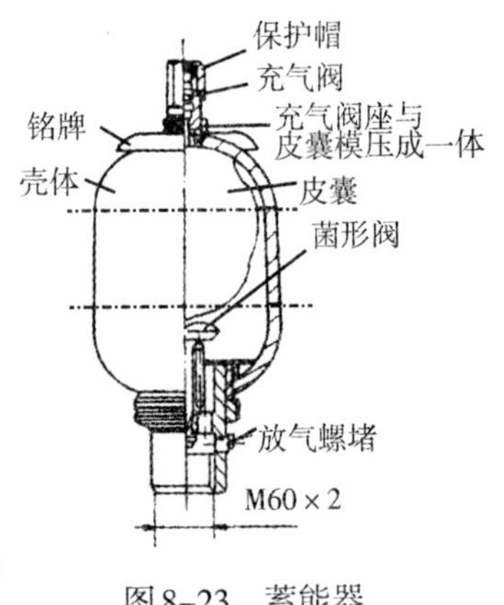

图8-23　蓄能器

蓄能器充气方法有:氮气瓶直接充气法、蓄能器增压法和使用专用充氮机等方法。在充气时,不管采用何种方法,都必须遵守下列程序:

(1)保护帽为螺纹连接,拧下充气阀的保护帽。

(2)将充气工具准备好,打开压力表开关,与充气管连接。

(3)缓慢开启氮气瓶气阀。操作时,人员应站在充气阀的侧面。

(4)充气工具的手柄,缓慢打开压下的气门芯,充入氮气,待气囊膨胀至菌形阀关闭,充气速度方可加快,直到充到所需的气体压力。

(5)充气完毕先关闭氮气瓶开关,放尽充气工具及管内残余气体,拆卸充气工具,然后将保护帽牢固旋紧。

第四节　乳化液泵站的使用与维护

一、泵站的使用

乳化液泵是保证工作面液压支架正常运行的重要的设备,对它的正确操作与使用是非常重要的，在使用乳化液泵时应注意以下几个问题：

（1）泵站的使用操作要有专人负责，须经专门培训，操作人员的操作、管理必须认真负责。

（2）泵站的安装严格按照使用说明操作，水平放置以保持良好的润滑条件。

（3）泵站启动前，仔细检查润滑油是否加入，油位是否符合规定，油位在泵运转时不应低于油标玻璃的下标或超过上标。泵站外表是否损坏，各紧固件尤其地脚螺栓不应松动。各连接管道是否有渗漏现象，吸排液软管是否有折叠，吸液阀排液阀是否打开。

（4）经上述确认后，拧松吸液腔的放气堵，把吸液腔空气放尽，直到液体流出并液体中不再伴随有气泡，然后拧紧。打开手动卸载阀或短路截止阀，使泵在空载下起动，点动电机，观察电机转向是否与所示箭头方向相同，禁止反向运转。

（5）泵起动后，拧松泵头高压腔放气螺钉，将高压腔内的空气放尽（出液后即拧紧），同时应密切注意它的运转情况，先空载运行5分钟左右，没有发现泵有异常噪音、抖动、管路泄漏等现象。检查泵头吸排液阀压紧螺栓，泵头与箱体连接螺钉等应无松动现象，可投入使用。

（6）以上检查一切正常后，先打开供液截止阀，然后关闭手动卸载阀或短路截止阀，开始给工作面供液。

（7）在泵站开始运行初期，要注意观察泵箱体温度，不宜过高，表面温度应不高于80℃。同时观察乳化液箱的液位，不得过低以免吸空。

（8）在泵的运行过程中注意柱塞密封是否正常，柱塞上有水珠是否属正常现象，如果发现柱塞密封处漏液过多，则需要检修或更换柱塞。

（9）注意停泵的顺序与起动的顺序相反。

二、泵的维护和保养

1.泵的润滑

乳化液泵的有2种润滑方式，小流量泵一般是“飞溅式”润滑方式，大流量泵一般是“强迫式”润滑方式。

飞溅润滑是由于曲轴旋转而带起的润滑油淋到各个部位，需要润滑的部位也就得到润滑。润滑油进入润滑通过2个路径，一部分油由四连杆上端剖缝处的小油池中的小孔进入曲轴表面供连杆大头轴瓦润滑，另一部分润滑油由滑道上方漏油孔进入滑道，再由滑块上方漏油孔滴入连杆小头轴瓦内进行润滑。同时滑块也得到润滑。

强迫润滑是由专门的润滑泵给需要润滑的部位强制供润滑油，润滑泵输出的润滑油进入曲轴连杆的中心孔对大头轴瓦、小头轴瓦进行润滑。

润滑油用N68机械油，不应使用更低粘度的润滑油，以免影响润滑。

通常情况下在运行150小时后，需第一次更换润滑油，更换润滑油时应清洗油池，加油时应在过滤网口加入，正常运行中应注意补充润滑油，严防煤粉矸石进入箱体内。

2.日常维护

井下日常维护主要是预防性的维护，主要包括日检、周检、月检和季检。

(1)日检

检查各密封连接处是否有泄漏、滴液等现象,各连接管道是否有折叠、损坏或压扁,各连接件、紧固件是否有松动。

检查滑块处密封是否有漏油。

检查曲轴箱内润滑油的油位,过低时应及时补充润滑油。

检查柱塞密封是否有泄漏,泄漏严重时,应调整紧固螺母。

检查卸载阀的动作是否正常。

检查排液性能和动作,观察压力表的脉动情况,如有异常应及时处理。

检查泵正常工作声音是否有异常,如有异常及时停泵检修。

(2)周检

周检内容除有日检内容外还应包含下述内容:

检查并加固拧紧连接件、紧固件。

检查并紧固柱塞与滑块连接部位。

检查泵的隔离腔并清洗,保持隔离腔不要积液,检查下方的泄液孔是否堵塞。

检查卸载阀或主阀的密封性能。

检查清洗吸液过滤器,保证泵的正常吸液。

(3)月检

月检内容除有周检内容外还应包含下述内容:

检查蓄能器充氮压力,是否有泄漏。

清洗乳化液箱的沉淀污垢。

检查并清洗各过滤器。

打开电机罩壳,清除内部的煤粉及污垢。

(4)季检

季检内容除有月检内容外还应包含下述内容:

打开泵的润滑箱后盖,清洗润滑油池并更换润滑油。

检查曲轴与连杆轴瓦使用情况,看是否有裂痕、毛刺等,必要时更换。

检查轴承是否有裂痕,轴向径向是否松动,必要时更换,检查联轴器的连接是否有松动,并紧固。

检查空气过滤器,并清洗,如有破损应更换。

井下易损件的更换检修,应注意环境和工作器具的清洁。

3.升井维修

一般地,泵站运转半年或一个工作面采完后,由于磨损和锈蚀的原因,可能丧失原有的运行精度和性能,为保证下一个工作面的正常使用,应进行升井检修,更换必要的易损件,调整运动部件的间隙,以恢复其性能。升井检修需将泵站解体,并对主要零件进行检查,确定磨损和损坏程度,决定维修和更换零件。主要包含如下内容:

解体泵站并将主要零件逐个拆出,对各个零件进行清洗。

检查各个零件的锈蚀、磨损、损坏情况。发现轻微锈点清除干净,并进行防锈处理,严重的需更换。

检查过滤网、过滤器，损坏需更换。

检查泵的吸排液阀、卸载阀的主阀芯、先导阀芯及弹簧，对损坏和划痕进行修理。

检查密封圈的老化、剪切、损坏情况。

进行大修后的泵应按照出厂检验要求进行性能实验。

泵站外壳应重新清洗、油漆。

第五节　乳化液泵站常见故障原因分析及处理方法

乳化液泵站常见故障原因分析及处理方法见下表8-1。

表8-1　乳化液泵站常见故障原因分析及处理方法

故障	原因分析	处理方法
系统不起压或压力不足	卸载阀、手动卸载阀未关闭或密封不良	拧紧卸压阀、手动卸载阀或修复更换
	先导阀封闭不良	清洗维修先导阀
	主阀封闭不良	同上
	卸载阀调压弹簧断裂或疲劳	更换
	压力表开关未打开或阀座变形堵塞	打开，更换
	排液管道开裂	更换
	卸载阀中下节流孔堵塞	清洗维修疏通
无流量或流量不足，压力脉动大，振动噪声严重	柱塞密封损坏，密封不严，吸液时进气	检查柱塞修复或更换密封
	泵吸液腔空气未排尽	放尽空气
	吸液软管过细过长	更换吸液软管
	吸排液阀弹簧损坏断裂	更换弹簧
	吸排液阀动作不灵，密封不好	检查阀组清除杂物使动作灵活密封可靠
	乳化液箱水位过低	加乳化液
	蓄能器内氮气无压力或压力过高	充气或放气
	吸液过滤器堵塞	清洗
	卸载阀动作频繁或漏液严重	更换

泵运转噪音大，撞击声频繁	曲轴轴拐与轴瓦磨损严重，间隙过大	调整间隙
	连杆螺钉松动	紧固
	齿轮加工精度低或齿面损坏	修复或更换
	连杆衬套与滑块磨损严重	修复或更换
	吸液不足	检查吸液情况，加乳化液
	柱塞端部与承压块间隙加大	拧紧锁紧螺套或更换
	联轴器安装不对中心	检查联轴器调整电机与泵同轴
	泵内有杂物	检查清洗
柱塞密封处泄漏严重	密封圈磨损或损坏	更换密封圈
	柱塞安装不对中，表面有严重划伤拉毛	更换或修磨柱塞
箱体温度过高，润滑油油温高，发热异常	润滑油不足或过多，太脏或油质选取不符合要求，粘度低	加油或清洗油池换油
	轴瓦损坏或曲轴颈拉毛，配合间隙小	修复、调整、更换
	连杆大头侧面与曲轴线板蹩卡	修复、调整、更换
	联轴节间距过小	调整
	润滑冷却系统出故障	检查修复
	超负荷运行时间过长	调整负荷
系统压力突然升高	卸载阀主阀芯卡住不动作或先导阀有蹩卡	检查清洗卸载阀
	安全阀失灵	检查调整或调换安全阀
	系统中故障	检查排除原因
滑块处泄漏	缸壁拉毛	更换
	活塞套失效	更换活塞环
卸载阀动作频繁	蓄能器内氮气无压力或压力过高	充气或放气
	卸载阀的单向阀漏液	检查清洗卸载阀、单向阀
	泵站去支架的输液管漏液	更换
	先导阀泄漏	检查修理
	卸载阀O型圈损坏	更换
液箱前后液位差太大	过滤网板被污物堵塞	清洗

第二部分　专业核心知识点

专业核心知识点包括以下内容：

1.乳化液泵站的工作原理。
2.乳化液泵站的日检、周检内容。
3.对泵站系统不起压或压力不足、泄漏、温度高和噪音的故障分析和处理。

第三部分　专业技能训练

技能一:乳化液泵站的维护

1.日检

检查各密封连接处是否有泄漏、滴液等现象,各连接管道是否有折叠、损坏或压扁,连接件、紧固件是否有松动。

检查滑块处密封是否有漏油。

检查曲轴箱内润滑油的油位,过低时应及时补充润滑油。

检查柱塞密封是否有泄漏,泄漏严重时,应调整紧固螺母。

检查卸载阀的动作是否正常。

检查排液性能和动作,观察压力表的脉动情况,如有异常应及时处理。

检查泵正常工作声音是否有异常,如有异常及时停泵检修。

2.周检

周检内容除有日检内容外还应包含下述内容:

检查并加固拧紧连接件、紧固件。

检查并紧固柱塞与滑块连接部位。

检查泵的隔离腔并清洗,保持隔离腔不要积液,检查下方的泄液孔是否堵塞。

检查卸载阀或主阀的密封性能。

检查清洗吸液过滤器,保证泵的正常吸液。

3.月检

月检内容除有周检内容外还应包含下述内容:

检查蓄能器充氮压力,是否有泄漏。

清洗乳化液箱的沉淀污垢。

检查并清洗各过滤器。

打开电机罩壳,清除内部的煤粉及污垢。

4.季检

季检内容除有月检内容外还应包含下述内容:

打开泵的润滑箱后盖,清洗润滑油池并更换润滑油。

检查曲轴与连杆轴瓦使用情况,看是否有裂痕、毛刺等,必要时更换。

检查轴承是否有裂痕,轴向径向是否松动,必要时更换,检查联轴器的连接是否有松动,并紧固。

检查空气过滤器,并清洗,如有破损应更换。

井下易损件的更换检修,应注意环境和工作器具的清洁。

5.升井检修

解体泵站并将主要零件逐个拆出,对各个零件进行清洗。

检查各个零件的锈蚀、磨损、损坏情况。发现轻微锈点应清除干净,并进行防锈处理,严重的需更换。

检查过滤网、过滤器,损坏需更换。

检查泵的吸排液阀、卸载阀的主阀芯、先导阀芯及弹簧,对损坏和划痕进行修理。

检查密封圈的老化、剪切、损坏情况。

进行大修后的泵应按照出厂检验要求进行性能实验。

泵站外壳应重新清洗、油漆。

技能二:乳化液泵站常见故障及处理方法

1.无流量或流量不足,压力脉动大,振动噪声严重

产生以上现象的常见原因是泵站吸液时进气、泵吸液腔空气未排尽、吸排液阀动作不灵、密封不好和蓄能器内氮气无压力或压力过高。

对于泵站吸液时进气的处理是检查吸液管的密封,看是否有损坏漏气的地方,如果有需要更换损坏元件,其次检查进液管各密封是否完好,如有损坏需要更换。

对于泵站吸液腔空气未排尽需要空载运行泵站一段时间,将泵站吸液腔的空气排尽即可。

对于吸排液阀动作不灵、密封不好应检查阀组,清除杂物使吸排液阀动作灵活、密封可靠。

2.箱体温度过高,润滑油油温高,发热异常

原因之一:润滑油不足或过多、太脏或油质选取不符合要求,粘度低。处理方法为:加油或清洗油池换油。

原因之二:轴瓦损坏或曲轴颈拉毛,配合间隙小。处理方法为:修复、调整、更换。

原因之三:连杆大头侧面与曲轴线板蹩卡。处理方法为:修复、调整、更换。

3.柱塞密封处泄漏严重

原因之一:密封圈磨损或损坏。处理方法为:更换密封圈。

原因之二:柱塞安装不对中,表面有严重划伤拉毛。处理方法为:更换或修磨柱型。

复习题

1.乳化液泵站的工作原理是什么?

2.乳化液泵站的泄载功能是如何实现的?

3.三柱塞和五柱塞乳化液泵站有什么区别?

4.乳化液泵站的功能和组成是什么?

5.乳化液泵站常见故障及处理方法有哪些?

6.乳化液泵站上的蓄能器的作用是什么?

讨论题

1.乳化液泵站的平时检查与维护应注意哪些问题?

2.泵站上的卸载阀与安全阀的作用是什么?能否省略?

3.“两泵一箱”的含义是什么?为什么这样?

第九章　液压支架

第一部分　系统理论知识

第一节　液压支架的工作方式与组成

一、液压支架的应用及意义

随着工业技术的不断发展，国民经济对煤炭需求量的日益增加，煤矿开采，特别是采煤工作面的生产技术面貌发生了巨大的变化。自1954年英国装备了世界上第一个液压支架工作面开始，采煤技术实现了综合机械化。综合机械化采煤，就是工作面采煤、运输和支护三大主要生产环节都实现了机械化。也就是说，采用滚筒式或刨削式等采煤机械落煤与装煤；工作面重型可弯曲运输机，以及与之适应的顺槽转载机和可伸缩带式输送机等运煤；自移式液压支架管理顶板。这几种设备相互配合，组成了综合机械化采煤设备。

液压支架是以高压液体为动力，由液压元件（液压缸和液压阀）与金属构件组成的一种用来支撑和管理顶板的设备。它不仅实现支撑、切顶，而且还能使支架本身前移和推动输送机，因此也称为自移式支架。液压支架配合可弯曲刮板输送机和采煤机，共同组成综合机械化采煤工作面。

我国于1964年开始研制液压支架，先后试制了MZ-1928型、TZ型、BZZC型、WKM-400型、YZ型、ZYZ型、ZY型等多种型式的液压支架，并在各大矿务局进行了实验和使用，取得了较好的效果。1974年以来，从前西德、英国、苏联和波兰等国引进了许多不同类型的液压支架。实践证明，液压支架具有强度高、支护性能好、移设速度快、安全可靠等优点，能使采煤工作面达到高产量、高回采率和高功效，能大大降低劳动强度，降低成本和掘进率，实现安全生产。

二、液压支架的组成与分类

1.液压支架的组成

图9-1为液压支架的一种典型结构，它由顶梁（包括前梁1和主梁2）、支柱5、掩护梁4、底座8、推移装置9、阀件、管路系统、连接部件及各种附属装置等组成。顶梁和底座通过数根支柱支撑在顶底板之间，构成一个活动的承载构件，支护顶板，维护工作空间。综合各种类型液压支架的结构，它的组成可归结为承载组件、动力液压缸、控制操纵元件、辅助装置和工作介质五大部分。

（1）承载组件

承载组件主要包括：顶梁、掩护梁和底座等

①顶梁：直接与顶板（包括煤顶、分层假顶等）相接触，并承受顶板岩石载荷的支架部件

叫作顶梁。它也为支柱、掩护梁和挡矸装置等提供连接点。顶梁除整体刚性结构型式外，一般由若干段组成，按它对顶板支护的作用和位置，可以分为主梁、前梁和尾梁。如果顶梁在前后支柱件铰接，也可称为前梁和后梁。有些支架由于回采工艺和结构的要求，将顶梁做成可伸缩式或折叠式，一般称这伸缩或折叠部分为前探梁。

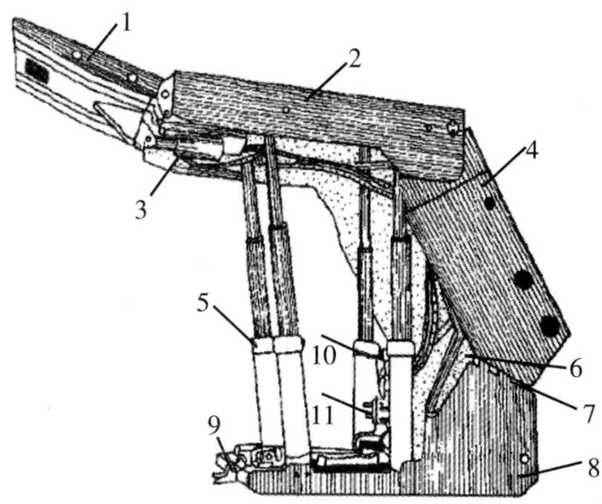

图9-1　液压支架的组成

1——前梁；2——主梁；3——前梁千斤顶；4——掩护梁；5——支柱；6——前连杆；7——后连杆；8——底座；9——推移装置；10——操纵杆；11——控制阀

②掩护梁：阻挡采空区冒落矸石涌入工作面空间，并承受冒落矸石载荷，以及顶板水平推力的支架部件叫作掩护梁。掩护梁上部直接与顶梁铰接，下部直接或间接（通过连杆机构）与底座铰接。

③底座：直接和底板（包括分层煤底等）相接触，传递顶板压力到底板的支架部件叫作底座。底座除为支柱、掩护梁提供连接点外，还要安设推移千斤顶等部件。

（2）动力液压缸

①液压支柱：支架上凡是支撑在顶梁（或掩护梁）和底座之间，直接或间接承受顶板载荷的主要液压缸叫作液压支柱。支柱是支架的主要承载部件，支架的支撑力和支撑高度，主要取决于支柱的结构和性能。

②千斤顶：支架上除支柱以外的各种油缸都叫作千斤顶，如前梁千斤顶、推移千斤顶、调架千斤顶，还有平衡、复位、侧推和护帮千斤顶等，完成着推移运输机、移设支架和支架的调整等各种动作。

（3）控制元件

控制元件包括控制阀（即液控单向阀和安全阀）、操纵阀等各种阀件和管件。这些元件是保证支架获得足够的支撑力、良好的工作特性以及实现预定设计动作所需的液压元件，它的种类和数量，随支架结构和动作要求的不同而不同。

（4）辅助装置

液压支架上除上述三项构件以外的其他部件，都归入辅助装置，它主要包括推移装置、复位装置、挡矸装置、护帮装置、防倒防滑装置、照明和其他附属装置等。

（5）工作介质

液压支架的工作介质是乳化液，是用来传递乳化液泵站的能量，使液压支架能有效工作的介质。

2.液压支架的分类

由于煤层的赋存条件不同和开采工艺的差异，国内外研制和使用的液压支架种类很多，归纳起来可分为以下几种类型：

按支架与围岩的相互作用来分，可分为支撑式、掩护式和支撑掩护式三类。

（1）支撑式支架

图9-2所示的是一种典型的支撑式支架，它有较长的顶梁；较多的支柱，且是垂直布置；有固定的箱式底座，以保证其稳定性。

支撑式支架的特点：呈框架型结构，顶梁较长，一般都带有前探梁，其长度多在4m左右，立柱多，一般为4~6根，且垂直顶梁支撑，支架后部有简单的挡矸装置，一般设有立柱复位装置，以承受指向煤壁方向的不大的水平推力。这类支架支撑力大，支撑力作用点靠近支架后部，切顶能力强，作业空间和通风断面较大。缺点是由于顶梁与底座仅通过立柱连在一起，抵抗水平载荷的能力较差，不能带压移架，支架间不接触、不密封，矸石容易窜入工作空间。

这种类型的液压支架适用于顶板坚硬完整，周期压力明显或强烈，底板也较硬的煤层。

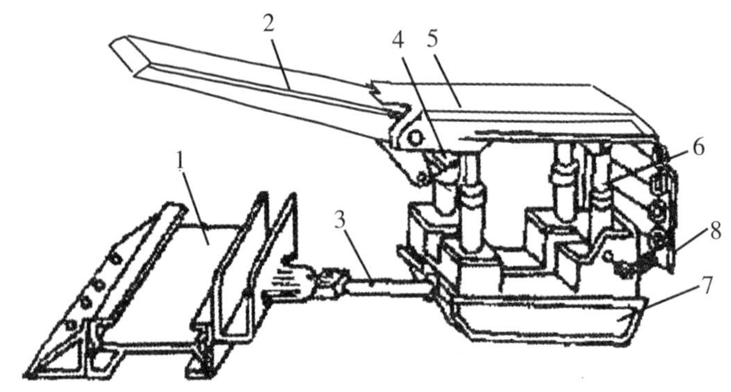

图9-2　支撑式支架

1——输送机；2——前梁；3——推移千斤顶；4——前梁；5——顶梁；6——立柱；7——底座；8——挡矸板

(2)掩护式支架

图9-3所示的是掩护式支架的典型结构之一。它的顶梁较短，支柱较少，一般仅1~2根，且成一排，倾斜布置，与掩护梁连接或直接与顶梁连接。

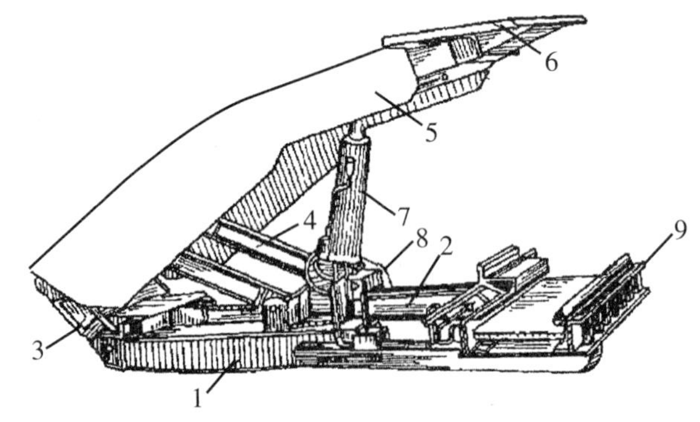

图9-3　掩护式支架

1——底座；2——推移千斤顶；3——后连杆；4——前连杆；5——掩护梁；

6——顶梁；7——立柱；8——操纵阀；9——输送机

掩护式支架的特点：有一个坚实的掩护梁将作业空间与采空区隔绝，掩护梁下端一般用前、后杆与底座相连，组成所谓的四连杆结构，以保持梁端距基本不变且承受水平推力；立柱数目少。只有一排(一般为2根，也有用1根立柱的)，且倾斜支撑，以增大支架的调高范围，架间则是通过活动侧护板互相靠拢，实现架间密封，通常顶梁较短，一般为3m左右。缺点是支撑力小，切顶能力弱，工作空间和通风断面较小。

这种类型的液压支架有良好的防矸掩护性能，主要适用于顶板中等稳定或周期压力中等、底板中等硬度的煤层。

(3)支撑掩护式支架

支撑掩护式支架是介于支撑式液压支架和掩护式液压支架之间的一种类型，如图9-1所示，这种支架主要由顶梁，掩护梁，底座，立柱，前、后连杆及推移装置组成，兼有支撑式支架和掩护式支架的优点，适用于顶板中等稳定，有较明显的周期压力，底板中等稳定的煤层。其缺点是：结构复杂、质量大、价格较贵。

按推移方式液压支架可分为整体自移式和迈步式两类。

(1)整体自移式液压支架

支架成整体结构，其推移装置一般与工作面刮板输送机连接(特种架型亦可以与专门设计的移步横梁连接)，依靠相邻支架的支撑，以刮板输送机为着力点，靠自身推移千斤顶的力量整架前移。上述掩护式、支撑掩护式和部分支撑式支架均采用这种移架方式，目前已广泛应用。

(2)迈步式液压支架

迈步式液压支架又可以分为交互前移式和提步前移式两种。

所谓交互前移，即支架分为主架和副架，互为着力点交互推拉前移。

提步前移则采用顶梁不大量下降，提腿跨步的方式。

目前这种迈步式移架方式除在端头支架等特殊支架中尚采用外，已很少使用。

根据使用地点不同分，液压支架可分为工作面支架和端头支架。

除此之外，尚有特殊条件中使用的各种液压支架，如放顶煤支架、薄煤层支架、大采高支架、三软(软顶、软底和软煤帮)煤层支架、三硬煤层支架、大倾角支架等，它们均属于掩护式、支撑掩护式或支撑式支架在特殊条件下的专门设计，这里不另细述。

三、液压支架的工作原理

液压支架的工作原理可分为自移原理和撑顶原理。

这些动作都是利用乳化液泵站提供的高压乳化液，通过控制不同功能的液压缸来实现的。每架液压支架的进液口都连在一个工作面进液管上，出液口都连在一个工作面回液管上。液压支架的操纵阀有的设在支架上，有的设在邻架上，前者为“本架操纵”，后者为“邻架操纵”。

1.自移原理

液压支架以高压乳化液为动力,通过各种功能的油缸伸缩,使支架完成升柱、降柱、行走和推溜(推移输送机)的动作,从而使支架随工作面不断推进。图9–4为简单的液压支架工作原理。

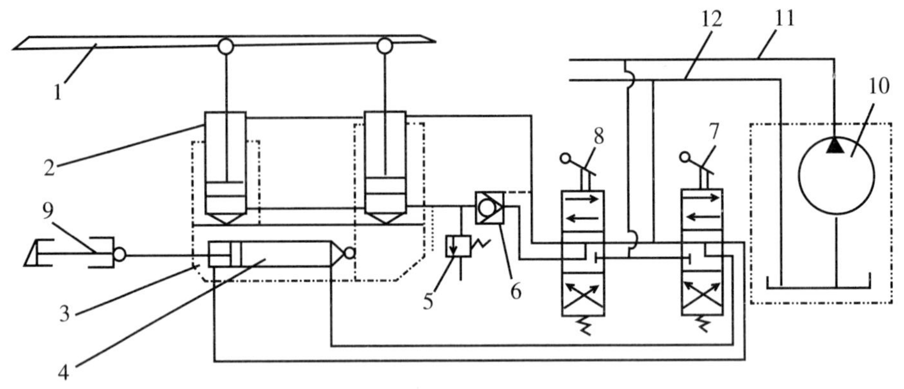

图9–4　液压支架工作原理

1——顶梁;2——立柱;3——底座;4——推移千斤顶;5——安全阀;6——液控单向阀;7——推移操纵阀;8——升降操纵阀;9——输送机;10——乳化液;11——供液管;12——主回液管

(1)降柱

如图9–4所示,操纵升降操纵阀8到下位,乳化液供液管11的高压液经升降操纵阀8进入立柱2的有杆腔(上腔),同时打开液控单向阀6。高压乳化液作用于活塞的有杆腔使活塞下移,同时无杆腔内的液体经液控单向阀6,升降操纵阀8流到主回液管12流回到乳化液箱,完成顶梁下降的过程。

(2)移架

移架动作只有在支架卸载(降柱)后进行。移架时,首先把推移操纵阀7推到下阀位,供液管的高压乳化液经推移操纵阀7进入推移千斤顶4的有杆腔,使推移千斤顶的活塞杆缩回油缸。由于推移千斤顶一端连接支架底座3,另一端连接输送机9,输送机在相邻两个支架的支撑作用下不可能向后移动,只能是支架被拉向输送机,从而完成了支架向前移动的过程。

(3)升柱

当移架完成后,支架需要重新升起顶梁,支撑住顶板,这个过程就是升柱。如图9–4所示,将升降操纵阀8推到上位阀,这时供液管11的高压乳化液经升降操纵阀8和液控单向阀6进入立柱的下腔(无杆腔),立柱的上腔经升降操纵阀8接通主回液管12,在高压乳化液的作用下,立柱的活塞向上运动,使顶梁支撑到顶板,从而完成升柱的过程。

(4)推移输送机(推溜)

当液压支架移到新的工作位置并重新升柱支撑后,下一动作就是推溜。推溜操纵如图9–4所示,将推移操纵阀7打到上阀位,供液管11的高压乳化液经推移操纵阀7进入推移千斤顶的无杆腔(右腔),使推移千斤顶的活塞杆伸出,同时有杆腔的乳化液经推移操纵阀7回到主回液管12并流回到乳化液箱。随着活塞杆的伸出，推动输送机向前移动，就完成了推溜的过程。以上几个过程依次周而复始地进行。

2.撑顶工作原理

撑顶工作原理是指液压支架与顶板的相互作用，包括初撑增阻、承载增阻和恒阻三个工作阶段。

（1）初撑增阻阶段

在升柱过程中，从顶梁接触到顶板起，直到支柱的无杆腔的乳化液压力达到泵站的工作压力时，停止供液，液控单向阀立即关闭，封闭了支柱无杆腔的液体，这就是支架的初撑增阻阶段。此时支柱或支架对顶板产生的支撑力称为初撑力。

立柱的初撑力为：

$$f_e=\frac{\pi D^2}{4\times1000}P_b,KN \tag{9-1}$$

支架的初撑力为：

$$f_e=n\times f_e\times\eta \tag{9-2}$$

式中　P_b——泵站的工作压力；

D——支柱缸体内径；

n——每架支架的支柱数；

η——支撑效率（垛式支架 =1）。

支架初撑力的大小，取决于泵站的工作压力、支架支柱数和支柱缸体的内径及架型等。实际上，支柱初撑后，无杆腔的压力由于阻力损失、操作情况和阀的灵敏度等原因，往往低于泵站工作压力。

（2）承载增阻阶段

支架初撑后，随顶板的下沉，支柱活塞腔被封闭的油液受到压缩，油液压力继续升高，呈现承载增阻状态。

（3）恒阻阶段

支架承载后，如果完全支撑住顶板，不允许顶板下沉，需要有强大的支撑力。在实际生产中，由于顶板压力有时相当巨大，想设计出能抗住巨大顶板压力，而一点也不让压的支架是极困难的，实际上也没有这个必要，因此，都使支架能随顶板下沉时，有一定的可缩量，但又保持一定的支撑力，不至于使顶板任意下沉而造成破坏冒落。要求支架既具有一定的支撑力，又具有可缩性。液压支架的这种特性，是由支柱的安全阀来控制的。在顶板压力增大时，支柱无杆腔被封闭的液体压力就迅速升高，当压力值超过安全阀的动作压力时，支柱无杆腔的高压液体经安全阀泄出，支柱降缩，支柱无杆腔的液体压力减小，这就是支架的“让压”特性；当压力小于安全阀的动作压力时，安全阀又关闭，停止泄液，支柱无杆腔的液体又被封闭，支架恢复正常工作，由于安全阀动作压力的限制，支柱呈现出恒阻特性，此时，支柱或支架承受的最大载荷称为工作阻力。

支柱工作阻力（t）：

$$f_z=\frac{\pi D^2}{4\times1000}p_a \tag{9-3}$$

支架工作阻力(t)：

$$f_z= n\times f_z\times \tag{9-4}$$

式中　　Pa——安全阀的动作压力，kg/cm²。

支架的工作阻力取决于安全阀的动作压力、支架支柱数、支柱缸体的内径和架型等。

安全阀使支柱具有恒定的设计工作阻力，同时又使支柱在承受大于设计工作阻力的顶板压力时，可随顶板的下沉而下缩，这就是液压支架的恒阻性和可缩性。为防止安全阀频繁动作而失效，应使支架的工作阻力大于正常的顶板压力，也就是说，在工作面生产过程中，支架还没有达到设计工作阻力之前，就已前移到新的支撑位置。

工作阻力是液压支架的一个基本参数，用来表示支架支撑力的大小，但是，由于支架的顶梁长短和间距大小不同，并不能完全反映支架对顶板的支撑能力，因此常采用表示单位面积顶板上所受支架工作阻力值大小的支护强度参数，来比较支架的支护性能。

支架支护强度(t/m²)：

$$W=F_z/A \tag{9-5}$$

式中　　A——支架的支护面积，m²。

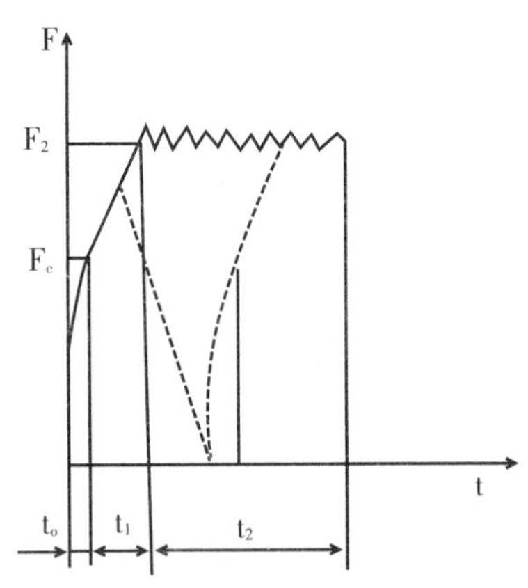

图9-5　支架的支撑承载过程

t_1-初撑增阻阶段　t_2-承载增阻阶段 t_3-恒阻阶段

由上可知，支柱或支架工作时，其支撑力随时间的变化过程是：支架升起，顶梁开始接触顶板至液控单向阀关闭时初撑增阻阶段t_0，初撑结束至安全阀卸载前的承载增阻阶段t_1和安全阀出现重复卸载时的恒阻阶段t_2。这种变化过程反映了支架的支撑力和时间之间的关系，如图9-5所示。图中虚线表示，有些支架的支柱并未达到额定工作阻力值就已降柱前移，支架前移后按原过程重新支撑。

上述工作过程表明：液压支架在额定工作阻力值以下工作时，具有增阻性，以保证支架对顶板的有效支撑作用；当支架支撑力超过额定工作阻力时，支架能随顶板下沉而下缩，使支架保持恒定的工作阻力，即具有可缩性和恒阻性。支架本身的增阻性取决于液控单向阀和支柱的密封性能，可随性和恒阻性则由安全阀的溢流性能决定。因此，液控单向阀、安全阀、支柱这三个部件，是保证支架工作性能的关键元件。

第二节　液压支架的架体结构

液压支架由各种结构件组成，不同的支架构件是一样的，就各种元件的典型结构分别做介绍。

一、顶梁

液压支架的顶梁用来支撑顶板，保证采煤设备和工作人员的安全，要求有足够的强度和刚度。

掩护式和支撑掩护式液压支架的顶梁是由钢板焊接而成的箱式结构，以满足强度和刚度的要求。它分为整体顶梁和分段组合式顶梁两大类。

1.整体顶梁

间接撑顶掩护式支架顶梁通常较短，一般都为等断面的整体顶梁。由于顶梁无柱窝，亦称为托梁。如图9-6所示为非插腿型支架顶梁的结构图。顶梁长2m左右，下部有支承耳板1与掩护梁铰接，后部密封“三角区”铰接有挡矸板，顶梁下板面焊有限位千斤顶的支承座3。

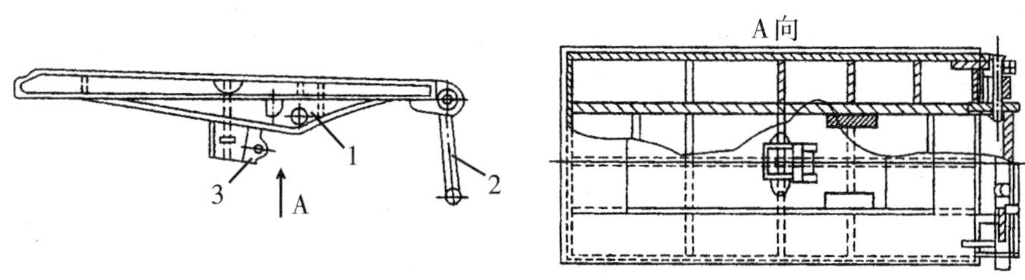

图9-6 等断面整体顶梁

1——耳板；2——挡矸板；3——支承座

直接撑顶掩护式液压支架的顶梁长约3m左右，一般采用变断面的整体顶梁，从柱窝中心向前直至顶梁前端逐渐变薄变窄，如图9-7所示，顶梁1断面内有两个左右对称的柱窝4以接纳立柱球头。梁后端两侧耳板3用来与掩护梁铰接，中间处有平衡千斤顶2的支承座。顶梁两侧各有三个圆孔，供安装弹簧和侧护千斤顶。该顶梁的上板面还加焊了两条钢板，使活动侧护板伸缩方便。

2.分段组合式顶梁

支撑掩护式液压支架的顶梁较长，约4m左右，为改善顶梁的接顶状况，增大梁端支撑力，支撑掩护式支架常采用分段组合式顶梁。图9-8所示为刚性主梁加铰接前梁的结构图。图中的刚性主梁5为等断面箱型结构，后端用铰销与掩护梁连接，前端用铰销连接铰接前梁3。主梁上有四个柱窝，并焊有一个前梁千斤顶4的支撑座。主梁的侧面有三个圆孔，用来安装侧护装置的伸缩结构。铰接前梁3为变断面箱型结构，从后至前逐渐变薄变窄。前梁后部下面焊有前梁千斤顶4的支座耳板，中部下面焊有护帮千斤顶2的支承座，前梁前端下面还焊有2个与护帮板1铰接的支承座。

另外，还有刚性主梁加伸缩前梁的组合式顶梁，它能够缩短液压支架在正常支护时的控顶距，从而提高液压支架的支护强度，在采煤机采过煤后，液压支架移架前又能够及时地伸缩。

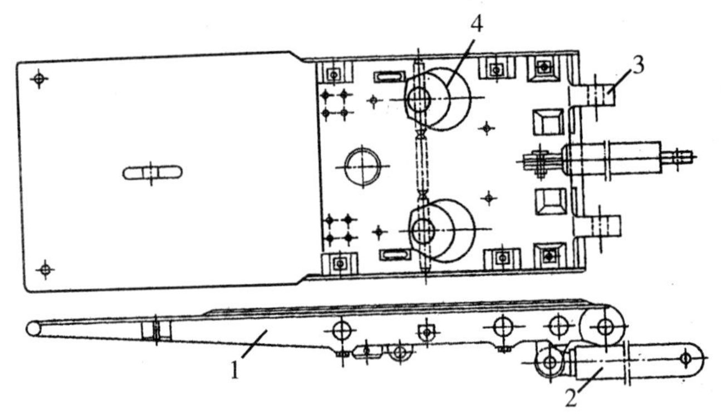

图9–7　变断面整体顶梁

1——顶梁；2——平衡千斤顶；3——耳板；4——柱窝

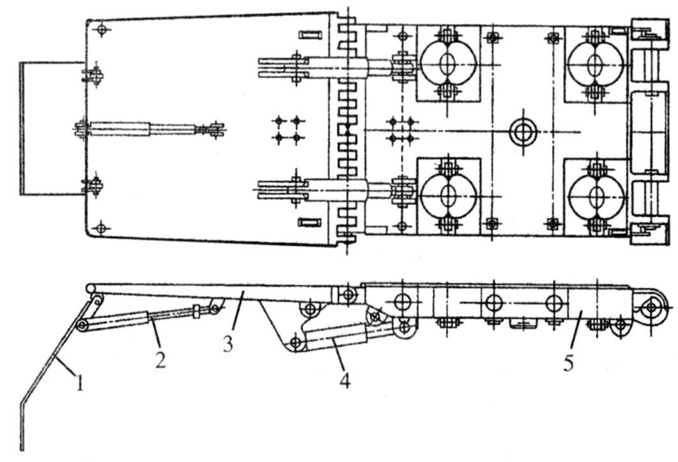

图9–8　分段组合式顶梁

1——护帮板；2——护帮千斤顶；3——接铰前梁；4——前梁千斤顶；5——刚性主梁

二、立柱

在液压支架中，用来承受顶板压力，调节支架顶梁高度的液压缸称为立柱。常用的立柱有单伸缩双作用单活塞杆式立柱和双伸缩双作用单活塞杆式立柱。

1.单伸缩双作用单活塞杆式立柱

单伸缩双作用立柱的结构如图9–9所示。它由缸体1、活塞杆8、导向套9等主要零部件组成。缸体由无缝钢管加工而成，下端焊接弧形（或球形）缸底，缸底上钻有孔并焊有管接头作为立柱下腔的进出液口，缸体上端装有导向套，为活柱的往复运动导向。导向套上端装有防尘圈15，防止外部煤尘等脏物随活柱下缩而进入缸体。导向套上还装有蕾型密封圈13和O形密封圈11，防止液体从立柱上腔向外泄露。缸体上部有螺纹孔并焊有管接头，与上腔相通，作为立柱上腔的液口。

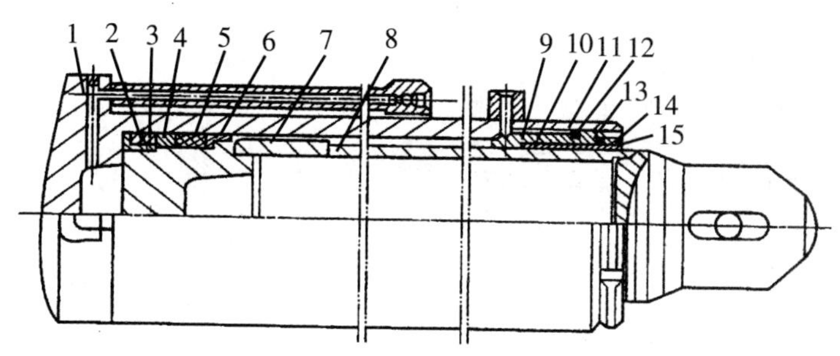

图9-9　单伸缩双作用立柱

1——缸体;2——卡箍;3——外卡键;4——内卡键;5——鼓形密封圈;6——导向环;
7——限位套;8——活塞杆;9——导向套;10——导向衬环;11——O形密封圈;
12、14——挡圈;13——蕾型密封圈;15——防尘圈

活塞杆也由无缝钢管做成,下部焊有活塞头,上部焊有柱头。活塞头上安装的具有双向密封作用的鼓形密封圈5把活塞缸分隔成互不相通的上下两腔,鼓形密封圈两侧的导向环6为活塞杆在缸体内运动导向。鼓形密封圈及其导向环由内卡键4、外卡键3和卡箍2实现轴向固定。

有些支架采用机械加长杆结构,以增大支架的支护范围。活塞杆上端为空心圆柱,将带有柱头的机械加长杆5插入空心活塞杆内。将卡环4嵌入加长杆环形槽内,再用卡套3套在卡环4外面,最后用销轴1穿过加长杆横孔,把加长杆5和空心活塞杆固定在一起。加长杆上有若干环形槽和若干横孔,可以按照具体要求把卡环嵌入相应的环形槽以得到不同的调节高度,操作方便,应用广泛。

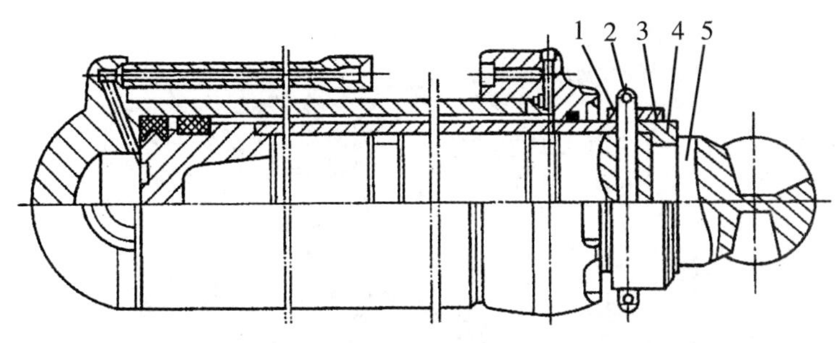

图9-10　带有机械加长杆的立柱

1——销轴;2——开口销;3——卡套;4——卡环;5——加长杆

2.双伸缩双作用单活塞杆式立柱

双伸缩双作用立柱的结构如图9-11所示。它由缸体9、内活塞杆8、外活塞杆7、导向套10等主要零部件组成。既是外缸体的活塞杆,又作为内活塞杆的缸体。外活塞杆活塞头通孔中装有单向阀4,用来封锁上活柱下腔液体,使之不能回流到外活塞杆下腔。

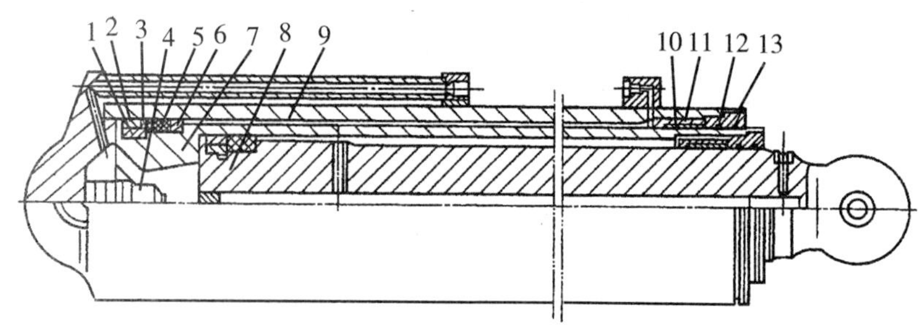

图9-11　双伸缩双作用立柱

1——外卡键；2——卡箍；3——内卡键；4——单向阀；5——鼓形密封圈；6——导向环；7——外活塞杆；8——内活塞杆；9——缸体；10——导向套；11——导向衬环；12——蕾型密封圈；13——防尘圈

为防止内活塞杆和外活塞杆上腔的液体向外泄露，在导向套处装有蕾型密封圈12，为防止上下腔液体之间互相串通（内泄漏），活塞上装有鼓形密封圈5。在内外活塞杆的导向套出口处各有一个防尘圈13，防止粉尘进入柱内污染液压系统。

柱内单向阀的结构如图9-12所示，阀芯4在弹簧1的作用下，其锥面与阀座5贴紧并相互密封，该阀B腔与内活塞杆下腔连通，A腔与外活塞杆下腔连通。当A腔压力超过B腔压力约2.9MPa时，液压力克服弹簧力将阀芯抬起，允许A腔液体流入B腔。当B腔压力等于或超过A腔压力时，单向阀关闭，不允许液体从A腔向B腔回流。只有当下活柱完全缩回时，阀芯下部中空圆柱杆与缸体底部凸台相碰，抬起阀芯使单向阀开启，B腔液体才可以回流到A腔。

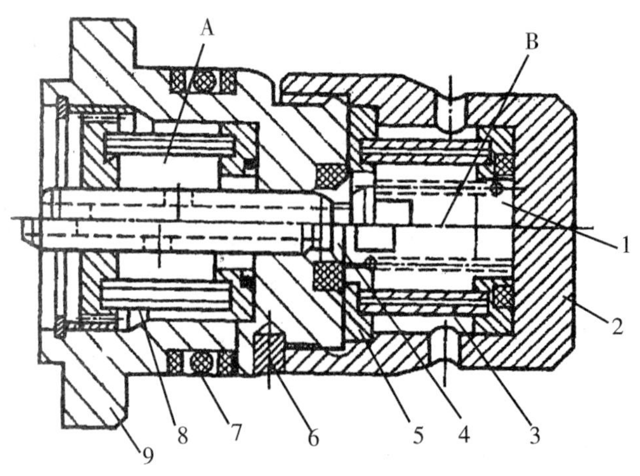

图9-12　柱内单向阀

1——弹簧；2——上阀体；3——过滤器；4——阀芯；5——阀座；6——防松销；7——O形密封圈；8——过滤器；9——下阀体

双伸缩立柱的工作原理如下：

（1）升柱

由操纵阀来的压力液通过下腔进液口进入，内外活塞杆的下腔，作用于活塞的下端面，首先推出外活塞杆，当外活塞杆完全伸出，并且外活塞杆下腔的压力大于内活塞杆腔内压力（高于2.5MPa时），内活塞杆底部的单向阀打开，液体进入内活塞杆的下端，作用于活塞并推出活塞杆。

（2）降柱

双伸缩液压缸的降柱过程分为两步完成。第一步，外活塞杆先缩回缸体内，活塞下腔的液体自排液口排出，此时内活塞杆下腔液体由于单向阀处于闭锁状态而不能排出，因此内活塞杆不能缩回。第二步，当外活塞杆完全缩回后，柱内单向阀下部中空圆柱杆与缸底凸台相碰使单向阀打开，内活塞杆下腔的液体排出，内活塞杆才开始缩回。

（3）承载

承载阶段可以分为三种情况来分析：

①内外活塞杆都是部分伸出，顶板对内活塞杆的作用力，将由内活塞杆下腔内被闭锁的液体承受并传递给外活塞杆，所以内外活塞杆所承受的作用力是相同的。故这种双伸缩立柱称为等负载立柱，应当注意的是：内外活塞杆各自的下腔压力是不相同的，内活塞杆下腔的压力要比外活塞杆下腔的压力高。

②当内外活塞杆未伸出而只有外活塞杆伸出时，由于内外活塞杆的活塞直接接触，顶板对内活塞杆的作用力直接通过活塞传给外活塞杆，此时内外活塞杆下腔无液体。

③当外活塞杆完全缩入外缸体内，只有内活塞杆承载时，顶板作用力使内活塞杆缩回，但从内活塞杆下腔回流到外活塞杆下腔的液体会使外活塞杆抬起，从而柱内单向阀关闭，成为内外活塞杆都是部分伸出的承载情况。

综上所述，双伸缩等负载立柱的外活塞杆先伸先缩，后伸后缩。内外活塞杆的伸出长度在煤层厚度变化不大或顶板沉降速度不快时是不变的。因此，内外活塞杆相当于立柱的液压加长杆，由于双伸缩立柱的内活塞杆伸出长度可以自动调节，比单伸缩立柱调节机械加长杆要方便得多。所以目前应用越来越多，其缺点是结构复杂，价格较贵。

三、千斤顶

液压支架上的千斤顶主要分为：平衡千斤顶、推移千斤顶、侧推千斤顶等，按其工作原理都属于单伸缩双作用的结构，如图9-13所示。

图9-13（a）为外供液式，供液接头安装于缸体两端的孔口上，分别为活塞两腔供液。9-13（b）为内供液式，供液接头安装于活塞杆伸出端，通过活塞杆内的不同通道分别为活塞两腔供液。

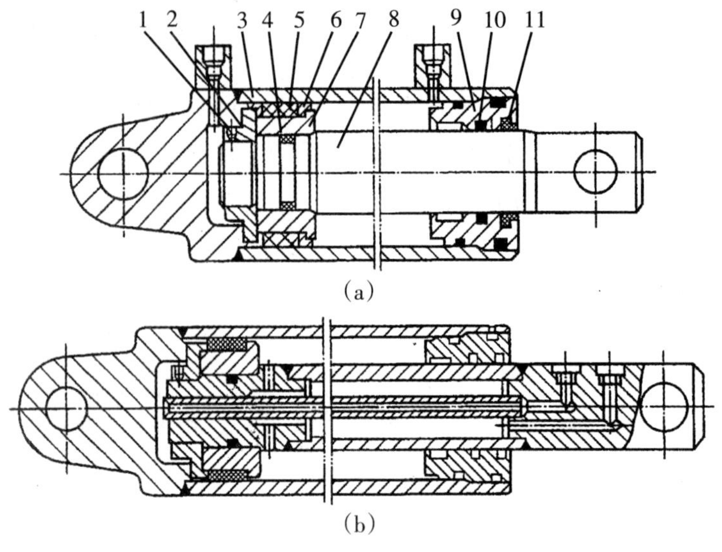

(a)

(b)

图9-13　单伸缩双作用千斤顶

1——螺钉；2——压缩螺帽；3——缸体；4——O形密封圈；5——鼓形密封圈；6——导向环；7——活塞；8——塞杆；9——导向套；10——蕾型密封圈；11——防尘圈

由图可见，千斤顶和立柱的结构基本相同，它们的主要差别是立柱的活柱直径较大，而千斤顶的活塞杆直径相对较小。这是因为，立柱需承受很大的顶板载荷，降柱时有顶梁及活塞杆自身的重力作用，不需要较大的迫降力。因此，在结构允许的前提下，应尽量增大立柱直径。而对千斤顶来讲在实际工作中要求推力和拉力的差别不大，有时甚至要求拉力比推力大。因此，在活塞杆强度和刚度允许的前提下，尽量减少活塞杆的直径，除此之外，千斤顶两端通常都有适用于铰接的销孔耳座。

根据液压传动原理，双作用千斤顶的推力和拉力分别为

$$F_t=\frac{\pi}{4}D^2\times P_b \tag{9-6}$$

$$F_l=\frac{\pi}{4}(D^2-d^2)P_b \tag{9-7}$$

式中　F_t——千斤顶的推力，KN；

F_l——千斤顶的拉力，KN；

D——千斤顶缸体内径，m；

d——千斤顶活塞杆外径，m；

P_b——泵站的工作压，MPa。

由上式可知，双作用千斤顶的推力大于拉力，欲使其差别不大，必须减小活塞杆的外径。

四、底座

底座是将顶板压力传递到底板和稳固支架的部件。因此，底座除了要满足一定的刚度和强度外，还要求对底板起伏不平的适应性要强，对底板的比压要小，要有足够的空间能安

装立柱、液压控制装置、推移装置和其他辅助装置，要便于人员操作行走，能起一定的挡矸、排矸作用，并且要具有相当的重量，以保证支架的稳定性。

底座的结构型式通常有图9–14所示几种。

整体式底座图9–14(a)(b)是用钢板焊接的箱型结构，整体性强，稳定性好，强度高，不易变形，与底板接触面积大、比压小。图9–14(a)所示的底座适用于支撑式支架，箱体高度大，便于安装复位装置；图9–14(b)所示的底座高度低，占用空间小，一般用于掩护式或支撑掩护式支架。

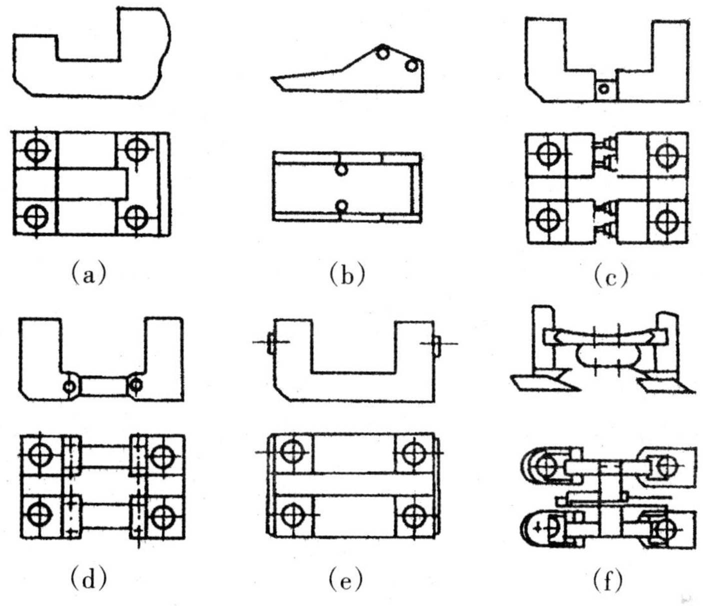

图9–14　底座的结构型式

为使底座在一定范围内适应底板起伏不平的变化，通常把底座制成前后或左右对分式。如图9–14(c)(d)所示，即为前后两个底座箱的对分式，两者通过销轴与弹簧钢板铰接而成。图9–14(e)为左右两个底座箱的对分式，两者用过桥弹簧钢板和销轴等连接。

底靴式底座图9–14(f)的特点是每根立柱支撑在一个底靴上，立柱之间用弹簧钢板连接，立柱与底靴之间用销轴连接。这种底座结构轻便、动作灵活，对底板的不平整适应性强，但刚性差，与底板接触面积小，稳定性差，一般用于节式支架上。

各种型式的底座前端都制成滑橇形，以减少支架的移架阻力。同时，使底座后部重量大于前部，避免移架时啃底。

底座与立柱连接处为铸钢球面柱窝接触，以免因立柱偏斜而受偏载，并用限位板和销轴限位，防止立柱脱出柱窝。在整体式底座后部中间开有缺口，减少底座后部与底板的接触面积，增加底座后部比压，同时也有利于排矸。

五、掩护梁

掩护梁是掩护式和支撑掩护式支架的重要承载构件，其作用是防止采空区冒落矸石涌入工作面，并承受冒落矸石的压力。掩护梁也是钢板焊接的箱式结构。掩护梁上端与顶梁或主梁铰接，下端多焊有与前、后连杆铰接的耳座，通过前、后连杆与底座连接，形成四连杆机构。梁内均焊有固定侧护千斤顶及弹簧的套筒。梁上两侧挂有侧护板。有的掩护梁上焊有立柱的柱窝及平衡千斤顶或限位千斤顶的连接耳座。掩护梁的结构型式有折线型和直线型两种，如图9-15所示。

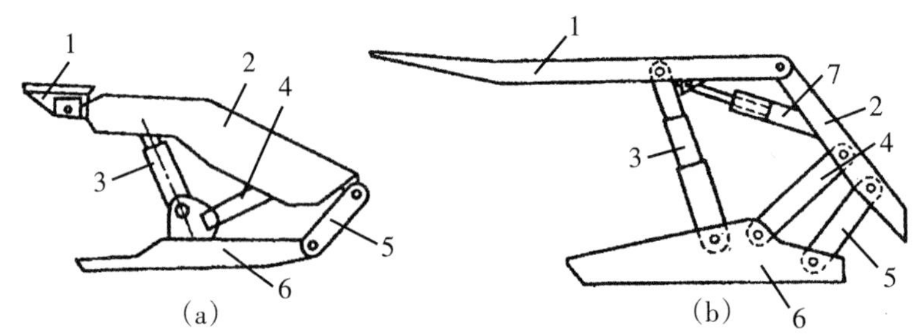

图9-15　掩护梁的不同形状

1——顶梁；2——掩护梁；3——立柱；4——前连杆；5——后连杆；6——底座；7——限位千斤顶

1.折线型掩护梁

折线型掩护梁的梁体较长，立柱支撑在掩护梁上，梁前端铰接较短的顶梁〔图9-15(a)〕。这种掩护梁承载能力大，掩护面积大，只用于掩护式支架。折线型掩护梁的工艺性差，当支架歪斜时，架间密封性差。

2.直线型掩护梁

直线型掩护梁的梁体比折线型掩护梁短，与掩护梁铰接的顶梁较长，在顶梁与掩护梁间要设限位千斤顶或平衡千斤顶。应用这种型式掩护梁的支架，立柱大多支撑在顶梁上(也有支撑在掩护梁上的)。这种掩护梁结构简单、工艺性好，易于加工和运输，所以，多数支架采用此种型式的掩护梁〔图9-15(b)〕。

掩护梁使用直线型的越来越普遍，直线型掩护梁按其结构可以分为间接撑顶掩护梁和直接撑顶掩护梁两种。

(1)间接撑顶掩护梁

图9-16为间接撑顶掩护梁。它是由4根工字钢作骨架，在上、下两面用钢板焊接而成的直线型掩护梁。在掩护梁下有2个柱窝3承接立柱球头，掩护梁的前端焊接有耳板1用来和顶梁铰接，后端有耳板2用来和后连杆铰接，销孔座4用来和前连杆铰接。掩护梁断面内有弹簧筒5使活动侧护板伸出。弹簧一端支撑在弹簧座上，弹簧座顶在掩护梁内的骨架上，另一端支撑在活动侧护板上。它还安装有侧推千斤顶6，起调架、防倒和防滑的作用。

(2)直接撑顶掩护梁

图9-17为直接撑顶掩护梁。它是由4块厚钢板做骨架并在背面焊接一块宽钢板而成。掩护梁上没有柱窝，在掩护梁的中部下面有平衡千斤顶的支承座3，在掩护梁的后部下面有后连杆铰接销孔1和前连杆铰接销孔2，在掩护梁的前端焊接有顶梁铰接销孔4，掩护梁侧面的圆孔和耳板是为了安装侧护板的伸缩机构。

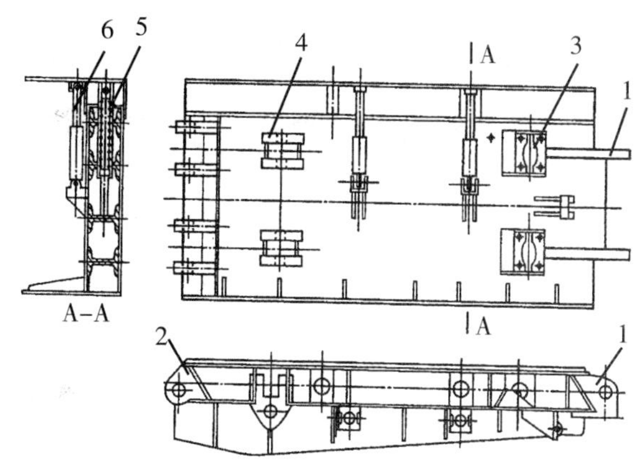

图9–16　间接撑顶掩护梁

1、2——耳板；3——柱窝；4——销孔座；5——弹簧筒；6——侧推千斤顶

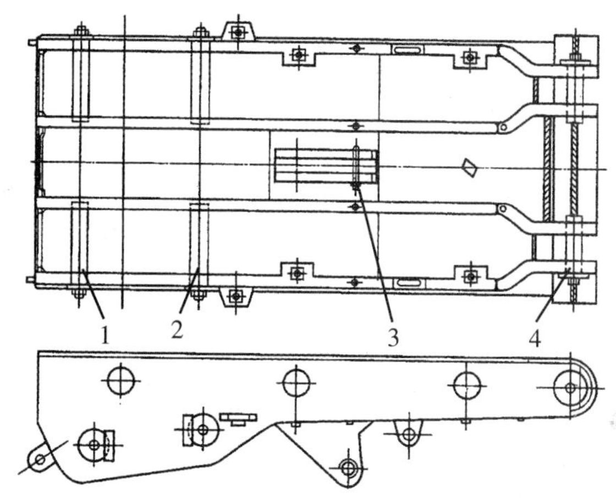

图9–17　直接撑顶掩护梁

1——后连杆铰接销孔；2——前连杆铰接销孔；3——平衡千斤顶支承座；4——顶梁铰接销孔

六、连杆

液压支架的掩护梁与底座之间的连接采用连杆结构，两个连杆掩护梁和底座构成4连杆机构。

这种连杆机构与一般的4连杆机构不同，在液压支架工作过程中，其主动件是掩护梁，而掩护梁的运动又取决于立柱的伸缩。当立柱升降时，掩护梁也随着升降并作复杂的平面运动，前连杆和后连杆则分别绕着底座上的铰接点摆动，从而使顶梁端点在液压支架升降时，呈现出双扭线的运动轨迹。

四连杆机构有两种结构形式，一种为前、后连杆都为单杆式；另一种是后连杆为整体铸钢杆或焊接件，前连杆为左右分置的单杆铸钢或焊接件，这样可以增大支架的有效利用空间，图9–18为前连杆，图9–19为后连杆。

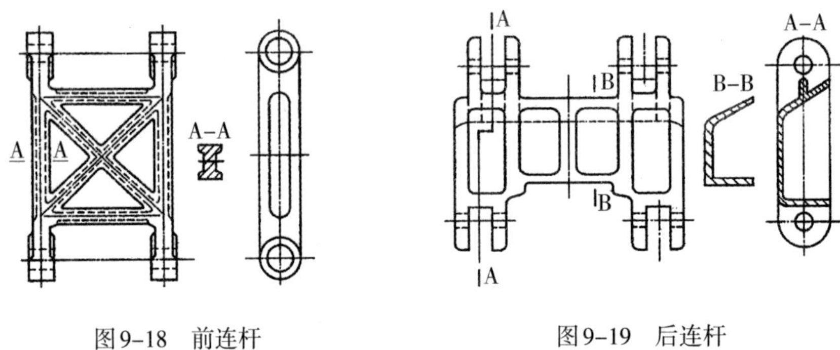

图9-18　前连杆　　　　图9-19　后连杆

七、侧护装置

侧护装置用于掩护式和支撑掩护式支架，作用是防止架间漏矸和调架。图9－20中是常见的几种侧护装置结构型式。侧护装置由位于支架顶梁和掩护梁两侧的侧护板、侧推千斤顶、伸出弹簧等组成。侧护装置的伸缩动作是在支架卸载后进行的，由侧推千斤顶和伸出弹簧控制。

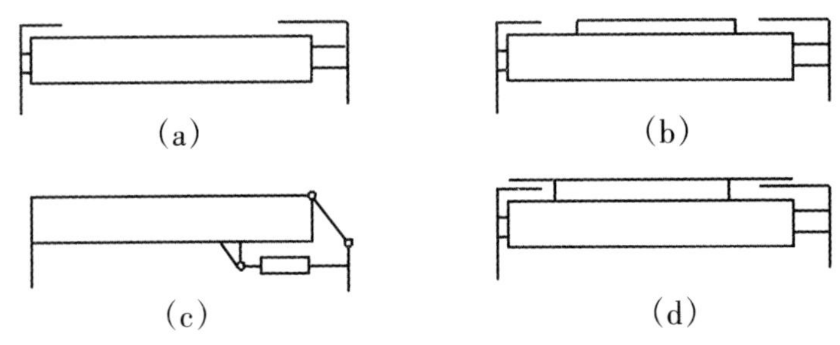

图9-20　侧护板结构形式

(a)——上复式；(b)——抽出式；(c)——折页式；(d)——埋伏式

侧护板的结构形式按侧护板与掩护梁或顶梁上板面的关系，有上复式、埋伏式、抽出式、折页式几种，如图9-20所示。上复式侧护板(a)结构简单，使用广泛，缺点是活动侧护板容易被大块岩石压住或卡住。埋伏式侧护板(d)是在顶梁或掩护梁上的上板面加焊几条钢板，使侧护板的水平板面比顶梁或掩护梁承载面低。它改善了侧护板的受力情况和活动侧护板的调节性能，而且结构简单，目前顶梁侧护板多采用这种形式。抽出式侧护板(b)的结构兼顾了上复式和埋伏式侧护板的结构特点，应用也较多。折页式侧护板(c)一般不采用。

活动侧护板的控制方式有弹簧式、液压式和混合式三种。液压控制的活动侧护板是采用侧推式千斤顶使之既能伸出机构，又能侧推千斤顶控制机构。

八、推移装置

液压支架的移架和推溜都是依靠推移装置来实现的。由于液压支架的不同，移架和推溜的方式也不同。但是基本原理都是一样的，都是靠液压千斤顶来推移的。常见形式有长框架推移装置和短框架推移装置。

1.长框架推移装置

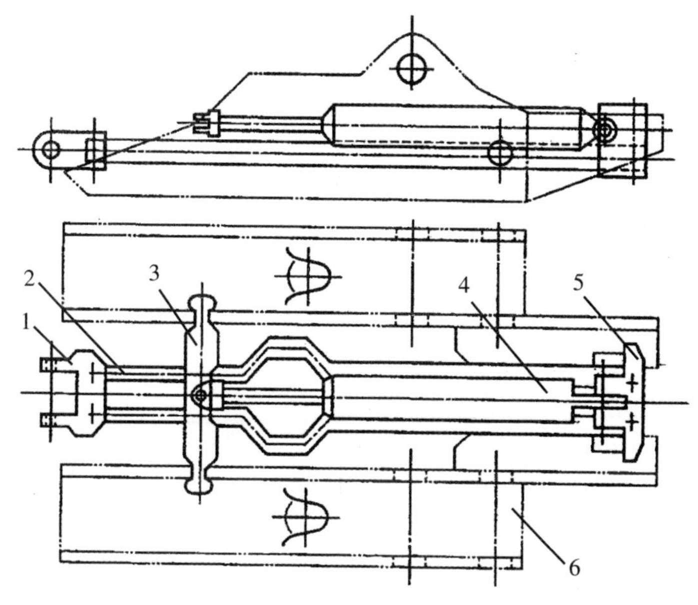

图9-21　长框架推移装置

1——连接头；2——传力框架；3——横杆；4——推移千斤顶；5——导向块；6——底座

结构如图9-21所示，连接头1与输送机铰接。传力框架1一端与连接头固定连接(焊接)，另一端与导向块5连接。导向块5同时铰接推移千斤顶4的油缸底座部分。横杆3与推力千斤顶4的活塞杆相连，同时与底座6连接。

移架时，支架下降为卸载状态，此时输送机不动，相当于导向块5不动。当给推移千斤顶4的无杆腔供液时，活塞杆被推出，由于导向块5不动(与输送机相连)，相当于推移千斤顶的缸体不动，活塞杆与横杆3相连，横杆3与6连接，随活塞杆的伸出，推动底座6向前移动到新的工作位置。

推溜时，支架撑顶在顶板上，支架不能移动，只能导向块5移动。此时给推移千斤顶的有杆腔供液，活塞杆缩回千斤顶的油缸内。导向块5的移动就把输送机推向煤壁。

长框架推移装置的不足点是传力框架长，因刚度问题易发生弯曲变形。

2.短框架推移装置

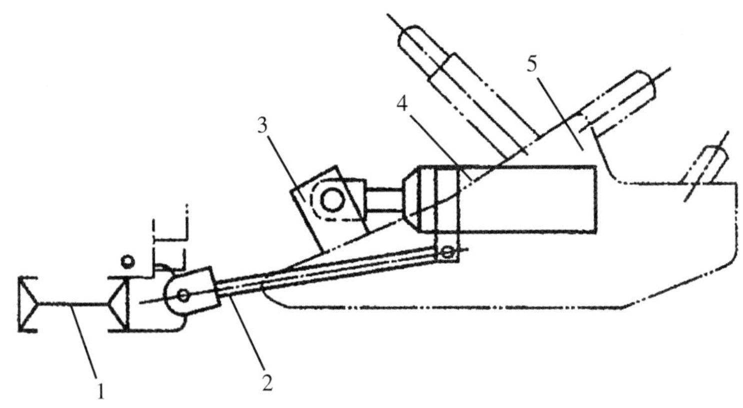

图9-22 短框架推移装置

1——输送机;2——传力杆;3——过桥;4——推移千斤顶;5——底座

结构如图9-22所示,由于传力杆2较短,故不易变形。传力杆前端与输送机1铰接,后端与推移千斤顶4的缸体铰接。推移千斤顶的活塞杆与液压支架底座5前端的过桥3铰接。

移架时,先将支架卸载,此时输送机1不动,传力杆2称为固定支点。给推移千斤顶4的活塞腔供液,活塞杆伸出,千斤顶4的推力把过桥3连同支架底座5移至新的工作位置;推移运输机时,支架撑紧顶板为固定支点,当给推移千斤顶4的活塞杆腔供液时,缸体前移,活塞杆缩回,千斤顶4的拉力带动传力杆2向前移动,把输送机1推向煤壁。

九、防倒防滑装置

液压支架在倾斜工作面工作时,由于支架自重在倾斜方向的分力,会使得支架沿倾斜下方下滑或倾倒。煤层倾角越大,下滑和倾倒现象越严重。因此,为了保证支架的正常工作,必须采取相应的防滑、防倒措施。

当煤层倾角在12°以内时,为防止支架下滑和倾倒,可以把工作面布置成倾斜推进形式,即工作面下端超前上端。实践证明,这种方法是有效的。

当工作面倾角较大时,就需采用防倒防滑装置来防止支架倾倒和下滑。

掩护式和支撑掩护式支架由于装有侧护板装置,给支架的防倒和防滑创造了有利的条件,只要控制好靠近工作面运输巷的第一支架(也称为下排头支架),整个工作面支架的防倒防滑问题就基本得到解决。如果倾角比较大,则将工作面支架分成若干组,分别控制好每组内的下排头支架。

下排头支架的防倒防滑装置如图9-23所示。防倒千斤顶6的两端分别用圆环链连接于下排头支架的顶梁和上方第三架支架的底座上,利用千斤顶的拉力实现下排头支架的防倒。防滑千斤顶2的两端通过圆环链1分别连接在下排头支架和第三架支架的底座前部,用拉力防止下排头支架下滑,必要时还可向上调架。为防止下排头支架尾部下滑,在其底座下侧安设了防转千斤顶3,通过圆环链5穿过底座尾部的导向管4连接在第三支架的底座后端,将尾部兜住。

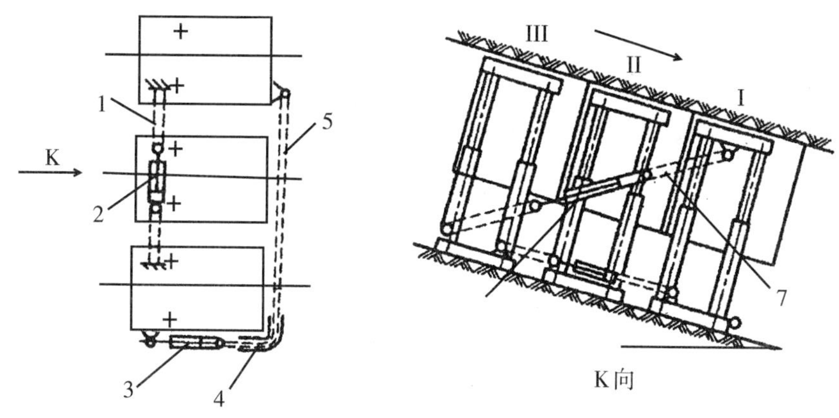

图9-23　下排头支架的防倒防滑装置

1、5、7——圆环链；2——防滑千斤顶；3——防转千斤顶；4——导向套；6——防倒千斤顶

十、护帮装置

用于厚煤层或煤质松软的中厚煤层的支架，为防止片帮伤人和引起冒顶，必须设置支护煤壁的护帮装置。

护帮装置的主要元件是护帮板和护帮千斤顶，护帮板可以直接悬挂在顶梁前端，也可以通过一个或两个连杆与顶梁前端连接。护帮板在收回位置的定位，可以采用机械闭锁，也可以采用液压闭锁，还可以同时运用机械和液压闭锁。

常用的护帮装置的结构型式如图9-24所示。它们不仅可以用于护帮，而且可以用来挑梁。

对于厚煤层而且煤质松软的条件，可采用两级护帮装置。这种护帮装置即可护帮，又可超前支护顶板面且护帮高度(或超前支护深度)大。

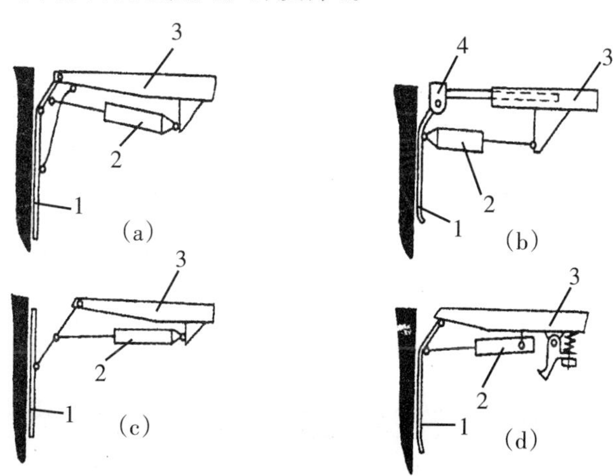

图9-24　护帮装置的结构型式

1——护帮板；2——护帮千斤；3——前梁；4——伸缩梁

一般支架的护帮高度为800mm左右，两级护帮的大采高支架可达1.5m以上。护帮板能深入煤壁内一定深度，以便在移架距不足时也能确保护帮板贴紧煤壁。

十一、控制阀

液压支架的控制阀主要包括单向阀、安全阀和操纵阀。一般安装在每个立柱的下腔进液管路上，保证立柱合理的初撑力、工作阻力和稳定的工作特性。

1.液控单向阀

作用：液控单向阀在支架液压系统中，主要用来闭锁液压缸中的液体，使之承载。

液控单向阀质量的好坏，直接影响支架工作的可靠性，若单向阀密封性能不好，锁不住支柱活塞腔的工作液体，当顶板来压时，支架就会出现自动降柱现象。若单向阀动作不灵敏，封闭压力小，则支柱的初撑力就达不到设计要求，因此，对液控单向阀有如下要求：

(1)密封可靠，特别是锁紧立柱下腔液路的液控单向阀，需长时间保持绝对密封。

(2)动作灵敏，尤其要求关闭及时，保证刚刚锁紧的液压缸中的压强高于泵站的供液压强。

(3)流动阻力小。

(4)工作寿命长，能保证工作面推进1000m以上不需要更换。

(5)结构简单。

液控单向阀结构见图9-25所示，职能符号如图9-26所示。

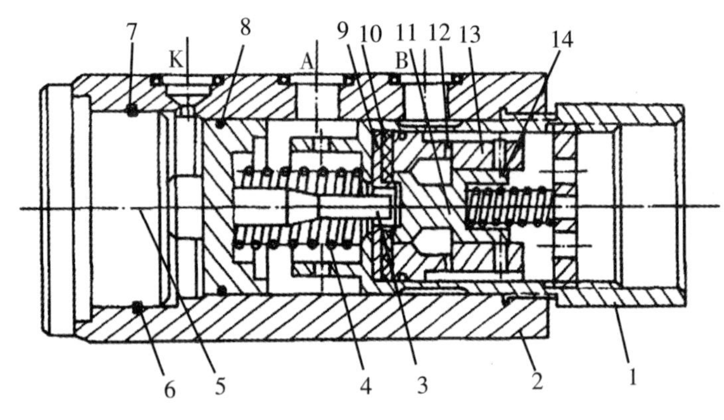

图9-25 液控单向阀

1——端盖；2——壳体；3——顶杆；4——大弹簧；5——大端盖；6、7、8——O型圈；9——密封垫座；10——密封垫；11——阀芯；12——节流孔；13——导向套；14——小弹簧

工作原理：高压液从A口进入，克服小弹簧作用力打开阀芯11到达B口，进入立柱的工作腔。当A口进液停止时，在小弹簧作用下阀芯11回到初始位置，关闭B口，使液口B液不能回流到A口，欲使B口液回流，须使K口通高压液。K口高压液克服大弹簧力推动顶杆3，再克服小弹簧力使阀芯向后移动，打开液口B，使A口与B口导通。允许液口B液回至A口，K口液一旦撤除，此通路即关闭。

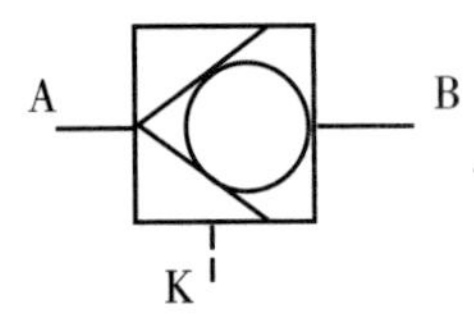

图9-26 液控单向阀职能符号

2.单向锁

单向锁实际上也是用来封闭千斤顶活塞腔液体的一个液控单向阀，其结构如图9-27所示，职能符号同9-26所示。

工作原理：A口进液克服弹簧力打开钢球到达B口立柱的工作腔，当进液停止后，在小弹簧的作用下，将阀芯钢球顶回，关闭通道，使B口液体不能回到A口，实现闭锁。当控制口K接高压液时推动顶杆6向左运动，顶开钢球3，A口与B口接通，此时B口液体可以回流到A口，当K口高压液关闭时，顶杆6在弹簧力作用下退回到原来位置，同时钢球将阀口堵住，形成闭锁。

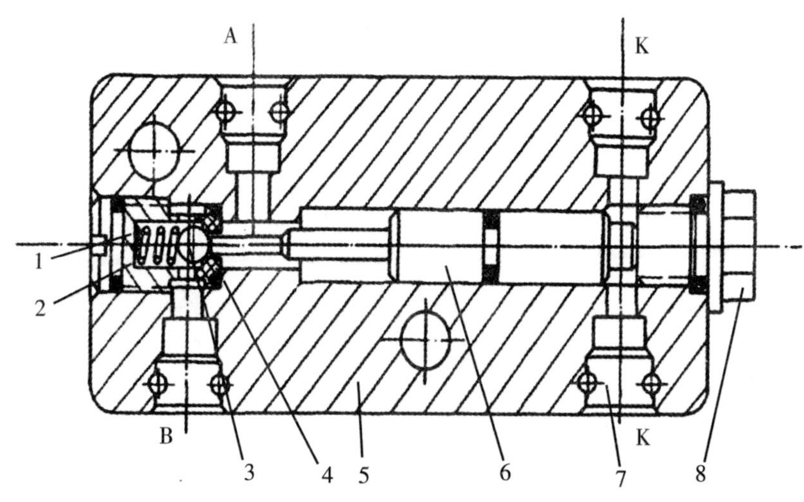

图9-27　单向锁

1——弹簧；2——底座；3——钢球；4——阀座；5——壳体；6——顶杆；7——管接头；8——堵

3.双向锁

双向锁实际上是由两个液控单向阀组成，它可以同时封闭立柱或千斤顶的前后两腔。当控制液关闭时，可使千斤顶保持既定伸出位置不动，既可承受推力负荷，又可承受拉力负荷。

双向锁结构如图9-28所示，职能符号如图9-29所示。

工作原理：当液口A进高压液、液口C接回液管时，高压液体将打开左面球形单向阀，从B口进入工作腔，与此同时向右推压双头顶杆8，顶开右面球单向阀，允许液口D的液体回到C口。当C口进高压液、A口通回液管时，原理同上。

亦即：双向锁的A口和C口，不仅是各自单向阀的进回液通道，还分别是对

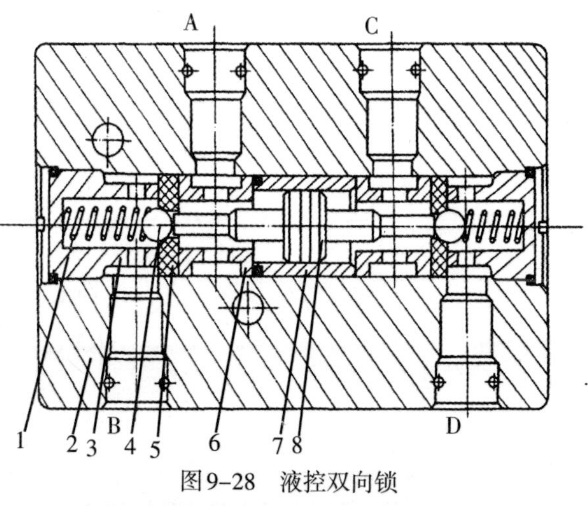

图9-28　液控双向锁

1——弹簧；2——阀体；3——螺纹底座；4——钢球；5——阀座；6——进液套；7——导向套；8——双头顶杆

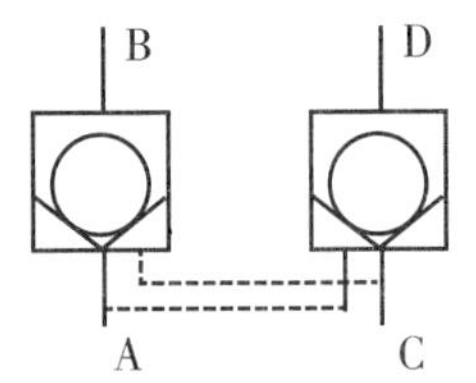

图9-29　液控双向锁职能符号

方向阀的卸载液控口。

4.安全阀

安全阀是使立柱或支架保持恒阻工作特性的重要元件。它和液控单向阀一样，长期处于高压状态下工作，若密封性能不好，就不能保证支架达到设计的工作阻力和稳定的工作状态。因此，要求安全阀动作灵敏、密封可靠和工作稳定，并有较长的使用寿命。

支架的安全阀均为直动式，结构简单、动作灵敏，过载时可迅速卸载溢流。安全阀的弹性元件为弹簧或压缩气体。安全阀的结构形式分为阀座式和滑阀式。阀座式的阀芯又分为平面密封式、球阀式和锥阀式。滑阀式的阀芯为圆柱滑阀式。

(1)弹簧式平面密封安全阀

如图9-30所示，阀芯6凹窝中装有橡胶垫5，在弹簧10的作用下压在阀座3的凸台上，为硬接触软密封，橡胶的弹性补偿了密封副平面接触的不精确度，从而保证关闭阀芯时能完全密封。阀芯和阀座硬接触可以限制橡胶垫的最大形变量，延长使用寿命。

工作时，当A口进高压液时，液压力作用在柱塞的左端，通过柱塞5、弹簧座9与弹簧力相平衡，如果液压力小于由空心调整螺丝12所调定的弹簧11的作用时，弹簧11通过弹簧座把柱塞5压入阀体8内，柱塞5的径向孔位于O型密封圈6的左边，安全阀处于关闭状态。若液压力大于由空心调整螺丝12所固定的弹簧11的作用时，则柱塞右移使其径向孔越过O型密封圈6，安全阀开始溢流限压。

(2)弹簧式滑阀安全阀

如图9-31所示，这种阀不是靠间隙来密封的，是靠阀芯5与密封圈6的紧密配合来密封液体的，因此这种阀的密封性能好，适用于低粘度的液体。

正常工作，为左端进液，液压力作用于阀芯5，同过弹簧座与弹簧力成为一对作用与反作用力。当液压力低于弹簧力时，阀芯5不动作，为图示状态，此时不溢流。当液体压力升高，并且作用于阀芯5的力大于弹簧力时，阀芯5向右运动，当运动到阀芯5的径向孔越过密封6时，液体通过阀芯5的径向孔开始溢流，起到限压的作用。

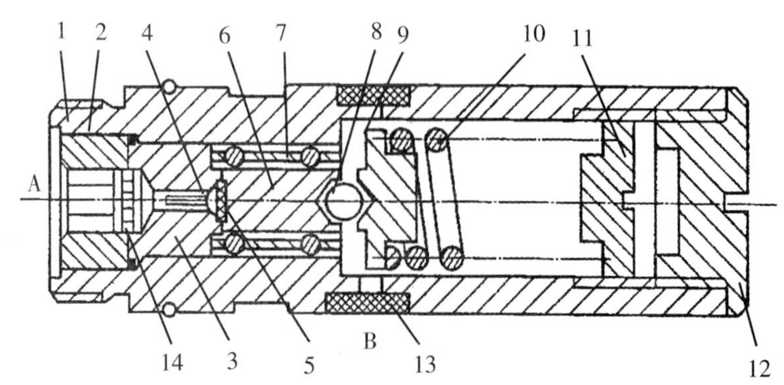

图9-30　弹簧式平面密封安全阀

1——阀壳；2——固定螺帽；3——阀座；4——阀针；5——橡胶垫；6——阀芯；7——导向套；8——调心钢球
9——弹簧座；10——弹簧；11——调整螺帽；12——保护塞；13——胶套；14——过滤器

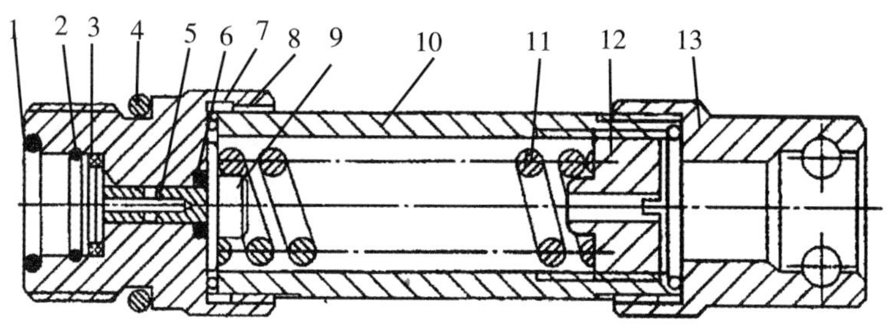

图9-31　弹簧式滑阀安全阀

1、4、6、7——密封圈；2——弹性挡圈；3——过滤器；5——阀芯；8——阀体；
9——弹簧座；10——中间壳体；11——弹簧；12——调整螺丝；13——接头座

5.操纵阀

操纵阀的作用：操纵阀是控制支架各支柱和千斤顶的进出油液，完成支架预定动作的操作元件。因此，它必须满足各支架的动作要求。要求操纵阀密封性能好，操作力小，工作可靠，操作方便。

按阀芯结构形式不同，可分为滑阀式、平面转阀式和组合单片阀式。按控制方式不同，可分为手控、液控、电液控等。

通常使用的操纵阀是片阀结构它由首片阀、中间片阀、尾片阀用螺栓固定在一起组合而成。首片阀带有进、回液管接头，中间片阀体是进回液通道，尾片阀进、回液孔为盲孔。每个阀片都相当于一个三位四通阀或两个二位三通阀组，其结构如图9-32所示，职能符号如图9-33所示。

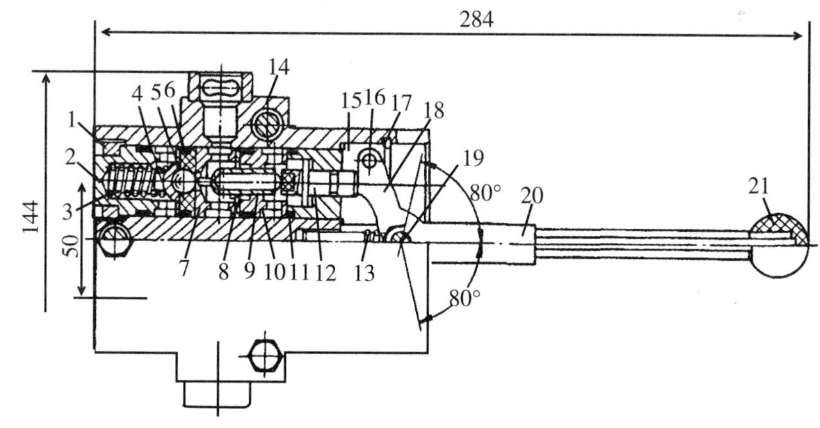

图9-32　操纵阀

1——压紧螺母；2——端盖；3——弹簧；4——弹簧座；5——球阀；6——左阀套；8——垫圈；
9——阀柱；10——右阀套；11——阀垫；12——顶杆；13——弹簧；14——阀体；15——凸台；16——圆柱销；
17——半环；18——压块；19——销子；20——手柄；21——手柄球

工作原理：手把向下摆动，则下面一组阀将动作，向上摆动则上面一组阀动作。假定向上摆动，压块推动顶杆，则阀垫11将空心顶杆12的轴向中心孔遮蔽，即关闭回液阀。接着空

图9-33　操纵阀职能符号

心顶杆12的另一端顶开钢球，使进液阀开启。高压液通过进液阀进入这组阀的工作通道，流向相应的液压缸工作腔。手把回中位时，弹簧将钢球弹向阀座，将进液阀关闭。被困在工作腔的压力液，可通过空心顶杆的轴向通孔冲开顶杆，即打开回液阀泄压回液。向下搬动手把，则下面的一组阀动作，过程同上。扼要地说：手把在中位时，进液阀处于关闭状态，回液阀处于开启状态，手把向哪边搬动，则哪边的回液阀就关闭，进液阀就开启，而另一边的阀组，保持手把在中位时的状态。

第三节　几种典型液压支架

一、ZY2000/14/31型掩护式液压支架

ZY2000/14/31型掩护式液压支架（图9-34所示）是ZY（原QY）系列支架中的一种架型。其质量轻、价格便宜、性能良好，得到了广泛的应用。

1.适用条件

ZY2000/14/31型掩护式支架适用于厚度1.7m-3m，倾角小于25°，顶板中等稳定，底板较平整，抗压强度大于100MPa的中厚煤层。

2.主要技术参数

支架高度/mm　　1400~3100

工作阻力/kN　　1744~1950

初撑力/kN　　1177~1245

推溜力/kN　　121

移架力/kN　　264

泵站工作压力/MPa　　31.4

支护强度/Pa　　(4.17~4.67)×105

中心距/mm　　1500

质量/kg　　5760

3.主要结构部件

(1)架体

支架架体的主要构件有顶梁2、掩护梁11、底座4和连杆12、13，它们均为箱形结构。为了改善顶梁的接顶性能，在距顶梁前端850mm处顶梁开始上翘，最大翘量为30mm；顶梁最前端铰接有护帮板1，掩护梁的腹腔下腹板上焊有连接平衡千斤顶的耳座；顶梁和掩护梁的腹腔内均装有活动的侧护板7、9的动力装置——侧护千斤顶15；底座4采用刚性整体式结构，为了移架时便于排矸，底座后部开有排矸口。底座两侧板前后端较低，中部较高，既缩短了前连杆12的长度又增加了底座的刚度。前、后连杆均采用分体式结构。在后连杆后侧面

焊有防矸翼板，以防止矸石窜入架内。

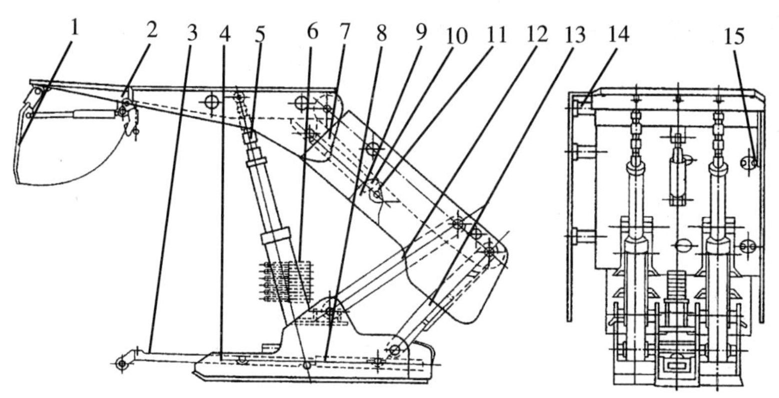

图9-34　ZY2000/14/31型掩护式液压支架

1——护帮装置；2——顶梁；3——推杆；4——底座；5——立柱；6——操纵装置；
7——顶梁活动侧护板；8——推移千斤顶；9——掩护梁活动侧护板；10——平衡千斤顶；
11——掩护梁；12——前连杆；13——后连杆；14——弹簧套筒；15——侧护千斤顶

(2)推移装置

该支架采用浮动活塞式推移装置。千斤顶8靠缸体外圆表面中部的两侧耳轴卡装在支架底座上。活塞杆通过一个推杆与工作面输送机相连。

(3)侧护装置

侧护装置的作用是消除支架间间隙，防止顶板破碎矸石落入架下工作空间。该支架顶梁和掩护梁左侧焊有固定侧护板，右侧装有活动侧护板。侧护装置如图9-35所示，主要由弹簧筒1、弹簧2、推杆3和侧护千斤顶4组成。推杆一端放入弹簧套筒内，并使弹簧作用在推杆上；另一端与千斤顶活塞杆相连接。弹簧套筒与活动侧护板上的连接座用销轴连接。千斤顶的缸体连在固定侧护板上。

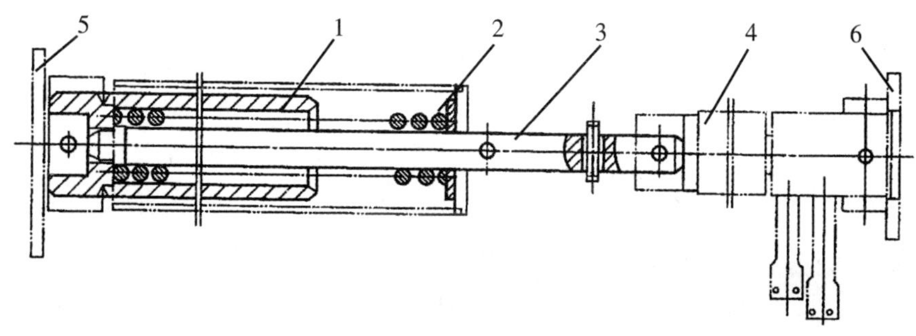

图9-35　侧护装置

1——弹簧套筒；2——弹簧；3——推杆；4——千斤顶；5——活动侧护板；6——固定侧护板

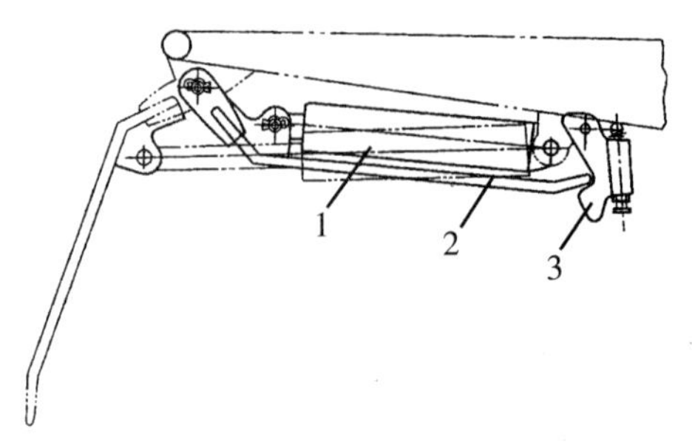

图9-36 护帮装置

(4)护帮装置

一般采高超过2.5m,煤层节理发育质软或顶板压力较大时,往往会出现片帮,所以需要护帮装置。该支架的护帮装置如图9-36所示,其主要有护帮千斤顶1、护帮板2和挡块3组成。

当护帮千斤顶1的活塞杆伸出时,护帮板2便绕其与顶梁的铰接销轴作顺时针摆动并向煤壁靠近,最后平压在煤壁上,其压紧力由护帮千斤顶提供,大小取决于输入千斤顶内工作液体的压力。依靠此压紧力阻止煤壁上部的煤垮落或延缓垮落。千斤顶活塞杆收回时,护帮板撤出支护状态,待完全收回后用挡块3勾住。

(5)液压元件

该支架立柱采用带机械加长杆的L26A-160/1508×70型外导向套单伸缩式立柱。立柱缸孔内径Φ160mm,活柱外径Φ50mm,行程870mm,采用外供液式;加长杆分为6段,每段长125mm,调节范围750mm,立柱总行程1 620mm。

ZY2000/14/31型掩护式液压支架使用了一个ZC(6)A型操纵阀,2个KDF2型球形液控单向阀,6个YF4型安全阀和2个SDS1型液控双向锁。

操纵阀由6片阀片组成。除了用2片控制侧护千斤顶外,其余每片各自控制1个千斤顶或2个立柱。当选用排头支架防倒防滑时,尚需增装一个阀片。

2个液控单向阀与2个安全阀构成控制阀组来控制两个立柱。每个液控双向锁和一个安全阀成组后分别控制平衡千斤顶和护帮千斤顶。

立柱上的安全阀调定压力为49MPa,与平衡千斤顶活塞腔和活塞杆腔相接的两个安全阀调定压力分别为35.28 MPa和44.1 MPa;控制护帮千斤顶的安全阀调定压力为35.28 MPa。

该支架使用的高压软管规格为Φ6mm、Φ10mm、Φ13mm、Φ19mm、Φ25mm等5种。

4.液压系统

ZY2000/14/31型掩护式液压支架的液压系统如图9-37所示。操纵阀各阀片的功能及立柱或千斤顶的动作见表9-1。

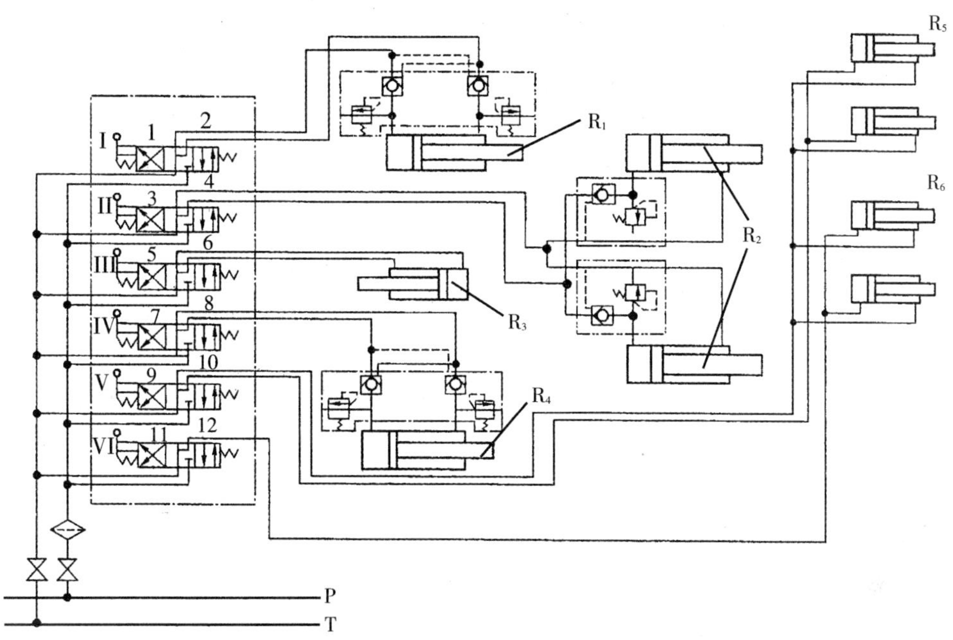

图9-37　ZY2000/14/31型掩护式液压支架的液压系统图

R_1——平衡千斤顶；R_2——立柱；R_3——推移千斤顶；R_4——护帮千斤顶；

R_5——掩护梁侧护千斤顶；R_6——顶梁侧护千斤顶

表9-1　操纵阀功能及液压缸动作原理

阀片号	阀位号	液压缸名称	液压缸动作
Ⅰ	1－0－2	R_1平衡千斤顶	伸—回液—缩
Ⅱ	3－0－4	R_2立柱	降—回液—升
Ⅲ	5－0－6	R_3推移千斤顶	推溜—回液—移架
Ⅳ	7－0－8	R_4护帮千斤顶	缩—回液—伸
Ⅴ	9－0－10	4个侧护千斤顶 R5R6	伸—回液—缩
		R_5掩护梁侧护千斤顶	
Ⅵ	11－0－12	R_6顶梁侧护千斤顶	空位—回液—伸

二、ZZ4000/17/35型支撑掩护式液压支架

ZZ4000/17/35型支撑掩护式液压支架如图9-38所示，是原ZY系列中使用较为广泛的一种支撑掩护式液压支架。

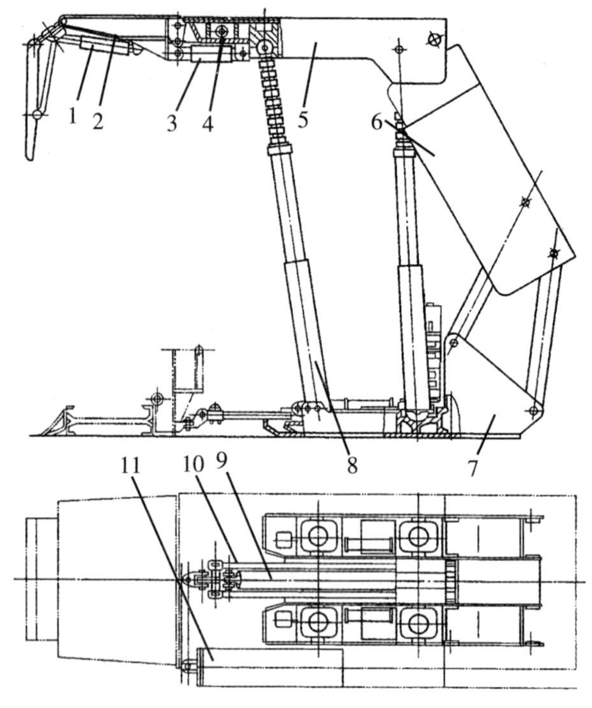

图9-38　ZZ4000/17/35型支撑掩护式液压支架

1——护帮千斤顶；2——前梁；3——前梁千斤顶；4——侧护千斤顶；5——顶梁；6——掩护梁

7——底座；8——立柱；9——推移千斤顶；10——推移框架；11——导向梁

1.适用条件

ZZ4000/17/35型支撑掩护式液压支架适用于厚度2m~3.2m，倾角小于25°，顶板中等稳定，底板较平整，移架后顶板自行冒落，地质构造简单，底板抗压强度不小于2MPa的中厚煤层。

2.主要技术参数

支架高度/mm	1700~3500
工作阻力/k N	3920
初撑力/k N	1844
推溜力/k N	142.1
移架力/k N	225.4
泵站工作压力/MPa	14.7
支护强度/Pa	7.3×10^5
中心距/mm	1500
质量/kg	10500

3.主要结构部件

(1)架体

该支架的顶梁5、前梁2、掩护梁6、底座7和前、后连杆均采用焊接式箱形结构，其中前梁和顶梁采用分段组合式结构，前梁铰接于顶梁前端，并以铰接点为支点，通过前梁千斤顶3的伸缩上摆15°、下摆19°，以期改善接顶状况。在前梁下盖板上设置有起吊环，用于工作面维修设备时的吊挂，允许吊挂重量50kN。在顶梁与掩护梁的腹腔内均装有侧护动力装置，在两侧装有活动侧护板，侧护动力装置控制侧护板的动作。使用时，两侧护板要固定一侧(一半是上侧护板固定，下侧护板可动)。底座采用刚性整体式结构，且两侧前低后高，在中部设有平台，用以安装操纵阀。前、后连杆都是分体箱式结构，既给安装带来方便，又可减轻支架质量，但冒落下的矸石易窜入架内。

(2)推移装置

该支架采用长框架推移装置，如图9-39所示。长框架各构件之间用销轴5、6和固定卡1连接，使拆卸和安装都很方便。框架后端通过连接耳4用Φ40mm的立装销轴6与推移千斤顶缸体相连，前端则用Φ40mm的横装销轴在横销孔7处与工作面输送机相连接。

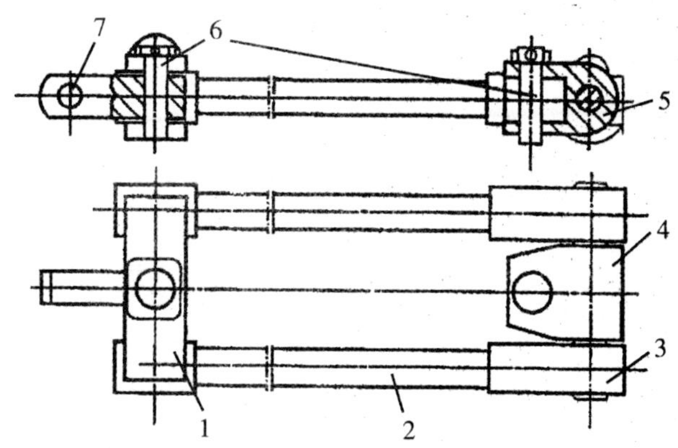

图9-39　推移装置

1——固定卡；2——框架圆杆；3——连接块；4——连接耳；5——连接轴；6——立销轴；7——横销孔

(3)护帮装置

在前梁前端铰接有护帮装置。护帮装置的护帮板在护帮千斤顶的控制下可摆动90°与煤壁贴紧防止片帮或贴于前梁腹下，以利采煤机通过。

(4)液压元件

该支架的立柱为带机械加长杆的内导向套式双作用液压缸。缸径Φ200mm，活柱外径Φ172mm，行程950mm，机械加长杆伸出量为5×150mm。两端采用球面结构。

该支架使用的各个千斤顶均为活塞式双作用外注式结构，所不同的是各自的直径和行程有别。

ZZ4000/17/35型支撑掩护式液压支架使用的操纵阀由8片ZCA型阀片组合而成。共控制4个立柱和6个千斤顶的16个动作。

立柱上采用KDF_1B型液控单向阀和YF_1B型安全阀。安全阀的调定压力为31.4MPa。

前梁千斤顶使用YF_5A型大流量安全阀。安全阀的调定压力为38MPa。

护帮千斤顶上设置了SSF双向锁和一个YF_1B型安全阀。

4.液压系统

ZZ4000/17/35型支撑掩护式液压支架的液压系统如图9-40所示。操纵阀各阀片的功能及各液压缸动作及原理见表9-2。

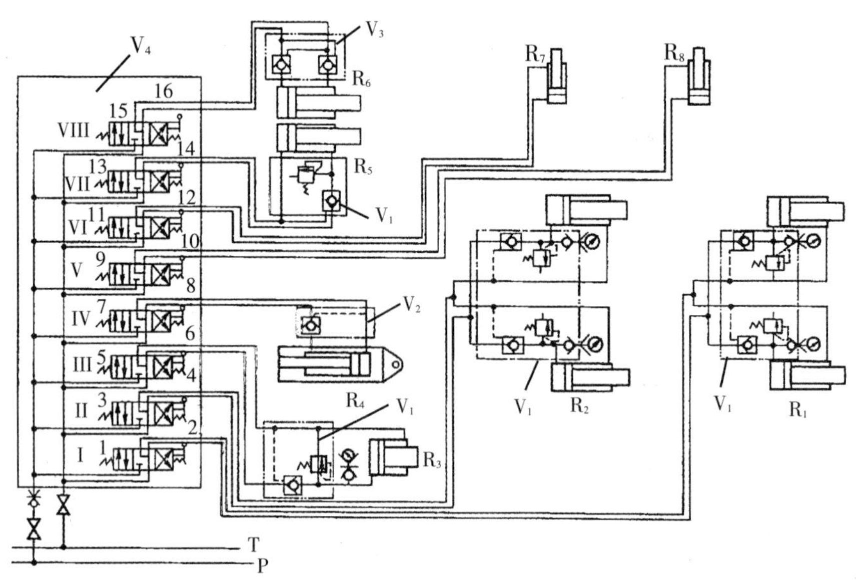

图9-40　ZZ4000/17/35型支撑掩护式液压支架的液压系统图

R_1——前立柱；R_2——后立柱；R_3——前梁千斤顶；R_4——推移千斤顶；R_5——防滑千斤顶

R_6——护帮千斤顶；R_7——掩护梁侧护千斤顶；R_8——顶梁侧护千斤顶

V_1——控制阀；V_2——液控单向阀；V_3——双向锁；V_4——操纵阀

表9-2　操纵阀各阀片功能及液压缸动作原理

阀片号	阀位号	液压缸名称	液压缸动作
Ⅰ	1-0-2	R_1前立柱	降-回液-升
Ⅱ	3-0-4	R_2后立柱	降-回液-升
Ⅲ	5-0-6	R_3前梁千斤顶	降-回液-升
Ⅳ	7-0-8	R_4推移千斤顶	移架-回液-推溜
Ⅴ	9-0-10	R_8顶梁侧护千斤顶	缩-回液-伸
Ⅵ	11-0-12	R_7掩护梁侧护千斤顶	缩-回液-伸
Ⅶ	13-0-14	R_5防滑千斤顶	伸-回液-缩
Ⅷ	15-0-16	R_6护帮千斤顶	缩-回液-伸

三、单体液压支柱

单体液压支柱具有体积小、支护可靠、使用和维修方便等优点，既可与金属铰接顶梁配套用于普通机械化采煤工作面支护顶板和综合机械化采煤工作面支护端头，也可单独作点柱或其他临时性支护用。

单体液压支柱适用于煤层倾角小于25°的缓倾斜工作面。若采取一定的措施，则可将其使用范围扩大到倾角25°~35°的倾斜煤层回采工作面。

单体液压支柱所适应的煤层顶底板条件是：顶板冒落不影响支柱回收；底板不宜过软，支柱压入底板不恶化底板的完整性，否则应加大底座。

按照供液方式的不同，单体液压支柱可分为内注式和外注式两大类。内注式是利用其自身所备的手摇泵将柱内储油腔里的油液吸入泵中加压后再输入到工作腔，使活柱伸出；外注式则是利用注液枪将来自泵站的高压液体注入支柱的工作腔，使活柱伸出。前者结构复杂，质量大，支撑升柱速度慢，故不如后者使用普遍。

1.外注式单体液压支柱

(1)DZ型外注式单体液压支柱的结构

DZ型外注式单体液压支柱由顶盖1、三用阀3、复位弹簧4、缸体7、活塞缸底10等零部件组成，如图9-41所示。DZ型外注式单体液压支柱的液压缸直径有Φ80mm和Φ100mm两种，图9-41为直径Φ100mm的支柱。

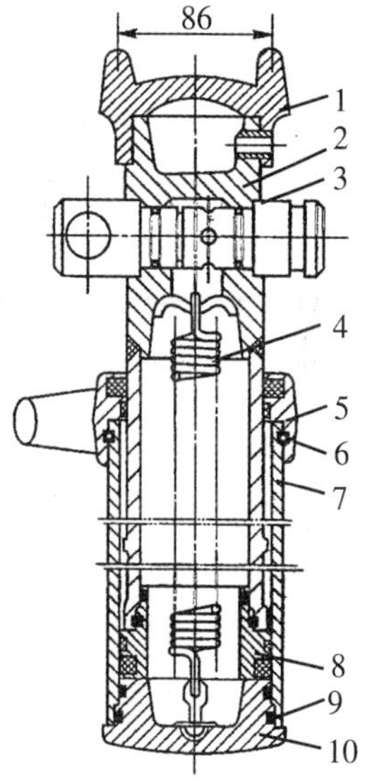

图9-41　DZ型外注式单体液压支柱

1——顶盖；2——活柱；3——三用阀；4——复位弹簧；5——缸口盖；6、9——连接钢丝；7——缸体；8——活塞；10——缸底

(2)活柱体

活柱体是支柱上部承载部件，活柱和缸体都用热轧无缝钢管焊接而成，它由柱头、弹簧上挂钩、活塞缸等组成。

(3)三用阀

单体支柱的三用阀包括单向阀、安全阀和卸载阀三个阀，故称三用阀。结构如图9－42所示。

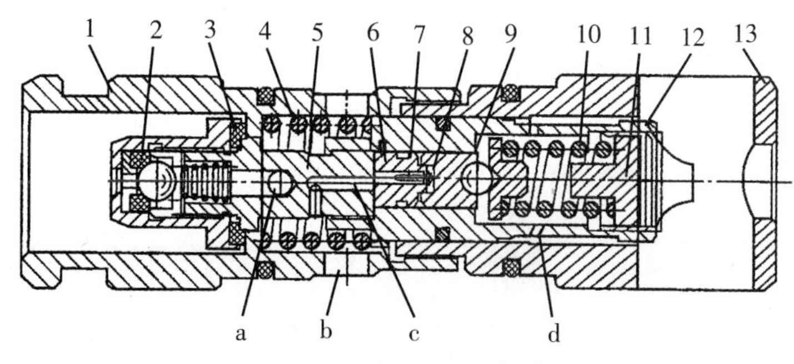

图9-42　三用阀

1——左阀筒；2——单向阀座；3——卸载阀垫；4——卸载阀弹簧；5——连接杆；6——阀座；7——阀针
8——安全阀垫；9——六角导向块；10——安全阀弹簧；11——调压堵；12——阀套；13——右阀套

单向阀由塔形弹簧和单向阀座2组成。进液时，压力液体打开此阀，液体经连接杆5上的中心孔及径向孔a和左阀筒上的径向孔b进入支柱的活塞腔内，顶起活柱。

安全阀由阀座6、阀针7、安全阀阀垫8、六角导向块9、弹簧10、调压堵11、阀套12等组成，当支柱内的压力高于安全阀的调定压力时，液体经b口进入c孔，作用于阀针上，同时也作用于弹簧10上，此时由于液压力大于弹簧力，六角导向块向右移动，阀针7与阀座6离开，使内部液流出，减小支柱内的压力，起到安全调节作用。

卸载阀是由左阀筒1、卸载阀垫3、卸载阀弹簧4、连杆5、阀套12以及单向阀的某些零件组合而成。通常情况下，受卸载阀弹簧的作用，卸载阀垫与左阀筒内的凸肩接触形成密封，该阀不起卸载作用。当有足够大的外力作用于阀套右端并向左压时，连接杆跟随左移，使卸载阀垫与左阀筒脱开，卸载阀开启，活柱内大量液体喷出，活柱下降。

(4)DZ型单体液压支柱的工作原理

①升柱(初撑)

如图9-43(a)所示。升柱时将管路系统中的注液枪插在三用阀的进液阀筒(安有单向阀的阀筒)内并锁紧，然后操作注液枪，使得泵站来的压力液体经注液枪将单向阀打开，进入支柱下腔，活柱升起。当顶盖顶紧顶板后，停止注液。此时，支柱腔内压力即为泵站压力，支柱对顶板的支撑力为其初撑力fc。

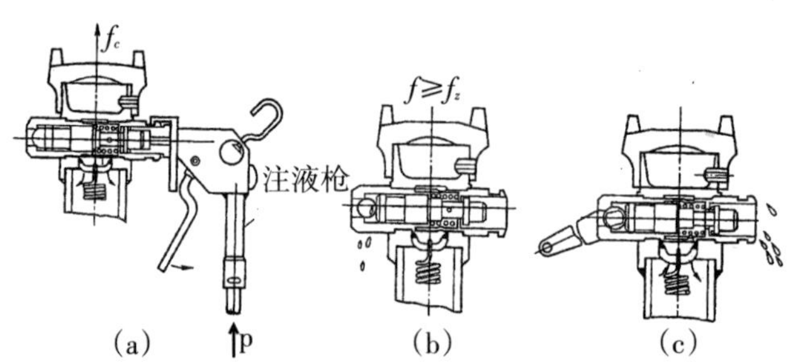

图9-43　DZ型外注式单体液压支柱的工作原理

(a)——升柱；(b)——承载；(c)——降柱

②承载(溢流)

如图9-43(b)所示。初撑后，随顶板的压力不断增大，支柱下腔压力随之增高，支撑力f也不断增大，呈现增阻性。当作用给支柱的载荷超过支柱的工作阻力fz时，安全阀就开启溢流，保证支柱的恒阻性。

③卸载(降柱)

如图9-43(c)所示。降柱时，将卸载手把插入三用阀卸载孔(另一阀筒的大径向孔)中，并转动手把，强行打开卸载阀，使支柱内腔的液体大量喷出、活柱在自重和复位弹簧的作用下回缩。

(5)DZ型外注式单体液压支柱的特点

①升柱速度快，一般为60mm/s—80mm/s，比内注式快4~5倍；

②初撑力大，且比较稳定。外注式支柱初撑力由泵站压力和液体缸内径决定，受人为因素影响小；

③结构简单、零部件少。故障判断容易，易于维修；

④质量轻，在一般同规格支柱中，外注式比内注式轻3kg~5kg，可减轻工人劳动强度；

⑤成本低。

2.内注式单体液压支柱

(1)NDZ型内注式单体液压支柱的结构

NDZ型内注式单体液压支柱如图9-44所示，它是用支柱内的手摇泵注液升柱的，主要由活柱5、缸体6、手把体4、活塞8和泵站活塞10等组成。取下柱帽1和通气阀2，向活柱的中空腔A内注入液压油，立起支柱，通气阀2中的钢球(重0.11kg)处于图示的位置，将阀打开，油腔A即与大气相通。

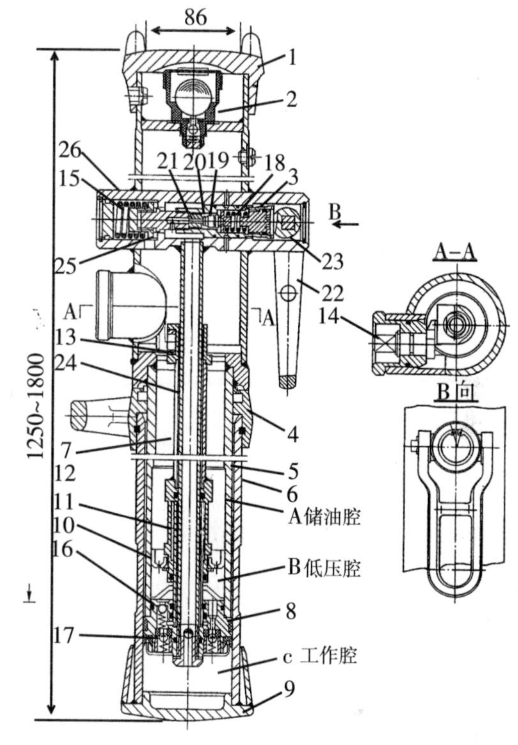

图9-44　NDZ型内注式单体液压支柱的结构

1——柱帽；2——通气阀；3——安全阀；4——手把体；5——活柱6——缸体；7——柱塞；8——活塞；9——缸底；10——泵活塞；11——泵套；12——连接头；13——曲柄滑块；14——曲柄；15——卸载阀弹簧；16——进液阀；17——单向阀；18——安全阀弹簧；19——六角导向套；20——安全阀垫；21——阀座；22——卸载手柄；23——凸轮；24——芯管；25——卸载阀垫；26——阀体

(2)NDZ型内注式单体液压支柱的工作原理

NDZ型内注式单体液压支柱的动作包括升柱、初撑、承载和回柱4个过程，其动作原理如下：

①升柱

将手摇把套入曲柄方头上，然后上下摇动，通过曲柄滑块机构迫使柱塞上的泵活塞作上下往复运动。从而可使液压油从储油腔到达低压腔和工作腔，活塞因受力而不断升高。连续摇动手把，直到支柱顶盖或顶梁与顶板接触，即完成升柱过程。活柱升高时所需的压力较低，只起到次要作用。

②初撑

支柱顶盖或顶梁与顶板接触时，继续摇动手把。当柱塞向上运动时，储油腔内的油继续流入低压腔，并通过进油阀和活塞环型槽充满泵和连接头之间的空隙。当柱塞向下运动时，由于工作腔内油压较高，而低压腔内的油虽经泵活塞压缩，但油压仍较低，因而打不开单向阀，只能经泵活塞上2个阻尼孔和泵活塞与活柱筒的空隙返流到储油腔，以减轻操作力。

与此同时，柱塞连接头内腔的油受到压缩后经活塞环型槽返回，将进油阀关闭，单向阀打开，此高压油被压入工作腔内，使工作腔内油压不断升高。连续摇动手把，直到手把摇不动或者感到很费劲时，就使支柱获得了规定的初撑力，完成了初撑过程。

③承载

随着顶板下沉，作用在支柱上的载荷逐渐增大。当载荷增大到支柱的额定工作阻力245kN时，工作腔内的油压即达49MPa。这时，安全阀开启，作用在安全阀垫上的油使六角导向套作轴向运动，压缩安全阀弹簧，高压油经安全阀垫与阀座间的间隙从小孔流回到储油腔，活柱均匀下缩。当工作腔内油压降到49MPa以下，即支柱载荷小于245kN时，在安全阀弹簧作用下，六角导向套复位，安全阀即关闭。这时，工作腔内的油就停止向储油腔回流。支柱在整个工作过程中，上述现象反复出现，使支柱始终处于恒阻状态，从而达到有效地管理顶板的目的。

④回柱

回柱时，可根据工作面顶板状况的好坏，采取近距离或远距离回柱方式。

顶板条件好时，可采用近距离回柱。将手把插入卸载环，扳动手把，带动凸轮转动；迫使安全阀作轴向运动，压缩卸载阀弹簧，打开卸载阀。同时，工作腔内的液压油经芯管、卸载阀垫与阀体间的空隙及阀体上三个孔流回储油腔。这时，活柱在自重作用下快速下降，而储油腔内的气体经通气阀排出柱外，从而完成了回柱过程。

(3)NDZ型内注式单体液压支柱的特点：

①使用灵活性好，支柱本身带有手摇泵不需要外部动力源，任何地方都可使用；

②支柱的三阀分别装在支柱内腔，不易污染失效；

③液压系统自身形成闭路循环，仅需补充微量油耗，节省油液，也不会浸湿底板，劳动条件有所改善。

第四节 液压支架的选型与使用维护

一、液压支架选型原则

(1)支护强度应与工作面矿压相适应。支架的初撑力和工作阻力要适应直接顶和基本顶岩层移动产生的压力，将空顶区的顶底板移近量控制到最低程度。

(2)支架结构应与煤层赋存条件相适应。

(3)支护断面应与通风要求相适应，保证有足够的风量通过，而且风速不得超过《煤矿安全规程》的有关规定。

(4)液压支架应与采煤机、刮板输送机等设备相匹配。支架的宽度应与刮板输送机中部槽长度相一致，推移千斤顶的行程应较采煤机截深大100～200mm，支架沿工作面的移架速度应能跟上采煤机的工作牵引速度，移架速度还应满足生产指标的要求，支架的梁端距应为350mm左右。

二、液压支架选型依据及内容

（1）选型依据。支架选型前必须将工作面的煤层、顶底板及采区的地质条件全面查清、探明，编出综采采区、综采工作面地质说明书。

（2）选型内容。选择支架时，要确定下述内容：支架类型，如支撑掩护式或掩护式；立柱根数；支护阻力，包括初撑力、额定工作阻力；支架结构高度，包括最大和最小高度；顶梁和底座的结构形式、尺寸及其相对位置；对防滑、防倒、防片帮、调架、移架、端面维护等装置的要求；操作方式、阀组性能等。

三、液压支架的使用操作

为了保证综采工作面的稳产、高产，以及延长设备的使用寿命，液压支架必须由持有合格证的支架工进行操作。

1.操作前的准备工作

（1）操作前，首先应清除顶、底板及其他影响支架各有关部件动作的障碍物。支架周围的人员应注意和离开，以免发生事故。

（2）检查液压管路是否齐全完整，胶管不得被矸石挤卡或埋压。

（3）检查各部管接头是否连接牢靠，发现有型卡松动，接头损坏或漏液等现象时应立即处理。

（4）检查泵站向工作面支架液压系统的供液是否正常。

2.操作方式与步骤

支架的操作方式可分为先移架后推溜和先推溜后移架两种。先移架后推溜可以及时支护。

（1）移架。在顶板较好的情况下，移架工作在采煤机后滚筒之后1.5m处进行，一般不超过3～5m。在顶板破碎时，移架工作则应在采煤机前滚筒割下顶煤后立即进行，以便及时支护新暴露出的顶板，防止局部冒顶。在采用后一种移架方式时，支架与采煤机司机要密切联系和配合，防止发生挤伤人或采煤机滚筒割支架前梁等事故。

移架步骤一般可分为降柱、移架与升柱3个动作。在顶板较破碎的情况下，为了更好地控制顶板，实现“擦顶移架”，将操纵阀手把打到降柱位置的时间应尽可能缩短，当支架顶梁和顶板间稍有松动后，立即将手把打到移架位置进行移架，直到将支架移到新的位置时即进行升柱，完成一个工作循环。

（2）推溜。刮板运输机俗称溜子，故推移运输机也简称为推溜。

工作面可弯曲刮板运输机的弯曲程度是有限制的，其弯曲角度一般为1°~3°。因此，要求运输机的弯曲部分不应小于8节溜槽，即推移工作应在采煤机后滚筒之后10~15m进行，并注意不得将运输机推成“急弯”。推溜时，根据工作面具体情况可采用逐架推溜、间隔推溜、几架同时推溜和逐次推溜等方式。对推溜的具体要求是：

①严禁在运输机停止运转时进行推移，以防底煤将溜槽下部塞满压住溜子。

②在一般情况下，应按由下而上或由上而下的顺序依次推溜。

③推移后的运输机要满足平、直、稳的要求，以有利于将工作面采直。

④根据采煤机的截深要求，输送机要推够进度，以保证达到采煤机每刀的产量。

对于放顶煤支架，推完前溜后仍要进行放煤、拉后溜工作。

(3)放煤。操纵尾梁千斤顶，使尾梁收至适当位置进行放煤。放煤结束后应立即操纵尾梁使其升起，必要时可伸出插板对后部运输机进行遮护。在放煤的过程中喷水装置将自动进行喷水直至尾梁上摆结束放煤。

(4)拉后溜。放煤结束后，操纵拉后溜千斤顶，将后溜拉至适当位置，拉后溜的要求同拉前溜。

3.操作中的注意事项

(1)移架时，要注意观察顶、底板和支架周围的情况，保护好管路、电缆和其他有关设备。

(2)支架应及时支护顶板，对破碎顶板应及时采取措施。

(3)移架时速度要快，要随时调整支架，不得歪斜，并保持支架中心距相等。如果在移架过程中发现顶梁有蹩卡现象，致使移架困难时，不要勉强硬移，可将操纵阀手把放在降柱位置，使顶梁与顶板再松动一下，然后再移架。移架后应使支架保持一条直线。

(4)支架与顶板要接触严密，如顶梁上有矸石堆积而影响接触时，应尽量清除后再升柱。安装支架时，开切眼内的原有棚梁应全部拆除，不能让支架顶在棚梁上，否则将严重影响支撑效果。

(5)移架时顶梁不宜下降过多，一般为150~200mm。当顶板破碎时，应尽量采用擦顶移架。支架在升柱后要将操纵阀手把在升柱位置保持一些时间，以使支架达到额定的初撑力。

(6)推移运输机必须在采煤机后滚筒之后10~15m以外进行。支架工推溜时，应注意随时调整步距，使运输机除推溜段有弯曲外，其他部分保持平直，以利采煤机工作。

(7)为避免空顶距离过大造成冒顶，相邻两支架不得同时进行降柱与移架。

(8)为防止支柱被压死，液压支柱在移架后的活柱行程一般不应小于300~400mm，在特殊情况下，也不得小于120mm。

(9)支架操作完毕后，必须及时将操纵阀手把放到停止位置，以免发生误动作。

(10)操作支架时要注意人身安全。操作人员应站在安全处，以免被顶上掉落的矸石砸伤，或者被挤伤、碰伤。

四、液压支架的维护

为使支架可靠地工作,减少非生产停歇时间,充分发挥设备性能,延长使用寿命,除了严格遵守操作规程外,还必须加强日常维护保养和及时检修,并贯彻执行预防为主的方针,有计划地进行定期检修、维护,以防事故的发生。

经常检修、维护的项目:

(1)检查各运动部分是否灵活,有无卡阻停滞现象。

(2)检查液压系统各部件有无漏液、窜液现象。

(3)检查所有液压软管有无卡扭、压埋、堵塞和损伤。

(4)检查支架的连接销轴是否在正确位置,销轴的定位零件是否完好无缺,连接螺栓是否松动。

(5)检查各受力部件是否有严重的塑性变形和损坏,焊缝有无开裂。

(6)检查推移千斤顶与支架、运输机的连接部件是否完好,有无裂缝和损坏。

(7)注意支柱和千斤顶的动作是否平稳,速度是否正常,在动作时有无异常的声响和自动下降现象。

第五节 液压支架的常见故障原因分析及处理方法

液压支架在使用过程中,经常会发生各种故障,分为机械故障与液压故障。液压故障具有相当程度的隐蔽性,要分析故障原因和排除故障是比较困难的,既需要相当的理论知识,还需要一定的实际经验。在使用中,要对液压支架设备经常进行检查,将故障消除在萌芽状态。具体进行故障分析时,可采取如下方法:

(1)看动作。要仔细观察执行元件的动作是否正常,各种动作是否与操作阀相匹配,系统是否存在振动等。

(2)听声音。仔细听支架系统在工作或工作是否有异常的声音。

(3)摸温度。用手触摸元件的外表温度是否正常等。

(4)问情况。向使用人员或检修人员询问故障发生前后的情况,故障发生的规律等。

(5)查记录。查阅有关技术资料及检修记录。

故障分析是故障排除的基础和关键,必要时可将故障元件拆下来,到实验台进行性能测试。

液压支架常见故障原因分析及处理方法见表9-3。

表9-3 液压支架常见故障原因分析及处理方法

部位	故障现象	原 因	处理方法
立柱	乳化液泄漏	(1)密封件损坏或尺寸不合适	(1)更换密封件
		(2)接头座尺寸不合适	(2)更换接头座
		(3)有焊缝	(3)更换或补焊
	供液后不升或升速慢	(1)截止阀未打开或打开太小	(1)打开截止阀
		(2)泵压低,流量小	(2)查泵压,调压力
		(3)操纵阀窜液	(3)检修操纵阀
		(4)液控单向阀损坏	(4)更换,检修
		(5)立柱外漏或内窜液	(5)更换
		(6)立柱变形	(6)更换
		(7)系统堵塞	(7)清洗或排堵
		(8)安全阀泄漏	(8)更换
	不降或降速慢	(1)截止阀未打开或打开太小	(1)打开截止阀
		(2)液控单向阀损坏	(2)更换,检修
		(3)回液管路堵死,截止阀未开	(3)检查排堵
		(4)操纵阀动作不灵	(4)检查更换
		(5)活塞杆或缸体变形	(5)检查更换
		(6)立柱内导向套损坏	(6)更换导向套
		(7)立柱外漏或内窜液	(7)更换、检修
	自降	(1)安全阀泄漏或调定压力值低	(1)更换或调至要求值
		(2)液控单向阀不能闭锁	(2)更换、检修
		(3)立柱至阀连接板一段泄漏	(3)检查、更换
		(4)立柱内泄	(4)更换、检修
	支撑力达不到要求	(1)泵压低	(1)检修泵或更换
		(2)操作时间短,未达到泵压即停止供液	(2)操作时冲液充分
		(3)安全阀调压低	(3)调整安全阀
		(4)安全阀失灵	(4)更换
	缸体变形	(1)安全阀开启压力大、堵塞	(1)检修安全阀
		(2)外界碰撞	(2)更换缸体
千斤顶	不动作	(1)截止阀未打开或管路过滤器堵	(1)打开截止阀或更换过滤器
		(2)活塞缸高低压窜液	(2)更换密封或缸体
		(3)千斤顶变形	(3)更换检修

		(4)与千斤顶连接件蹩卡	(4)排除蹩卡
		(5)操纵阀窜液	(5)检修更换操纵阀
		(6)回液管路堵死,截止阀未开	(6)检查回液管路,打开截止阀
	动作慢	(1)泵压低	(1)调整泵压
		(2)管路堵塞	(2)排堵
		(3)有同时操作现象,流量不足	(3)避免同时操作
	个别连动现象	(1)操纵阀窜液	(1)检修更换
		(2)回液阻力过大影响	(2)发生于空载情况,不影响支撑
千斤顶	作用力达不到要求	(1)泵压低	(1)调整泵压
		(2)操作时间短,未达到泵压即停止供液	(2)操作时冲液充分
		(3)闭锁液路漏液,未达到额定工作压力	(3)检修更换关键元件
		(4)安全阀开启压力低	(4)调整开启压力
		(5)系统泄漏	(5)检查排漏
		(6)安全阀、单向阀失灵,造成闭锁超限	(6)检查更换阀
	漏液	(1)密封件损坏或尺寸不合适	(1)更换密封件
		(2)接头座尺寸不合适	(2)更换接头座
		(3)有焊缝	(3)更换或补焊
		(4)密封槽有缺陷	(4)检修
操纵阀	不操作时有液体流动声或有活塞杆缓动现象	(1)钢球与阀座密封不好,窜液	(1)更换
		(2)阀座上密封损坏	(2)更换密封
		(3)阀座密封面有异物	(3)多动作几次或更换
		(4)弹簧疲劳或损坏	(4)更换
	操作时液流声大,立柱动作缓慢	(1)阀芯端面不平,与阀垫密封不严,进回液窜通	(1)更换
		(2)阀垫、中阀套处密封损坏	(2)更换
	阀体外渗液	(1)接头和片阀密封损坏	(1)更换
		(2)连接片阀的螺栓螺母松动	(2)紧固螺栓
		(3)端面密封不好,手把处渗漏	(3)更换
	操作手把折断	(1)重物撞击	(1)更换
		(2)材质、制造缺陷	(2)更换

操纵阀	手把不灵活	(1)手把处掉进杂物	(1)清理并防护
		(2)压块或手把工作凸台磨损	(2)更换、检修
		(3)手把摆角小于80°	(3)摆足角度
		(4)复位弹簧损坏	(4)更换
安全阀	开启压力低	(1)未调定要求压力	(1)调整压力设定
		(2)弹簧疲劳	(2)更换
		(3)密封面有异物	(3)清理或更换
	压力降低时不能及时关闭	(1)阀芯与阀体间有异物	(1)清理或更换
		(2)弹簧失效	(2)更换
		(3)密封粘住	(3)检修或更换
		(4)底座和弹簧错位	(4)检修或更换
	渗漏	(1)密封损坏	(1)更换
		(2)阀芯不能复位	(2)更换
	负载超过额定值,安全阀不工作	(1)弹簧力大,设定值高	(1)更换、重调
		(2)阀座、弹簧座、弹簧变形	(2)检修、更换
		(3)有异物卡住阀芯、阀座	(3)清理、更换
		(4)阀芯锈死	(4)检修、更换
液控单向阀,双向锁	不能闭锁	(1)钢球或阀座损坏,不能复位	(1)更换、检修
		(2)液体不干净,异物卡住	(2)多动作几次,或更换
		(3)轴向密封损坏	(3)更换
		(4)弹簧疲劳	(4)更换
		(5)密封不严,窜液	(5)更换O型圈
		(6)与之配套的安全阀损坏	(6)更换
	闭锁腔不能回液,活塞杆不能缩回	(1)顶杆变形、折断、顶不开球阀或阀芯	(1)检修或更换
		(2)控制液路堵塞	(2)检修,疏通
		(3)顶杆密封件损坏	(3)更换
		(4)顶杆与套或中间阀卡塞,使顶杆不能移动	(4)拆检
截止阀	截止阀关闭不严或不能关闭	(1)阀座磨损	(1)更换
		(2)密封件损坏	(2)更换
		(3)进液方向和阀座、减震阀位置装反	(3)检查、调位
		(4)手把紧,转动不灵活	(4)拆检
		(5)球阀裂损,手把带不动	(5)更换

回液断路阀	回液失灵,造成回液倒流	(1)阀芯损坏,不能封闭	(1)更换
		(2)弹簧力弱或损坏	(2)更换
		(3)有异物卡塞不能密封	(3)检修、更换
		(4)阀壳体内与阀芯的密封面损坏,密封失灵	(4)更换
辅助元件	过滤器堵	(1)油质差有杂质	(1)定期清洗
		(2)过滤网损坏	(2)更换
		(3)过滤网架损坏	(3)更换
	高压软管损坏	(1)胶管被挤、砸破	(1)更换
		(2)胶管过期老化	(2)更换
		(3)接头扣压不牢	(3)更换
		(4)高低压管混用	(4)更换加强管理
辅助元件	管接头损坏	(1)升降移架时挤坏	(1)更换
		(2)加工尺寸或密封件不合格	(2)更换检修
	U型卡折断或丢失	(1)质量不合格	(1)更换
		(2)装配时敲击折断	(2)更换、检修
	密封圈泄漏	(1)安装工艺不当,剪切了密封	(1)更换
		(2)密封圈老化	(2)更换
		(3)选用密封尺寸不合格	(3)更换
		(4)乳化液不良	(4)更换、检测
		(5)滑动表面粗糙度太大	(5)检修、更换

第二部分　专业核心知识点

专业核心知识点包括以下内容：

1.液压支架的升柱、降柱、移架和推溜的操作过程。

2.液压支架维护及检修的基本内容。

3.液压支架立柱泄漏、操纵阀、安全阀、双向锁的故障原因分析和处理方法。

第三部分　专业技能训练

技能一:液压支架操作方式与步骤

液压支架以高压乳化液为动力,通过各种功能的油缸伸缩,使工架完成升柱、降柱、行走和推溜(推移输送机)的动作,从而使支架随支架面不断推进。图1为简单的液压支架工作原理。

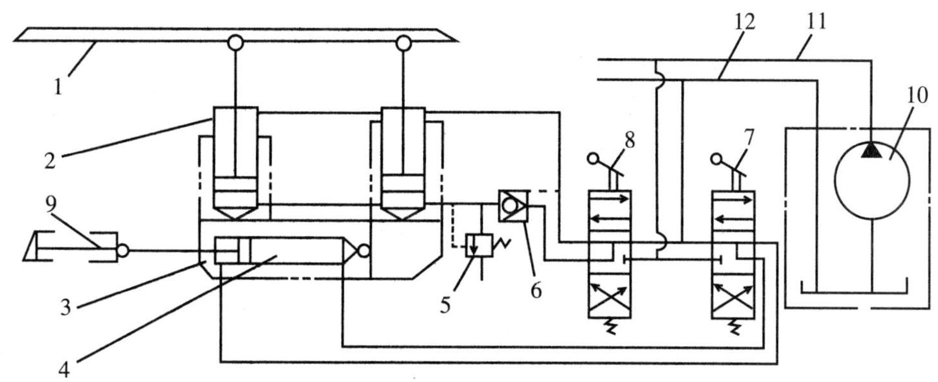

图1　液压支架工作原理

1——顶梁;2——立柱;3——底座;4——推移千斤;5——安全阀;6——液控单向阀;
7——推移操纵阀;8——升降操纵阀;9——输送机;10——乳化液;11——供液管;12——主回路管

(1)降柱

如图1所示,操纵升降操纵阀8到下位,乳化液供液管11的高压液经升降操纵阀8进入立柱2的有杆腔(上腔),同时打开液控单向阀6。高压乳化液作用于活塞的有杆腔使活塞下移,同时无杆腔内的液体经液控单向阀6,升降操纵阀8流到主回液管12流回到乳化液箱,完成顶梁下降的过程。

(2)移架

移架动作只有在支架卸载(降柱)后进行。移架时,首先把推移操纵阀7推到下阀位,供液管的高压乳化液经推移操纵阀7进入推移千斤顶4的有杆腔,使推移千斤顶的活塞杆缩回油缸。由于推移千斤顶一端连接支架底座3,另一端连接输送机9,输送机在相邻两个支架的支撑作用下不可能向后移动,只能是支架被拉向输送机,从而完成了支架向前移动的过程。

(3)升柱

当移架完成后,支架需要重新升起顶梁,支撑住顶板,这个过程就是升柱。如图1所示,将升降操纵阀8推到上位阀，这时供液管11的高压乳化液经升降操纵阀8和液控单向阀6进入立柱的下腔（无杆腔），立柱的上腔经升降操纵阀8接通主回液管12，在高压乳化液的作用下，立柱的活塞向上运动，使顶梁支撑到顶板，这就完成了升柱的过程。

（4）推移输送机（推溜）

当液压支架移到新的工作位置并重新升柱支撑后，下一动作就是推溜。推溜操纵如图1所示，将推移操纵阀7打到上阀位，供液管11的高压乳化液经推移操纵阀7进入推移千斤顶的无杆腔（右腔），使推移千斤顶的活塞杆伸出，同时有杆腔的乳化液经推移操纵阀7回到主回液管12并流回到乳化液箱。随着活塞杆的伸出，推动输送机向前移动，推溜的过程即完成。

技能二：液压支架的常见故障及处理方法

1.立柱乳化液泄漏

原因之一：密封件损坏。处理方法为：更换密封件，更换方法同液压缸密封更换方法。

原因之二：有焊缝。处理方法为：更换元件或将元件的焊缝补焊。

2.立柱或千斤顶个别连动现象

原因之一：操纵阀窜液。处理方法为：更换操纵阀。

原因之二：回液阻力过大所致，一般这种情况发生于空载阶段，不影响支撑处。

3.支撑力达不到要求

原因之一：乳化液泵输出压力低。处理方法为：调整乳化液泵输出压力。

原因之二：操作时间短，未达到泵压即停止供液。处理方法为：操作时冲液充分。

原因之三：安全阀调压低。处理方法为：调整安全阀。

原因之四：安全阀失灵。处理方法为：更换安全阀。

复习题

1.液压支架的组成结构及各部分的作用是什么？

2.液压支架的工作原理是什么？

3.液压支架的护帮装置的作用是什么？

4.液压支架的操作过程有哪些？

5.液压支架是如何分类的？

6.液压支架的立柱常用形式有哪几种？

讨论题

1.液压支架为什么要设置防倒防滑装置？

2.常用液压支架安全阀有几种？工作原理分别是什么？

3.液压支架的主部组成元件及其常规检查维护内容是什么？

第十章　掘进机

第一部分　系统理论知识

第一节　掘进机的特点和种类

一、掘进机的特点

随着回采工作面机械化水平的提高，回采速度大大加快，巷道掘进和回采工作面的准备工作也必须相应加快。依靠钻孔爆破法进行巷道的掘进已无法满足生产的要求，为了加快掘进速度，采用掘进机法施工，将破煤、装煤、运输、喷雾灭尘和行走等工作同时进行，是提高巷道掘进速度的必然措施，也为高产高效煤炭生产提供了保障。

掘进机掘进施工具有如下特点：

（1）掘进速度快，成本较低。掘进机掘进巷道实现了巷道掘进综合机械化作业，掘进速度平均可提高1~1.5倍，工效平均提高1~2倍，进尺成本降低30%~50%。

（2）有利于回采工作面的准备。快速掘进巷道有利于及时查明采区的地质条件，为回采工作面的选型及准备工作创造良好的条件。

（3）安全性好。由于不需要打眼放炮，因此，施工振动小，围岩不易破坏。这样既有利于巷道支护，又可减少冒顶和瓦斯突出危险，大大提高了工作面的安全。

（4）施工工程量小。钻爆法施工的巷道超挖量可达20%，利用掘进机施工，掘出的巷道周边光洁、平整，围岩不受爆破的破坏，保持了巷道围岩的稳定性，施工超挖量可减小到5%，从而大大减少了支护作业的充填量，减少了工程量，降低了掘进成本，提高掘进速度。

（5）劳动条件好。掘进施工改善了工人的工作条件，消除了放炮烟雾，降低了工作面粉尘浓度，减少了繁重的体力劳动。

二、掘进机的种类

巷道掘进机按照所破碎的岩石性质、使用范围以及结构特征可分为不同的种类。

1.按破碎的煤岩硬度f分类

（1）用于小于f≤4的煤巷，称为煤巷掘进机；

（2）用于小于f≤6的煤或软岩巷，称为半煤岩巷掘进机；

(3)用于小于f＞6的岩石巷道，称为岩巷掘进机。

2. 按掘进机可掘巷道的断面尺寸分类

(1)可掘巷道的断面面积小于8m²的，称为小断面掘进机；

(2) 可掘巷道的断面面积大于8m²的，称为大断面掘进机。

3. 按掘进机截割机构的结构特征和破岩方式分类

(1)部分断面掘进机，也称为自由断面掘进机或悬臂式掘进机(Boom-Type Roadheader)，其工作机构为一条悬臂和安装在悬臂上的截割头所组成，悬臂可以上下左右摆动，因而必须在断面内多次连续地移动工作机构，才能沿整个工作面破落一层煤岩，完成一次推进。部分断面掘进机可同时完成煤岩截割、落料装运、行走、喷雾降尘等功能，主要用于煤巷和半煤岩巷的掘进，掘出的巷道断面形状多为梯形或矩形。

部分断面掘进机按照截割头布置方式的不同，又可分为纵轴悬臂式掘进机和横轴悬臂式掘进机两大类。前者安装在悬臂上的截割头为纵向布置，后者为横向布置。

(2)全断面掘进机，又称为连续作业式巷道掘进机(TBM：Tunneling Boom Machine)。其工作机构为圆形刀盘，可沿整个工作面一次性破碎煤岩并连续推进，掘出的巷道断面形状为圆形。全断面掘进机主要用于巷道全断面的一次钻削式成形，主要用于掘进岩石巷道，多用于涵洞和隧道的开凿。

本书主要介绍煤矿上常用的部分断面掘进机。

第二节　部分断面掘进机

部分断面掘进机的大规模研究始于20世纪50年代末。目前，部分断面掘进机的机型已趋于系列化和多样化，截割功率从50kW到400kW，机器重量最轻的几十吨，最重的可达160吨。

由于部分断面掘进机具有生产效率高、掘进速度快、适应性强、调动灵活、操作方便等优点，目前已成为各主要产煤国家不可缺少的生产设备。我国目前的代表机型主要有AM型、EBJ型、EBZ型、EL型及EBH型等。

一、AM-50型掘进机

AM-50型掘进机是一种悬臂横轴式部分断面巷道掘进机，适用于掘进坚硬度f≤7的煤或半煤岩巷道，切割断面为7.5~20.3m²。由于AM-50型掘进机的切割断面较大，能切割较硬煤岩，且机体外形尺寸较小，拆装方便，维修容易，因而在我国煤和半煤岩巷道掘进中得到广泛使用。

AM-50型掘进机的结构如图10-1所示。主要由截割机构(包括截割悬臂和回转台)、装运机构(包括装载铲板和中间刮板输送机)、行走机构、电气控制系统和液压系统等5部分组成。AM-50型掘进机采用多电机分别驱动方式,电动机总容量为163 kW(不包括皮带转载机)。AM-50型掘进机的技术特征见表10-1。

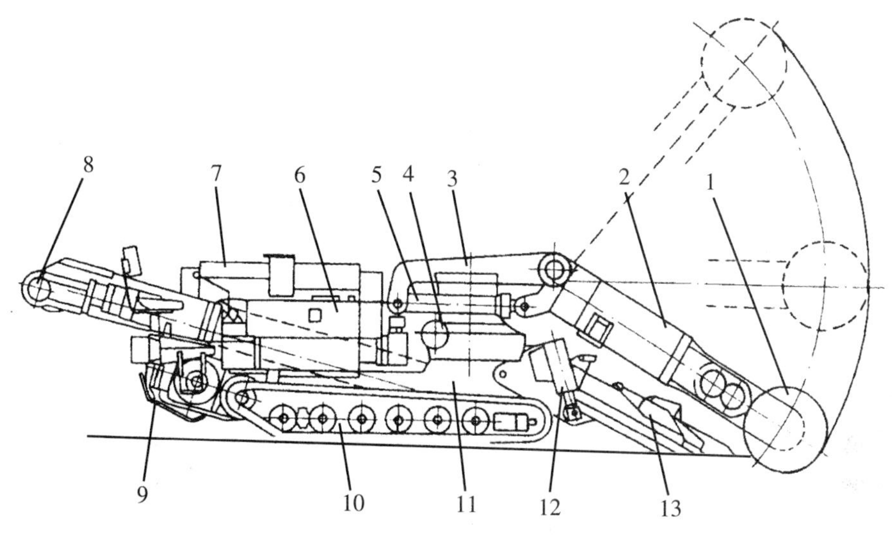

图10-1　AM-50型掘进机

1——截割头;2——工作悬臂;3——回转台;4——回转油缸;5——升降油缸;
6——液压系统;7——电气控制箱;8——中间刮板输送机;9——后稳定器;
10——行走机构;11——机架;12——铲板油缸;13——装载机构

表10-1　AM-50掘进机技术特征

项目	AM-50	项目	AM-50
1.可掘巷道断面积(m2)	7.5 ~ 20.3	15.液压系统功率(kW)	11
2.巷道最小曲率半径(m)	10	16.液压工作压力(MPa)	20
3.煤岩坚硬程度f	≤7	17.喷雾水压(MPa)	1.5
4.截割头形状	横轴式半球形	18.喷雾耗水量(L/min)	40
5.截割头转速(r/min)	73.5	19.装机功率(kW)	163
6.截割功率(kW)	100	20.可掘最大宽度(mm)	4800
7.截割机构传动形式	三级圆锥齿轮传动	21.可掘最大高度(mm)	4000
8.装载机构形式	蟹爪式刮板输送机	22.卧底量(mm)	100
9.最大运输量(m3/h)	100	23.离地间隙(mm)	120
10.刮板链速度(m/s)	0.9	24.最大工作坡度(°　)	± 16.2
11.装载功率(kW)	2 × 11	25.装载铲板宽度(mm)	2,2.5,3

12.行走机构接地比压(MPa)	0.13	26.行走履带宽度(mm)	370,550
13.行走速度(m/min)	5/6	27.长×宽×高(m)	7.5×1.91×1.65
14.行走机构功率(kW)	2×15	28.质量(t)	24

AM–50型掘进机的截割机构、装运机构和行走机构均为机械传动,电动机经减速器减速后驱动这些机构运动。但截割机构的左右、上下摆动,装载铲板的升降运动,后稳定器的升降运动为液压传动,由液压泵驱动相应的液压缸来完成。截割机构左右摆动由回转台中的齿条油缸来实现,可使截割头左右水平各摆动36°;上下摆动由回转台下的两个升降油缸来完成,可上摆58°32′,下摆30°30′。

1.截割机构

AM–50型掘进机的截割机构如图10–2所示。其传动系统简图如图10–3所示。截割电机的输出转速经过一对锥齿轮、斜齿圆柱齿轮及圆柱齿轮三级减速后,驱动垂直于悬臂的左、右两个半球形的截割头,其旋转方向与悬臂轴线垂直。截割电动机为隔爆水冷三相交流感应电机,外壳设有导水外套,冷却水从导水套内流过,使电动机冷却。喷雾系统的冷却水压力为0.6~1MPa。截割电动机额定功率为100kW,额定转速为1470r/min,额定转矩650 N/m,最大输出转矩为1625N/m。

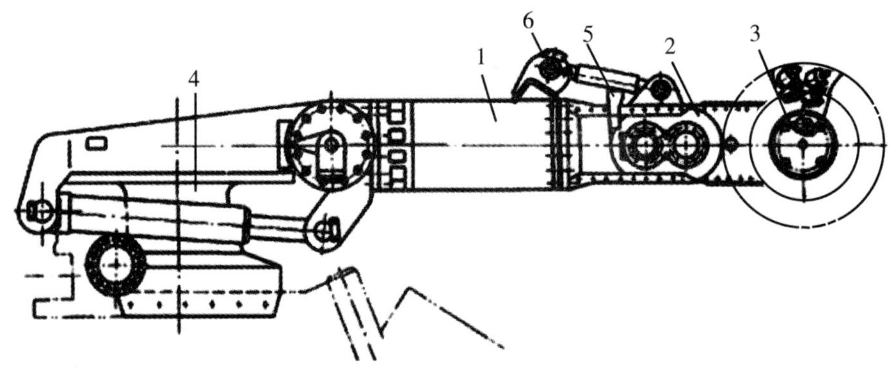

图10–2　截割机构

1——电动机;2——减速器;3——截割头;4——回转机构;5——喷雾降尘装置;6——梁托架

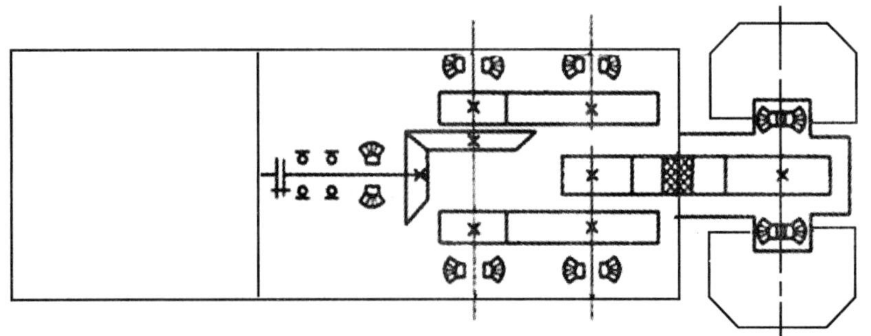

图10–3　AM–50型掘进机传动系统

AM-50型掘进机的截割减速器（如图10-4所示）为三级减速，第一级Z1、Z2为圆弧锥齿轮，重叠系数大，承载能力强，传动平稳，工作可靠，噪声和振动较小；第二级Z3、Z4为并列的两对斜齿轮，两对斜齿轮齿数和模数完全相同而螺旋角相反，相当于一对人字齿轮，使得轴向力相互抵消，既提高了传动能力，又改善了轴向受力状况；第三级为直齿圆柱齿轮，为了使截割头获得需要的旋转方向，并使截割头便于布置，在第三级直齿圆柱齿轮Z5和Z7之间增加了惰轮Z6，使传动中心距增大，使截割悬臂具有足够的长度，满足截割范围及卧底量的要求。圆弧锥齿轮Z1为轴齿轮，由装在轴承杯内的三副轴承支承，左端圆柱滚子轴承和右端双列调心滚子轴承主要承受径向载荷，中间径向推力轴承主要承受轴向载荷。为了使三副轴承得到充分润滑，轴承杯上开有径向孔和轴向油槽。大圆弧锥齿轮Z2用颈状螺钉固定在2轴上。圆弧锥齿轮1、2的啮合侧隙，通过调整小锥齿轮轴承杯与轴承座之间垫片的厚度来调整。

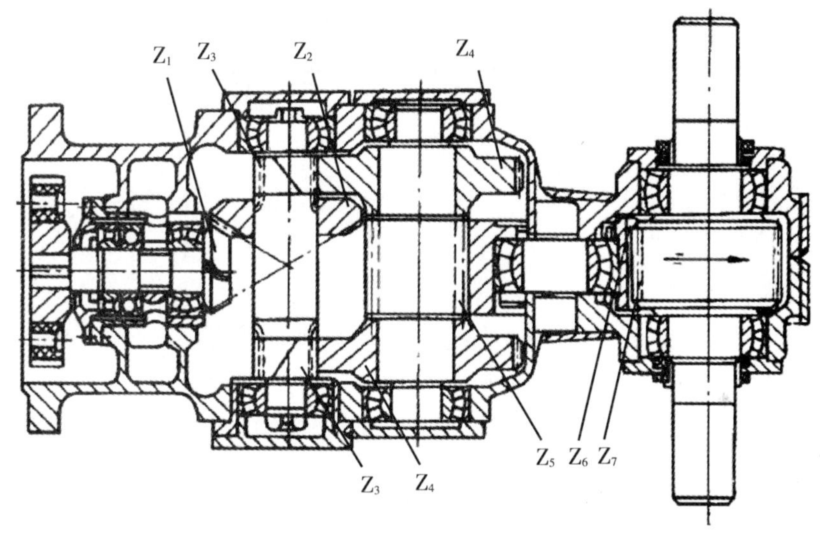

图10-4 截割机构减速器

AM-50型掘进机的截割头为焊接组件，左、右两个截割头对称布置，分别由三个涨紧联轴器（如图10-5所示）固定在减速器输出轴的两端。涨紧联轴器的工作原理为用内六角螺栓压紧上下压环，使内外涨圈与输出轴和截割头孔涨紧，通过摩擦力传递扭矩。

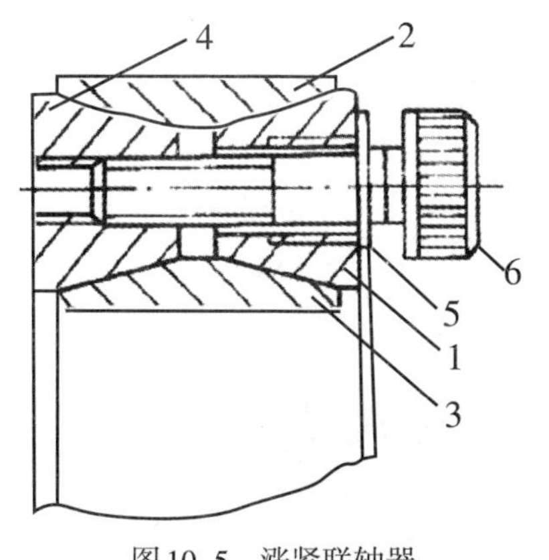

图10-5 涨紧联轴器

1——上压力环；2——外涨圈；3——内涨圈；4——下压力环；5——垫圈；6——内六角螺栓

截割头由截割头体、端盘、齿座、截齿等组成。每个截割头安装有48个镐形截齿，适用于截割较硬的煤岩。截齿装入齿座后用弹簧挡圈固定，以防脱落。截齿装好后，能够在齿座中转动，以便在截割过程中，使其磨损均匀。截割头左、右两部分截齿配置方向不同，左截割头按右旋排列，右截割头按左旋排列，这样截割头正转时，被截割下来的煤岩被推向两截割头中部，有利于煤岩的排出。左截割头的截齿排列为右旋，右截割头的截齿排列为左旋，这样可使截落的煤岩抛向两个截割头的中间，可改善切割时截割头的受力状况和装煤效果。

2.回转台

回转台是截割机构的主要组成部分，一方面带动截割臂左右、上下摆动，完成水平和上下对煤岩的截割；另一方面把分开的左右机架和截割臂联接起来，成为一个整体。回转台如图10-6所示。

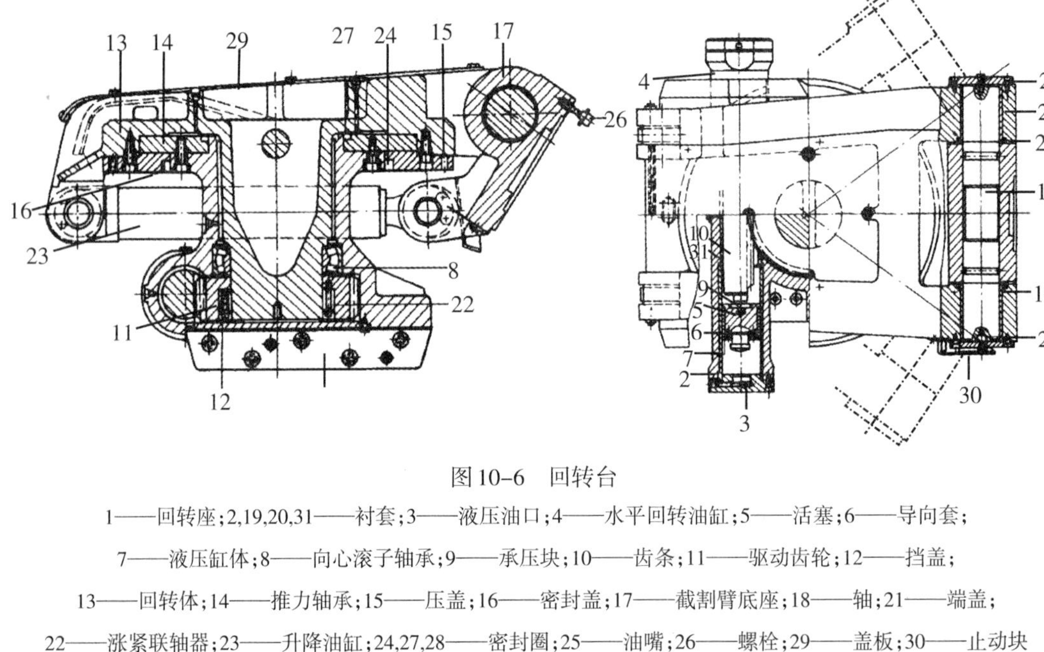

图10-6　回转台

1——回转座；2,19,20,31——衬套；3——液压油口；4——水平回转油缸；5——活塞；6——导向套；7——液压缸体；8——向心滚子轴承；9——承压块；10——齿条；11——驱动齿轮；12——挡盖；13——回转体；14——推力轴承；15——压盖；16——密封盖；17——截割臂底座；18——轴；21——端盖；22——涨紧联轴器；23——升降油缸；24,27,28——密封圈；25——油嘴；26——螺栓；29——盖板；30——止动块

截割臂与其截割臂底座17通过螺栓26相联。回转体13装在回转座1内，回转体13由平面滑动推力轴承14及向心滚子轴承8支承，由涨紧联轴器22连接并传递动力，用盖板29及挡盖12封闭。平面滑动推力轴承14的底面通过螺栓固定在回转座1上，压盖15用螺栓固定在回转体13上，并用V形密封圈24、27及密封盖16密封。水平回转液压缸4的活塞5通过承压块9使齿条10水平运动，驱动齿轮11转动；而齿轮11采用涨紧联轴器与回转体13连接，在齿轮11转动时就带动回转体和截割臂摆动。涨紧联轴器起过载保护作用，防止齿轮、齿条等零件损坏。为了减轻齿条液压缸4的磨损，活塞5上装有导向套6，活塞与缸体内壁之间装有衬套2、13。升降液压缸23两端耳采用球铰结构，分别与底座17和回转体13下耳连接，这种结构可补偿相对运动零件制造安装上的误差。液压缸23伸缩时，推动截割臂绕轴18做上下摆动。轴18两端装有衬套19、20，通过油嘴25可对运动副进行润滑。

回转台采用平面式滑动推力轴承支承和齿条—齿轮回转机构，使机器体积减小、结构紧凑、高度降低，能承受较大的轴向及径向冲击载荷，截割时工作性能平稳，截割头水平截割时进给速度及推力保持稳定。

3.装载机构及刮板输送机

AM-50型掘进机的装载机构和刮板输送机共用一套动力系统，形成装、运联动集中驱动方式。它由两台11kW电动机安设在中间刮板输送机的机头部两侧，经减速器减速后共同驱动主动链轮旋转，然后经刮板链带动从动链轮轴旋转；从动链轮轴通过联轴器与左右耙爪减速器输入轴相联，驱动耙爪运动，使装载与运输联动。

中间刮板输送机传动系统由电动机、摩擦离合器、机头减速器、从动链轮、刮板链、槽帮、底槽等组成，如图10-7所示。电动机与减速器之间通过多盘式摩擦离合器连接。该离合器一方面起联轴器作用，即通过内、外摩擦片的接触摩擦力传递扭矩，另一方面可以起过载保护作用。

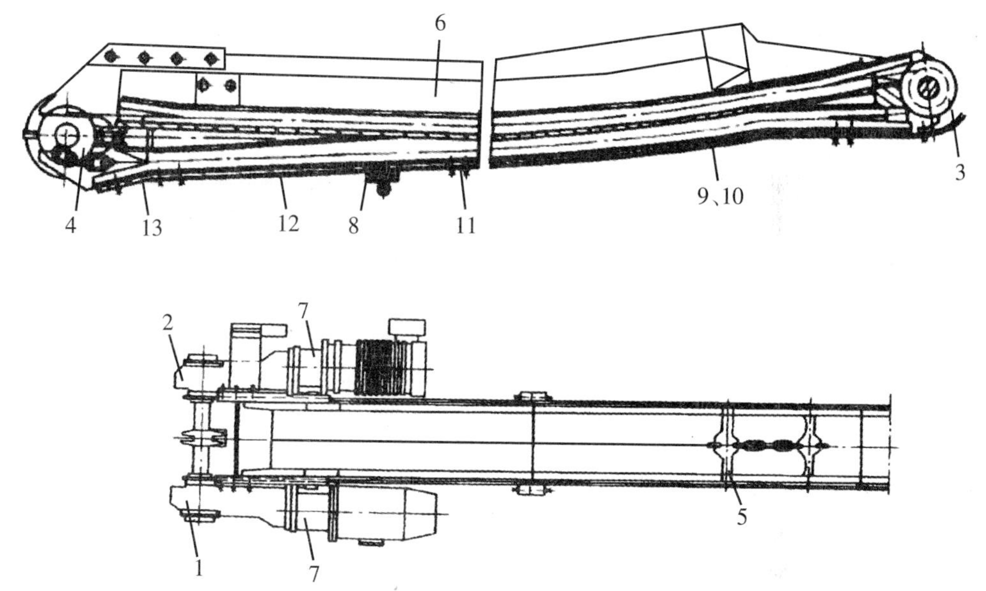

图10-7　刮板输送机

1,2——左、右机头减速器；3——从动链轮；4——驱动链轮；5——刮板；6——槽帮；7——摩擦离合器；8——底板支承；9,10,12,13——底槽；11——连接板

刮板输送机机头减速器为二级减速，传动比为13.23。第一级为圆柱齿轮，第二级为圆弧锥齿轮。电动机通过摩擦离合器与减速器轴齿轮的花键轴套相联，输出轴通过牙嵌离合器与主动链轮组件连接，拖动刮板链带动从动链轮及耙爪减速器运动。

装载机构的作用是将截割机构截落下的煤岩收集，耙装到刮板输送机上。铲板结构如图10-8所示，铲板通过销孔和销轴连接到主机架上，并通过升降液压缸实现上下摆动，铲板下摆接地后，还可以成为机体的前支点，增强机器的稳定性。铲板前端呈三角形结构，有利于减少铲板插入阻力，便于耙集煤岩。耙爪采用曲柄摇杆机构，两曲柄圆盘的中心距为1225mm，采用迷宫密封和橡胶密封的组合形式。

装载机构的减速器采用一级弧齿锥齿轮传动，特点是小锥齿轮输入轴通过十字滑锥联轴器与刮板输送机的机尾轴连接，两轴之间允许一定的径向偏差，小锥齿轮轴的前后由2盘单列圆锥滚子轴承支撑，提高了安全精度，改善了受力状况，大锥齿轮用螺钉和涨销紧固在曲柄圆盘上，有利于加工和检修。

4.行走机构

AM-50型掘进机的行走机构主要由机架、左右履带、左右减速器、紧链装置和机尾稳定器等组成。左、右履带分别由两台15kW电动机经左、右对称安装在履带架上的减速器减速后，再通过履带链轮驱动履带运动。

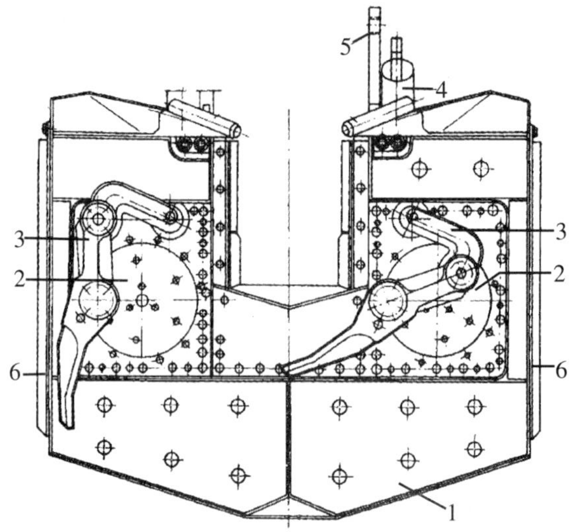

图10-8 铲板

1——铲板；2——曲柄圆盘；3——左右耙爪；4——升降液压缸；5——销孔；6——侧板

左右减速器结构对称，均为四级减速，前三级为圆柱齿轮，最后一级为行星齿轮，其结构如图10-9所示。电动机通过联轴器1将动力传给减速器输入轴，即轴齿轮Z_1，然后由Z_1—Z_2、Z_3—Z_4、Z_5—Z_6三级圆柱齿轮传动，通过连接轴套5将动力传给行星轮系的太阳轮Z_7。齿轮Z_6的左端内孔与太阳轮Z_7右端外轴通过花键连接，可驱动轴套5旋转，轴套5左端内孔又与太阳轮Z_7右端外轴通过轴齿轮相连接，使Z_6和Z_7同步转动，把动力传递给行星轮，再由行星轮传递给行星架，通过键2驱动链轮4，是行走履带运动。

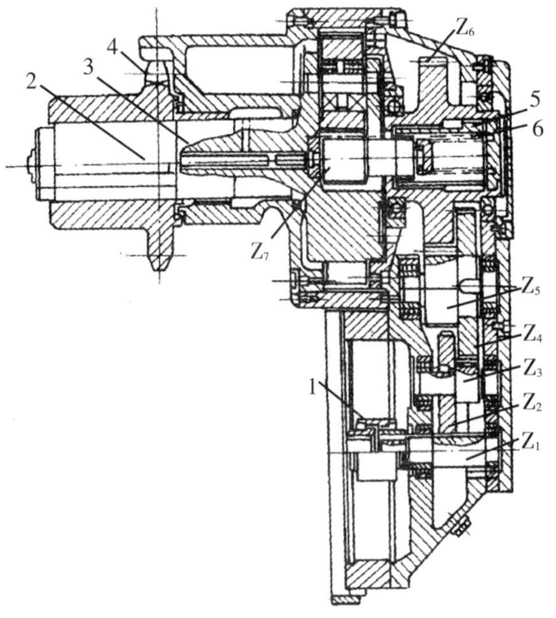

图10-9 行走减速器

1——联轴器；2——键；3——输出轴；4——链轮；5——轴套；6——轴齿轮

减速器内的Z_1、Z_3、Z_5均为轴齿轮，其中Z_1与Z_3的轴上通过键装有齿轮Z_2与Z_4，轴的两端均由双列向心球面滚子轴承支承，而齿轮Z_6两端外圆表面装有轴承。

履带行走机构设有履带张紧装置，其结构如图10-10所示。在滑动框架1右端装有链轮轴3及从动链轮2，左端装有柱塞4及油嘴6等。当打开螺堵5取出密封圈，用油脂泵或油枪向油嘴注油，使柱塞外伸，推动框架1向外移动时，从动轴和从动链轮也跟着外移，使主动链轮与从动链轮中心距加大，履带即被张紧。履带张紧装置位于机器前部的从动轮处。

稳定器安装在机后的履带架上，用于增加机器的稳定性。当稳定器的液压缸活塞伸出时，可将机体后部抬起，既可减少机器截割时的振动，也有利于机器下部的清理和履带的修理。稳定器的结构如图10–11所示，横梁1用螺栓与机架固定，左、右履带构成一个整体，横梁的另一端与刮板输送机下的支架4固定。当油缸3伸出时，推动拖板9的稳定器臂2绕销轴7回转，并使拖板9随之下移，当其下移到地板时自动与底板贴紧，保证达到设计的接地面积；当油缸缩回时，导向板5使拖板沿其外侧回到原倾斜位置。油缸的两个铰接轴6、8分别安装于横梁与稳定器臂上，并随之转动。掘进机在正常截割时，可操作稳定器贴近底板，作为后支点，同时操纵装载机构铲板顶住底板，使机器前端稍微离开底板，让铲板前端作为前支点，这样可提高掘进机在截割时的稳定性。

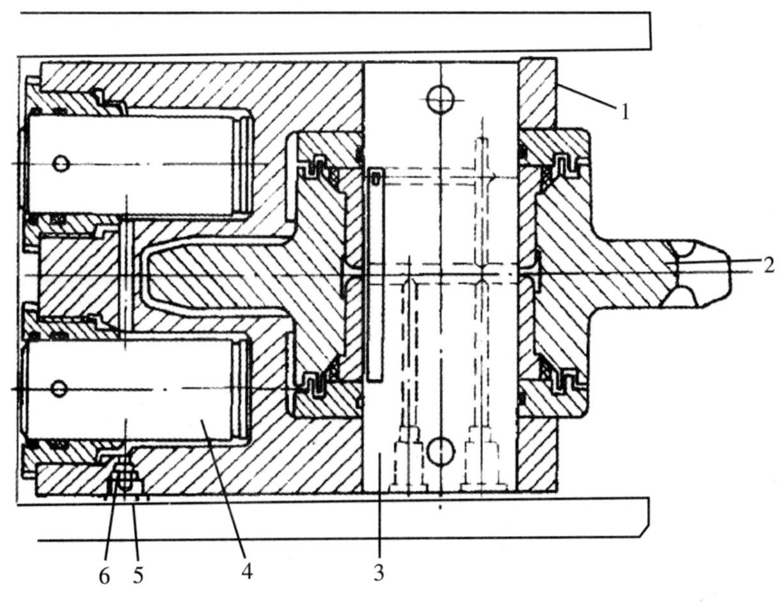

图10–10　履带张紧装置

1——滑动框架；2——从动链轮；3——链轮轴；4——柱塞；5——螺堵；6——油嘴

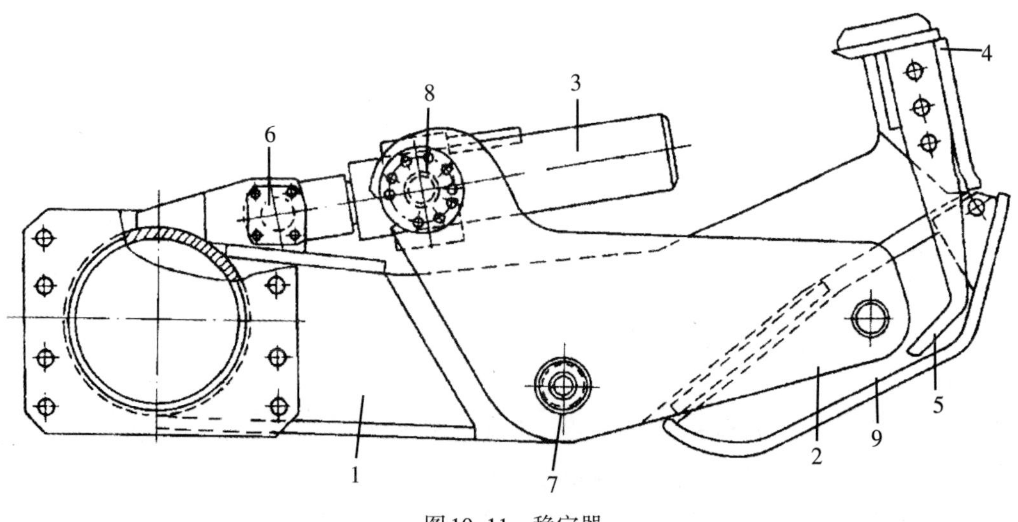

图10–11　稳定器

1——横梁；2——稳定器臂；3——油缸；4——支架；5——导向板；6,7,8——销轴；9——拖板

5.液压系统

AM-50型掘进机的液压系统由泵站、液压马达回路、截割悬臂水平摆动和升降回路、铲板升降回路以及机后稳定器升降回路。

(1)泵站

AM-50型掘进机的液压系统泵站由一台11kW的电动机驱动,采用斜轴式轴向柱塞变量泵,配油盘采用球面配油盘,能自行调整缸体与配油盘位置。液压泵输出的液压油经过滤器后进入四联三位六通多路手动换向阀,分别控制各液压缸的动作。泵站的最高工作压力由多路换向阀的溢流阀限定,值为20MPa。

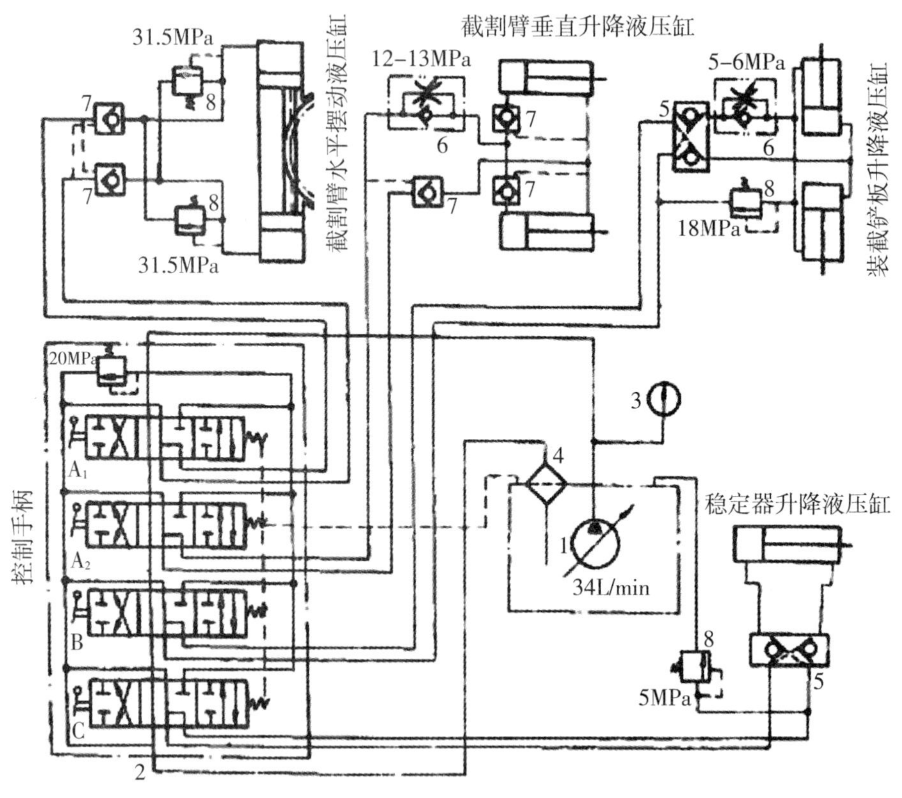

图10-12 液压系统

1——轴向柱塞泵;2——三位六通多路换向阀;3——压力表;4——过滤器;

5——双向液控单向阀;6——单向节流阀;7——液控单向阀;8——安全阀

(2)截割头水平摆动回路

截割头水平摆动由多路换向阀中的A1阀控制,当各换向阀都在中位时,液压泵来的液压油经各阀中位和过滤器4回油箱。当操纵阀A1使其左阀位通油,液压油经该阀左阀位打开两侧液控单向阀7进入齿条液压缸下侧,使齿条活塞向上运动,带动齿轮回转体回转,使截割头向一侧摆动;齿条液压缸上侧的油经已打开的上侧液控单向阀7、换向阀左阀位A1、回油过滤器4回油箱。如果操纵换向阀A1使其右阀位通油,则齿条活塞向下运动,截割头向另一侧摆动。

该回路齿条液压缸的两侧都装有安全阀，其作用是在截割头停止摆动而发生过载时，对传动零件及回转体弹力套起过载保护作用。安全阀的调定压力为20MPa。回路中的双向液控单向阀，使齿条液压缸在不供油时两侧都被锁住，让截割头停留在调定水平的位置上。

换向阀手柄的运动方向与截割头运动方向一致，当阀操纵手柄处于中间位置时，水平摆动油缸由于液控阀的锁紧作用，使悬臂固定在一定的回转角度上，当将手柄推向右侧，截割头向右摆，推向左侧则向左摆动。

（3）截割头升降回路

截割头升降由多路换向阀中的A2阀控制。当操纵A2阀使其左阀位通油时，液压油经该阀左阀位打开进油管侧液控单向阀7后进入两液压缸的活塞杆腔，活塞腔的油经液控单向阀7和单向节流阀6回油箱，使截割头缓慢下降。在两液压缸活塞腔的端头上装有液控单向阀7，其作用是防止截割头在垂直升降过程中管路或软管发生破裂，截割臂突然下落，造成事故。当操纵A2阀使其右阀位通油时，液压油经单向节流阀中单向阀、液控单向阀7进入活塞腔，活塞杆腔中油经液控单向阀7回油箱。

截割头升降换向阀手柄的运动方向也与截割头运动方向一致，当阀操纵手柄处于中间位置时，升降油缸由于液控阀的锁紧作用，使悬臂固定在一定的高度上，当将手柄向前推时，截割头下降，向后拉时，截割头抬起。

（4）铲板升降回路

装载机构的铲板在机器行走时要抬起，截割时要下降支承在巷道底板上，对机器起支承作用。铲板重量比较大，它的升降由多路换向阀中的B阀控制。当操纵B阀使左阀位通油时，液压油经双联液控单向阀5进入液压缸活塞腔，活塞杆腔油经单向节流阀6回油箱，使铲板缓慢下降。另外，在两液压缸活塞杆腔回油路上还并联有安全阀8，调定压力为18MPa，其作用是防止截割头突然被卡住，使铲板液压缸活塞杆一侧产生尖锋压力，损坏液压缸、铲板等元件。该安全阀8还可防止铲板抬高与截割臂下降发生相互碰撞时损坏设备。

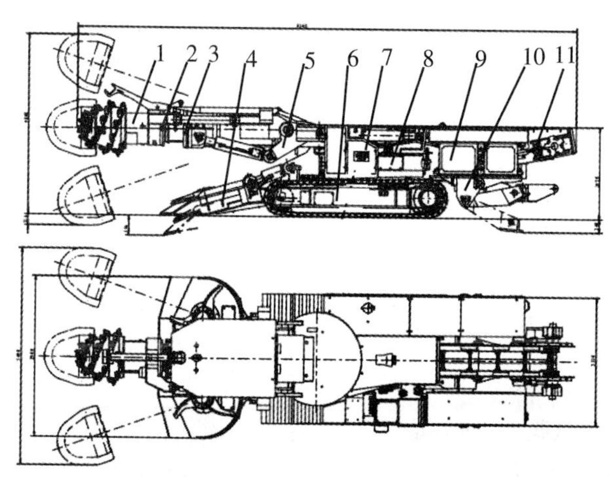

图10-13　EBZ150型掘进机

1——截割部；2——润滑系统；3——喷雾及冷却水系统；4——铲板；5——机体；6——行走部；7——铭牌；8——液压系统；9——电气系统；10——后支承；11——刮板输送机

（5）稳定器升降回路

稳定器液压缸的升降由多路换向阀中的C阀控制。向前推控制杆，稳定器下降；向后拉控制杆，稳定器抬高。在稳定器活塞杆腔回路上装有低压安全阀8，调定压力为5MPa，其作用是防止稳定器由下部位置抬起时，在稳定器与行走电动机之间有大块碎岩损坏电动机。

二、EBZ150型掘进机

EBZ150型掘进机如图10-13所示，它是一种悬臂纵轴式部分断面巷道掘进机，能够实现连续截割、装载、运输作业。该机广泛适用于煤巷、半煤岩巷、软岩巷道的掘进，也可在铁路、公路、水利工程等隧道中使用。一次定位截割断面积达24m²，截割硬度≤65Mpa。

型号含义：EBZ150

E——掘进机；B——悬臂式；Z——纵轴式；150——截割电机功率(kW)。

EBZ150型掘进机主要有以下技术特点：

(1)整机刚性好、强度高、稳定性强；

(2)采用电机和液压混合传动，机身矮，结构紧凑，操作方便、可靠、运转平稳；

(3)铲板底部大倾角、整机地隙大，爬坡能力强；

(4)截割臂可伸缩，行走驱动系统采用减速器与液压马达高度集成的驱动方式；

(5)星轮由液压马达直接驱动，第一运输机采用边双链形式，底板呈直线形，并具有耐磨的间架凸凹结构；

(6)截割臂回转、升降可实现联动，能进行弧形截割；

(7)内外喷雾灭尘系统齐备，内喷雾具有漏水检测及保护功能；

(8)液压系统具有恒功率控制，压力切断，负载敏感的功能；

(9)电气系统控制为可编程控制器(PLC)控制，系统保护采用新型综保模块，液晶汉字动态显示，截割和油泵电机有热敏保护，系统自动检测故障并具有记忆功能。

1.主要技术参数

EBZ150型掘进机的技术特征如表10-2所示。

表10-2　EBZ150掘进机技术特征

1.机长 m	9.3	2.机宽 m	2.9
3.机高 m	1.65	4.机重 t	42
5.总功率 kW	225	6.可经济截割煤岩硬度 MPa	≤65
7.可掘巷道断面 m²	24	8.截割卧底深度 mm	216
9.最大可掘高度 m	4.8	10.最大可掘宽度 m	5.4
11.适合巷道坡度 °	±16	12.供电电压 V	660/1140
13.截割电机功率 kW	150	14.截割头转速 r/min	46/23
15.截割头伸缩距离 mm	550	16.行走形式	液压马达履带式
17.行走速度 m/min	0～3.75～6	18.装载机构形式	耙爪
19.装载能力 m³/h	252	20.履带板宽度 mm	520
21.接地比压 MPa	0.14	22.运输形式	边双链刮板式
23.液压系统压力 MPa	18	24.泵站电机功率 kW	75

25.截割电机型号	YBUD-150/80-4/8 隔爆水冷型	26.喷雾方式	内、外喷雾方式
27.装载宽度 m	2.9	28.星轮转速 r/min	33
29.柱塞变量双泵 ml/r	A11VO130/130	30. 行走部液压马达(ml/r)	A2FE125
31.铲板部液压马达 (ml/r)	IAM1200 .H4	32.运输机液压马达 (ml/r)	IAM1200 .H4
33.油泵电动机	YBU-75 隔爆风冷	34.换向阀	手动式
35.外来水量 L/min	100	36.外喷雾水压 MPa	1.5
37.内喷雾水压 MPa	3.0		

2.主要结构及工作原理

EBZ150型掘进机主要由截割、装运、行走三大结构和液压、水路及电气三大系统组成，由液压执行元件和机械传动机构实现所规定的动作，进而完成断面掘进任务。

(1)截割部

EBZ150型掘进机的截割部如图10-14所示。

截割部由截割头、伸缩部、截割减速机、截割电机等组成。截割头为锥台形，截割头通过花键套和2个M30的高强度螺栓与花键轴相联。伸缩部位于截割头和截割减速机中间，通过伸缩油缸使截割头部伸缩。截割减速机是两级行星齿轮传动，它和伸缩部用26个M24的高强度螺栓相联。截割电机为双速水冷电机，使截割头获得2种转数，它与截割减速机通过定位销和25个M24的高强度螺栓相联。

截割电机通过截割减速器和伸缩部将截割电机的动力传输给截割头，完成旋转运动，截割头在进行掏槽时，不是靠履带行走机构向前推进，而是由伸缩部的推进液压缸完成。推进液压缸可轴向伸缩550mm，使截割头、截割电机和截割减速器一块前后移动。截割头的左右、上下摆动分别由回转液压缸及升降液压缸完成。

截割头减速器为二级行星减速(2K—H)，由轴承1、挡圈2、距离套3、二级行星轮4、二级行星轮轴5、一级行星轮轴6、挡环7、一级行星轮8、动环9、定环10、端盖11、箱体12、油封13、O型圈14、轴套15、一级太阳轮16、联轴套17、高速环18、低速环19、一级行星架20、二级太阳轮21、定位环22、轴承座23、端盖24、轴套25、输出轴26、二级行星架27等组成，如图10-15所示。传动过程是电动机出轴通过联轴套17驱动一级行星轮中的太阳轮16转动，从而带动一级行星轮及行星架转动；一级行星架20通过花键带动二级太阳轮21转动，使二级行星轮4驱动二级行星架27转动；二级行星架通过花键带动输出轴26转动，输出轴26又通过花键套与截割臂主轴相联，从而实现截割头旋转运动。

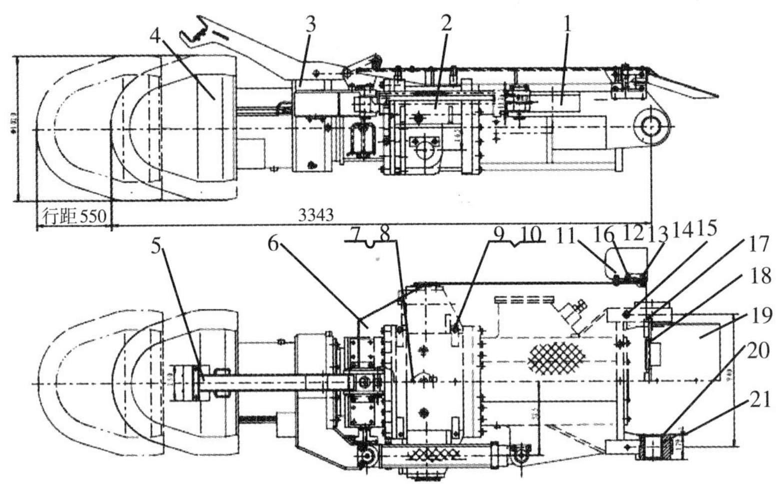

图10-14 截割部

1——截割电机；2——截割减速机；3——伸缩部；4——截割头组件；5——托梁架；6——盖板；7、9、12、14、16——螺栓；8、10——垫圈；11——灯护罩；13、15——螺母；17——销；18——轴；19——活盖板；20——防尘圈；21——衬套

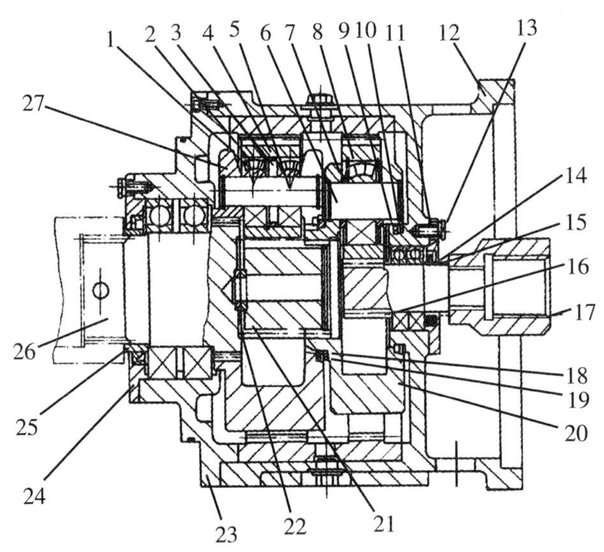

图10-15 截割部减速器

1——轴承；2——挡圈；3——距离套；4——二级行星轮；5——二级行星轮轴；6——一级行星轮轴；7——挡环；8——一级行星轮；9——动环；10——定环；11——端盖；12——箱体；13——油封；14——O型圈；15——轴套；16——一级太阳轮；17——联轴套；18——高速环；19——低速环；20——一级行星架；21——二级太阳轮；22——定位环；23——轴承座；24——端盖；25——轴套；26——输出轴；27——二级行星架

截割头外形为截锥体，如图10-16所示，装有镐形锥齿和喷嘴，齿座按螺旋线布置。在工作悬臂上装有托梁架。架设巷道顶梁时，可将顶梁放在托梁架的托斗上，工作臂升起，机器行走将顶梁安放到需要的位置上。工作臂上还装有外喷雾架，外喷雾喷嘴装在其上，实现外喷雾降尘。

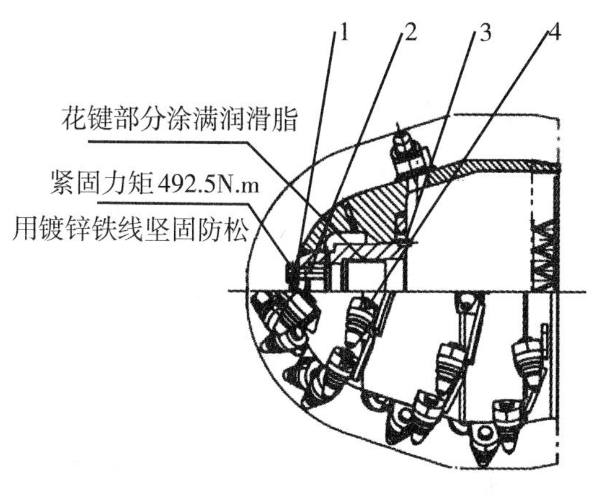

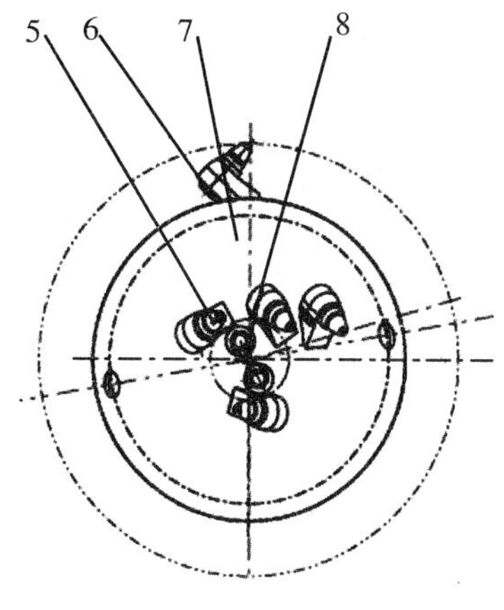

图10-16　截割头

1——垫圈；2——固定螺栓；3——销轴套；4——喷嘴；5——截齿；6——挡圈；7——截割头；8——防转钢丝

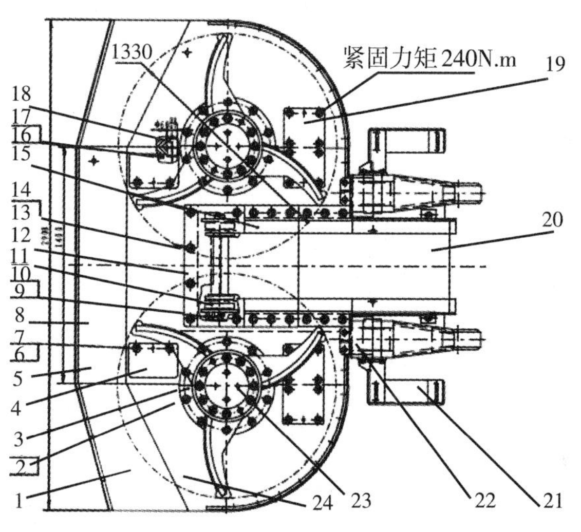

图10-17　装载部

1——侧铲板；2,3、6,7、10、13,14、16,17——螺栓、垫圈；4——驱动装置；5——前盖板；8——主铲板；9——压板；11——从动轮；12——连接板；15——刮板链；18——侧铲板用销轴；19——后盖板；20——机尾槽；21——油缸支座；22——油缸护板；23——螺塞；24——装载轮

(2)装运机构

装运机构主要由装载部和刮板输送机两大部分组成。

装载部如图10-17所示。主要由侧铲板1、驱动装置4、主铲板8、刮板输送机机尾组件(包括从动轮11、刮板链15和机尾槽20)、铲板油缸组件(包括油缸、油缸支座21和油缸护板22)和装载轮24组成,装载部通过两个低速大扭矩液压马达直接驱动装载行星轮,把截割下来的煤岩收集到刮板运输机内。装载部的2个液压马达驱动采用1个液压分流器,使2个液压马达在工作时能够获得均衡的流量,确保星轮平稳一致。铲板本体、侧铲板用M24高强度螺栓连接,铲板在油缸作用下可向上抬起342mm,向下卧底356mm。

刮板输送机如图10-18所示。主要由前溜槽1、后溜槽8、驱动装置11、张紧装置12、刮板链组件13和液压马达14组成。刮板输送机采用分体焊接结构,液压马达直接驱动刮板链轮,拖动刮板将装载部装入的煤岩转运到后续运输机上。刮板链选用18×64煤矿通用圆环链,为边双链或中双链形式刮板运输机构。

(3)行走机构

行走机构为履带式,左、右履带分别由两台斜轴式柱塞马达经行走减速器减速后,驱动履带行走。履带行走机构由行走减速机1、液压马达2、驱动轮3、履带链5、涨紧油缸9等组成,如图10-19所示。

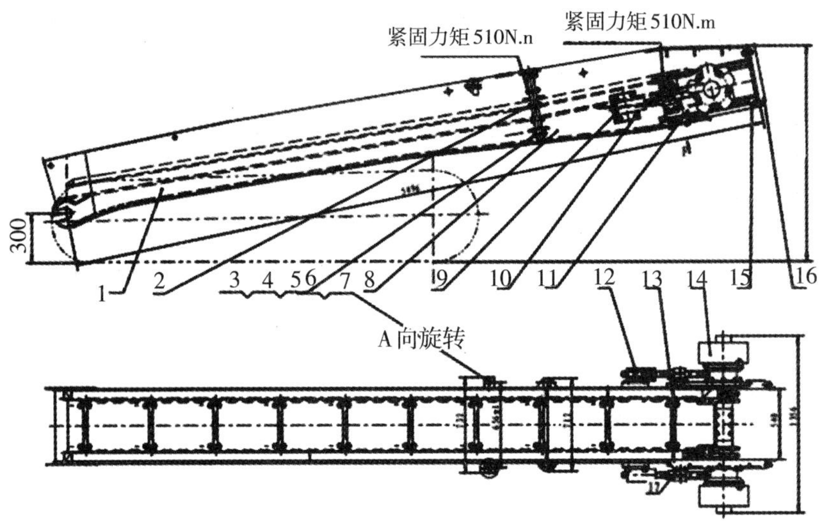

图10-18 刮板输送机

1——前溜槽；2,3,4,5,6,7,10,15——螺栓、垫圈；8——后溜槽；9——固定块；11——驱动装置；12——张紧装置；13——刮板链组件；14——液压马达；16——后挡板

左、右履带行走机构用螺栓联接在主机架上构成一个整体。行走减速器输出轴直接带动驱动链轮3旋转。驱动链轮3与履带链5啮合实现掘进机行走。掘进机的前进、后退、转弯由液压系统中的换向阀来控制。在液压系统中还装有液压制动器，可使机器在16°的坡度上工作。

履带的张紧与缓冲依靠涨紧装置中的涨紧油缸来实现。

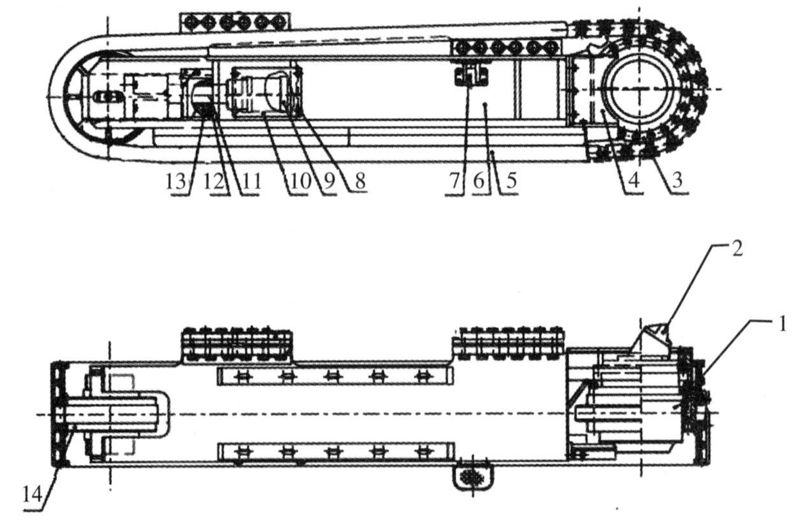

图10-19　行走机构

1——行走减速机；2——液压马达；3——驱动轮；4——后挡轮；5——履带链；6——履带架；7——脚踏板；8——涨紧缸固定装置；9——涨紧油缸；10——油缸窗；11——涨紧轮托架；12——固定装置；13——卡板；14——涨紧轮组

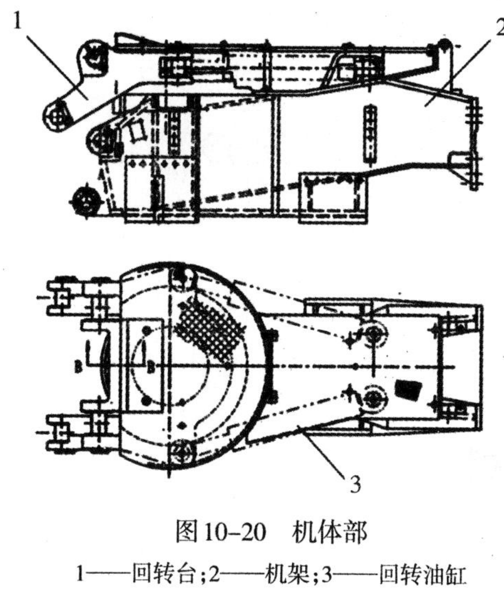

图10-20　机体部

1——回转台；2——机架；3——回转油缸

(4)机体部

机体部主要由机架、回转台、回转油缸等组成。机体用于安装截割部、装运部、行走机构和液压、电气、水路系统。机体部如图10-20所示。

机体部位于机器的中部，是以高强度钢板为主材焊接而成的箱形结构。机体的右侧装有液压系统的泵站，左侧装有操纵台，前面上部回转台装有截割部，下面装有铲板部，中间装有运输机，在其左、右两侧下部装有行走部，后部装有后支承部。回转台是用来垂直和水平移动截割部的，它与机体架用回转轴承相连。

(5)液压系统

EBZ150型掘进机的液压系统原理如图10-21所示。除截割头是由电机通过减速器驱动外，其余各部分均采用液压传动。

EBZ150型掘进机的液压系统是由油缸(包括：截割头升降油缸、截割头回转油缸、铲板油缸、后支承油缸、履带张紧油缸)、马达(包括：行走、运输、内喷雾马达)、操纵台、泵站以及相互联接的油管等组成。

液压系统的功能：行走马达驱动；星轮马达驱动；第一运输机马达驱动；内喷雾泵马达驱动；截割头的上、下、左、右、前、后移动；铲板的升降；后支承器的升降；履带的张紧；为锚杆机提供两个动力接口。

泵站是由一台75KW电机驱动，组合变量油泵，通过油管和阀组，将压力油分别送到截割部、铲板部、运输机、行走部、后支承的各液压马达和油缸。本机共有11个油缸，截割头升降油缸2个，铲板升降油缸2个，截割头回转油缸2个，后支承器的升降油缸2个，以上油缸均设有安全型平衡阀，截割头伸缩油缸1个，履带张紧油缸2个。

通过操作手柄完成各油缸及液压马达的动作，通过压力表开关的不同位置可以分别检测各回路油压状况。为防止油缸和马达过负荷而造成的损坏，液压系统有过载保护功能。

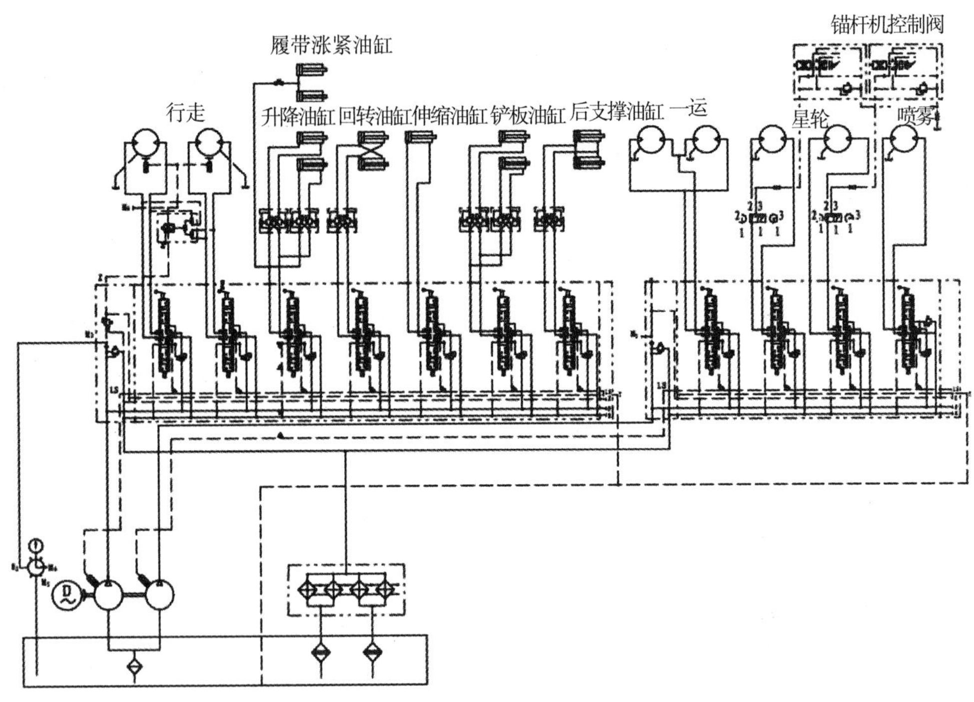

图 10–21　液压系统

(6)水路系统

水路系统分内、外喷雾水路,如图 10–22 所示。用于灭尘、冷却掘进机切割电机及油箱,提高工作面能见度,改善工作环境。

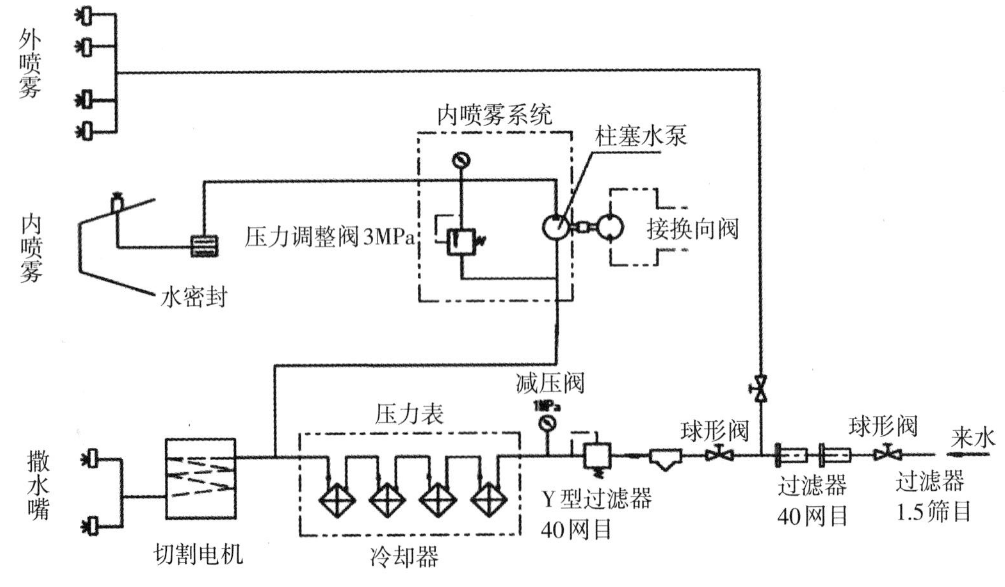

图 10–22　水路系统

外来水经一级过滤后分为 2 路,第一路经进水直接通往喷水架,由雾状喷嘴喷出,第二路经二级过滤、减压、冷却(冷却液压系统用油)再分为2路,一路经截割电机(冷却电机)后喷出。另一分路经水泵加压(3MPa)后,由截割头内喷出,起到冷却截齿及灭尘作用。截割头截割前,必须启动内喷雾,否则喷嘴阻塞,影响灭尘效果。

(7)电气系统

电气系统同液压系统一起使掘进机各机械部分联动,完成掘进工作。EBZ150型掘进机的电气系统布置图如图10-23所示。

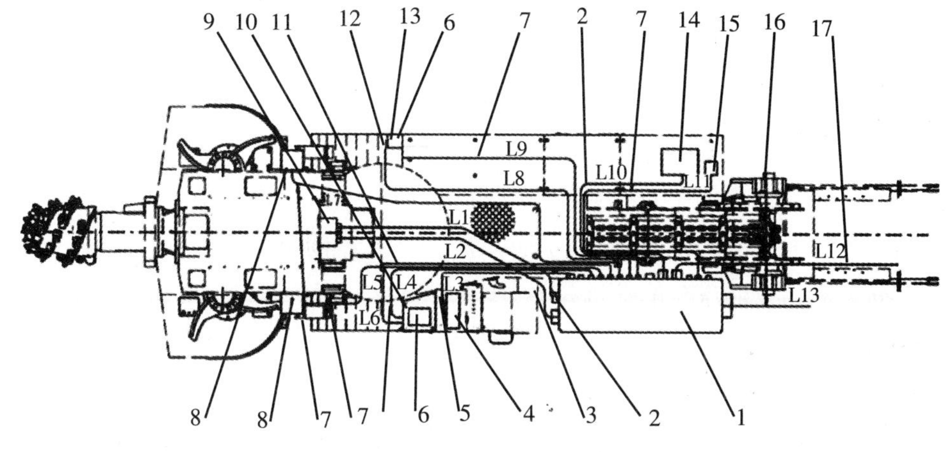

图10-23　电气系统总图

1——隔爆兼本质安全型电控箱;2,3,5,7,11,12,16,17——屏蔽软电缆;4——隔爆型操作箱;6——隔爆型急停按钮;8,15——隔爆照明灯;9——隔爆截割电机;10——甲烷传感器;13——隔爆电铃;14——隔爆油泵电机

电气设备由前级馈电开关、矿用隔爆兼本质安全型电控箱、矿用隔爆型操作箱、BAL1-36型矿用隔爆型电铃、DGY35/48(36)B(B)型隔爆型照明灯、BZJ2-5/127型矿用隔爆型急停按钮以及驱动掘进机各工作机构的防爆电动机和连接电缆等组成。

电控箱为矿用隔爆兼本质安全型。电控箱为两个通过接线端子相互连接的独立腔体,左边为进出线腔,右边为主腔。进出线腔内设有接线端子和内接地端子。主腔内后壁板上装有真空接触器、互感器、过电压吸收装置等。主腔内顶板上装有主回路熔断器。主腔内底板上装有接插件、变压器、控制回路熔断器、继电器、保护单元等。主腔内中门上装有接插件、PLC可编程控制器、显示器等。主腔箱门上设有状态及故障指示观察窗口,外壳上设有急停按钮和隔离开关,外壳上设有接地螺栓。

电控箱为钢板焊接结构。电控箱门由两个转耳支撑,并用螺栓和箱体紧固。箱门上设有"断电源后开盖"警告牌。紧急停止按钮与隔离开关设有机械闭锁,保证了隔离开关在不带负载的情况下才能分合闸。电控箱接线腔与箱体为螺栓紧固,并设有回转铰链。电控箱箱体通过减震器和主机连接。箱内设有锁门机构,保证电源只有处于"停止"的位置才能开门。

操作箱为矿用隔爆型。操作箱分为两个通过接线端子相互连接的独立腔体,上边腔为进出线腔,下边腔为主腔。进出线腔内设有接线端子和内接地端子。主腔门上装有转换开关、控制按钮等。

此外，所有电机、按钮、照明灯和电铃均为隔爆型。为了检测瓦斯含量，掘进机上安设有甲烷传感器，当工作面瓦斯含量超标时，控制系统会自动停止掘进机的作业，并切断电源。

第三节　掘进机的使用与维护

一、掘进机的操作程序

（1）检查掘进机电气、水路、液压系统等均处于正常状态。

（2）按电控说明程序送电。

（3）闭合电气箱上的隔离开关，旋转主令箱开关至“工作”位置，“操作”指示灯亮。

（4）检查各液压阀和供水阀的操作手柄，均必须置于中间位置。

（5）旋转控制箱上液压泵电动机开关，使其置于“接通”位置，接通后松手，此时警铃报警，5s后液压泵电动机启动。

（6）接通总进水球阀及内喷雾开关阀，此时外喷雾工作，内喷雾待工作。

（7）旋转控制箱上截割电动机开关，使其置于“接通”位置，此时内喷雾立即喷雾，同时警铃报警，5s后截割电动机启动，启动后方可松手。

（8）旋转控制箱上装运电动机开关，使其置于“接通”位置，装载机立即启动，3s后装运电机启动，启动后方可松手。

（9）操纵截割头升降、回转，铲扳升降、支撑液压缸的手柄，各执行机构应有相应的动作。

（10）停机顺序为：截割电机，外喷雾总进水阀，后支撑液压缸复位，装运电机，液压泵电机，各操作手柄置于中间位置，断电。

二、操作注意事项

（1）在工作面顺序截割时应由下向上进行。

（2）当工作面兼有煤岩时，应先破煤，后破岩。

（3）截割头必须在空载旋转的工况下向煤壁钻进。

（4）机器前进或后退时，必须收起后支撑液压缸，抬起铲板。

（5）截割头工作时，若遇闷车现象应立即停机，防止截割电动机长期过载。

（6）大块煤岩应破碎后再进行装载，大块煤岩卡龙门时应进行人工破碎，不能用刮板强拉。若机器在使用中出现打滑现象，应及时关闭截割、装运电机，避免有关零部件损坏。

（7）液压系统和供水系统压力不准随意调整，若需调整应由专职人员进行。

（8）若油箱油温 > 70℃时，安装在电控箱及主令箱面板上的油温指示灯闪亮，这时应停机冷却,降温后再开机工作。

(9)若油箱油位低于工作油位,其显示同上,应停机补油。

(10)注意观察压差指示器,若指针从绿色指到红色,就要更换滤芯。

(11)人工加油时需用洁净的容器,避免油质污染造成元件损坏。

(12)若外喷雾供水压力低于1.5MPa时,应及时打开水泵站中与减压器并联的球阀,以保证截割电动机冷却器冷却水的供应。

(13)电气电缆不要拉得过紧,特别注意不要把电缆卷到履带下。

(14)遇到下列情况不得开机:

巷道断水,喷雾冷却不能工作;

油箱油位低于游标指示范围;

截齿损坏五把以上;

电气箱隔离开关和前门间的机械连锁装置和防爆性能破坏时。

(15)司机离开操作岗位时,须将控制向上的隔离开关手柄打到“断”位置。

三、掘进机的维护

(1)定期清除各处的污垢、锈斑,并在各隔爆面及磁路系统接触面涂上薄薄一层防锈油脂。隔爆面如有损伤,须严格按照《爆炸性气体环境用电气设备的检修》中有关隔爆面修补规定进行。

(2)日常进行周期性检查,箱体外壳有无损坏,电缆进出线装置是否牢靠。

(3)定期检查各开关手柄、按钮是否灵活、可靠,动静触头是否良好,按触器等电气是否正常。

(4)严格按照润滑图表的要求对各润滑部位润滑或更换油脂。

(5)检查油箱油位,各减速器的油位油量不足时应及时补充,并检查各减速器有无异常振动、噪音和温升等现象。

(6)检查液压系统及内、外喷雾冷却系统工作压力是否正常。

(7)检查液压泵、水泵、液压马达、管路等有无异常噪音、温升和泄漏。

(8)检查截齿是否损坏,齿座有无脱焊,喷嘴是否堵塞等,发现问题及时更换或疏通。

(9)检查重要联接部位的螺栓是否松动。

(10)检查输送机刮板链的松紧程度。

(11)检查行走履带液压自动张紧液压缸的动作是否正常,防止履带脱链。

(12)对电气系统定期检修,10天一个周期。主要工作有:打开各腔及接线腔门,检查有无线头松动和螺丝松动现象,如有应及时处理,对各种操作均要试运转,看有无异常现象。

(13)出现故障时,可依据显示排除故障,严禁电控箱故障工作。

第四节 掘进机的常见故障原因分析及处理方法

掘进机的常见故障及处理方法见表10–3。

表10–3 掘进机常见故障及处理方法

故障部位	故障现象	故障原因	处理方法
截割部	(1)截割头不转动或电动机温升过高 (2)截齿损耗量大 (3)截割头振动过大	(1)过负荷、截割部或电动机内部损坏 (2)钻入深度过大,截割头移动速度太快 (3)截割岩石硬度过大;截齿磨损严重、缺齿;悬臂油缸铰轴处磨损严重;回转台紧固螺栓松动	(1)减轻负荷,检修内部 (2)减小钻入深度,降低牵引速度 (3)降低钻进速度或减小截深;更换补齐截齿;更换铰轴套;紧固螺栓
装运部	(1)刮板链不动 (2)耙爪转速慢或不能转动 (3)耙爪减速器温升过高 (4)断链	(1)电动机烧坏,十字联轴节损坏;刮板输送机减速器损坏;链条太松,两链张紧后长短不等卡死,耙爪卡死或圆锥齿轮损坏 (2)减速器内部损坏,摩擦离合器调整不当 (3)装载块度过大,装载过重,减速器内部损坏 (4)链条节距不等,主动链轮磨损严重;刮板链过松或过紧;链轮中卡住岩石	(1)检查电动机、联轴节、板输送机减速器及摩擦离合器;紧链至适当程度;检查耙爪 (2)检修内部,正确调整 (3)减少切割的进给量;检修内部 (4)拆检修复,更换链轮,正确调整张力
行走部	(1)驱动链轮不动 (2)履带速度过低 (3)驱动链轮转动而履带跳键 (4)履带链折断	(1)液压系统故障,液压马达损坏,减速器损坏 (2)液压系统流量不足 (3)链条过松 (4)履带板或销轴损坏	(1)检查液压系统,液压马达,检查减速器内部 (2)检查液压箱油位 (3)调整液压张紧液压缸,以得到合适的张紧力 (4)更换履带板或销轴

续表 10-3

故障部位		故障现象	故障原因	处理方法
液压系统	系统	系统流量不足或系统压力不足	液压泵内部零件磨损严重，液压泵效能下降，溢流阀工作不良；油位过低，油温过高；吸油过滤器或油管堵塞	检查泵的性能，更换损坏零件，调整溢流阀；油箱加油，检查油温过高原因并相应处理；更换过滤器，清理油管
		(1)系统温升过高，油箱发热 (2)各执行机构爬行 (3)截割部铲板下降过快并振动，或下降过慢	(1)冷却供水不足；油箱内油量不足，油污染严重，有关溢流阀调整值过高；液压泵有故障 (2)有关部位润滑不良，摩擦阻力增大；液压泵吸空，系统吸入空气；压力脉动较大或系统压力过低，不足以克服外阻力；吸油口密封不严或油箱排气孔堵塞 (3)单向节流阀调整不当	(1)检查冷却器；油箱加油或换油；调整有关溢流阀；检查液压泵内部并更换有关零件 (2)改变润滑情况，清除脏物；检查油箱油位并补加油液；检查溢流阀并调整压力值；排除系统内空气并更换密封件 (3)调整单向节流阀
	液压泵	(1)液压泵吸不上油或流量不足 (2)泵压力上不去 (3)产生噪音	(1)油的粘度过高，液压泵旋转方向不对；吸油管法兰密封圈损坏，吸油滤油器堵塞 (2)溢流阀调定压力不符合要求；压力表损坏或堵塞；液压泵损坏；溢流阀故障 (3)吸油管及吸油滤油器堵塞；油粘度过高；吸油管吸入空气；电动机、齿轮箱、液压泵安装不当	(1)更换同牌号的油液；改变液压泵旋向；更换吸油管、密封圈；清洗或更换吸油滤油器滤网 (2)调整溢流阀压力；更换或清洗压力表；检修液压泵；清洗检修溢流阀 (3)清洗吸油管及吸油滤油器，使吸油畅通；更换吸油管密封圈；更换液压油；调整电动机、齿轮箱、液压泵的安装位置
	溢流阀	压力上不去或达不到规定值	调整弹簧失效；锁紧螺母松动；密封圈损坏；阀内阻尼孔有污物	更换调压弹簧；拧紧锁紧螺母；更换密封圈；清洗有关零件

液压系统	多路换向阀	(1)滑阀不能复位;定位装置不能复位 (2)外泄漏 (3)滑阀在中立位置时工作机构明显下降 (4)执行机构速度过低或压力上不去	(1)复位、定位弹簧失效;阀体与阀杆间隙内有污物;阀杆生锈;阀上操纵机构不灵活;联接螺栓拧得太紧,使阀体产生变形 (2)阀体两端O型密封圈损坏;各阀体接触面间O型密封圈损坏;联接各阀片的螺栓松动 (3)阀体与滑阀间磨损间隙增大;滑阀位置不对中,锥形阀处磨损或被污物堵住 (4)各阀间的泄漏大;滑阀行程不对;安全阀泄漏大或补油阀未复位	(1)更换定位、复位弹簧;清洗阀体内部;调整阀上操纵机构;重新拧紧联接螺栓 (2)更换O型密封圈;拧紧螺栓 (3)修复或更换阀芯;使滑阀位置保持中立;更换锥形阀或清除污物 (4)拧紧联接螺栓或更换密封件,检查安全阀
	油箱	(1)发热 (2)滤油器滤油不畅	(1)溢流阀长时溢流;油量不足 (2)油液污染严重,使用时间过长	(1)检查溢流阀是否失灵,加油 (2)更换相同牌号的液压油;清洗或更换滤芯

第二部分　专业核心知识点

专业核心知识点包括以下内容

1.AM-50型掘进机的组成及工作原理。

2.EBZ150型掘进机的组成及工作原理。

第三部分　专业技能训练

技能一:掘进机的操作顺序

(1)检查掘进机电气、水路、液压系统等均处于正常状态。

(2)按电控说明程序送电。

(3)闭合电气箱上的隔离开关,旋转主令箱开关至"工作"位置,"操作"指示灯亮。

(4)检查各液压阀和供水阀的操作手柄,均必须置于中间位置。

(5)旋转控制箱上液压泵电动机开关,使其置于"接通"位置,接通后松手,此时警铃报警,5s后液压泵电动机启动。

(6)接通总进水球阀及内喷雾开关阀,此时外喷雾工作,内喷雾待工作。

(7)旋转控制箱上截割电动机开关,使其置于"接通"位置,此时内喷雾立即喷雾,同时警铃报警,5s后截割电动机启动,启动后方可松手。

(8)旋转控制箱上装运电动机开关,使其置于"接通"位置,装载机立即启动,3s后装运电机启动,启动后方可松手。

(9)操纵截割头升降、回转,铲扳升降、支撑液压缸的手柄,各执行机构应有相应的动作。

(10)停机顺序为:截割电机,外喷雾总进水阀,后支撑液压缸复位,装运电机,液压泵电机,各操作手柄置于中间位置,断电。

技能二:掘进机的维护

(1)定期清除各处的污垢、锈斑,并在各隔爆面及磁路系统接触面涂上薄薄一层防锈油脂。隔爆面如有损伤,须严格按照修补规定进行修补。

(2)定期检查箱体外壳有无损坏,电缆进出线装置是否牢靠。

(3)定期检查各开关手柄、按钮是否灵活、可靠,动静触头是否良好,按触器等电气是否正常。

(4)严格按照润滑图表的要求对各润滑部位润滑或更换油脂。

(5)检查油箱油位、各减速器的油位油量,及时补充,并检查各减速器有无异常振动、噪音和温升等现象。

(6)检查液压系统及内、外喷雾冷却系统工作压力是否正常。

(7)检查液压泵、水泵、液压马达、管路等有无异常噪音、温升和泄漏。

(8)检查截齿是否损坏,齿座有无脱焊,喷嘴是否堵塞等,发现问题及时更换或疏通。

(9)检查重要联接部位的螺栓是否松动。

(10)检查输送机刮板链的松紧程度。

(11)检查行走履带液压自动张紧液压缸的动作是否正常,防止履带脱链。

(12)对电气系统定期检修,10天一个周期。主要工作有:打开各腔及接线腔门,检查有无线头松动和螺丝松动现象,如有应及时处理,对各种操作均要试运转,看有无异常现象。

(13)出现故障时,可依据显示排除故障,严禁电控箱故障工作。

技能三:掘进机常见故障原因分析与处理

掘进机常见故障发生部位有:截割部、装运部、行走部、液压系统、供水系统等。要求学生充分掌握掘进机的常见故障部位、故障现象、可能的原因,并能够对故障原因进行准确分析,然后做出相应的处理,排除故障。

掘进机产生故障的部位、现象、故障原因及处理方法前面章节已详细叙述,在此不再重复。

复习题

1.掘进机主要由哪些部分组成?各部分的作用是什么?

2.掘进机日常维护有什么内容?为什么?

3.掘进机截割部采用横轴式和纵轴式时,各有什么特点?

4.AM-50型掘进机的主要参数是什么?

5.EBZ-150型掘进机的主要参数是什么?

6.AM-50掘进机与EBZ-150型掘进机的区别是什么?

讨论题

1.AM-50掘进机与EBZ-150型掘进机分别用于什么样的工作环境?

2.掘进机操作中应注意哪些事项?

3.掘进机一个工作循环有哪些动作?分别由什么机构来完成?

参考文献

1. 周恩涛,徐学新. 液压系统设计元件选型手册. 北京:机械工业出版社,2007

2. 王裕清,韩成石. 液压传动与控制技术. 北京:煤炭工业出版社,1997

3. 王建明. 液压支架与泵站维修工艺与技能. 北京:中国劳动社会保障出版社,2008

4. 赵应越,史维祥. 液压马达. 上海:上海交通大学出版社,2000

5. 贾培起. 液压缸. 北京:北京科学技术出版社,1987

6. 上海煤矿机械研究所编. 液压泵和液压马达. 北京:煤炭工业出版社,1976

7. 任连贵. 乳化液泵站工. 徐州:中国矿业大学出版社,2008

8. 赵宏珠. 综采面矿压与液压支架设计. 北京:中国矿业大学出版社,1987

9. 赵应越,史维祥. 常用液压缸与其维修. 上海:上海交通大学出版社,1996

10. 雷天觉,杨尔庄,李寿刚. 新编液压工程手册. 北京:北京理工大学出版社,1998

11. 王启广等. 液压传动. 徐州:中国矿业大学出版社,2006

12. 程居山等. 矿山机械. 徐州:中国矿业大学出版社,2004

13. 朱真才等. 采掘机械与液压传动. 徐州:中国矿业大学出版社,2006

14. 王寅仓等. 采掘机械. 北京:煤炭工业出版社,2005

15. 张平格. 采掘机械与液压传动. 北京:冶金工业出版社,2009

16. 方桂花. 液压传动与控制. 北京:地震出版社,2002

17. 石熙年,万柏群. 液压传动. 徐州:中国矿业大学出版社,2002

18. 于文景,李富群. 现代化煤矿机械设备安装调试、运行检测、故障诊断、维修保养与标准规范全书. 吉林:吉林科技出版社,2003

19. 谢锡纯,李晓豁. 矿山机械与设备. 徐州:中国矿业大学出版社,2000

20. 田勇,高长银. 液压与气压传动技术及应用. 北京:电子工业出版社,2011

21. 贾铭新. 液压传动与控制. 国防工业出版社,2010